U0924748

百 年 南 开
日本研究文库

日本儒学史论

王家骅 著
王起 秦莲星 万丽莉 费清波 译

江苏人民出版社

图书在版编目(CIP)数据

日本儒学史论 / 王家骅著. —南京 ：江苏人民出版社，2019.7(2020.4 重印)
(百年南开日本研究文库)
ISBN 978-7-214-23281-6

Ⅰ.①日… Ⅱ.①王… Ⅲ.①儒学—思想史—研究—日本 Ⅳ.①B313

中国版本图书馆 CIP 数据核字(2019)第 043181 号

书　　名	日本儒学史论
著　　者	王家骅
译　　者	王　起　秦莲星　万丽莉　费清波
特约编辑	康海源
责任编辑	史雪莲
装帧设计	刘葶葶
责任监制	陈晓明
出版发行	江苏人民出版社
出版社地址	南京市湖南路 1 号 A 楼，邮编：210009
出版社网址	http://www.jspph.com
照　　排	江苏凤凰制版有限公司
印　　刷	江苏凤凰数码印务有限公司
开　　本	652 毫米×960 毫米　1/16
印　　张	33.25 插页 4
字　　数	440 千字
版　　次	2019 年 8 月第 1 版　2020 年 4 月第 2 次印刷
标准书号	ISBN 978-7-214-23281-6
定　　价	118.00 元

“百年南开日本研究文库”编辑委员会

“百年南开日本研究文库”出版说明

2019年南开大学建校百年校庆，作为中国教育史上的大事，当然是值得纪念的。

如何使纪念百年南开的活动具有历史意义？我们很早就开始谋划和筹备。早在2015年春节期间，南开大学日本研究院原院长、教育部人文社会科学重点研究基地南开大学世界近现代史研究中心主任杨栋梁教授，向江苏人民出版社王保顶副总编提起，想以集体展示日本研究院研究成果的形式来纪念南开百年校庆。这一提议得到了保顶同志的大力支持，也得到了研究院各位同事的积极响应。后来经过商讨，编委会一致同意以“百年南开日本研究文库”作为南开日本研究者纪念百年校庆丛书的名称，本文库由江苏人民出版社和南开大学出版社分别出版。与百年校庆相适应，“百年南开日本研究文库”也应该是百年来南开日本研究业绩的展现。为此，编委会确定本文库由以下几个方面的成果构成。

第一，从南开大学创立到抗日战争胜利时期南开的日本研究成果。刘岳兵教授搜集相关文稿四十余万字，编成了《南开日本研究（1919—1945）》。这是一本专题性的南开大学校史资料集，对于研究和总结包括南开大学在内的这一时段中国日本研究的状况和特点，具有重要的史料价值。

第二，新中国建立以来，南开大学成立的实体日本研究机构研究者的成果。实体研究机构包括1964年成立的日本史研究室、2000年实体化的日本研究中心和2003年成立的日本研究院。

第三，1988年组建的南开大学日本研究中心，是以日本史研究室成员为核心，联合校内其他系所相关日本研究者成立的综合研究日本历史、经济、社会、文化、哲学、语言、文学的学术机构。在百年南开日本研究的历史发展中，日本研究中心具有重要的意义。本文库也包括该中心成员的成果。

今后，如果条件成熟，还可以将日本研究院的客座教授和毕业生的优秀成果也纳入这个文库中，希望将本文库建设成为一个开放的、能够充分且全面反映南开日本研究水平的成果展示平台。

在中国百年来的日本研究中，南开占有重要的一席之地。历史的发展和南开的先贤告示我们：日本研究对于中国的发展至关重要。中日关系值得我们认真思考，其经验教训值得认真总结。百年来，南开大学的日本研究者孜孜以求，探寻日本及中日关系的真相，取得了一定的成绩。吴廷璆先生主编的《日本史》(南开大学出版社1994年)，是南开大学与辽宁大学两校日本研究者倾注近20年心血合力打造出来的。杨栋梁教授主编的十卷本"日本现代化历程研究丛书"(世界知识出版社2010年)及六卷本《近代以来日本的中国观》(江苏人民出版社2012年)，也几乎是倾日本研究院全院之力而得到了学界认可的标志性研究成果。另外，在日本国际交流基金的资助下，南开大学日本研究中心从1995年开始由天津人民出版社出版的"南开日本研究丛书"，展现了中心成员在日本研究各具体专题上的业绩，产生了积极的社会影响。这些成果都是南开日本研究者集体智慧的结晶。

"百年南开日本研究文库"是南开大学日本研究院和南开大学世界近现代史研究中心相关学术成果的集体展示。我们相信，本文库将成为南开大学日本研究和南开大学世界史学科“双一流”建设的又一项标志性成果，她将承载南开精神、贯穿南开日本研究学脉，承前启后，为客观地了解日本、促进中日关系健康发展做出新的贡献；我们也想以此为实现“发展同各国的外交关系和经济、文化交流，推动构建人类命运共同体”的理想，培养全民族的国际视野和情怀，提高广大人民群众的世界历史知识和认识水平，尽我们的一份绵薄之力。

“百年南开日本研究文库”编辑委员会

2019年3月19日

目　录

上篇　中日儒学之比较

绪言

最初得知在本丛书中要负责的写作课题是“中日儒学之比较”时，我心情非常复杂。在跃跃欲试的同时，又深感能力不足。当时之所以跃跃欲试，是因为之前就一直对这个课题感兴趣，且认为这个课题很有意义。

依笔者拙见，研究这个课题的第一个意义在于，能够为剖析中日两国近代化走向殊途的思想要因提供一把重要的钥匙。我的专业本来是中国思想史。“日本通过明治维新成功转型为东洋最早且唯一的近代国家。与此相反，中国则沦为半殖民地化国家。其原因是什么呢？”随着日本自 1960 年代起实现经济高度增长，这一问题逐渐引起了我的兴趣。以此为契机，我的研究领域转到了日本史。下面简单介绍下转变的经过。

导致中日两国近代化殊途的因素自然是多方面的。在拙文《试论近代中国和日本走上不同道路的内部历史原因》(《日本史论文集》，辽宁人民出版社，1985)中，我称其为“合成力”。这篇文章与当时其他中国学者的研究一样，主要也是从中日两国社会、经济、政治构造以及国际环境的差异等角度出发，其中同样存在忽视两国近代化的前提之一——思想背景这一缺陷。我在之后发表的《幕末日本人西洋观的变迁》(《历史研究》，1980 年第 6 期)一文中，又尝试从近世日本洋学的接受与传播的角度分析这一思想背景，但结论尚缺乏说服力。为弥补此不足，我最后把视点转向两国儒学。当时，我是这样想的："在中国前近代社会，儒学尤其是朱子学作为官学被长期采用。中国学界普遍认为中国儒学阻碍了近代化的步伐。但日本也是属于东亚儒学文化圈的国家，与佛教并行的儒学是对前近代日本影响最深的外来思想，江户时代更是日本儒学的全盛时期。那么，日本儒学的内涵和社会机能是什么样的呢？中日两国儒学的同异在哪里？两国儒学的内涵及社会机能的差别与两国近代化的殊途有何关联？探究致使中日两国近代化走向殊途的因素，单单从儒学中得出结论固然不对，但对两国儒学进行比较研究无疑是一项必备的程序。"为此，我开始了中日两国儒学的比较研究。

研究此课题的第二个意义是，可以为比较中日两国文化提供重要的线索。近年来，中国学界迎来了文化研究的热潮。随着"四个现代化"政策的推进，中国面对现代与传统的激烈纠葛，必须对以儒学为代表的传统文化进行重新定位。这一热潮的形成便与此背景相关。不过，如果仅仅把视野局限于中国文化，事实上并不可能正确认识和定位中国文化的原型，与映照自己的镜子——他者进行比较也很有必要。异质的西洋文化以及同样属于东亚儒学文化圈的日本文化都是可以进行比较的对象。中日儒学的比较研究，可以为我们比较中日文化提供很好的线索。

之所以这样说，首先是因为儒学的形成和发展并非仅为中国一国的现象，其存在和影响广及日本、朝鲜、越南，是一种国际现象。如果不知道儒学思想是如何被日本人吸收和发展的，以及在日本社会的发展和日本人的现实生活中产生了何种影响，就无法全面认识和定位儒学以及以儒学为核心的中国传统文化。

其次是因为可以通过研究日本人如何摄取中国儒学来理解日本文化。日本人是依其固有日本文化自主地吸收外来文化的，通过考察作为外来文化之儒学如何被有选择地吸收或被排拒而变形的过程，可以掌握吸收和改变的主体，即日本文化的特色。基于以上认识，我决定挑战这一课题。

当时我之所以感到力有未逮，是因为在挑战此课题时，眼前横亘着各种各样的不利条件。第一，中国学界对此问题的研究积累尚很薄弱。在20世纪50—60年代，除了已故学者朱谦之的《日本的朱子学》（1958）、《日本的古学及阳明学》（1962）、《日本哲学史》（1964）和其相关论文外，中国学界对日本儒学的研究近乎空白。1979年后，中国的日本史研究、日本思想史研究虽逐渐发展起来，但日本儒学史专业的学者依然很少，不足10位。中国学者对中日儒学的比较研究尚不成熟，写作时可供参考的中国方面研究非常有限。这样，在面对写作中遇到的不少难题时，就不得不从原始史料入手。此外，执笔"中日儒学之比较"这样的大课题，必须要精通作为比较对象的中日两国儒学的历史，仅就少数儒学者的思想进行比较，尚不能说是关于两国儒学的比较研究。因此，我深感能力有限。尽管如此，我仍决意挑战，因为日本学者关于此课题的研究积蓄比较丰厚，可供我写作时参考，而且我本人多少也算有些研究成果。我打算吸收多数日本学者和部分中国学者的研究成果，并把自己的研究成果和认识表达出来。当然，日本学者的研究成果固然对我有很大启发，但有些地方也无法认同。这种时候，我会很直率地将自己的认识表述出来。在此，衷心希望相关学者能够谅解。

第二，原始史料与参考文献不足。我从1983年4月到1984年3月在日本短暂居住，搜集了不少日本儒学相关的原始史料和参考文献，但这些对于本书的写作远远不够。在写作时，虽然知道某原始史料或某位学者研究著作的存在，但经常会遇到无法直接阅读到的情况。在中国的图书馆也不是说完全找不到那些资料，但想必会异常困难。

第三，外语能力的制约。虽然勉强用日语写了本书，但我的外语能力并没有达到自如使用日语、完整表达自己思想的水平。本书主要是分析和论述，相比记述事实的书，表达明确无疑更重要。但由于外语能力的制约，书中肯定存在意思含糊、不得已借用日本学者的话或汉语式日语表述的地方。

第四，写作时间的限制。由于规定的写作期限只有一年半，因此写作就成了无论如何也要赶上期限的工作。时间如期而至，在不得已提交本书之时，我就像提交答案的考生一样，既松了一口气，又存在诸般遗憾。在此，衷心期望学界诸先生和日本同志对拙著提出意见和批评。

1986 年 3 月

王家骅　识

序章

第一节 “儒学”抑或“儒教”

中国的论争

图 1 孔子像 程宗宪画

“儒学”或“儒教”的问题，并不是单纯的用语区别，实际上是一个围绕着以孔子为首的儒家是否渐变为作为宗教的儒教的问题。自 1980 年起，中国一些学者就此问题进行过论争。认为儒家渐变为宗教的学者称儒家为“儒教”，持相反意见的学者则称儒家为“儒学”。下面简单介绍下论争者中的主要观点。

任继愈著《论儒教的形成》《儒教的再评价》《儒家和儒教》，①其认识

① 任继愈:《论儒教的形成》,《中国社会科学》,1980 年第 1 期。同氏著:《儒教的再评价》,《社会科学战线》,1982 年第 2 期。同氏著:《儒家和儒教》,收入于《中国哲学》(第三辑),三联书店,1980 年。

如下：

1. 孔子创立的儒家学说是继承了殷周时期的天命神学和祖先崇拜的宗教思想而发展起来的，因此儒家本身具有发展为宗教的可能。不过，先秦时代的儒家学说并不带有宗教性质。此后，孔子的学说经历了两次大的改造。第一次改造在汉代，产生了董仲舒的神学目的论，儒家已具有宗教的雏形；第二次改造在宋代，诞生了儒、道、佛三教合一的宋明理学，这是儒教的完成。宋明理学以儒家的封建伦理、三纲五常的名教为中心，吸收了佛教和道教的一些宗教修行方法，加上烦琐的思辨形式的论证，形成了一个体系严密、规模宏大的宗教神学结构。它既是宗教又是哲学，既是政治准则又是道德规范。这四者的结合，完整地构成了中国中世纪经院神学的基本要素。

2. 儒教与佛教、基督教及伊斯兰教相同，有自己的教主、教义、经典、教派、教会组织、神职者乃至异端。儒教的教主为孔子，教义和崇拜的对象为“天地君亲师”，经典为“六经”，教派及传法世系是儒家的道统论，宗教组织是中央的国学和地方的州学、府学、县学，神职者是学官，异端是宋代的陈亮，明代的王廷相，清代的王夫之、颜元、戴震等。而且，中世经院神学所带有的落后宗教内容，如禁欲主义、蒙昧主义、侧重内省的宗教修养方法、敌视科学和生产等因素，儒教应有尽有。

3. 儒教是在中国封建社会形成的一种宗教，它既具备中世纪世界一般宗教的共性，也有自身独特的个性。是否信仰具备意志的人格神，是否进行祈祷、供养，并非判定宗教与否的基准。把宗法制思想宗教化，奉“三纲五常”为天经地义，是中国儒教的特征。二程、朱熹把天、天命、上帝等神学概念一律解释为“理”，将其作为哲学概念进行宣传，貌似从神学的外貌中脱离，但实际上仍然是一种带有深远意义的神学。儒教虽然不如佛教那样频繁地论述人的生死，但其“奉天法祖”本身不外乎是一种宗教观念。儒教不主张出家，侧重现实的人伦、日用之常，虽然带有非常强的世俗性，但宗教世俗化也是中世其他宗教所表现出的一般趋势。儒教经常以反宗教的姿态出现，并且猛烈抨击佛教和道教，因此有些史学家误认为中国没有经历欧洲中世纪那样黑暗的神学统治时期，原因是得力于儒教。这种误解一是只看到了西方中世纪宗教形式与中国儒教的区别，而忽视了儒教的宗教性实质和特征；二是只看到儒教具有丰富的哲学思辨内容，而忽视了其宗教思想核心。

崔大华的《“儒教”辨》①和何克让的《儒教质疑》②等，反对任继愈的观点并指摘如下：

1. 孔子的学说并非继承殷周的宗教思想发展而来，而是继承西周的伦理道德思想形成的。儒学从先秦儒家到宋明理学的发展，主要是儒家通过绵绵不绝地赋予其所主张的伦理道德的根源和修养方法以新的论证的过程，而并非儒教“造神运动”完成的过程。董仲舒始用“三纲五常”来概括儒家的伦理道德思想，并吸收了能够解释自然和社会现象的阴阳五行思想，论证“三纲五常”乃天经地义。宋明理学虽然受到佛教、道教或道家思想的影响，但理论核心依然是儒家传统的伦理道德思想。其基本命题是论证儒教伦理道德的最后根源、阐明完成儒家道德修养的方法和途径。

2. 宗教的本质特征、属性首先是“神”的观念，并非是否存在禁欲主义、蒙昧主义、原罪观念等思想特征。宋明理学是不具有人格神观念的伦理哲学体系，其“格物穷理”的主张是反对蒙昧主义的。其主张“灭人欲”是为了“存天理”，与宗教的禁欲主义不同。关于宗教的另一个本质特征、属性——“彼岸”观念，宋明理学不仅欠缺，而且是反对的。孔子的“圣人”地位，“五经”的经典地位，并不能说成是作为宗教的儒教的外部特征，因为它们的地位在汉代之前已经确立。《孟子》的“孔子，圣之时者也”和汉武帝的“独尊儒术”，即是其明证。这些例证并非儒学作为宗教的“外部特征”，而是作为政治伦理学说之一的儒学与国家政权结合，取得独占或独尊地位的标志。从认识论的视点看，哲学的观念论虽然和宗

① 崔大华：《“儒教”辨》，《哲学研究》，1982 年第 6 期。

② 李国权、何克让：《儒教质疑》，《哲学研究》，1981 年第 7 期。

教存在共通性，但哲学的观念论不等同于宗教。

其他中国学者对此论争虽未积极发言，但几乎都不认可儒家变迁成为宗教。例如，冯友兰在《中国哲学简史》中说："事实上，每种大宗教就是一种哲学加上一定的上层建筑，包括迷信、教条、仪式和组织。这就是我们所说的宗教。……若照这种含义理解，就不能认为儒家是宗教。"①

范文澜在《中国通史》（第二册）中这样认为："不论儒学如何吸收佛教哲学，但对生死问题，在说经时依然保持'未知生，焉知死'或神灭论的儒家面目，所以儒学始终不曾宗教化。"②

张岱年在《论宋明理学的基本性质》中说："理学不信仰有意志的上帝，不信灵魂不死，不信三世报应，没有宗教仪式，更不作祈祷，所以理学不是宗教。"③

李泽厚在《中国古代思想史论》中说："儒学既不是宗教，又能代替宗教的功能，扮演准宗教的角色，这在世界文化史上是较为罕见的。"④

总之，在中国学界，任继愈那样的观点是少数派。中国学者不大使用"儒教"的用语。

日本的情况

依笔者管见，日本学界并没有关于"儒学"或"儒教"问题的论争。日本学者对以孔子为开创者的学问和思想的称呼是多种多样的。有使用"儒家"的学者，有使用"儒学"的学者，也有使用"儒教"的学者，还有一些学者将"儒学"与"儒教" 混用。使用"儒家"或"儒学"的学者，恐怕并不认为其是宗教。即便是使用"儒教"的学者，也不一定以"儒教"为宗教。其"教"字的含义，指的应该是"教说"或"教训"。例如，津田左右吉经常使用"儒教"这一用语，但正如其所指出的那样："传入日本的支那思想中最

---

① 冯友兰：《中国哲学简史》，北京大学出版社，1985 年，第 5 页。

② 范文澜：《中国通史》（第二册），人民出版社，1978 年，第 548 页。

③ 张岱年：《论宋明理学的基本性质》，《哲学研究》，1981 年第 9 期。

④ 李泽厚：《中国古代思想史论》，人民出版社，1985 年，第 21 页。

图 2　津田左右吉

重要的儒家学说，是道德及政治之教……而且既然为教，是实践的。"[①]对他而言，"教"的含义并非宗教，而是"儒家的教说"[②]。津田左右吉更明确指出："支那思想是非宗教的。道德是人的道德，与神无关。世界的道德秩序在现实人生中才能保存，这是支那思想的特色。"[③]此外，相良亨在定义"儒教运动"时说："我把'儒教运动'这个词理解为以遵奉支那圣贤，并通过理解其教化来追求人类的生活方式及应有状态的思想运动。"[④]这里"教"的含义为教化（教え），"儒教运动"并非宗教运动，而是思想运动。不过，津田左右吉也承认儒教的宗教色彩，他说："儒教本身亦具有一种宗教色彩，本来是人的圣人几乎被所有人视为神，以宗教的礼仪来祭祀，对其经典也是信仰式的崇拜。"[⑤]有学者认为，在经书与人的关系中，能看出儒教的宗教性。[⑥] 就笔者所知，日本学者虽然承认中国的"儒教"带有一定的"宗教色彩"或"宗教性"，但好像没有人说"儒教"是一种宗教。

关于传入日本后被日本化的"儒教"，一部分日本学者明确指出它仅止步于儒学，并没能成为儒教。如源了圆认为："避免吸收儒礼的日本儒教，正确的叫法或许是儒学。"[⑦]加地伸行的论述更为具体："我认为，日本儒学没能成为儒教而仅仅止步于儒学的一个很大的原因是丧礼问题。

① 津田左右吉：『シナ思想と日本』，岩波書店，1938 年，第 39 頁。

② 同上，第 15 頁。

③ 同上，第 10 頁。

④ 相良亨：『近世における儒教運動の系譜』，理想社，1975 年，第 5 頁。

⑤ 津田左右吉：『シナ思想と日本』，第 12 頁。

⑥ 今中寛司：「古学派」，收入于古川哲史、石田一良編：『日本思想史講座第 4 巻　近世の思想 1』，雄山閣，1976 年，第 89 頁。

⑦ 源了圆：『近世初期実学思想の研究』，創文社，1980 年，第 5 頁。

日本儒学只有承担丧礼的职责，才能像中国的儒教那样——包括宗教和哲学——扎根于众人之中。但是，日本的丧礼早在镰仓初期（或从平安时期开始）就开始成为佛教的工作。……欠缺丧礼的儒教，自然成为缺少宗教性的儒学，即知识和道德的理论。”①

中国的多数学者不使用“儒教”这一用语，日本的多数学者也不认为“儒教”是宗教。因此，本书采用“儒学”这一称谓。

第二节　中国儒学发展的诸阶段

原始儒学

原始儒学即中国春秋战国时代儒家的学问，是以孔子（公元前551—前479）为创始人的学派。不过，在孔子以前，已经有被称为“儒”的人。“儒”从事教育和“相礼”（即礼仪的主持者）。世所公认，孔子学派发源于此，因此称为儒家。

图3　孔庙圣迹殿碑刻画“先师孔子行教像”（山东省曲阜市）

孔子虽然参与政治活动，成果却并不可观。孔子的贡献主要在以下三个方面。(1)在“学在官府”这一局面逐渐衰落形势下，孔子私人授徒，传说门人有三千之多。(2)整理后来成为儒家经典的“六经”，即《诗》《书》《礼》《易》《乐》《春秋》。(3)其虽言“述而不作”，实际上提出了系统的理论。我们要认识孔子思想，作为孔子及其弟子之言行录的《论语》最为合适。

孔子思想的核心是“仁”。《论语》说仁处极多，达100处以上。不过，要说到“仁”的概念，却未必十分清楚。古往今来，很多学者尝试进行

① 加地伸行：「孝経啓蒙の諸問題」，收入于山井湧等校注：『日本思想大系 29　中江藤樹』，岩波書店，1980年，第425、426頁。

过各种解释，不过，“仁”的主要内容应该是“爱人”和“克己复礼为仁”（《颜渊篇》）。“爱人”是孔子“仁”思想的外面，表达原始的民主性和人道主义。“克己复礼为仁”体现出孔子试图通过追求内在人格的完善，维持崩坏中的尊卑长幼社会秩序的愿望。也就是说，孔子“仁”的思想，即主张尊重上下等级秩序，又强调人与人之间的团结、互助与和谐。

孔子的另一个重要思想是“礼”和“正名”。“礼”是政治制度和道德规范，也是具体的各种礼仪。孔子说：“不学礼，无以立”（《季氏篇》），主张人应该把礼作为立身的基础。如“吾从周”（《八佾篇》）所言，孔子要实行的“礼”基本上是周礼。孔子要把已经不合于当时实际情况的周礼作为政治的、社会的抑或是伦理性的规范，显示出保守的倾向。对孔子来说，实行“礼”的起点是“正名”。所谓“正名”，正如“君君、臣臣、父父、子子”（《为政篇》）所示，是经由每个人践行合于自己地位的职分而社会秩序得以正确维持的思想。这是后来中国“三纲五常”名教思想的前身。

图 4、5　孔子塑像及其匾额（山东省曲阜市孔庙大成殿内）

孔子在政治思想方面提出了“德治”思想。“为政以德”和“道之以德，齐之以礼”（《为政篇》）是其主张。他主张政治和道德合一，强调政治伦理化。

孔子对于现实世俗生活倾注了极大的关心，不太提及“天”或“性”（人之本性）。他说“君子有三畏，畏天命、畏大人、畏君子”（《季氏篇》），某种程度上继承了殷周的天命思想，但他又说：“天何言哉，四时行焉，百物生焉，天何言哉”(《阳货篇》),把天视为自然现象。关于鬼神和死生的问题,他说“敬鬼神而远之”(《雍也篇》)、“未知生、焉知死”(《先进篇》)。

图6　孔子墓(刻“大成至圣文宣王墓”)(山东省曲阜市孔林内)

孔子死后,儒家分为八派。其中,最主要的是孟子和荀子两派。

据说孟子(前 372—前 289)从学于孔子之孙子思的门人。孟子晚年和万章、公孙丑等弟子合作《孟子》七篇。他继承并发展了孔子思想中观念论的方面,被认为是儒学正统。孟子的观念论思想包含宇宙观中的“天命论”,认识论中的“先验论”,道德观中的“性善论”。孟子力主人人“性善”,其关于性善的论证有“所以为人皆有不忍人之心者,今人乍见孺子之入井,皆有怵惕恻隐之心。……无恻隐之心,非人也。无羞恶之心,非人也。无辞让之心,非人也。无是非之心,非人也。恻隐之心,仁之端也。羞恶之心,义之端也。辞让之心,礼之端也。是非之心,智之端也”(《公孙丑上篇》),即“四端”说。他以“性善”论为基础,继承发展了孔子的“仁”和“德治”,提出“仁政”思想,主张“以不忍人之心,行不忍人之政”(《公孙丑上篇》)。孟子更极力主张君主因人民而存在,失去了人民的支持就不是君主,即“民为贵,社稷次之,君为轻。是故得乎丘民而为天下”(《尽心下篇》)。这一主张和其天命思想相结合,就成了有德者王的“革命”论。

图7　孟子像

荀子也是战国末期的儒学者,同时还是先秦时代唯物论的集大成者。荀子否定传统的天人关系说,把天完全看作自然物,认为它和人类的行为生活毫无关系。此外,他还提出了“制天命而用之”(《天论篇》)的思想。在道德观方面,荀子与孟子的“性善”论相反,主张“性恶”论,有“今人之性,生而好利焉。顺是,故争夺生而辞让亡焉……用此观之,然则人之性恶明矣,其善其伪也"(《性恶篇》)之说。荀子以"性恶"论为基础,提出"礼治"思想。他认为人性是恶的,社会自然的状态就是生存竞争,而缓和这一状态的就是作为外部规范的"礼"。先王是能够制定礼的人。而且他还承认现在的王者或先王之后的诸代王者,即"后王"所指定的新礼,与先王之礼具有同等的尊严地位。此思想一经展开,就导出了把当时的权力者制定的法令作为绝对权威的法家思想。

图 8　荀子像

春秋战国时代,诸子百家百花齐放、名家辈出,思想界呈现百家争鸣的盛况。儒家(即原始儒学)与墨家作为"显学",具有很大的影响力。儒家通过与其他学派(墨、道、法)及自身内部的论争,丰富了自身的思想内容。

汉唐经学

儒家因秦始皇"焚书坑儒"遭到镇压,汉代以后又逐渐复活。前汉初期,适应汉王朝休养生息政策的"黄老之学"——经过改造的道家思想——虽然一时盛行,但到汉武帝时期,随着中央集权制的强化,以董仲舒的进言为契机,统治阶级以儒学为核心统一思想,学问思想界亦以儒学为尊。

汉代儒学亦称"经学"。"经学"就是对儒学经典(《诗》《书》《礼》《易》《乐》《春秋》)的注释和说明。汉代经学分为"今文"经学和"古文"经学。汉初,一些儒者以当时流行的"隶书"体经文传授门人,其经学被称为"今文"经学。与此相对,还有一些儒者把不太常用的、以古文字"篆书"写就的经文教授门人,被称为"古文"经学。两者之间的差异不仅在文字上,还有研究方法的不同。今文经学重在阐明"微言大义",含有哲学的内容。与其相反,古文经学则专意于对经文的章句训诂。前汉时代,今文经学受到统治者的重视，今文经学者被立为博士，古文经学仅为民间儒者传授。前汉今文经学的代表人物是董仲舒。

图 9　十二哲塑像群（山东省曲阜市孔庙大成殿内）

董仲舒（公元前 179—前 104）虽然主张罢黜诸子百家之学，以儒家思想为正统，但是其思想并非是对先秦儒家思想的原样复活。他继承先秦儒家的天命说，还吸取墨家的“天志”说、阴阳家的阴阳五行说、法家学说，形成了所谓天人感应、以神学目的论为中心的理论体系。他认为天是最高的主宰者，即“天者万物之祖也”（《春秋繁露・顺命》）。天具有意志，并凭借自己的意志通过阴阳五行化生万物。天之所以生人，是为了实现天的意志。人是天的缩影，人的形体、情感、道德、意识等乃是天的复制。因此，天与人是能够感应相合的。人类如果违反了天的意志，天就会降下灾异警告人类。董仲舒的天人感应说，后来发展为流行于西汉末至东汉的谶纬说。董仲舒还在认识论方面提出“名号”论，在人性论方面提出“性三品”说，在道德论方面提出“君为臣纲”“父为子纲”“夫为妇纲”的“三纲”说。董仲舒构建的新体系儒学，成为汉帝国大一统统治体制的强有力的理论支柱。

西汉末，王莽、刘歆出于政治斗争的需要提倡古文经学，开始设置古文经学博士。此后一直到东汉末，今文经学和古文经学之间纷争不断。

东汉末，古文经学者郑玄遍注古文经典，并把今文经学包摄于古文经学之中，创立了“郑学”。结果今文经学落败，郑学成为了魏晋时代经学界的主流。

不过，魏晋时代思想界最有势力的乃是以何晏、王弼、郭象、向秀等为代表的玄学。玄学即形而上学，以当时被称为“三玄”的《老子》《庄子》《易经》的形而上学内容为中心，旨在探究其中所含哲理。魏晋经学受到玄学的攻击。

南北朝时代，“南人约简，得其英华。北学深芜，穷其枝叶”（《隋书·儒林传叙》），南朝经学与北朝经学的学风并不相同。北朝经学仍保存东汉古文经学的学风，而南朝经学则多少摄取了魏晋玄学的养分。玄学化的南朝经学被认为是经学正统。

但是，从宏观上来讲，南北朝时代思想潮流的中心从玄学移向了佛教。隋唐时代，佛教思想已经占据思想界的支配地位，形成了佛教的黄金时代。不过，唐王朝的统治者并没有无视儒学。这是因为，儒学传统思想在政治体制、生活行为、日常观念层面仍然占据主导地位。孔颖达接受唐太宗的命令，编纂《五经正义》（《易》《诗》《书》《左传》《礼记》）180卷，统一了南朝和北朝的经学。《五经正义》是朝廷官方认定的经文注释书，明经科考试的答案必须遵从本书。《五经正义》对经注只是加以疏解，与汉代古文经学一脉相承。从思想上来看，这种毫无创新的做法是无法和当时活跃的佛教思想界相对抗的。

为对抗佛教，复兴儒学，唐代韩愈（768—824）与李翱（772—841）尝试建立新的思想体系。韩愈著《原道》《原性》及《原人》，抨击佛、道二教，给长久沉闷的儒学界吹来了一股新风。特别是李翱的《复性书》，吸收佛教哲理，在表面上运用《大学》《中庸》《易》等儒学经典的语言阐述人性论。李翱的复性说是宋儒精致的人性论的先驱。韩愈和李翱的思索虽然未必充分，但确实开启了儒学从训诂的汉唐经学发展为哲学的宋明理学的端绪。

宋明理学

图10　北宋都城开封盛景
（张择端《清明上河图》）

原始儒学和汉唐经学，都不具备能够与佛教哲学相对抗的哲学内容。要复兴已经失去生气很久的儒学，势必要使儒学哲学化。宋明理学即是哲学化的儒学。

宋明理学的特征是：第一，宋明理学的中心问题是"性与天道"的哲学命题，并议论政治、教育、道德、史学及宗教等各方面问题，与仅拘泥于古典字句解释的汉唐经学判然有别。第二，围绕"性与天道"的问题，通过运用以往儒者不常使用的理气、道器、心、性、情、命等概念，构筑宏大精密的理论体系，尤以"理"为最高范畴，这也是其被称为理学的原因。第三，宋明理学虽以儒家思想为根本，但还深入融合佛教、道家思想，在理论的深邃性、论证的精密性、思维的辩证法等方面都取得了长足发展。

宋明理学的主要流派是程朱理学和陆王心学。按照中国学界的一般认识，程朱理学是客观唯心论，陆王心学是主观唯心论。此外，以宋代张载和明代王廷相为代表的气本体论派，是宋明理学中的唯物论派。

北宋是理学的形成和初步发展时期。周敦颐、张载、程颢以及程颐是这一时期的代表性理学家。

图11　周敦颐

周敦颐（1017—1073），字茂叔，号濂溪，为理学开山。其主要论著《太极图说》吸收道家思想，以"无极而太极"作为思想核心，考察宇宙生成论和万物化生论，论述人类所居地位，从宇宙理法的角度探讨道德的根源。其《通书》最早使用理学最高范畴的概念"理"，阐述太极为"理"，"性"与"命"都是依附于"理"的存在。周敦颐的宇宙构成说、人性论以及道德论构成了宋明理学的基础。

张载(1020—1077),字子厚,世称横渠先生。他提出“太虚即气”的命题,以气作为宇宙的本体,发展了中国古代的“气”理论。他的气本体论,毫无疑问是唯物论的思想。不过,自张载死后,直至明代的罗钦顺、王廷相,气本体论思想一直没有获得充分发展。此外,张载在各方面对理学的形成都有贡献。例如,在人性论方面,他区别“天地之性”和“气质之性”,认为人类具有“气质之性”的同时,内面还有可以说是本性纯粹至善的“天地之性”,提出了“立天理”和“灭人欲”的理学命题;在认识论方面,他提出“穷神知化”和“穷理尽性”,此为程朱“格物致知”论的先驱。

理学体系大致是以周敦颐门人程颢和程颐为主导而形成。程颢(1032—1085),字伯淳,世称明道先生。其弟程颐(1033—1107),字正叔,称伊川先生。二人即二程。如程颢所言“吾学虽有所受,天理二字却是自家体贴出来”(《外书》卷十二),二程于理学最大的贡献是把“理”或“天理”作为宇宙的本源及理学的最高范畴。在认识论上,他们提出理学“格物致知”论,言“今日格一件,明日又格一件”,认为经过穷理的积累,自然会有脱然贯通之时。在人性论和道德论上,二程说“性即是理”(《遗书》卷十八),性是纯粹至善的,言“才有善不善”(《遗书》卷十九),“灭私欲即天理明”(《遗书》卷二十四),将理学的“灭私欲,存天理”理论予以系统化。二程重视四书(《大学》《中庸》《论语》《孟子》),把四书提升到与六经同等的地位。

图 12　程颢

图 13　程颐

图 14　张载

南宋时期，理学进一步发展，朱子学逐渐确立其统治地位。

北宋理学家的思想学说，因南宋中期朱熹(1130—1200)而大成。朱熹继承发展了二程学说，尤其是程颐(伊川)的思想。他可谓是中国封建社会后期最大的思想家。朱熹的思想即朱子学，第四章“日本的朱子学”会有详细论述。朱熹在世时，朱子学因“庆元党禁”一度遭到打压。宋理宗时期，因为真德秀(西山)和魏了翁(鹤山)的努力，朱子学的统治地位逐渐确立。

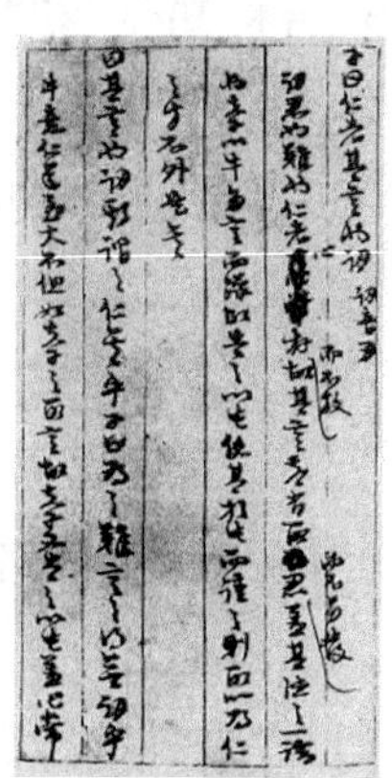

图 15、16　朱熹和《论语注》稿本

与朱熹同时代的陆九渊(象山，1139—1192)，提倡与朱熹迥异的心学，奠定了宋明理学心学派的基础。陆九渊心学的基本命题是“心即理”。他和程朱一样，都认为“塞宇宙，一理而已”(《全集》卷二十三)，但他又认为“理”并不客观，“心”才客观，即“此心，此理，实不为二”(《全集》卷三十四)。陆九渊认为宇宙即心即理即道，因此虽然他也说“明道”和“穷理”，但不过是识明自己的本心而已。陆九渊的思想后来成为明代阳明学的源泉。朱陆二人，屡屡往复书翰，也会过面，但意见始终不一致。朱陆主张的根本差异在于：

图 17　陆九渊

“理”到底是超越物质世界的在天之物，还是本来就内在于人心。

元代是朱子学扩展至北方的时期。延祐二年(1315)科举制恢复，朱熹对经典的注释书与古注经书并列，被指定为科举考试科目。朱子学官学地位的确立，就在这一时期。

明代初期是朱子学占据统治地位的时期。明朝朝廷依据朱熹《四书集注》及朱子学者的经书注释，编修了《四书大全》《五经大全》《性理大全》，并应用于科举，极为尊崇朱子学。不过，随着朱子学被应用到科举中，其弊害也开始显著，批判朱子学的风气开始产生，最终出现了阳明学。

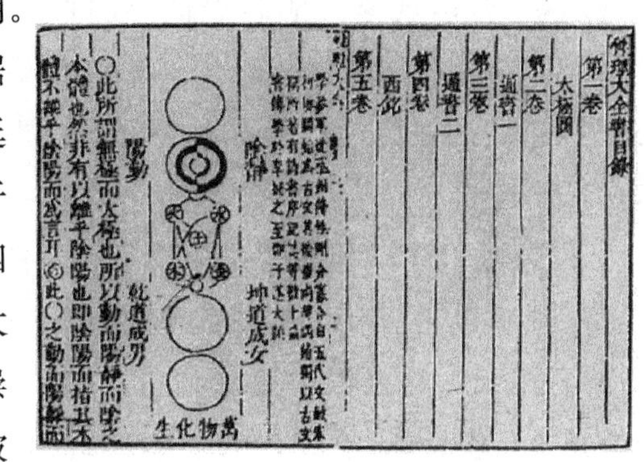
性理大全書目錄
第一卷
太極圖
第二卷
通書一
第三卷
通書二
第四卷
西銘
第五卷
陽動
陰靜
乾道成男
坤道成女
萬物化生

图 18　《性理大全》

明代中期是阳明学的形成和传播时期。关于阳明学的内容、展开和分化，第五章“日本的阳明学”会有详述。

清代考证学

清代儒学的主流是考证学，在清乾隆、嘉庆时期达到鼎盛。考证学是文献学的一种，它研究古典的校勘与批判、音韵、文字、训诂等，旨在阐明古代圣贤的教导、古代文化、历史上的制度与事实，是非常实证的学问。考证学批评宋明之学是独断的、空虚的学问，尊重汉代的经书注释学，故又称汉学。

初期考证学在明末清初已经形成，存在两种倾向：一个以“经世致用”为目的，一个则是为考证而考证。

以“经世致用”为目的的考证学，以顾炎武(1613—1682)、黄宗羲(1610—1695)、王夫之(1619—1692)等人的学问为代表。明末社会矛盾加剧，人心惶惶，后金(清朝的前身)的威胁愈来愈大。1644 年，李自成率领农民起义军占领北京，灭亡明朝。后金乘机派兵攻打李自成农民军，进入北京，建立清朝。面对这一令人绝望的时局，一些士大夫和学者必然要深刻反省导致中国陷入如此状态的决定性因素。结果，他们认为宋明性理学是无益于现实的学问，关注的重心自然也就转向社会的诸事物、诸现象。他们提倡“经世致用”之学，即对治世有帮助的学问。归根结底，顾、黄、王学问的最重要内容是：反对心、性、理之空论，提倡“经世致用”；抨击君主专制，提倡重民思想；反对封建道德，鼓吹个性解放。

不过，他们也没能忽视作为读书以及古典研究方法的考证学。他们攻击宋明理学独断式的经书解释，尝试从语音、字义的角度出发正确理解古典，解明古典的根本道理和历史事实。在很多著作中，他们利用大量资料进行实证归纳来导出结论，体现出考证学的手法。在此意义上，顾、黄、王的考证学可谓清代考证学的源流之一。但是，这些只是他们学问的附属内容，不过是他们探索“经世致用”之学的手段。

图 19 《四库全书》

稍晚于顾、黄、王的阎若璩（1636—1704）、胡渭（1633—1714）、毛奇龄（1623—1716）等，是清初为考证而考证的考证学代表人物。阎若璩的《尚书古文疏证》、胡渭的《易图明辩》、毛奇龄的《四书改错》，是早期考证学的代表作。与乾嘉时代的考证学相比，顾、黄、王及阎、胡、毛的考证学虽然不算精密，但已表明儒学的发展大势已开始由宋明理学转向考证学。

顾、黄、王的“经世致用”之学最后销声匿迹，仅考证学获得发展。其中很大的一个原因是清朝政策。清政府一方面通过文字狱、禁书等镇压政策，严令取缔民族意识和经世致用思想，一方面又大加奖励不妨碍其统治的学问，如《四库全书》的纂修、文献考证的学问。乾隆、嘉庆年间(18世纪后半至19世纪初)，与政治绝缘的考证学达到全盛时期。

图 20、21　文渊阁和文澜阁　《四库全书》最初抄录四部，放于文渊阁，后又抄三部，放于文澜阁，以供学者阅览(左为文渊阁)

全盛期的考证学，包括以惠栋(1697—1758)为代表的吴派和以戴震(1723—1777)为代表的皖派。吴派以"博学好古"为宗旨，主要从事散佚古书的复原。皖派以"实事求是""无征不信"为宗旨，重在考证名物典章制度。随着考证学的隆盛，考证学者中名家辈出，对所有古典的详细研究也不断开展，考证学研究成果不计其数。在乾嘉时代的考证学者中，除个别人物(如戴震)外，几乎都埋头于与政治、哲学无关的文献考证。因此，他们的学问存在很大的局限。不过，他们的考证学成果，今天仍然对我们的古典研究发挥影响。

考证学虽然是清代儒学的主流，但朱子学也完全没有消淡。清代官学依然是朱子学，朱熹的《四书集注》依然被作为科举教科书使用。不管是考证学者或一般士子，仍然尊奉朱子学为规范日常行为和道德的教则。

经过乾嘉时代的全盛期后，考证学分化成今文学派和古文学派。尤其是鸦片战争后，两派的论争愈加激烈。今文学即公羊学派，以庄存与(1719—1788)为先驱，经龚自珍(1792—1841)、魏源(1794—1857)，又与清末康有为(1858—1927)、梁启超(1873—1929)及谭嗣同(1865—1898)所领导的变法相联系。例如，康有为在《新学伪经考》中，认为所有古文经书均为刘歆伪作，在《孔子改制考》中，认为六经均为孔子所创，是孔子透视中国未来叙述政治改革理想的著作。康有为在这些著作中，利用孔子的旗号和学说，宣传自己的变法主张。随着戊戌政变失败，今文派的活动走向没落。

以王先谦、叶德辉为首的古文学派，攻击公羊学派，反对政治改革运动。随着辛亥革命和清朝灭亡，儒学的考证学阶段大致宣告结束。

清朝灭亡后，随着以"德先生"和"赛先生"为口号的"五四"新文化运动展开，儒学受到猛烈攻击。陈独秀(1879—1942)、李大钊(1889—1927)、鲁迅(1881—1936)、胡适(1891—1962)等提出"打倒孔家店"的口号，激烈批判儒学。

第一次世界大战结束后，西欧思想文化界开始批判西洋文化，进而催生出对东洋文化的憧憬。受此影响，东西文化论争一时成为中国思想界关注的焦点。梁启超、张君劢(1887—1968)是"东洋文化派"，胡适、丁文江(1887—1936)则是"全面西化"论者。还有一些受西欧思想影响的学者，主张调和东西文化，尝试结合儒学和现代西洋哲学提倡"新儒学"。代表人物有梁漱溟(1893—)、冯友兰(1895—)、熊十力(1885—1968)、贺麟(1902—)等。①

冯友兰的著作有《新理学》《新事论》《新世训》《新原人》《新原道》及《新知言》等，他以继承程朱理学自任。冯友兰说自己的新理学是"要利用现代新伦理学形而上学的批判，建立完全'不着实际'的形而上学"(《新原道》)。也就是说，冯友兰试图通过融合西洋的新实存主义哲学和程朱理学，构建比程朱理学更加完善的新理学体系。

① 译者注：梁漱溟(1893—1988)、冯友兰(1895—1990)、贺麟(1902—1992)。

相比冯友兰的新理学，熊十力和贺麟等则继承陆王心学，尝试构筑新心学体系。

不过，由于马克思主义的风靡，新理学和新心学在中国当时思想界影响非常微弱，并不是什么左右大势的力量。

现在对儒学再评价的升温

中华人民共和国成立后，中国学界以马克思主义为指导，重新开始儒学研究。多数思想史和哲学史专著，如侯外庐的《中国思想史》、吕振羽的《中国政治思想史》、任继愈的《中国哲学史》、杨荣国的《简明中国哲学史》等，都对各阶段之儒学进行过论述。上述专著以及其他一些杂志上发表的相关论文，都致力于对儒学思想作出切合历史实际的科学评价。但是，大体上来讲，在相当长一段时期内，中国学界对儒学持批判态度。在批判时期，即便学界对儒学者中的唯物论者或其他儒学者思想中的合理性内容有过积极评价，但总体上呈现否定态势。造成这种局面的原因有两个：一是中华人民共和国成立初期，直接面对的是反封建的任务；二是儒学确实拥护和强化封建制度，对中国封建社会的停滞及近代的贫乏、落伍要负重大责任。因此，在这一时期，中国学界站在反封建斗争的立场，对儒学持批判态度。“文革”时期（1966—1976），马克思主义的根本原理遭到歪曲，学者从所谓“儒法斗争史”的观点，即认为儒法之争贯穿于整个中国思想史的立场出发，把儒家纳入反动方，法家归为进步方，全面否定儒学。1976 年 10 月，“四人帮”粉碎后，中国思想史研究重新回到历史主义的轨道，自由讨论逐渐开展，很多专著和论文得以发表，重新评价各阶段的儒学和众多儒者的呼声不绝于耳。

就孔子研究而言，专门研究机构不断涌现，有关孔子的著书、论文、杂志也大量出版。如成立中国孔子基金会、曲阜师范大学孔子研究所、中国老年历史研究会的中华孔子研究所，《孔子研究》（季刊）杂志也于 1986 年 3 月由中国孔子基金会出版。中国国务院国务委员谷牧在《孔子研究》的发刊词中指出：“孔子是中国历史上伟大的思想家、政治家和教育家，是世界文化史上的巨人之一……孔子、儒家思想作为特定历史时代的产物，其整个体系，已为历史的发展所扬弃，但其精华，却凝聚在丰富灿烂的中国文化积累和中华民族的精神生活之中，有待我们后来人去开发利用……《孔子研究》以历史上的'尊孔'和'反孔'为鉴，既不盲目地推崇孔子和中国传统文化，也不对之采取历史虚无主义态度，而是主张把孔子和中国传统文化作为科学的对象加以深入系统的研究。"①谷牧的意见体现了中国学者的一般认识。

图 22 《孔子研究》（创刊号 1986 年刊）

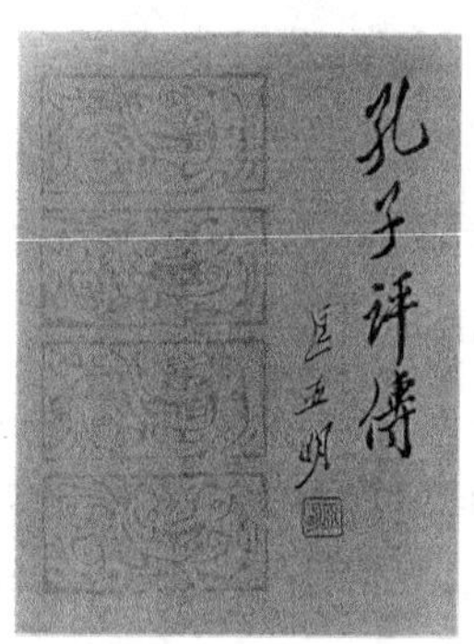

图 23 《孔子评传》（匡亚明著，齐鲁书社，1985 年刊）

图 24 孔庙大成殿（山东省曲阜市）

① 《光明日报》，1986 年 2 月 22 日。

近年来，关于孔子研究的专书出版有 10 种以上。如蔡尚思的《孔子思想体系》(上海人民出版社，1982)、匡亚明的《孔子评传》(齐鲁书社，1985)、钟肇鹏的《孔子研究》(中国社会科学出版社，1983)、杜任之及高树帜合著的《孔子学说精华体系》(山西人民出版社，1985)、刘泽华的《先秦政治思想史》(南开大学出版社，1984)及其《中国传统政治思想反思》(三联书店，1987)等。此外，还发表有很多相关论文。与之前的研究著作相比，匡亚明的《孔子评传》对孔子的思想和贡献的评价明显提高。并且，他在研究方法上，主张必须要首先区分"真"孔子和"伪" 孔子。这样看来，"真"孔子是春秋时代后期的伟大政治家、思想家、教育家、文献整理家，"伪"孔子则是由汉代以后封建统治阶级及御用学者塑造的偶像。我们必须以真孔子为研究对象来评价。孔子作为历史人物，既是封建阶级的辩护者，又反映了劳动人民的利益。孔子思想是以"仁"为中心的人本主义思想体系，兼备二重性，即封建性与保守性要素和人民性与民主性要素。蔡尚思与匡亚明不同，对孔子基本持批判态度。他主张孔子是没落奴隶主阶级的代表，孔子的中心思想是"礼"，而"礼"思想并不存在变革性。

关于孟子研究，1984 年 10 月，孟子学术研讨会在孟子故乡山东省邹县(今邹城市)召开。130 名学者围绕以民本思想为中心的孟子思想，展开热烈的讨论。一些学者认为，孟子的"民贵君轻"思想是中国古代思想的民主性浓缩，是孟子超越先人和同时代人的独创性贡献，甚至有的还称赞孟子是"人民思想家"。当然，也有对上述看法持不同意见的学者。

图 25　孟庙大门棂星门（山东省邹城市）

图 26　孟子墓（山东省邹城市）

学界对两汉经学的评价一直不是很高。不过，近年来发表的李泽厚《中国古代思想史论》、金春峰《汉代思想史》、罗义俊《论两汉经学的价值》等，对两汉经学尤其是董仲舒的思想有较高评价。李泽厚说："董仲舒的贡献在于，他最明确且具体地把儒家基本理论与战国时代以来风行不衰的阴阳家的五行宇宙论组合起来，给儒家的伦常政治纲领提供一个系统论的宇宙图式基础。"①1986年10月，在河北省石家庄市，还召开了董仲舒哲学思想讨论会。

现在中国学界的儒学研究，以宋明理学研究最盛。1981年10月，杭州召开的宋明理学讨论会，有270名学者参加，发表了3部专书和185篇论文。近年来，宋明理学研究著作不断出版。主要有侯外庐、邱汉生、张岂之合著的《宋明理学史·上卷》(人民出版社，1984)；张立文的《朱熹思想研究》(中国社会科学出版社，1981年)、《宋明理学研究》(中国人民大学出版社，1985)；蒙培元的《理学的演变》(福建人民出版社，1984)；范寿康的《朱子及其哲学》(中华书局，1982年再版)；杨天石的《朱熹及其哲学》(中华书局，1982)、《泰州学派》(中华书局，1982)；章沛的《陈白沙的哲学思想研究》(广东人民出版社，1984)等。此外，中华书局还计划出版包括《朱子语类》等理学家著作的"理学丛书"。

现在，学者对宋明理学的评价越来越公允和恰当。比如，张岱年的观点就很典型。他认为，宋明理学是封建意识在哲学上的体现，要进行社会主义现代化建设，必须批判宋明理学，但是，批判理学并不意味着要全面否定理学。程朱学派起到的负面作用是强化封建礼教。陆王学派只强调反省、内求，也阻碍自然科学的发展。不过，理学家讲究操守和气节，培育出很多民族英雄。理学家不信仰上帝，不信灵魂不死，不信彼岸世界，肯定人的价值和尊严，具有重大的理论意义。而且，在中国的理论思维发展史上，宋明理学的地位是不容忽视的。②

① 李泽厚:《中国古代思想史论》，人民出版社，1985年，第145、146页。
② 张岱年:《论宋明理学的基本性质》，《哲学研究》，1984年第9期。

有关明末清初的思想研究，召开过两次明清实学思潮史讨论会。现在，中国大陆和台湾学者准备合编《明清实学思潮史》。

总之，现在中国学界的儒学研究呈现出前所未有的盛况。

第一章　儒学传入日本

第一节　传入日本时间

关于王仁

关于中国儒学传入日本的年代和过程，《日本书纪·应神纪》有以下记载：

十五年秋八月壬戌朔丁卯，百济王遣阿直岐贡良马二匹。……阿直岐亦能读经典，即太子菟道稚郎子师焉。于是天皇问阿直岐曰："如胜汝博士亦有耶?"对曰："有王仁者，是秀也。"时遣上毛野君祖荒田别、巫别于百济，仍征王仁也。其阿直岐者，阿直岐史之始祖也。

十六年春二月，王仁来之。则太子菟道稚郎子师之。习诸典籍于王仁，莫不通达。故所谓王仁者，是书首等之始祖也。

（十五年秋八月，百济国王派遣一个名为阿直岐的人，送来两匹良马。……阿直岐能读中国经典，于是太子菟道稚郎子便拜他为师。天皇问阿直岐："还有没有比你高明的博士?"他回答说："有个叫王仁的，很高明。"天皇随即派上毛野君祖之荒田别和巫别，前往百济邀请王仁。阿直岐是阿直岐史的始祖。

十六年春二月，王仁来到日本。太子拜他为师，学习中国典籍，没有不会的。王仁是书首等的始祖。）

《古事记》“应神天皇”条也有类似记载。其中，阿直岐作“阿知吉师”，王仁作“和迩吉师”，还说王仁带来《论语》十卷和《千字文》一卷。

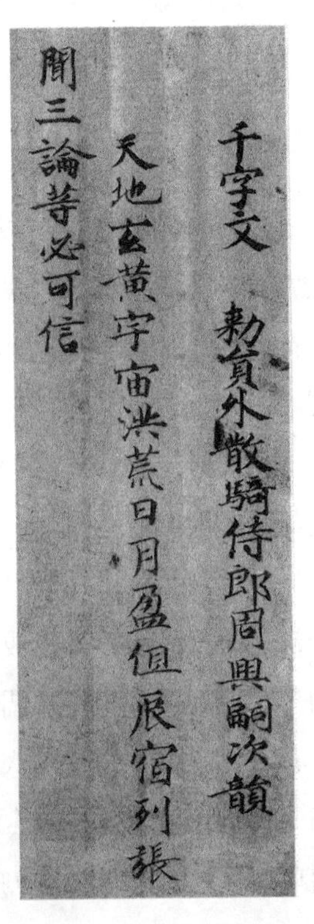

图 27　千字文 书写于写经用纸（正仓院文书）

根据《日本书纪》纪年，应神天皇十六年相当于公元 285 年。依据《记》《纪》记载，中国儒学在 3 世纪后期已经由朝鲜半岛传入日本。

但很多学者已指出，《记》《纪》中关于以上记录的纪年缺乏作为史实的可信度。例如，自那珂通世于明治十一年（1878）发表论文《上古年代考》以来，田口卯吉、久米邦武等都认为雄略纪之前的纪年不可信。他们推定的纪年表亦非定说，说法各有不同，但都一致肯定应神天皇十六年为公元 405 年。[①] 他们的根据是：应神纪十六年条记载有“是岁，百济阿花王薨，直支王嗣位”，而依朝鲜《三国史记》记载，阿华王（即《书纪》中阿花王）薨、腆支王（即《书纪》中直支王）即位的时间相当于中国晋安帝义熙元年。这样，应神天皇十六年确实应为公元 405 年。

还有一些学者对阿直岐和王仁是否存在怀有疑问。这是因为除《记》《纪》的记载外，没有任何旁证，而《记》《纪》中的一些内容明显是错误的。例如，《古事记》说王仁将《千字文》携入日本，而《千字文》为中国南朝梁武帝（502—549 在位）命周兴嗣所作，时间不合，应神十六年根本不可能有《千字文》。

① 丸山二郎：『日本書紀の研究』，吉川弘文館，1995 年，第 85—270 頁。

因此，一些学者认为《记》《纪》所载的这些记录，或许是专职文笔的、自称王仁子孙的河内文首所流传下来的祖先神话吧！[1]

传入日本之始

图 28　人物画像镜（隅田八幡神社藏）

史料证明，汉字在 5 世纪已传入日本并被使用。在以汉字书写的文章中，还零散地体现出某些儒学思想。书写于 5 世纪的日本文章，现仅存四件。一是中国正史《宋书·倭国传》所载倭王武（一般认为是雄略天皇）上表文。其于宋顺帝升明二年（487）进呈给宋顺帝，由十分流利的汉字骈文写成。其中，“王道融泰”“帝德覆载”“臣虽下愚”“以劝忠节”等词语，颇似儒学思想。[2] 另外三件是用汉字书写的金石文，即保存于和歌山县隅田八幡神社的人物画像镜铭文（制作年代有 443 年说和 503 年说）[3]、熊本县江田船山古坟出土的刻于大刀刀背的大刀铭文（制作年代有 5 世纪中期反正天皇时期说和 5 世纪晚期雄略天皇时期说）[4]、埼玉县稻荷山古坟出土的铁剑铭文（制作年代有雄略天皇时期

---

① 関晃：「律令国家の政治理念」，收入于古川哲史、石田一良編：『日本思想史講座 1　古代の思想』，雄山閣，1977 年，第 33 頁。家永三郎：「憲法十七条」，收入于古川哲史、石田一良編：『日本思想大系 2　聖德太子集』，岩波書店，1977 年，第 477 頁。万羽正朋：『日本儒教論』，三笠書房，1939 年，第 49 頁。

②《论语·学而》“礼之用，和为贵。先王之道，斯为美”；《孝经》“天覆地载，谓之天子”；《论语·阳货》“唯上智与下愚不移”；《论语·八佾》“臣事君以忠”。

③ 水野祐在其论文「隅田八幡神社所蔵銘文の一解釈」中，以铭文中“癸未年”为 443 年；福山敏男在论文「江田発掘大刀及び隅田八幡神社鏡の制作年代について」中，以“癸未年”为 503 年。

④ 福山敏男在前揭论文中，以铭文的开头部分为“治天下獲宫瑞歯大王”，并认为“獲宫瑞歯大王”是反正天皇。関晃在《帰化人》一书中，也赞同福山敏男所说，以其制作年代为 5 世纪中期。1978 年 9 月，稻荷山古坟铁剑铭文被发表后，岸俊男、直木孝次郎、井上光贞等认为江田船山古坟太刀铭文的开头部分是“治天下獲加多支鹵大王”，以“獲加多支鹵大王”为雄略天皇（岸俊男、井上光貞、直木孝次郎等：『鉄剣の謎と古代日本』，新潮社，1979 年，第 96—98 頁）。

471、531、591 年说)①。与倭武王上表文不同,这些铭文虽然也用汉字书写,但交错使用汉语和日语语法,还以记音和意译的方法混用汉字,来表示日语专有名词。其中,江田船山古坟大刀铭文尤其值得注意,其"长寿子孙注々得其恩也"中"恩"的含义,明显是儒学思想。② 倭武王上表文应为渡日汉人所写,江田船山古坟大刀铭文的"书者"名字是"张安",或许也是汉人。关晃在自著《归化人》中指出,担任文笔专门职——西文氏和东汉氏的始祖,是早期的归化人,他们可能在 4 世纪末期从朝鲜半岛来到日本。③

根据上述材料,以下推论想必可以成立:尽管《记》《纪》中有关王仁和阿直岐的记载不一定是史实,但自 4 世纪末陆续东渡日本的"渡来人"或"归化人",不仅把汉字传入日本,还把儒学思想传入日本,在 5 世纪,这些"归化人"及一些日本人写的文章中,已经部分体现出儒学思想的味道。

日本人在 6 世纪开始系统学习中国儒学典籍及其思想。如《日本书纪・继体纪》七年(513)六月条记载有"(百济)贡五经博士段杨尔",同十年(516)九月条记载有"(百济)别贡五经博士汉高安茂、请代博士段杨尔"。此后,百济似乎继续以轮换的办法向日本派遣五经博士。如《日本书纪・钦明纪》十五年(555)二月条记载"五经博士王柳贵代固德马丁安","别奉敕贡易博士……历博士……医博士……采药师……乐人……"。五经博士设置于中国汉武帝时期,专门讲授经学。五经指儒学经典《诗》《书》《礼》《易》《春秋》。百济后来也采用五经博士官制。赴日的五经博士当然是儒学者。那么,百济五经博士在日本以何种方式教授儒学呢?轮换来日的百济五经博士,每次仅派遣一人。虽然《日本书纪》对具体的教授方式语焉不详,但他们应该是在皇室内部,面对极少数

① 岸俊男、井上光貞、直木孝次郎等:『鉄剣の謎と古代日本』,新潮社,1979 年,第 128—132 頁。井上秀雄提出新说,认为是 591 年。

②《论语》中未明言"恩"的概念,不过其他儒家典籍中有论述。如《孟子・梁惠王上》"今恩足以及禽兽"。

③ 関晃:『帰化人』,至文堂,1977 年,第 37—58 頁。

人,以私人传授的方式教学。从以上事实可知,儒学在当时日本的影响尚不广泛。

儒学刚传入日本时影响不广泛的原因有很多。吸收外来思想并传播的必要前提,是吸收方的社会精神生活达到一定水平,具备使之成为可能的物质基础,及以外来思想为必需的社会政治状况。当时,日本是以氏族等级制和部民制为特征的奴隶制国家,古代天皇(大王)与氏姓贵族和地方豪族共同统治日本。当时的统治意识形态虽然已经超越原始的万物有灵论,但是祭政仍未分开,尚处于祭政合一阶段,其统治意识形态是由神话和祭祀所体现的氏神信仰。古代天皇皇室(大王家)的祖先把自己与太阳神连在一起,掌管新尝祭以及即位之初的新尝——大尝祭等宫廷礼仪,成为了天皇权威的象征。氏姓贵族和地方豪族也是司祭者,他们祭祀诞生于神裔传承或祖灵信仰的祖先神,对氏人以及部民行使统治权。起初,各氏族的祖先神相互之间并没有亲属关系或尊卑关系,但至5世纪以后,随着古代天皇皇室(大王家)势力的增强,豪族们竞相让自己的祖先神与皇室的祖先神——太阳神结成亲属关系或尊卑关系,主张自己是与皇室关系较密切的氏族,导致了氏姓的紊乱。

据《日本书纪》记载,允恭天皇四年,为厘正氏姓秩序,不得不使用"盟神探汤"这一方法。"盟神探汤"是日本古代考验真伪的带有巫术性质的一种审判方法,是原始宗教与法律、道德尚未分离的一种表现。这种方法让嫌疑人到沸水中取小石块,以手是否烫伤为标准来鉴别真伪。暂且不论允恭记中的"盟神探汤"是否是史实,这至少在某种程度上反映了当时统治意识形态的形象。

6世纪中期,皇室与豪族为强化其统治权,依其所需,统合并整理诸氏族的起源神话,编写了《帝纪》和《本辞》。[①] 在《帝纪》和《本辞》的神话体系中,皇室祖先神天照大神是诸神的中心,其他氏族神与天照大神结成尊卑与亲族关系。总的来说,氏神信仰以及《帝纪》和《本辞》的神话传

① 津田左右吉:「日本古典の研究」,岩波書店,1972年,第48頁。

承，都依赖血缘性原理得到贯通。中国的原始儒学当然也是以"血缘基础"为主要内容。例如，中国学者李泽厚在《中国古代思想史论》中指出，孔子的"仁学"包含四个方面：(一)血缘基础；(二)心理原则；(三)人道主义；(四)个体人格。[①] 孔子说"君子务本，本立而道生，孝悌也者，其为仁之本欤"(《论语·述而》)，也体现出血缘纽带为"仁"的基础内容之一。不过，中国的原始儒学比日本的血缘性氏族信仰发展水平要高得多。也就是说，日本的氏神信仰是充满神秘主义色彩的朴素的宗教意识，其观念体系的完整性未达到"思想"的程度，尚不成熟。而中国原始儒学已经把血缘性的原理转化成意识形态上的自觉主张，并对其进行了明快的政治学解释。中国原始儒学的特征是伦理学和政治学的合一。例如，著名的《大学》之道，列举了"三纲"和"八目"。"三纲"即"明明德""亲民"与"止于至善"；"八目"中的"格物"和"致知"为哲学，"诚心""正意"与"修身"是伦理道德，"齐家""治国"与"平天下"是政治，三者不可分割。而当时日本人的伦理道德观念不过是对"罪秽"的直觉上的厌恶，道德上的罪恶和感觉上的污秽被同等看待，尚未分离。鉴于中日两国存在上述差距，在5—6世纪的日本社会，日本人的理论思考水平可以说尚不发达。因此，以论"道"和执"政"为内容的儒学虽已传到日本但传播并不广泛的原因，就不难理解了。

第二节　与佛教传入之差异

佛教传入受到抵抗

佛教也是经由朝鲜半岛传入日本的。关于佛教传入日本的年代，历来众说纷纭。[②] 据《日本书纪》载，钦明天皇十三年(552)，百济圣明王遣使送献日本佛像和经论，并附上表文，劝说钦明天皇信从佛教。又有《上

① 李泽厚：《中国古代思想史论》，人民出版社，1985年，第1页。
② 山田文昭：『日本仏教史の研究』，法藏館，1979年複刊，第12—26頁。

宫圣德法王帝说》和《元兴寺伽蓝缘起并流记资财账》等记载，说佛教传入日本在钦明天皇戊午年(538)。《扶桑略记》引用《法华验记》和《延历寺禅岭记》，则说归化人司马达等至少在继体天皇时已经来到日本，他还在大和国高市郡的坂田原结草堂安置佛像，行皈依礼拜。现在学界一般以538年说为准。不过，各家之说差异并不大，都承认佛教是在6世纪前半期传入日本。因此，与儒学相比，佛教传入日本时间较晚。

据《日本书纪》的记载比较佛教和儒教的传入情况，可以发现二者之不同——佛教在传入时遭到了抵制。据《日本书纪·钦明纪》十三年十月条，钦明天皇难以决定是否采信佛教，于是询问群臣的意见。大臣苏我稻目以海外诸国均尊信佛教为理由主张信佛，大连物部尾舆和连中臣镰子则认为如果改拜“蕃神”，恐会招致日本国神愤怒，坚决排佛。于是，钦明天皇便让苏我稻目在家中“试令礼拜”。适逢当年瘟疫流行，物部尾舆和中臣镰子借机上奏天皇，认为正是因为没有听从他们的意见，才导致很多人死亡，主张尽早排佛为宜。钦明天皇派官员把佛像扔入难波的堀江，烧毁了伽蓝。苏我氏和物部氏之间的矛盾更加激化。据《日本书记·敏达纪》十四年条，物部尾舆之子守屋和中臣镰子之子胜海又乘“疫病流行”之机，上奏敏达天皇，推倒了苏我氏建造的佛塔，纵火烧毁了佛像和佛殿。587年，用明天皇死后，苏我稻目之子马子联合其他豪族，诛杀了物部守屋，物部氏灭亡。此后，苏我马子拥立崇峻天皇，掌握了朝廷的实权。自苏我氏在飞鸟兴建法兴寺以来，佛教终于以苏我氏为首广泛传播于诸豪族。而法兴寺的建立，已是在佛教传入日本半个世纪以后。

图29　法兴寺(奈良县明日乡村)

尤其值得注意的是天皇家对佛教的态度。如田村圆澄在《飞鸟佛教史》中所述，钦明天皇以降，敏达、崇峻、推古等天皇在官方上对佛教一贯持旁观者的中立立场。直至舒明天皇时，才在皇宫内建造了最早的官寺——百济寺，讲佛经、行佛事。若从佛教传入时算起，已经过了将近一个世纪。[①] 有学者提出，这些传说很多是基于佛家之手完成的记录和传承，因此有关佛教受到排佛派的抵抗或迫害的记载，很多时候确实存在大量基于佛家立场的夸张和歪曲。[②] 不过，只要还承认《日本书纪》所记载的上述内容在某种程度上反映了历史的真相，就可以认为佛教在传入时确确实实受到了抵抗。并且，豪族间及天皇家在吸收佛教时，是很难转变观念的。当然，崇佛派和排佛派的相互倾轧与当时政权内部的政治斗争交织在一起，并不是一个单纯的宗教信仰问题。对于当时的日本来说，不管是儒学还是佛教，都是外来思想。那么，为什么日本在吸收二者的时候，会有这样的差别呢？笔者认为，其中的一个原因是：与佛教相比，儒学与日本当时固有的统治意识形态"原始神道"，存在更多的共通性。

原始儒学和神道的现世性

首先，如上所述，在5—6世纪，日本的氏神信仰和中国的原始儒学，都是坚持血缘性原理的氏族共同体或家族共同体的意识形态，二者之间不过是思维水平上的阶段性差异。原始神道只是单纯、朴素的宗教意识，而原始儒学则已经具有合理性的理论特征。此外，两者均从血缘关系来看待人，把人视为血缘共同体或拟血缘共同体中的一分子，不把其作为独立个体来认识。也就是说，原始神道和儒学具有意识形态上的内在关联。之所以如此，是因为二者都是将血缘统治予以正当化的父权、家长制统治理论，具有同质性。以此为前提，二者虽为不同思想，但并非异质对立。佛教中不见这种血缘性原理，它主张"个人救济"，在某种程

① 田村円澄：「飛鳥仏教史研究」，塙書房，1969年。

② 関晃：「律令国家の政治理念」，收入于古川哲史、石田一良編：「日本思想史講座1 古代の思想」，雄山閣，1977年，第32頁。

度上承认人作为独立个体的存在意义。

守本顺一郎在《日本思想史的课题与方法》中，认为原始神道和儒学是“亚洲思维”，而佛教是“古代思维”。按他的说法，传入日本的儒学是“补强”性质的：“儒教思维对《古事记》世界中的原生意识形态的补强，可以说是将夫妇、父子，尤其是兄弟间的等级顺序以及武力—咒术式的领袖，表现为德。”[①]且不论原始神道和儒学是否是“东亚的”，佛教是否为“古代的”，其“相比佛教，儒学与原始神道存在意识形态的内在关联，二者具有很多共通性”的认识，是完全正确的。

原始神道和儒学还都明显具有“现世性”。日本及各国学者的“日本人论”，经常会提到日本人的“现世主义”。原始神道是日本人“现世主义”的最初形态，即原型。如祈年祭、大尝祭、广濑大忌祭、龙田风神祭、镇魂祭、大祓、大殿祭、御门祭、镇火祭、迁却祟神、道飨祭等祭祀活动，始终都以现世生活为第一义，旨在安定和繁荣。在那里，看不到他们对死后世界的憧憬，以及类似于寻求超现世理想世界的思想。神话中也是如此。在《记》《纪》神话中，日本人构想出了高天原、苇原中国和根国（底国、黄泉国）三个世界。高天原是以太阳女神天照大神为中心的众神世界，是人类祖先的众神之国，也是光明与生成原理统治的守护人类的世界，并不是人类往生的理想之国。根国（底国、黄泉国）是死者的地下之国，是死亡与黑暗原理统治的“怪丑秽之国”，人类没有贵贱善恶之分，只要死了就必须去那里。在这里，完全看不到向死后世界寻求救赎的来世思想。苇原中国是高天原的光明及生成原理与根国的黑暗及死亡原理相互交错而冲突的世界。因此，在《记》《纪》神话中，论述最多的还是高天原的原理战胜根国的原理。有日本学者认为，这是上代人具有的“最善观”或“肯定现实的乐天主义”。[②]

学者间关于儒学“现世性”的认识略有不同。马克思・韦伯在《儒教

① 守本順一郎:『日本思想史の課題と方法』,新日本出版社,1974 年,第 196 頁。

② 村岡典嗣:『日本思想史概説』,創文社,1977 年,第 154—162 頁。渡部正一:『日本古代 中世の思想と文化』,大明堂,1977 年,第 25 頁。

与道教》中指出："与佛教形成强烈对比的是，儒教纯粹是俗世内部的一种俗人道德。与佛教形成更加明显对比的是，儒教所要求的是对世俗及其秩序与习俗的适应。"①中国学者李泽厚则认为，"实践理性"是"儒教亦或全部的中国文化心理的重要的民族特征之一"，因此它"不在来世寻求救赎、三世的业报、灵魂的不朽，而是把不朽、救赎安置于现世的功业与文章中"。② 这些认识充分肯定儒学的"现世性"，"子不语怪力乱神"(《论语·述而》)或"未知生，焉知死"(《论语·先进》)等，也很好地显示出这一"现世性"特征。冯友兰在《中国哲学简史》中认为，包括儒学在内的中国哲学，是"既入世而又出世"的，是现实主义和理想主义的统一。③ 上述意见均没有否定儒学的"现世性"。

当然，以苏我氏为代表的豪族信奉佛教、建造寺院佛像的目的，最初正如佛像造像铭文"转病延寿、安住世间"的记载，是为了祈愿现世利益。他们期待僧尼作为咒术者发挥作用。他们对佛教经典教理的理解也不能说很深刻，经典的读诵被认为是一种咒术。这种豪族的佛教，与佛教的原旨不同。

这一情况，与佛教初入中国时的汉代佛教及魏晋佛教类似。汉代佛教被认为是中国的道术或方术类，建寺祭佛的目的也是为了祈愿长寿；魏晋佛教则被认为是魏晋玄学的一个流派。④ 可以看出，在佛教传入初期，中国和日本都是戴着固有宗教或思想的"有色眼镜"来认识这一外来宗教，没有真正理解佛教的来世思想。在 6 世纪的日本，天皇和豪族主要利用氏神信仰来巩固、支撑他们的地位和权威。对于他们来说，佛不过是"蕃神"，即异国神。一些豪族和天皇家面对佛教的传入，或踟蹰或抵抗，是自然而然的。而儒学由于与原始神道存在更多的共通性，因此没有经过冲突和抵抗，就被统治阶级上层接受了。

① Max Weber 著、木全德雄訳：『儒教と道教』，創文社，1979 年，第 256、257 頁。
② 李泽厚：《中国古代思想史论》，人民出版社，1985 年，第 1 页。
③ 冯友兰：《中国哲学简史》，北京大学出版社，1985 年，第 7 页。
④ 任继愈：《汉唐佛教思想史论集》，人民出版社，1973 年，第 5—21 页。

第二章　日本早期的儒学

第一节　圣德太子《宪法十七条》

伪作？

在日本，最早把中国儒家的政治社会思想应用到日本政治制度之中的，是圣德太子。他在推古天皇十一年（603），制定了以儒家德目（德、仁、理、信、义、智）命名的冠位十二阶制度。最早根据大陆传来的思想进行理论思考的日本人，也是圣德太子。他在推古天皇十二年（604）制定的《宪法十七条》，是日本最早的理论思想著作。自吉野朝僧人玄惠著《圣德太子宪法注》以来，关于《宪法十七条》的注释、考证和研究成果可谓汗牛充栋。不过，关于《宪法十七条》的伪作说、成立年代、"法律还是道德训诫"、"思想基调或主旨为何"等问题，学者之间仍未有一致见解。

江户时代的狩谷棭斋最早提出伪作说。他对《宪法十七条》的作者是圣德太子的说法提出怀疑。这一怀疑被明治时代的榊原芳野继承。在研究《古事记》和《日本书纪》方面取得划时代成就的津田左右吉认为，以大化改新以后的官僚政治制度为基础才开始使用的"国司""百卿群僚"等名词，却出现在《宪法十七条》中，不符合太子时代的社会现实，由此断定《宪法十七条》是《日本书纪》的编者所作。[①] 津田的伪作说，遭到坂本太郎、泷川政次郎等人的反对。[②] 还有许多历史学者指出，6 世纪末至 7 世纪初已经存在从中央派遣到地方上的国司的前身，如西日本的"凡直国造"。[③] 也就是说，津田认定大化改新之前不存在"国司"，是没有确凿根据的。在当今学界，赞同津田伪作说的人是少数派。虽说《宪法十七条》有被《日本书纪》编者篡改的可能性，但姑且可认为是圣德太子所作。

关于《宪法十七条》的主旨（中心思想或思想基调）为何，学者之间的意见尚不一致。正如学者们在《宪法十七条》的各样注释中，关于出典的考证所显示的那样，它除了直接或间接地借用很多中国古典尤其是儒家、法家、道家典籍中的语句外，还流淌着佛教思想。如关晃认为，《宪法十七条》"从极多的汉籍、佛典中摘引语句而形成文章，它并没有非常明确的统一思想，很难把它看成是太子据自己立场的全新创作"。[④] 村冈典嗣和大野达之助等则认为，《宪法十七条》以佛教为中心（根底），兼取儒家和法家思想。[⑤] 也有学者认为它的基调是儒学思想。例如，津田左右吉在《日本上代史研究》中说："从内容来看，作者应该属于儒家系统。"[⑥] 井上光贞说："《宪法十七条》虽然也吸取了佛教，但它是以儒教和法家思想为二支柱的官吏训诫。"[⑦]《宪法十七条》确实体现出受到儒、法、道、佛的影响，上述诸说当然都能找到相应的根据。因此，要判断《宪法十七条》的中心思想或思想基调——流淌于其中的内在精神，绝非易事。笔

---

① 津田左右吉：『日本上代史研究』，岩波書店，1947 年，第 181—189 頁。津田左右吉：『日本古典の研究』(下)，岩波書店，1972 年，第 122、136 頁。

② 滝川政次郎：『日本法制史研究』，有斐閣，1941 年，第 181—183 頁。坂本太郎：『大化改新の研究』，至文堂，1943 年，第 210、211 頁。

③ 八木充：「古代地方組織の発達についての一考察」，史林(41 巻 5 号)。山尾幸久：「大化改新論序説」，思想(529、531 号)。

④ 古川哲史、石田一良编：『日本思想史講座 1　古代の思想』，雄山閣，1977 年，第 37 頁。

⑤ 村岡典嗣：『日本思想史上の諸問題』，創文社，1957 年，第 62—63 頁。大野達之助：『聖徳太子の研究』，吉川弘文館，1978 年，第 207 頁。

⑥ 津田左右吉：『日本古典の研究』(下)，岩波書店，1972 年，第 128 頁。梅原猛：『聖徳太子』，小学舘，1981 年，第 430 頁。

⑦ 井上光貞：『日本古代思想史研究』，岩波書店，1982 年，第 89 頁。

者认为,以儒学思想为《宪法十七条》的基调的观点更有说服力。

儒学式的基调

首先,判定《宪法十七条》的思想基调,与判定其性质相关。三浦周行、牧健二、小野清一郎和泷川政次郎等,将《宪法十七条》视为法律。① 但是,《宪法十七条》只有类似令的内容,没有律。即便是类似令的内容,也不像大宝令中的官位令那样具有成体系的职务规定。这样一来,虽然名为宪法,但并不能就像其名字那样,将其看作法律。有贺长雄、龟井胜一郎和井上光贞等认为它是道德准则(训诫)。② 不过,依笔者管见,它并非只讨论了个人的道德修养,17 条中有 12 条(第 3、4、5、6、7、8、11、12、13、14、12、16、17)还论述有为政者的政治行为。因此,若只是把它当作个人的道德准则,是不妥当的。家永三郎的观点最为恰当,他说:"《宪法十七条》完全是展示给朝臣官僚的政治规范,并不是论述个人修德或灵魂救济的著作。其中援用佛教观点,也有着浓厚的矫正为政者官方行为的政治道德色彩。"③ 既然以《宪法十七条》为政治规范,那么通过考察其政治思想主要接收了哪些思想的影响,便可以判定其思想基调。

第 3 条有"承诏必谨。君则天之,臣则地之。(中略)君言臣承,上行下靡",典出法家著作《管子·明法解》的"君臣相与,高下之处也,如天之与地也"。第 12 条"国非二君,民无二主,率土兆民以王为主,所任官司皆是王臣",典出儒家典籍《礼记·曾子问》的"天无二日,土无二王"和《诗经·小雅·北山》的"溥天之下,莫非王土,率土之浜,莫非王臣"。第 3 条和第 12 条表明,圣德太子希图实行土地国有制和以天皇为最高统治者的中央集权制度。《宪法十七条》制定前年,还推行了冠位十二阶制

---

① 三浦周行:『続法制史の研究』(岩波書店,1958 年)中「憲法十七条の性質と価値」一节。牧健二:「十七条憲法と羅馬の十二表法との比較」,歴史地理,1927 年 1 月号。小野清一郎:「憲法十七条における国家と倫理」,改造,1936 年 8 月号。

② 井上光貞:『日本古代の国家と仏教』,岩波書店,1971 年。

③ 家永三郎:「憲法十七条」,收入于『日本思想大系 2　聖徳太子集』,岩波書店,1975 年,第 479 頁。

度，即在原来氏姓的基础上授予个人荣爵——冠位，目标也是强化王权和整备官制。冠位十二阶和《宪法十七条》有很深的内在关联。前者是后者的外在表现，后者则是前者的精神内容。如果把冠位十二阶和《宪法十七条》放在一起考察，可以说，圣德太子的目标并不是观念上的空想，而是以中国为模范、以儒家和法家典籍为根据的具体政治理想。

《宪法十七条》摄取儒家和法家思想，规定了新制度下的“君、臣、民”关系准则，即统治阶级与被统治阶级以及统治阶级内部的关系准则。《宪法十七条》是以中央和地方的官僚为对象的训诫，因此主要体现为“臣之道”和具体要求。“臣之道”是第 15 条的“背私向公”（典据《韩非子·五蠹》“背私谓之公”）和第 6 条的“忠于君”“仁于民”；具体要求是第 4 条的“以礼为本”（典据《礼记·哀公问》“礼其政之本与”）、第 5 条的“明辨诉讼”（典据《礼记·中庸》“慎思之、明辨之”）、第 7 条的“贤哲任官”（典据《尚书·咸有一德》“任官惟贤材”）、第 11 条的“明察功过、赏罚必当”（典据《韩非子·用人》“闻古之善用人者，必循天顺人而明赏罚”）、第 16 条的“使民以时”（典据《论语·学而》“节用而爱人，使民以时”）等。对于当政官吏，《宪法十七条》虽然也提出如第 1 条的“以和为贵”、第 9 条的“信是义本”、第 14 条的“无有嫉妒”等个人道德要求，但与其政治内容相比，终归还是附带内容。

在认识潜藏于《宪法十七条》的内在精神时，我们能说它“以儒教和法家思想为二支柱”吗？这是不行的。在圣德太子同时代的中国，法家思想已经被儒学吸收，成了儒学内容的一部分。孔孟时代的原始儒学确实是与法家对立的思想，但在汉武帝时代，董仲舒以儒家思想为中心，吸收法家及其他与封建统治相表里的思想（如阴阳五行说），提出了德刑兼用、以德治教化为主的外儒内法的政治主张。董仲舒说：“王者上谨于承天意，以顺命也。下务明教化民，以成性也。正法度之宜，别上下之序，以防欲也。修此三者而大本举矣。”① 自汉武帝采用董仲舒的建议以来，

① 董仲舒：《天人三策》，收入于《中国哲学史资料选辑 两汉之部》，中华书局，1962 年。

作为独立学派的法家已衰退而不复存在。此后，中国历代王朝的统治者都用这种外儒内法的儒学实行政治统治。圣德太子效仿的也是中国汉代以后专制统治者的统治政策。

毫无疑问，《宪法十七条》体现有佛教思想，即第 2 条的“笃敬三宝”、第 10 条的“绝忿弃瞋”“共是凡夫”等。村冈典嗣把“以和为贵”中的“和”解释为佛教精神的“和合”。[①] 其见解并非一定准确，不过是推测或诠释而已。这是因为“以和为贵”这句话的典据到底还是基于儒家典籍。迄今为止，并没有人在佛家典籍中找到“以和为贵”这句话。村冈典嗣氏认为第 14 条的“无有嫉妒”也体现了佛教思想，这也不合适。从第 14 条全文来看，其说“无有嫉妒”是为了“得圣贤”和“以治国”，明显说的是儒学“德治”思想。总之，在《宪法十七条》中，佛教思想主要是作为规范为政者政治行为的政治道德才被援用的。

近年来，福永光司等部分学者认为，在《宪法十七条》中可以看到来自中国道家老子和庄子的影响。如第 1 条中的“和”，老子和庄子就经常议论。《老子》第 55 章说：“终日号而不嗄，和之至也。知和曰常，知常曰明。”《庄子・存宥》说：“守其一，处其和。”而且，《宪法十七条》使用过两次“……绝……弃……”的句式，福永光司认为这受到《老子》第 19 章“绝圣弃智，民利百倍”的影响。

儒、佛、道调和主义

如果把《宪法十七条》看作是从中国古典和佛典中摘录的诸多语句的杂然排列，并无一贯之思想准则，这样是否合适呢？不可以。贯穿《宪法十七条》的思想准则是儒、佛、道的调和主义（折衷主义）。它明显受到中国魏、晋、南北朝思想界主流的影响。在迄今为止的研究中，这一问题尚未获得关注。

汉代思想界的主流是经学（今文、古文两派）。以董仲舒为首的两汉

---

① 村岡典嗣：『日本思想史上の諸問題』，創文社，1957 年，第 31 頁。

今文学派，吸收法家和阴阳五行学说，试图将儒学宗教化，并创立谶纬思想神话孔子。这遭到以王充为代表的古文经学派的反对。古文经学把经典的训诂和注释作为唯一工作，没有加以创新。魏晋时代，士人重新解释老子的道家学说，并结合庄子的诡辩论，创立了玄学。玄学即变质了的道家学说，在知识分子中间逐渐流行并扩散开来。玄学虚无思想的宗旨与佛教的空无思想相近，因此，玄学自然会吸收佛教思想。在魏晋时代，到中国宣扬佛教的僧侣是西域胡人。这些胡僧也要利用玄学宣扬他们自己的宗教。这样，老庄和佛教就结合起来了。后汉神仙家们为对抗外来宗教——佛教，仿照佛教创立了道教。道教信奉老子为教主，讲妖术但不究哲理，在信仰上与玄学关系不同。南北朝时代是儒、佛、道、玄四家既相互斗争又相互调和、吸收的时代。佛教在南朝（宋、齐、梁、陈）发展显著，特别是被梁武帝定为国教后，势力达到顶峰。504 年，梁武帝在佛像面前发誓抛弃老子邪法，一尊佛教。他还告诫群臣，说老子、周公、孔子都是邪道，唯有佛教才是正道。北魏太武帝和北周武帝虽然力行排佛，但也没能阻挡住佛教的发展步伐。不过，由于儒学在中国拥有传统力量，因此历代皇帝不管如何崇信佛教，结果都不得不依靠儒家礼法来统治人民，佛教并不能击退儒学在政治层面的地位。佛教信徒们如不使佛教汉族化，使之适应中国社会的传统习惯，也无法确立其地位。他们开展的宗教活动，必须以不违背儒家伦理道德为前提。因此，几乎所有佛教信徒都主张儒、佛调和。例如，沈约在《均圣论》中，认为“内圣（佛）外圣（周公、孔子），义理均一”。梁武帝在定佛教为国教的那年，还为纪念孔子修建圣堂，设五经博士。508 年，梁武帝说“建国君民，立教（儒学）为首，砥身砺行，由乎经术”，说明在国家政治和个人修养层面，必须以儒学为基础。574 年，北周武帝在判定三教优劣时，也把儒学放在第一位，道教为第二位，佛教则在第三位。

在魏、晋、南北朝时代，儒、佛、道三家虽然相互斗争，但调和与吸收乃是当时思想界的主流。政治上，儒学仍然保有佛、道二者无法匹敌的正统地位。圣德太子受中国思想界儒、佛、道调和主义的影响，制定了

图 30　道教发祥地 龙虎山天师府(江西省贵溪县)

《宪法十七条》。《宪法十七条》既然是彻底的政治规范,那么其思想基调自然是儒学。笔者认为,梅原猛关于《宪法十七条》的认识非常恰当。他说:"贯通《宪法十七条》的主线,到底是儒教思想。(中略)太子很可能认为仅以儒教来治国并不充分。在从根本上改变人方面,佛教是必需的。但在建设国家时,与佛教一样,法家也是必需的。因此,他以儒教思想为中心,置佛教思想和法家思想于其左右。"①

第二节　大化改新、律令制和儒学思想

改新理论

《宪法十七条》中圣德太子的政治理想当时并没有实现,在 40 余年后的大化改新时期才终于变成社会现实。虽然有学者仍然对把圣德太子政治定位为改新先驱的见解抱有很大疑问,②但如果对比分析《宪法十七条》和大化改新的诸诏令、诸政策的根本目的和思想,就不得不承认大

① 梅原猛:「聖徳太子」,小学舘,1981 年,第 400 頁。

② 関晃:「推古朝政治の性格」,東北大学日本文化研究所研究報告第三集,1967 年。

化改新确实是圣德太子《宪法十七条》的延长。二者的目的都是确立以天皇为中心的中央集权制，深受中国儒学影响。在这些改革动向中，中国儒学起到了理论支撑的作用。

据说在改新之前，改革集团的中心人物中大兄皇子和中臣镰足，悄悄地在往返于南渊请安住处学习《周礼》之教的路上，商议并推动了改革计划。① 也有传言说，中臣镰足曾参加僧旻在会堂开设的《周易》讲座。② 南渊请安和僧旻是圣德太子在推古十六年(608)派往中国大陆的两位留学僧。僧旻于舒明天皇四年(632)归国，留华 20 余年。南渊请安于舒明天皇十二年(640)回国，留华 30 余年。二者均有深厚的中国文化素养。尤其值得注意的是，在中国，他们作为留学僧，当然进行的是佛教研究。但他们归国后，并没有传播佛教，而是致力于传播儒教、介绍中国的政治制度，推进政治改革。关于他们作为僧侣传播佛教的事迹，几乎没有记载。中大兄皇子和中臣镰足从南渊请安和僧旻那里，受到了儒学的影响。

皇极天皇四年(645)六月，中大兄皇子和中臣镰足在消灭大臣苏我虾夷、入鹿父子后，立刻拥立孝德天皇，组织革新政权。僧旻和留学生高向玄理被任命为革新政权政治顾问，即国博士。他们的儒学教养在大化改新中发挥了很大作用。例如，日本最早使用的正式年号——大化，就是出自二位国博士的提议。“大化”的出典是中国的《尚书》和《汉书》，即《尚书·大诰》“肆子大化诱我友邦君”和《汉书·董仲舒传》“民已大化之后，天下常亡一人之狱矣”。此外，二者还受命设置了八省百官制。650 年，穴户国出现白雉鸟，朝廷就白雉鸟出现的意义向众人问询，僧旻根据中国汉代纬书的内容和中国史书中有关白雉出现的记载，认为白雉出现是帝德感应于天的“祥瑞”，主张大赦天下。③ 有学者推测，以著名的“改新之诏”为代表的诸制度，均出自僧旻和高向玄理之手。④

---

①《日本书纪》皇极天皇三年条。

②《大织冠传》。

③《日本书纪》孝德天皇白雉元年条。

④ 関晃:『帰化人』,至文堂,1977 年,第 134 頁。

当然，最能明确体现大化改新的根本目的和思想的，是大化二年初发布的《改新之诏》。《改新之诏》第1条确定废除贵族对土地和人民的私有权，而以给予贵族食俸代之。第2条确定京制和郡制，调整行政区划。第3条确定班田授受法和租庸调制。第4条确定租之外的义务。这些规定，通过实现"王土王民"和"公地公民"的国家所有制和官僚制，无非是要确立以天皇为最高首领的中央集权制。从这一点而言，《改新之诏》和圣德太子《宪法十七条》的根本精神是一致的。

近年，有学者主张"原诏否定论"，①认为《日本书纪》中的《改新之诏》不是当时之作，而是书纪编者毫无根据的捏造。笔者不赞同这种观点。虽然《改新之诏》被后人据令文大幅篡改了，但终归还是必须要承认原诏存在的事实。在此，不对此问题过多论述。

除《改新之诏》外，大化年间发布的诏书还有很多，实现的革新措施也有不少。这些诏令和措施，与《改新之诏》的精神相同，受中国儒学的影响。例如，大化元年(645)六月十九日，即孝德天皇登基第五天，他召集群臣于大槻树下，向天神地祇盟誓，说："天覆地载，帝道唯一。……自今以后，君无二政，臣无二朝。"②大化二年(646)三月，中大兄皇子在奏折中说："天无双日，国无二王。是故兼并天下，可使万民，唯天皇耳。"③此外，在同年八月十四日的诏书中，有"圣主天皇，则天御宇。……所有品部，宜悉皆罢为国家民。……新设百官及著位阶以官位叙"，④详细论述了"改新之诏"实施中的诸问题。这些举措表现出通过实现公地公民制和官僚制来强化天皇中央集权制的根本目的和思想，它的模板是中国儒学称赞的"上古圣王"。大化元年(645)七月十二日，孝德天皇下诏给大臣阿倍仓梯万侣和苏我石川麻侣，说："当遵上古圣王之迹

---

① 原秀三郎:「大化改新論批評序説」，收入于原秀三郎:『日本古代国家史研究』，東京大学出版会，1980年，第19—24、95頁。

②《日本书纪》孝德天皇即位前纪。

③《日本书纪》孝德天皇大化二年三月条。

④《日本书纪》孝德天皇大化二年八月条。

而治天下。复当有信可治天下。”[①]翌年二月，在实施钟匮之制时，列举黄帝、尧、舜、禹和武王，说明“圣帝明王”实施钟匮之制的理由。[②] 同年三月二日，又下诏给东国国司，说，“凡将治者，若君如臣。先当正己而后正他”，[③]这明显受《论语・子路》“其身正不令而行，其身不正虽令不行”的影响。

由上所述，可以说，大化改新的根本精神或指导思想确实受中国儒学的影响，它继承并实现了圣德太子的政治理想。不过，当时最高统治阶级不仅利用儒学思想和制度，还重视传统的皇孙意识。例如，在大化元年八月之诏的开头，天皇宣告“随天神之所奉寄，方今始将修万国”，[④]说自己是模仿“代代之皇祖”来实行统治。虽然如此，比较二者，可以认为中国儒学的政治理念占据着“大化改新”的理论中心位置。

中国律令儒家化

以大化改新为真正起点的日本律令制度，也是以中国律令为模板的，且明显受儒学思想影响。规定日本律令制度的根本法典是律令，日本律令是在继承中国律令的基础上形成的。因此，在讨论日本律令的指导思想这一问题的时候，势必要触及中国的律令思想。一些学者认为，大致完备于隋、唐时代的中国律令，深受儒家和法家思想的影响。[⑤] 也有学者认为律令本身就是法律，如此其更属于法家，中国律令和礼乐是相互补全的关系，但日本并不存在相当于中国礼乐的内容，因此日本律令的特色是单纯继承了中国的统治技术，与其政治思想如何并无直接关系。[⑥] 这些观点无疑忽视了中国律令儒家化的问题。据中国法律史学者

---

①《日本书纪》孝德天大皇化元年七月条。

②《日本书纪》孝德天皇大化二年二月条。

③《日本书纪》孝德天皇大化二年三月条。

④《日本书纪》孝德天皇大化元年八月条。

⑤ 関晃:「律令国家の政治理念」,收入于『日本思想史講座 1　古代の思想』,雄山閣,1977 年。

⑥ 黛弘道:「律令制度の政治思想」,收入于『日本思想史の基礎知識』,有斐閣,1974 年,第 36、37 頁。

的认识，中国法律儒家化的主要表现是“以礼入法”，即儒家的礼已经成为中国律令法的主要内容，并不是与律令对立的完全异质之物。日本律令既然是源自中国的继承法，那么它自然会引进中国律令中礼的内容和政治思想。以下，先回顾中国律令法儒家化的过程。①

在中国春秋战国时代，儒家和法家思想虽然都旨在维持社会秩序，但二者关于社会秩序的认识，以及达到理想社会秩序的方法是不同的。就儒家立场而言，所谓社会秩序，是社会中的贵贱上下和家族中亲疏、尊卑、长幼之别的综合。根据人的贵贱、尊卑、长幼的差异，建立各自的行动规范是最重要的现实问题。维持这一等级差异的是礼。法家虽然不否定贵贱、尊卑、长幼、亲疏的差等，但认为法律面前人人平等，没有区别，不能差别对待。儒家为践行和维持礼，主张以教化改变人心，重视德治和教化，轻视刑罚。法家则为了保护法律，主张必须实行严刑峻法。两家之间的斗争确实非常尖锐。

不过，西汉汉武帝将儒学定位为官学后，法家势力就衰落了。当时儒学者的思想虽然仍以德治为口号，但并不排斥法家。以礼治德治为主、法治为辅的原则为前提，儒家和法家思想开始趋向于折衷和调和。因此，把中国汉代以后的思想史分为儒家和法家，完全没有意义。

更重要的是，自魏朝始，儒者们也开始参与法律的制定。儒学思想成为法律的基础，起决定性的作用。魏律的制定者是陈群、刘邵、韩逊和荀诜等人。作为儒臣，他们利用参与制定法典的机会，把礼的内容放入法律条文中。例如，儒家强调贵贱、上下之别，他们就把“八议”(议亲、议故、议贤、议能、议功、议贵、议勤、议宾)，即《周礼》“八辟”的内容放入律中。这样一来，皇帝的亲属、身份高或品德高的人就不直接适用于律，依贵贱之别，刑罚轻重亦不同了。此外，汉律禁止讨亲之仇，但礼却教人们父仇不共戴天。魏律就废除了汉律的这一规定，儿子为父报仇的罪行也

① 此节关于中国律令儒家化过程的参考文献为瞿同祖：《中国法律和中国社会》，中华书局，1981年。

得到宽恕。

晋律由贾充、郑冲、杜预等十四人制定。除贾充外，郑冲、杜预等都是著名的儒者，均致力于法律的儒家化。他们最重要的功绩是“竣礼教之防，准五服以治罪”。从晋律开始，有关亲属间的诉讼，历代法律都用服制来定罪（所谓服制，即包含斩衰、齐衰、大功、少功、缌麻五类的丧服制度，服制可以显示亲族间的亲疏关系）。此外，如果子孙违背了父母之教、不抚养父母、父母控告子之不孝并欲杀子时，父母的要求也被允许，这也是晋律的新内容。这些内容与儒家重视尊卑、长幼、亲疏之序，主张孝悌的精神相吻合。

北魏的律由高允、崔浩等制定，刘芳修订。高允、崔浩和刘芳都是经学大师。北魏的律不仅保留了“八议”和“准五服以治罪”两大原则，还增补了“留养”（缓刑而使之养亲）和“以官爵当刑”（以官爵折抵罪行）等条文。北齐在制定律的时候规定，依据“八议”，所谓的“重罪十条”不再被纳入讨论减赎的范围。不孝是“重罪十条”之一。到隋唐时代，“重罪十条”又名“十恶”（谋反、谋大逆、谋叛、谋恶逆、不道、大不敬、不孝、不睦、不义、内乱），被置于律的开头。一般认为，中国律令儒家化始于魏晋，完成于北魏、北齐，隋唐的律令则继承了这些成果。

隋唐的律令，除包含“八议”“十恶”“留养”“以官爵当刑”“准五服以治罪”等内容外，还规定父母在世仍私蓄钱财者、父母丧中仍嫁娶者有罪，父母隐瞒孩子的罪状、孩子隐瞒父母的罪状、亲子之间互相包庇无罪。此外，还规定了作为离婚条件的“七出三不去”。这些内容都来源于儒家的礼。有关亲族、继承、婚姻的律令，几乎都依据礼。

日本律令的情况

日本律令的内容，完备于大宝律令。养老律令除对大宝律令的内容有若干修订外，只是字句上的修正。首先，就律而言，日本律和唐律几乎没有不同。例如，日本律也把“八虐”放在开头。“八虐”剔除了唐律“十恶”中的“不睦”和“内乱”，即唐律“十恶”的简化版。[①] 当然，“不孝”也在日本律“八虐”之中。此外，日本律设有“六议”的条目，它不过是合并了唐律“八议”中的“议勤”和“议功”，而删去了“议宾”。[②] 日本律和唐律同样，都有“留养”和“以官当刑”的规定。[③] 既然唐律是儒家化的法律，作为唐律子法的日本律，当然也是儒家化的法律，也包含中国儒家礼的内容。

日本令虽依据唐令，但亦与唐令有异。不过，日本令仍然体现儒学的政治思想，包含中国礼的内容。《养老令・职员令》规定，太政官中的最高官员——太政大臣的职责是“右师范一人，仪形四海。经邦论道，燮理阴阳。无其人则阙”。太政大臣制模仿唐令，而把唐令中三师（太师、太傅、太保）和三公（太尉、司空、司徒）的职责集中于一人。所谓“师范一人”，就像《令义解》说师者为“教人以道者之称也”那样，相对于天皇（一人），具有“道之师”的性格。因此，他以道而为天下之仪表，必须是改正政治、调和阴阳的有德者。这些清楚说明，政治的根本原理在于儒家的“道”。《养老令・选叙令》把德行的好坏作为官吏考核是否通过的第一标准，规定：“诠拟之日，先尽德行。德行同，取才用高者。才用同，取劳效多者。”在评定官吏功过的时候，《养老令・考课令》规定的第一标准是“德义有闻者，为一善”。以上日本令的内容，明显是儒家“为政以德”思想的反映。

中国儒家经典《周礼》有“施舍”之制，即免除或部分减免特定人群的课役的制度。《周礼・地官司徒・乡大夫》中说：“其舍者，国中贵者、贤者、能者、服公事者、老者、疾者，皆舍。”唐令基于此类传统思想，规定：“若孝子顺孙义夫节妇志行闻于乡闾者，州县申省奏闻，表其门闾，同籍悉免课役。”《养老令・赋役令》以唐令中该条为模范，大多原样抄录，其规定：“凡孝子顺孙义夫节妇，志行闻于国郡者，奏闻于太政官，表其门

① 井上光貞等校注：『日本思想大系 3　律令』，岩波書店，1977 年，第 16—19 頁。

② 同上，第 19、20 頁。

③ 同上，第 26、35 頁。

间。同籍悉免课役。”[①]这也体现出儒家“仁政”思想的影响，及对“孝顺”“贞节”等儒家道德的推崇。

《养老令・户令》不单是要构成行政组织，目的还包括教化民众树立礼的秩序。例如，关于休妻的“七出三不去”，它规定：“凡弃妻，须有七出之状。一无子，二淫泆，三不事舅姑，四口舌，五盗窃，六妒忌，七恶疾”，“妻虽有弃状，有三不霖去。一经持舅姑之丧，二娶时贱后贵，三有所受无所归。”此规定源于中国古来之礼制。唐令的规定接受了古来之礼制，日本《户令》则原样继承了唐令的规定。

在引进唐律令的时候，为使其适用于日本，自然会有很多修改。但是，对吸收了唐律令底层的儒学政治理念这一事实，应该没有人有异议。当然，从中国儒学提取出的诸政治理念，并不会成为日本律令或律令国家的唯一中心政治理念，以天皇为现神的思想也是中心政治理念之一。如《养老令・公式令》记载，诏书发布时，天皇的称号有五种形式。前三种是“明神御宇日本天皇”“明神御宇天皇”和“明神御八大洲天皇”。这三个称号中的“明神”，就是以天皇为“现人神”而起的称呼。这个称呼表明，在日本神话背景下，天皇作为以太阳神为中心的天神的直系后裔，同样是神。由此提示出，天皇具备成为日本统治者的资格。但是，以天皇为现神的思想，并不是超越于儒家化律令中诸政治理念的上位政治理念，而是与提取自中国儒学的诸政治理念并行。笔者会在下节详细分析这一问题。无论如何，日本律令也是儒家化的律令，包含中国礼制的部分内容，体现出中国儒学的诸政治理念。这一观点是不容否认的。

第三节　《记》《纪》的儒学思想

自混沌至天地

完成于8世纪初的《古事记》和《日本书纪》，是研究古代日本的重要

---

① 曾我部静雄：『律令を中心とした日中関係史の研究』，吉川弘文館，1970年，第1—72頁。

古典。江户时代国学者本居宣长在其名著《古事记传》中说:"书纪以后代之意,记上代之事;以汉国之言,记皇国之意,故不合处甚多。此记丝毫未加妄改,如实记载古来所传,其意其事相称,皆上代之实也"(《古事记传》卷一·总论)。即认为《古事记》没有《日本书纪》那样的"后代之意"、汉文润饰,其记录的上古口传如实地叙述了上古事实。毫无疑问,宣长在训诂注释《古事记》方面取得的成绩,即便在现代的学者间,仍具有很大价值。但是,他认为《古事记》未受"汉意"即从大陆输入的儒学和佛教的影响。我们必须说,他的这种观点是很严重的错误。不过,明治以后直到现代的《古事记》观,多多少少都受这一宣长流观点的影响,也是一个不争的事实。在二战前和战时,宣长流的观点发挥了巨大的思想和政治作用。即便是在战后,簇拥在宣长古事记观周遭的灰雾,也不能说已被完全吹除。可以说,对宣长古事记观的合理性进行再检讨,有很大的意义。限于篇幅,笔者以下仅就《古事记》中的宇宙生成论和政治思想,探讨"汉意"尤其是儒学的影响。①

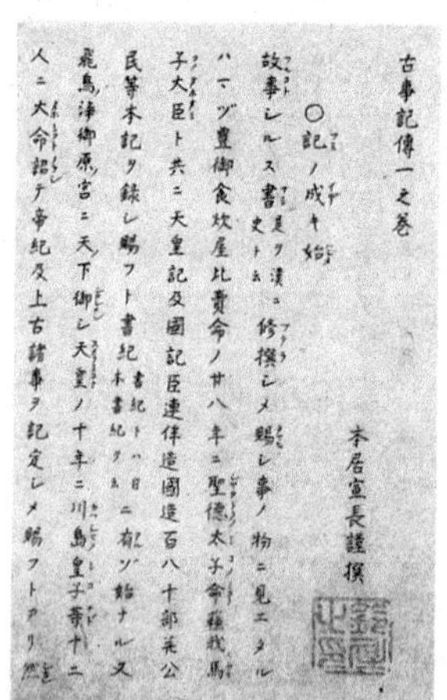

古事記傳一之巻

本居宣長謹撰

○記ノ成ル始

故事シルス書漢ニ修撰シメ賜ヒシ事ノ物ニ見エタル

ハマヅ豊御食炊屋比賣命ノ廿八年ニ聖徳太子命蘇我馬

子大臣ト共ニ天皇記及國記臣連伴造國造百八十部并公

民等本記ヲ録シ賜フト書紀ニ記ルセルゾ始ナル又

飛鳥浄御原宮ニ天下御シ天皇ノ十年ニ川島皇子等十二

人ニ大命詔テ帝紀及上古諸事ヲ記定シメ賜フトアリ然

图 31、32　本居宣长 61 岁时自画像和《古事记传》

首先,探讨《古事记》中的宇宙生成论。序文开头有这样一段:"夫混

① 王家骅:《试论儒家思想对日本〈古事记〉的影响》,《南开学报》,1986 年第 2 期。

元既凝，气象未效，无名无为，谁知其形。然乾坤初分，参神作造化之首。阴阳斯开，二灵为群品之祖。所以出入幽显，日月彰于洗目，浮沉海水，神祇呈于涤身。故太素杳冥，因本教而识孕土产岛之时，元始绵邈，赖先圣而察生神立人之世。”这段话实际上是对正文中别天神五柱、神世七代、国生、神生部分的概括。探究《古事记》的宇宙生成论时，我们必须将序文和正文联系起来考察。一旦忽视了序文中的宇宙生成论内容，就会陷于一端，看不到儒学的影响。

若将序文和正文的开头部分联系起来考察，可以推定，《古事记》所说的宇宙生成与演变顺序是：混沌（元气）—天地（乾坤）—国土—万物。根据《古事记》，宇宙生成的第一步是从混沌中诞生天地。试举其具体内容，序文中先有“混元既凝”（或“太素杳冥”“元始绵邈”），次有“乾坤初分”，正文开头部分有“天地初发之时”。这种从混沌（太素・元始）中诞生天地的思想，在其他民族中也曾有过。就生成说而言，高木敏雄、松村武雄、松本信广指出，波利尼西亚的宇宙创始神话和日本的宇宙生成说存在很多相似点。[①] 不过，小岛宪之、铁井庆纪推断，日本的宇宙生成说应该是受到了中国古代思想的影响。[②] 铁井庆纪尤其强调中国道家及道家系统思想对日本的影响。如《老子》中“天下万物生于有，有生于无”（四十章）、“有物混成，先天地生。寂兮寥兮，独立不改，周行而不殆。可以为天下舟。吾不知其名，字之曰道”（二十五章）、“道生一，一生二，二生三，三生万物”（四十二章）；《庄子》中“泰初有无，无有无名。一之所起，有一而未形”（《天地篇》）；《淮南子》中“天坠未形，冯冯翼翼，洞洞灟灟，故曰太始。道始于虚霩，虚霩生宇宙，宇宙生气。气有涯垠，清阳者

① 高木敏雄：『比較神話学』，博文館，1904 年，第 150 頁。松村武雄：『日本神話の比較』，培風館，1968 年，第 135、136 頁。松本信広：『日本神話の研究』，平凡社，1971 年，第 161—165 頁。

② 小島憲之：『上代日本文学と中国文学』（上），塙書房，1962 年，第 5 頁。鉄井慶纪：「宇宙創造神話のモチーフにおける日中神話」，收入于伊藤清司、大林太良編：『日本神話研究』（2），学生社，1977 年。

薄靡而为天，重浊者凝滞而为地”(《天文训》)。

事实上，中国古代的宇宙生成论可分为两个系统。除上述以《老子》为代表的道家系统外，还有以《易传》为代表的儒家系统。《周易·系辞传》说“易有太极，是生两仪，两仪生四象，四象生八卦”，论述天地生于“太极”。后汉许慎《说文解字》亦说：“惟初太极，道立于一。造分天地，化生万物。”“太极”是什么呢？唐初孔颖达主编《五经正义》中《周易正义》解释说，“太极谓天地未分之前，元气混而为一，即是太初也”，以“太极”为混沌之元气。“两仪”是什么呢？“两仪”就是天和地。《周易正义》说：“又谓混元既分，即有天地，故曰太极生两仪。”

这两个系统的宇宙生成论明显不同。《易传》认为，先天地而生的“太极”是混沌之元气，是“有”，是作为天地依据的本源性物质。可以说，《易传》的宇宙生成论带有唯物论的性格。道家系统的宇宙生成论则认为“有”生于“无”。如《老子》说：“道生一，一生二，二生三，三生万物。”“道生一”中的“一”是一气。“二”是天地、乾坤或阴阳。“一生二”虽然含有天地诞生于混沌元气的意思，但《老子》中“一”的上面还有“道”，“道”是“无”。《淮南子·天文训》说，“道始于虚霩，虚霩生宇宙，宇宙生气”，“虚霩”也指“无”。因此，可以说道家系统以虚无为本体的宇宙生成论，具有观念论的性格。

《古事记》序文认为，天地生于“混元”，“混元”之上没有如《老子》所说的主宰者——“道”(无)。从这个意义上来说，与道家系统的宇宙生成论相比，《古事记》中的宇宙生成论更接近于以《易传》为代表的儒家系统。正如日本学者指出的那样，在《古事记》完成时，不能否认《五经正义》已经传到日本的可能性。① 而且，可以说，《古事记》序文中的部分内容是参考过初唐长孙无忌的《进五经正义表》和《进律疏义表》的。② 在文章开头，有“臣闻混元初辟，三极之道分焉”(《进五经正义表》)、“臣闻三

① 梅澤伊勢三:「記紀批判」,創文社,1962年,第350頁。

② 小島憲之:「上代日本文学と中国文学」(上),塙書房,1962年,第201頁。

才既分”(《进律疏义表》),都先提起天地初发的记事。“三极”和“三才”都指天、地、人。因而,以《古事记》的天地诞生论受《周易》及唐儒注释的影响,大体应该无误。

据《古事记》序文和正文的表述,神在混沌生成天地时起了创造的作用。序文说:“参神作造化之首。”正文中的天之御中主神是高天原的中心主宰神,高御产巢日神和神产巢日神是生殖能力的神格化。这种思想与《淮南子·精神训》的部分内容类似。《精神训》说:“古未有天地之时,惟象无形。窈窈冥冥,芒芠漠闵,澒蒙鸿洞,莫知其门。有二神混生,经天营地,孔乎莫知其所终极,滔乎莫知其所止息。于是乃别为阴阳,离为八极,刚柔相成,万物乃形。”《淮南子·精神训》和《古事记》一样,都说天地自混沌元气中生成时,神作为第一推动力把混沌开辟为天地,不同的只是“二神”和“参神”用词差别。

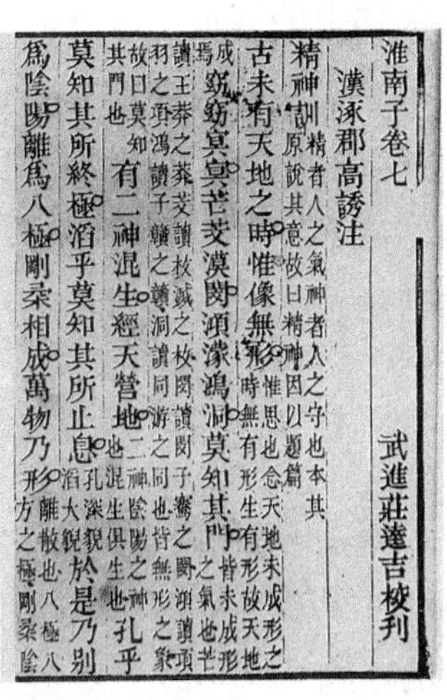
淮南子卷七
漢涿郡高誘注　武進莊逵吉校刊
精神訓精者人之氣神者人之守也本其原說其意故曰精神因以題篇
古未有天地之時惟像無形惟思也念天地未成形之時無有形生有形故天地成焉窈窈冥冥芒芠漠閔澒濛鴻洞莫知其門皆未成形之氣也芒讀王莽之莽芠讀抆滅之抆閔讀閔子騫之閔澒讀項羽之羽鴻讀子贛之贛洞讀同游之同也皆無形之象故曰莫知其門也有二神混生經天營地二神陰陽之神也混生俱生也孔乎莫知其所終極滔乎莫知其所止息孔深貌滔大貌於是乃别爲陰陽離爲八極剛柔相成萬物乃形離散也八極八方之極剛柔陰

图 33　《淮南子·精神训》

儒家古典《周易》认为阴阳妙合生育万物。《周易·系辞传下》说:“阴阳合德,刚柔有体。”孔颖达《正义》这样解释说:“阴阳合德而刚柔有体者,若阴阳不合则刚柔之体无从而生,以阴阳相合乃生万物。”在解释《周易·兼义》“立天之道曰阴阳”一句时,孔颖达《正义》还说:“其天地生成万物之理,须在阴阳必备。是以造化辟设之时,其立天之道有二种之气,曰成物之阴,与施生之阳也。”《古事记》也运用了阴阳的观念。例如,其序文中说:“阴阳斯开,二灵为万品之祖。”不过,其正文中也说到,是伊邪那岐和伊邪那美通过男女交合创造了国土、诸神、万物。这一解说或受到了《周易·系辞传上》“乾道成男,坤道成女”的暗示,即把抽象的、具有普遍性的阴阳观念还原成了直观的个体男女神。《古事记》中男神和女神围绕“天之御柱”交合的记述,即所谓“左旋”“右旋”的内容,尤其值得注意。它应该受了后汉儒家著作《白虎通》“天左旋,地右周”或张衡的《灵宪》“阳道左回”的启发。

以上探讨虽然粗略,但可以推知,在中国儒学、日本《古事记》以及波利尼西亚的宇宙创造神话三者中,关于宇宙生成论的要素非常接近。关于三者之间的传播关系,可以参考大林太良的观点。大林氏认为“岛钓神话”渡日,“并不是从波利尼西亚北上到达日本。可能性最强的是从中国中南部一带分流,一流入日本,一流入波利尼西亚”。① 这不仅是岛钓神话的传播关系,还同样适用于整个宇宙创生神话。

“圣王”和“良吏”

儒学的“有德者王”思想对《古事记》产生了很大影响。当然,它对《日本书纪》也有很深影响。下面探讨记、纪中所体现出的“有德者王”思想的影响。

通读记、纪中的内容,可以发现编纂者所描绘的天皇像存在两面性:(1)以日本神话为背景,作为天照大神的直系子孙,天皇的本体是神;(2)天皇有德,是施行仁政的“圣王”(或“圣帝”“圣君主”)。前者是日本传统政治理念的表现,后者则是中国儒家政治思想的反映。

根据河野胜行的研究,《古事记》描述了 6 个圣王(神武、崇神、垂仁、神功皇后、应神、仁德),《日本书纪》描述了 9 个圣王(神武、崇神、垂仁、神功皇后、应神、仁德、圣德太子、孝德、天武)。② 事实上,并不止这些。在《古事记》序文中,还盛赞元明天皇说:“可謂名高文命(夏禹),德冠天乙(殷汤王)矣。”可见,元明天皇也被赞美为圣王。

记、纪的编纂者是以中国儒家盛赞的尧、舜、禹、周文王、武王等先王为模板,描绘日本圣王的。其所举圣王事迹,无非是统一国土、制定与正确实施诸法制(尤其是税制)、治水(尤其是沟渠的开凿)或外族来朝。例

① 大林太郎:『日本神話の起源』,角川書店,1973 年,第 79 頁。
② 河野勝行:「記紀構成原理の一つとしての聖君観」,歴史学研究,389 号。

如，崇神天皇“初令贡男弓端之调，女手末之调”，“作依纲池，亦作轻之酒折池”，“故称其御世，初知国谓御真木天皇”（《古事记》）；垂仁天皇建造血沼池、狭山池，“令诸国，多开池沟，数八百之。以农为事。因是百姓富宽，天下太平矣”（《日本书纪》）。在应神天皇治世，除建造沟渠外，还包括百济王贡献马匹、横刀、大镜、汉籍《论语》、《千字文》、学者王仁、工匠韩锻和吴服，以及新罗国主之子天之日矛来日本的记事。记、纪描绘的理想圣王是仁德天皇。据记、纪，仁德天皇看到人民的灶房不冒烟，不顾“宫殿朽坏”，“悉除课役”三年。此外，他还修筑了很多治水工程。这些圣王记载，不一定都是历史事实，存在模仿中国儒家古典中有关尧、舜、文、武等记事的可能。如《尚书·尧典》“肇有十二州，封有十二山，浚川”“蛮夷率服”，《尚书·皋陶谟》赞美禹“决九川，距四海，浚畎浍、距川”。《论语·泰伯》中，孔子称赞禹“卑宫室而尽力于沟洫”。记、纪的圣王记事与儒学古典中的先王记事非常相似。

认为记、纪的记事是基于中国儒家古典的再创作，是有根据的。例如，关于传说中修建于崇神朝或垂仁朝的狭山池，考古学者森浩一认为，“池应建于6世纪后半或7世纪前半。”①就算记、纪的圣王记事不都是再创作，但至少也如河野胜行所言，“应该认为其以古代记录为基本，并适当分配于各天皇条”，“替换记事，或在一定的方针指导下对一群史料进行分配，这种可能性是很充分的”。②

记、纪圣王观的基础是中国儒学的“有德者王”思想。这一思想在《尚书》《论语》《孟子》等儒学古典中均有体现。它包含“天命有德”（《尚书·尧典》）、“惟命不于常”（《尚书·康诰》）的天命观、“天明畏，自我民明威”（《尚书·皋陶谟》），即承认人民为政治组成的思想等。孔子将其简单概括为“为政以德”（《论语·为政》），孟子概括为“以德行仁者王”（《孟子·公孙丑上》）。孟子肯定王朝覆灭，即承认“放桀”“伐纣”的合理

① 坂詰秀一编：『歴史时代の考古学：シンポジウム』，学生社，1971年，第124頁。
② 河野勝行：「記紀構成原理の一つとしての聖君観」，歴史学研究，389号。

性。这样一来，德的有无决定是让“那个人”就任王位或是放逐，民众的向背体现德的有无，民众可以推翻王朝。与日本祭政一致的血缘性政治原理的必然性、恒定性相比，“有德者王”的政治原理具有相对性、可变性。二者并不一致。

记、纪编纂者之所以要导入“有德者王”思想来描绘圣王形象，是因为大化改新以后，仅凭传统的血缘性政治原理进行政治统治已经不合时宜。改新后，通过废除诸豪族直接统治人民的类氏族制，以及学习中国唐代的均田制和租庸调制并实行“公民公地制”，天皇统治权直接下达于人民，人民成为天皇政治的重要组成因素。因此，如何在“君”“民”的直接关系中说明天皇统治权的正当性，成为重要课题。在传入日本的儒学古典中所体现出的“有德者王”思想，把人民作为政治存在，正好符合天皇制统治的要求。前节所述日本律令之所以导入“为政以德”思想，也是出于相同的政治目的。

不过，记、纪编纂者在导入“有德者王”思想的时候，还必须维护天皇家的世袭思想，即要避开与其冲突的“放伐”思想。《古事记》编纂者并没有设置与圣王相对立的像中国桀、纣那样的“非圣王”形象，也没有记载天皇的“非道”行为或王朝覆灭。《日本书纪》编者虽以武烈天皇为暴君，但没有叙述天皇家断绝之类的事情。虽然说明武烈纪为仁德皇统的结束，但也仅此而已。保存天皇家的世袭性原理并使之适应于改新后的新政治局面，是记、纪编纂者赋予天皇两种性格的原因。

继《日本书纪》之后，朝廷编纂的《续日本书纪》《日本后纪》《续日本后纪》《文德天皇实录》《三代实录》，不仅继承了记、纪的圣王观，还提出了良吏（循吏、循良）的观念。《续日本书纪》养老二年四月条，可见关于良吏的道君首名传。据亀田隆之统计，在从《日本后纪》至《三代实录》的国史中，共收入有良吏四十一名。[①] 当然，直接导出这些良吏政治的，无

① 亀田隆之：「良吏政治の考察」，收入于井上光貞博士還暦記念会編：『古代史论叢』（下卷），吉川弘文館，1978年。

疑是当时的一般政治形势和任地状况。不过，在思想上支撑良吏行治政的，基本上还是中国儒学的“仁政”思想。《续日本纪》以下“五国史”的编纂者，也以儒学的政治理念为基准歌颂良吏的功绩。例如，良吏功绩颂词“劝人生业，为制条，教耕营”“性宽和不动于事”“所得俸禄施给百姓”“劝督农耕，轻其租课，民下乐业”等，在观念上都是儒学仁政的具体体现，可谓《论语》“居上不宽……吾何以观之哉”“为民制产”“使民以时”这些思想的反映。就算说它直接参考的是从《史记》《汉书》至《隋书》等中国正史中的良吏传，也没有太大问题。

总之，关于君、臣、民，即天皇、官吏、人民的关系，“六国史”有如下描述：天皇是像“德侔覆寿”那样的圣王，官吏是“朕之股肱”“民之父母”，人民是“置职任能，所以教导愚民”这一语句中的“愚民”。[①]这一君、臣、民观，与中国儒学的君、臣、民观一致，为当时律令制统治的政治理念。

律令、《古事记》及“六国史”所表现出的儒学政治理念，也反映于奈良、平安时代知识分子创作的汉诗中。《怀风藻》开篇，即作为现存最古老的日本汉诗而闻名于世的、大友皇子的“侍宴”诗，就盛赞当时的天智天皇：

> 皇明光日月，帝德载天地。三才并泰昌，万国表臣义。

所谓“帝德载天地”，明显在鼓吹儒学价值体系。三善清行在独著《藤原保则传》中，说藤原氏“天性廉洁，以身化物”“施以仁政”“劝督农桑”，把他作为良吏来赞扬。在三善清行著名的《意见十二条》中，也有“国以民为天，民以食为天”“上垂仁以牧下，下尽诚以戴上”的记述，贯彻着儒学政治原理。总之，在当时的日本，儒学政治原理的传播具有一定的广度和深度。因此，认为儒学“为古代国家统治阶级采用，与民族宗教和佛教相结合，作为巨大的思想支柱发挥作用，神事和佛事……占有重要地位”是正确的，但“儒教思想并没有占据古代国家体制意识形态的地

---

① 《续日本纪》天平十六年九月条、神护景云元年四月条、养老元年四月条。

位"[①]的观点,则不太有说服力。至少,我们决不能忽视儒学对日本律令国家政治理念的影响。

第四节　大学寮的儒学教育

同唐制的比较

在大化改新后的7世纪60—70年代,日本已经设有学校。中央有设在京城的大学寮,地方则有国学。平安初期,还设置了作为大学寮附属设施的大学寮别曹。此外还有私学。大学寮、大学寮别曹和国学不仅是律令贵族学校,还是培养古代官僚的机构。当时,无论哪类学校,教学内容都以儒学为中心。

大学寮是日本古代学校的典型。它始建于何时,当时的具体状况如何,现在已很难弄清楚。《怀风藻》序文有天智天皇时"建庠序,征茂才"的记载;《书纪》天智十年(671)正月条记载,百济人鬼室集斯在670年被任命为"学职头";《书纪》天武四年(675)条中第一次出现了大学寮的名称。根据这些史料,可知日本大学寮应该是创建于7世纪的60—70年代。关于初期大学寮的组织内容,相关史料现已不存。

日本古代学校制度形成完整体系或始于《大宝律令》,即8世纪以后。《大宝律令》和《养老律令》的学制虽然以唐代的永徽令和开元三年令为模板,但并没有止步于直接模仿唐令,这是众所周知的事实。[②] 以下试与唐制进行比较。[③]

日本的大学寮相当于唐学制中的国子监。国子监长官称祭酒,下设

① 家永三郎:「古代政治社会思想論序説」,收入于山岸德平等校注:『日本思想大系8　古代政治社会思想』,岩波書店,1979年,第520、521頁。

② 曽我部静雄:『日中律令論』,吉川弘文館,1963年,第156頁。

③ 此节所参考文献有桃裕行:『上代学制の研究』,目黒書店,1947年;村上尾雄:『律令国家における教育制度の研究』,教育科学,1953年2月号;久木幸男:『大学寮と古代儒教』,サイマル出版会,1968年。

司业、丞、主簿、录事等，共44个事务官，统归礼部管辖。国子监下属的学校有国子、太学、四门、律、书、算六学。其中的国子、太学、四门三学专门教授儒学。六学教官26人，学生定员2210人。日本的大学寮缩小和统合了唐制六学。大学寮事务官六人，长官称大学头，下设大学助、大允、少允、大属、少属等官职，属式部省统辖。大学寮最初仅设儒学科（明经道）和数学科（算道），没有律学和书学。教官九人。其中明经道有博士一人、助教二人，另有音博士二人、书博士二人；算道设算博士二人。音博士为日本独有，是教授汉籍读音的教官。学生定员430人。其中明经道400人，算道30人，明经道学生占多数。天平初年，新置律学（明法）博士和文章博士，学生定员各为10人与20人。成为独立学科的明法和文章（纪传），再加上令制中的明经和算道，后世所言之“四道”至此全部凑齐。不过，从学校规模、教官和学生定员来看，日本的大学寮是无法和唐代六学相比的。《新唐书》记载，在唐太宗时期，六学中还有很多外国留学生，在学人数多达8000余人。

图34　古代大学授业图
（四川省 汉画像砖）

日本的大学寮和唐代六学，都是以贵族为主体的学校。在日本，五位以上贵族的子孙为主体，东西史部和特别提出申请的八位以上官吏的儿子以及国学的毕业生，才可进入大学寮。唐朝虽然也根据学生身份明确规定了他们可以进入的学校，但唐的四门、律、书、算学却是对一般庶民开放的。也就是说，唐代允许三品以上官员及国公的子孙、从二品以上官员的曾孙进入国子学，允许五品以上官员及郡县长官的子孙、从三品以上官员的曾孙进入太学，允许七品以上官员及候、伯、子、男的儿子和庶民儿子中的俊秀者进入四门学；允许八品以下官员和庶民的孩子进入律、书、算三学。日本大学寮原则上不接纳庶民入学，这是日本学制的特色，具有更明显的贵族学校性质。入学资格不仅有身份限制，还有年龄限制。在日本，入学年龄是 13 岁至 16 岁；唐代是 14 岁至 19 岁，不过律学的入学年龄限制在 18 岁至 25 岁。此外，日本还规定要让"聪明者"入学，唐朝则没有这种规定。唐朝和日本都不举行入学考试，在学年限都是九年。

日本大学寮的教科书与唐制没有多大差别。据《大宝律令》和《养老律令》，明经道的教科书及注释书如下表所示，除少了《老子》《春秋公羊传》和《春秋谷梁传》之外，与唐制完全相同。

《周易》	后汉郑玄、魏王弼注
《尚书》	汉孔安国、郑玄注
《周礼》《仪礼》《礼记》《毛诗》	郑玄注
《春秋左氏传》	后汉服虔、晋杜预注
《孝经》	孔安国、郑玄注
《论语》	郑玄、魏何晏注

图 35　写有"大学寮解申直官人事"的木简（平城宫迹出土）

随着日本于 798 年加入《公羊传》《谷梁传》，860 年采用《御注孝经》，唐日之间教科书中原有的一些差异也几乎填平了。九经之中，学生可选修两种、三种或五种经典，《孝经》和《论语》则属于必选内容。在这一点上，中国和日本均是如此。不同的是，唐制还以《老子》为必修经典之一。

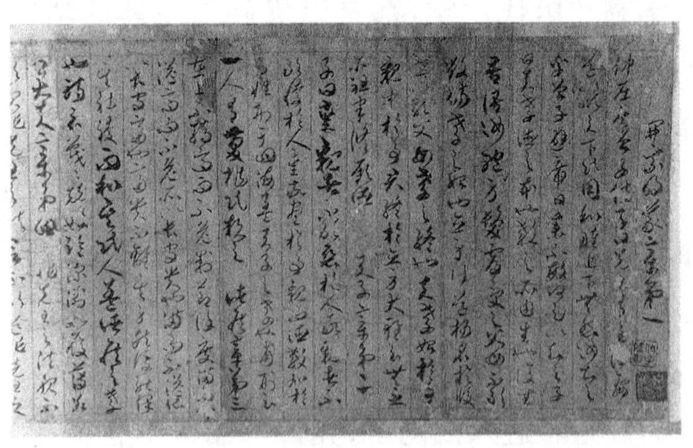

图 36　《草书孝经》贺知章笔（宫内厅藏）

就考试制度而言，唐制和日本均设"旬试"和"岁试"，分别就学生十天、一年的学习情况进行检测。不过，唐日之间的考试题量和成绩评价标准存在区别。与唐制相比，日本考试题量略小，评价标准也比较宽松。

唐代依科举制，日本依贡举制，令毕业生参加政府举办的官员考试，授予官职。日本的贡举无疑移植于唐代科举，当然也进行了相当程度的简化。比如，唐代科举分为秀才、明经、进士、明法、明书、明算六科，日本则缩至秀才、明经、进士、明法四科，算道和书法专业的学生，毕业考试合格即可任官。有关考试合格者的叙位规定，日本和唐制几乎相同。不过，与行政实务直接相关的进士、明法、算科的考试合格者，日本的官位要高于唐制中的二到三阶左右，说明日本较重视实学教授科目。

唐制中，地方府、州、县各设府学、州学、县学，以教授儒学，相当于日本的国学。日本的国学是让郡司子弟入学，并没有像大学寮那样设立专门学科，学业内容及诸制度与大学寮的明经道几乎一致。国学毕业生有的成为地方官吏，有的进入大学寮继续深造。

学校举行的重要仪式，有定于春秋二季的释奠之礼。释奠即孔子祭，分别在二月和八月的上旬丁日举行。在中国，《礼记》《周礼》等古典中记载有"释奠""释菜"的祭祀。在汉代以后的魏晋南北朝时期，释奠仪式大致齐备。日本最初举行释奠是在大宝元年(701)二月。除大宝、养老令的学令中规定有大学寮和国学举行释奠的记载外，弘仁式、贞观式和延喜式中也可以看到有关释奠的具体规定。它们都以唐代的开元礼为直接蓝本。据开元礼，释奠仪式是先在孔子庙祭祀先圣、先师，然后以祭祀场所为学堂进行讲学。日本稍微不同的是，到嵯峨天皇时期，释奠翌日会举行"殿上论议"(也叫"后朝论议""内论议")。所谓"殿上论议"，就是在释奠的翌日，把博士们召到宫里，让他们在天皇的面前讨论(没有讲学)。[①] 这是日本独有的形式。

---

① 弥永貞三:「古代の釈奠について」，收入于坂本太郎博士古稀記念会編:『続日本古代史论』(下卷)，吉川弘文館，1972年，第410—412頁。

图 37　释奠图　昌平黉所开释奠，诸大名举相参拜，奉献祭器

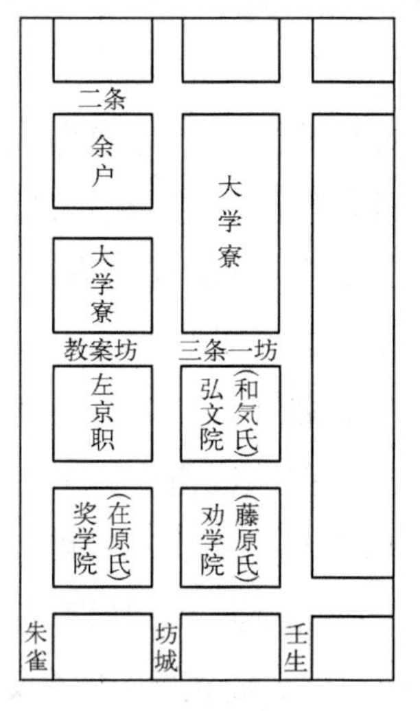

图38　大学寮、别曹所在方位图

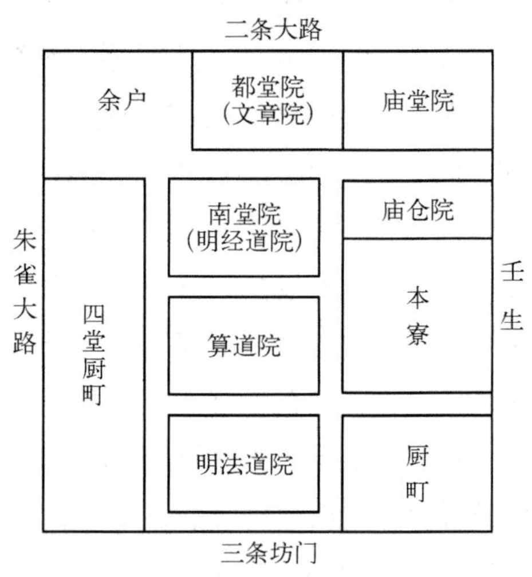

图 39　大学寮建筑格局

平安初期设立的大学寮别曹，最开始是私人教育机构。如藤原氏的劝学院、王氏（皇族出身氏族）的奖学院、橘氏的学馆院、和气氏的弘文院等。设立它们的目的起初是方便有势力的氏族子弟寄宿和学习。后来，这些学院渐次被公认为大学寮附属机构，即大学寮别曹。它们的教育内

容自然也是以儒学为主。

私学作为大学寮和国学的辅助教育机关，情况则比较复杂。在 8 世纪末抑或 9 世纪初，有称为“村邑小学”的地方私立初级识字学校，有空海等名僧设立的像综艺种智院那样的佛学私塾，也有教授汉诗文与中国史籍（文史学）的进行广义儒学教育的私塾。直接记载有“村邑小学”存在状况的史料现已不存。不过，佛学私塾决不是古代私学的代表。三者中，数量多且可作为古代私学代表的，到底还是第三类进行广义儒学教育的私塾。这种私塾具有大学寮的预备校、补习校的性质，起大学寮补助教育机关的作用。其中，影响最大、运行时间最长的是菅原氏开办的私塾。传说在道真担任塾主的时代，最为兴盛，“门徒数百，充满朝野”。

据以上内容可知，日本律令制教育体系以儒学教育为中心，事实上，这一教育体系也可以说是日本早期儒学的传播体系。因此，我们不能看轻儒学对日本古代教育的影响。

大学寮的衰微

平安时代前期是日本所谓“唐风文化”的全盛期，儒学和汉诗文的教养在贵族社会中广泛扎根流行。这一时期，统治者们实行奖励贵族子弟入学、增加作为大学寮财源的劝学田、充实学科内容等一系列强化大学寮教育的手段，大学寮进入繁盛期。儒学作为律令制政治思想的基础之一，开始传播开来。大学寮作为律令制官僚体系的培养机构，也发展起来了。到 10 世纪后半期，随着藤原氏世袭政权的确立，律令体制进入全面解体时期。日本的早期儒学和大学寮的儒学教育，也在这一时期迅速衰落。大学寮基础课程明经道地位的下降、考试制度的废弛、教官世袭制的扩张、纲纪紊乱，都是大学寮没落的表征。

大学寮是藉由儒学教育培养国家实务官僚的场所。不过，学令本身中也有如下规定：“学生虽讲说不长，而闲于文藻、才堪秀才进士者，亦听举送。”特别是秀才出身比明经出身在仕途上更占优势，学生的兴趣自然也由经学转向文章道。文章道的学生定员为 20 名，经常满员。文章博士的地位也提高了。弘仁十二年(821)二月,文章博士的官位由原来的正七位下提高至从五位下,一跃而超过明经博士的正六位下。一些文章博士还应召为天皇侍读,他们除讲文史外,还讲经书。后来,还规定大学头和式部大辅为文章道的官职,立身于公卿者亦不在少数。菅原清公、菅原是善、菅原道真、都良香、纪长谷雄、三善清行、大江朝纲、大江维时等都是从文章道的教官步入仕途的。至此,大学寮基础课程明经道的地位,已经完全被文史兼修的文章道所压过。

在藤原氏专权下,律令制原有的人才选用制度遭到破坏,大贵族子弟不必进入大学寮,无需才学,通过"荫位"和"院举"即可直接得到高位或官职。这就断绝了大多数与摄关家没有关系的中下级贵族的官吏升迁之道。因此,有志于进入大学寮学习的人数减少了,支撑大学寮教育的考试制度已徒具形式。文章毕业考试的"难关"(方略试),也是如此。据《江谈抄》,大江匡衡在979年参加方略试前,已私下从出题人菅原文时那里获得试题,完成作为答案的论文后,在考试当天提交给菅原文时,然后坐等考试合格的判定结果。① "省试"和"寮试"也问题迭出,考试水平也大大下降。

9世纪后半期表露出的教官世袭化倾向,到平安中期至末期更加明显。各道教官的人选限定于特定的氏族人群。各道中,最早实现教官世袭化的是算道。10世纪末以后,算道博士由小槻和三善两家代代世袭。此后,明经道、文章道(纪传道)、明法道的教官也渐次氏族世袭化。明经道博士由清原、中原两家掌管;文章除菅原、大江两家外,还由藤原氏南家、北家与式家掌管;明法由坂上、中原两家掌管。掌管明经道的清原、中原两家,到12世纪末,出自中原家的教官有23名,清原家有13名。随着学问的"家业"化,学问逐渐走向停滞。这些世袭教官的讲习研究,都没有超出法定教科书及注释书的范围。学问似乎已被视为特殊人群的特殊技能,而丧失了其真正意义。

10世纪后半期,随着律令制解体速度的加快,大学寮比较重要的活

① 久木幸男:『大学寮と古代儒教』,サイマル出版会,1968年,第186頁。

动如考试、释奠等，也不再如期举行。比如，延喜式规定省试在每年的二月和八月举行，但是10世纪后半期以后，举行次数逐渐减少，最终二、三年才举行一次。此外，由于大学寮教官或式部省官员的懒惰、违规行为，省试中也出现不少问题。968年出过两次事故，一个是六月省试当天紧急变更部分考题，一个是十一月省试突然停止合格裁定。释奠仪式中，最开始崩坏的是秋天释奠翌日举行的“内论议”。11世纪初后，已经不再举行内论议，甚至释奠当天举行的讨论会也经常停止。1183年八月举行的释奠又改用“青菜类”代替中国风的供品。[①] 在某种意义上，这说明佛教的影响已经深入到儒学的根据地——大学寮中了。大学寮的财政也陷入窘境。为了维持常规支出——释奠的花费，以及临时支出——大学寮的设备修理费，大学寮不得不依赖临时收费和名为“成功”的卖官制度。

给奄奄一息的大学寮以最后一击的，是安元三年(1177)四月二十八日烧起的一场大火。当晚，樋口富小路附近起火，火势由旋风催动向西北绵延，最终殃及皇宫和周围的官厅。除太极殿外，八省院不存一宇，神祇官、民部省、式部省、真言院和大膳职相继罹祸，大学寮和劝学院也被烧毁。火灾后，同时罹灾的各官厅和劝学院不久得以再建，唯独大学寮从此关门停办。这表明大学寮的历史使命已经完结，没有存在的理由。各国的国学也从10世纪起开始废绝。

大学寮烧毁后，教官、事务官、学生等在名义上暂且得存，释奠和毕业生考试等也有举行，然而已经是徒具形式。可以说，以儒学教育为核心的律令制教育体系，1177年后就完全消失了。

第五节　“早期儒学”特征

所谓早期儒学

从儒学初传日本到平安时代末期的日本儒学，在日本儒学发展史上

---

① 久木幸男:『大学寮と古代儒教』,サイマル出版会,1968年,第208—213頁。

到底应该处于什么位置？迄今为止，几乎还没有人研究过这一问题。现存的日本儒学史研究著作，多以江户儒学为中心，不过是把自儒学传入至平安时代末期这七百余年间的儒学发展，作为江户儒学的发展前史，进行简单地概说。① 但是，这一阶段的日本儒学对于日本儒学史，是不可或缺的一部分，尽管其对日本社会的影响比不上江户儒学，但却比其他任何时期儒学的影响都要大。就像中国如果没有原始儒学和汉唐经学就没有宋明理学那样，没有这一阶段日本儒学的发展，也不会有江户时代儒学的全盛。

我们应该把这一段儒学放在日本“早期儒学”的位置。从表现形态、发展样态、传播方式来看，它和中国原始儒学、汉唐经学存在共通之处。

如上所述，日本在这一时期并没有什么可观的系统性儒学理论著作，其吸收的思想散见于《宪法十七条》和大化改新后之诏敕等政治文献、《古事记》和《六国史》等历史著作以及知识分子所写的汉诗文中。然而，我们也决不能忽视日本早期儒学的存在。这是因为，作为中国儒学经典的原始儒学著作也不是系统性的理论著作。例如，《诗经》是中国最初的诗歌总集，《尚书》是夏、商、周的历史文献集成，《春秋》是鲁国史书，《论语》是孔子弟子们记录孔子言行的辑录。《论语》各章很短，思想上大体上也都是片段性的，它不像古代希腊哲学著作，缺少推理和论证。通过比喻或引用名言、古语、故事，是中国古代思想家表达观点的特殊方式。日本早期儒学像中国原始儒学那样，也散见于政治历史的文献著作中。

日本早期儒学确实没有多少创见。尤其是博士家垄断之后，历代均墨守汉唐古注。不过，思想的发展有的是增加内容，还有的是扩大外延。例如，前述中国汉代经学是原始儒学的发展，是中国儒学史的一个发展阶段。前汉董仲舒采用阴阳五行说来完善儒家理论，是增加内容的发展，有其相应意义。后汉儒者以训诂、注释经典以及搜集古书为任，他们

① 牧野謙次郎：『日本漢学史』，世界堂書店，1938 年。安井小太郎：『日本儒学史』，富山房，1939 年。万羽正朋：『日本儒教論』，三笠書房，1939 年。

的古文经学为儒学的存续发挥了巨大作用，可以说是一种在时间上扩大外延的发展。日本早期儒学在这一点上，与中国古文经学是相通的。

元朔五年(公元前 124)，汉武帝设立五经博士后，以大学寮或国子监为中心的中国教育体系的教育内容是以儒学为主的。这一教育体系也是儒学的传播体系。从传播形态而言，日本早期儒学和汉唐经学也是共通的。

只要承认中国汉唐经学的存在意义，就必须认可日本早期儒学在日本儒学史上的地位。当然，日本早期儒学与中国原始儒学、汉唐经学也有不同之处，具有自身特征。

作为政治理念的早期儒学

中国的原始儒学，不管是孔子，还是孟子、荀子，都有一个共通的中心点，即“一是皆以修身为本”，其以修身为起点，然后扩展至“齐家”“治国”和“平天下”，兼具政治和道德属性。其中，政治原理和道德规范具有连续性。不过，日本早期儒学只是作为政治理念对日本政治产生影响，对当时日本人的道德几乎没有产生实际影响。

关于儒学对日本的影响，津田左右吉说：“儒教始终都是儒教，是中国的思想，是文字的知识，它并没有进入日本人的生活”，并明确指出，“虽然学者们一再喋喋不休地论说儒教道德，但日本人的道德生活绝没有受其支配”，“儒教的政治思想对日本人的政治实际也几乎没有什么影响”。[①] 一些日本学者并不完全认同津田氏的观点。对于日本儒学在平安时代之前的影响，他们认为，“当时的儒教并不单是教养或个人信仰，还是政治理念、政治方策”，“是法律和制度的主要依据”。[②] 后者的见解更值得重视。

如上所述，从思想角度来看，儒学是大化改新运动的指导理念，律令

---

① 津田左右吉：『シナ思想と日本』，岩波書店，1938 年，第 163、89、90 頁。

② 下出積与：「神祇信仰と道教・儒教」，收入于上田昭正编：『講座日本の古代信仰　神々の思想』，学生社，1970 年，第 66 頁。北山茂夫：「天平文化」，收入于家永三郎等编：『岩波講座日本历史　古代 3』，岩波書店，1962 年，第 267 頁。

国家存在的重要基调之一也根植于儒学理念，这无需赘述。在奈良平安时代，统治阶级的儒学知识不仅是个人的教养，还影响日本政治，是官吏在政治上的行动支撑。白凤时代末期，元明女帝醉心于唐文化，认为政教的根本在于儒学。当时，筑前国守道首名和近江国守藤原武智麻吕等之所以插手农事，其精神支柱也是儒学。天平十五年(743)，圣武天皇在实现自己的夙愿——建造卢舍那佛后，下达诏书说："虽率土之滨，已霑仁恕，而普天之下，仍未浴法恩……"[①]虽然他是在表达兴隆佛法的愿望，但最终仍然承认作为政治原理的"仁"的儒学。圣武天皇和橘诸兄政权建造大佛，后来成为反对派攻击的靶子，据《续日本纪》记载，很多官吏和大学生"以朝廷路头屡投匿名书"。有的日本学者认为，这一事件是站在儒学思想立场上的时事批判。[②] 淳仁天皇时代的藤原仲麻吕，著述了《镰足传》和《武智麻吕传》等家传性著作，试图谋求自身及家中嫡流的权威化。儒学的君臣观是上述著述的根本指导思想。神护景云三年(769)，和气清麻吕阻止道镜即位，也是源于其儒学教养，这是公认的事实。一些日本学者认为，在平安时代初期，以文章经国思想为支撑的唐风化席卷朝廷，帝位不传子的历史现象，也是受唐风化影响的儒学思想的一种"日本式禅让"。[③] 根据这些，可以说日本早期儒学已经超越了作为教养或文学知识的流行范围，对当时的现实政治产生了影响。

不过，津田氏有关儒学在道德领域几乎没有产生影响的观点，亦可谓卓见。当时的律令国家统治者，也尝试过把儒学的家族道德移入家族生活层面。通览律令条文可以发现，统治者设定了很多奖励对直系亲长行孝、严罚不孝的规定，同时还禁止自由通婚，即婚姻须经过双方父母同意，根据丈夫一方的单方面意见制定了作为离婚条件的"七出"，奖励妻子对丈夫单方面守节，这些都与以家父长式家庭为前提的婚姻规定存在

① 《续日本纪》卷十五条、天平十五年十月条。

② 久木幸男：『大学寮と古代儒教』，サイマル出版会，1968 年，第 56 頁。

③ 笠井昌昭：「摂関院政政治的理念」，收入于古川哲史、石田一良编：『日本思想史講座 1　古代の思想』，雄山閣，1977 年。

千丝万缕的联系。天平宝字元年(757)年四月,孝谦天皇发布诏令说:“古者治民安国,必以孝理。百行之基,莫先于兹。宜令天下,家藏《孝经》一本。”但是,如果通过《万叶集》中的和歌来考察在日本人家族生活中实际发挥作用的道德思想,即便说律令条文中体现出的家族道德思想是不具有现实意义的一纸空文,也不为过。在《万叶集》和歌中,罕见强调卑属对尊长的片面奉公和妻子对丈夫的单方面守节等儒学家族道德的影响。《万叶集》收入的四千五百首和歌大半部分都是恋歌。这些恋歌在道德上无条件肯定男女之间的爱情。当面对亲子关系和男女恋情必须二者取其一的时候,多数日本人会毫不犹豫地舍弃前者而选择后者。如《万叶集》卷十三中的和歌说:“不愿告阿母,此心已隐藏,愿随君处去,不论到何方。”卷十四中的和歌说:“矶畔骏河海,葛藤长海滨,我今恁信汝,违背我双亲。”一些日本学者认为,访妻婚和母系继承是古代主要的家族形态,①虽然日本律令继承了已经确立了家父长制的中国法制,有关中国家父长制式的规定也随处可见,但这些条文对当时日本人的实际生活几乎没有约束力量。②

共存性

中国儒学有很强的包容性,事实上它也是通过不断地吸收各家思想而发展起来的。如前汉董仲舒引入法家和阴阳家思想,宋明理学吸收佛教和道教思想。同时,中国儒学还有很强的外向排他性,为树立自己的主张而不断展开排斥异端的论争。如原始儒学时期的儒墨、儒法论争,前汉初期的儒学与黄老刑名之学的论争,前汉武帝尊儒学为国教排退诸子百家,东晋、南北朝、隋唐时代又有儒、佛、道之争。儒学内部的不同学派之间,也经常相互辩论。原始儒学有荀孟之争、汉代经学有今古文论

① 関口裕子:「日本古代家族の規定的血縁紐帯」,收入于井上光貞博士還暦記念会編:『古代史論叢』(中卷),吉川弘文館,1978 年。

② 家永三郎:「古代政治社会思想論序説」,收入于山岸德平等校注:『日本思想大系 8　古代政治社会思想』,岩波書店,1979 年,第 544 頁。

争、南北朝经学有不同学风(《北史·儒林传》载“南人约简,得其英华。北学深芜,穷其枝叶”)等,都是如此。这些论争经常与政治斗争交织在一起。

日本早期儒学明显表现出很强的共存性特征。儒学传入日本时,中国儒学的荀孟之争、儒法之争、今古文经学之争已经画上休止符,没有影响日本。据小岛宪之研究,继体天皇后传入日本的汉籍有南朝经学系统的汉籍,也有北朝经学系统的汉籍。学令中的文本采用南北朝两系的经注来理解《周易》《尚书》和《春秋左氏传》(《周易》郑玄、王弼注;《尚书》孔安国、郑玄注;《左传》服虔、杜预注。划线部分为北朝系统)。日本早期儒学不但看不到像中国儒学那样的内部论争,还显示出与佛教和日本本土神祇信仰(神道)的共存性。在当时,日本不仅没有产生儒、神、佛之间的思想对垒,也没有发生如中国南北朝、隋唐时代那样儒者激烈批判佛教和道教的情况。即便担任文章博士与大学头的菅原清公、是善父子,也像记载的那样“最崇佛道仁爱人物”,推崇儒学的同时还尊信佛道。

日本早期儒学具有共存性的原因有两个。一个是政治原因。当时律令国家的统治阶级希望借助所有宗教、思想的力量来确立他们的权威。如上所述,在政治领域,儒学作为政治理念和培养官吏的手段发挥作用,而在宗教领域,作为外来宗教的佛教与民族宗教神祇信仰(神道)同样,以巫术的形式护持律令国家体制,被委任以“镇护国家”的任务。统治阶级以佛教信仰和民族宗教信仰并行,分别在每年的四月和七月举行大忌祭、风神祭,十一月举行新尝祭,正月举行《金光明经》的讲说,并把这些作为国家祭祀予以惯例化。如此一来,有关作为官方活动的这些“神”“佛”祭祀,统治阶级并没有偏向任何一方。还有不可忽略的是,中国汉代儒学中的祥瑞灾异、天人感应思想与前述的神祇信仰及佛教信仰相联系,吉凶卜相的定法也分别与“神”“佛”的方法相融合,影响二者。正是由于在效用上各自独立,三者才得以并行不悖。

第二个原因与当时日本人的文化程度有关。当时,日本人接触并惊叹于远比自己固有文明卓越的中国大陆文明(包括佛教),对渐次传来的新事物、新典籍的崇敬之情愈加强烈。他们埋头于学习和模仿，进而在思想层面也被折服，批判和有选择的吸收是不被允许的。并行之并笃信之，也是自然而然的。

哲学的欠缺

图 40　韩愈

日本早期儒学并非自发的，即不是日本人的生活自身酝酿产生的。早期儒学作为政治理念及教养，在日本社会中发挥了积极的作用。不过，日本早期的儒学者并没能在现实生活中把儒学思想作为哲学武器，与其他思想进行有效地论辩，在思想创造和发展方面也看不到什么特别之处。在这种意义上，可以说日本早期儒学是缺少哲学意义的。通过比较中国唐代韩愈和日本平安时代三善清行的排佛论，便可一目了然。

韩愈是中国著名的文学家、儒学者和排佛论者。三善清行（847—918）是活动于 9 世纪末 10 世纪初的地位最高的知识分子，被任命为文章博士、大学头、式部大辅，并以《意见十二个条》而作为历史理论家、经世家大放异彩。在《意见十二个条》中，有在当时日本人中极为罕见的排佛论。

韩愈和三善清行的排佛论有共通之处。他们都论述了佛教的流传对社会经济和国家财政造成的危害。韩愈在《论佛骨表》中，说唐宪宗恭迎佛骨导致“老少奔波，弃其业次”。三善清行在《意见十二个条》中也指出“令……建国分二寺。造作之费，各用其国正税。于是天下之费，十分而五”，第 11 条谈到很多农民为了躲避课役而成为私度僧（私自落发为僧）。不过，三善清行不主张完全禁止佛教，他认为当时祈祷丰年却水旱不止的原因是“僧徒修之者，多非其人也”，主张今后“众僧滥行有闻者，一切不预请用”。而且，由于很多私度僧还“聚为群盗”，主张“诸僧徒有凶滥者，登时追捕，令返进度缘戒牒，即著俗服，反附本役”。与三善清行不同，韩愈则要“人其人，火其书，庐其居”，主张严厉禁绝佛教。

三善清行的《意见十二个条》，从“国以民为天，民以食为天”（第1条）这一儒学富民主义观点出发，尝试把“方今时代浇季”的现实扭转回“上垂仁牧下，下尽诚戴上”的儒学“君子之国”，但他的论述并没有达到以儒学为思想武器强力批判佛教的程度。与三善清行不同，韩愈指出佛教不知“君臣之义，父子之情”（《论佛骨表》），主张正因为君臣与父子关系为“天常”（《原道》），儒学才能够培养出现世人伦关系中的理想人格。这一主张正是儒学思想的根本特征。韩愈为建构能够与佛教相对抗的理论体系，陆续著述了《原道》《原性》《原人》等论文，提出了“道统”说和人性论——“性三品”说。韩愈模仿佛教僧侣的传法系谱，建立了儒学的传授道统（尧—舜—禹—汤—文·武·周公—孔子—孟子）。孟子死后，“道”之传授中断，佛教才传播开来。当前的急务是承继和弘扬“道统”。这是其“道统”说的要旨。关于“道”的内容，韩愈也与佛、道二教不同，认为“道”是指“仁”和“义”。“性三品”是说人生而具有人性，分为上中下三等。基于此，人情是后天的，与人性的上中下三品对应，也可分为三个等级。上品人性完美，中品人性通过教育可以改造，下品人性则无法改变。韩愈的“道统”说和“性三品”说，对宋明理学产生了重要影响。

三善清行所处时代晚于韩愈约七八十年。不过，通过比较二者的排佛论，两国儒学者哲学思维水准的层次差异就很明白了。

第三章　镰仓、室町时代的日本儒学

第一节　宋学传入日本

禅林儒学

以宫廷和贵族势力为背景、汉唐训诂为主要内容的日本早期儒学，在镰仓时代已经没落。大学寮烧毁，圣像久眠于庙仓，几经盗难，学生也有名无实，博士们也只从事春秋二季的释奠、“御讲书始”[①]等活动。宽元二年(1244)正月，朝廷想募集资金更新庙器与礼服，明经家们却率先抱怨说：“当道之贫儒，难以承担。”[②]随着武士阶层的勃兴和禅宗的弘布，大陆宋学随禅学传入日本并在日本传播，开启了日本儒学革新的气运。不过，在镰仓、室町时代的精神生活中，居支配性地位的主流或理论依然是佛教，儒学自始至终都处于从属地位。

关于宋学传入日本的时间，学者之间说法不一。足利衍述在自著《镰仓室町时代之儒教》中，注意到入宋僧俊芿在建历元年(1211)从南宋

---

① 译者注：宫中新年活动之一。年初，天皇、皇后以及各皇族出席，聆听讲义。

② 和島芳男：『中世の儒学』，吉川弘文館，1965年，第46頁。

带回的两千余卷书籍中有236卷儒学书籍，且在宋朝时与他有很多往来的禅僧北磵与楼昉、楼钥等学者也都通晓程朱之学，而且他还给左大臣德大寺公继讲经史并论及“本朝未谈之义”，据此认为俊芿是把宋学传入日本的第一人。[①] 中国学者中也有人持此观点。[②] 与此相反，和岛芳男在《中世的儒学》中认为，与俊芿相比，入宋僧圆尔作为宋学首倡者的可能性更大。[③] 因为俊芿携回的书籍均已散佚，书目也不存于世，且“本朝未谈之义”也未必与宋学有关。圆尔于仁治二年（1241）回国时，带回了很多涉及儒佛的书籍，其中就有几部朱熹的著作，如《晦庵大学或问》《晦庵中庸或问》《论语精义》和《孟子精义》。圆尔还为幕府执权北条时赖讲过《大明录》。此书是南宋居士奎堂宣扬儒、佛、道三教一致的著作，与儒学相关的部分引用了很多二程学说。他还著有《三教要略》和《三教典籍目录》。笔者赞同和岛芳男的观点。圆尔之后，禅僧天佑、净云等从宋朝归国，也宣扬禅宗和宋学。

在日本弘布宋学的，不仅是日本禅僧，还有宋元大陆禅僧，著名者有道隆、正念、祖元和一山等。其中，一山及其门人对宋学弘布最为有功。南宋西蜀禅僧兰溪道隆于宽元四年（1246）到达日本，1252年应北条时赖的邀请到镰仓，并创建了建长寺。道隆回答时赖关于政道的问题时，引用过《论语·颜渊》“政者正也”，还说“政者正也，所以正文物也。文物不正则世不治”，“究道参玄，亦复如是。首正其心诚其意。目不斜视，口不乱谈。”[④]这明显是受了《大学》“正心诚意”的影响。一山一宁在正安元年（1299）被元世祖遣往日本。当时，幕府执权北条贞时得知一山并非自愿来日而是受元主逼迫后，就把他招至镰仓。正和二年（1313），后宇多上皇又下诏邀请他到京都各地讲学。一山于文保元年（1317）在日本逝世，

---

① 足利衍述：『鎌倉室町时代之儒教』，有明書房，1970年復刻版，第29—32頁。

② 严绍璗：《中日禅僧的交往与日本宋学的渊源》，收入于《中国哲学》（第三辑），三联书店，1980年8月。

③ 和島芳男：『中世の儒学』，吉川弘文館，1965年，第68頁。

④ 足利衍述：『鎌倉室町时代之儒教』，有明書房，1970年復刻版，第52頁。

享年71岁。一山弘布儒学的功绩，是培育出了英才虎关、雪村、梦窗、龙山等弟子，他们后来成为室町时代禅林儒学的源头。

在禅僧之外，也有中国儒者赴日传播宋学。九龙真逸（清末广东东莞人陈伯陶）所辑《宋东莞遗民录》下卷《李用传》，便说有一个"潜心理学"的学者李用（字叔大，号竹隐，东莞白马乡人），在宋德祐二年（1276）"浮游至日本，以诗书传授。日本人多被其化，称曰夫子。年八十一卒。日本人以鼓吹一部，送丧返里"。[①] 不过，日本文献中并没有关于李用的记载，日本学者的研究著作中也没有提及过这件事。这或许是因为李用在日本的影响不及禅僧的缘故。

在整个镰仓、室町时代，宋学几乎全赖五山禅僧之手才得以延续。这一状况与大陆宋学大不相同。中国近代著名学者章太炎指出，以程朱为中心的宋学的特征是"里面也取佛法，外面却攻佛法"。即朱子学吸收禅宗、华严宗等思想后，自身已经具备高度的思想完整性，没有借助佛教来补充的必要，因而朱子学自始至终主张排佛。与宋学者相反，大陆禅宗一方则出现为对抗宋学而克服、包容儒学的僧人，力倡儒佛一致说。日本禅僧受大陆禅僧的影响，也站在儒佛一致的立场讲宋学。不过，日本禅林提倡宋学的目的一开始就不在于推广宋学，而是将宋学视为"助道之一"，最终只是为了弘扬禅法的方便。他们认为比较好的策略是：先诉诸武家政权指导者们的儒学素养，然后阐述儒学与佛教，特别是宋学和禅宗的一致、融合说，最后实现武家对禅宗的皈依。在这一点上，最成功的是梦窗门下禅僧义堂周信（1325—1388）。义堂于延文四年（1359）被镰仓公方足利基氏招至镰仓，先后住于圆觉寺和瑞泉寺。当时义堂曾告诉门人说，孔孟之书仅止于人天乘，没有一定把其当作专业来学习的必要，但可将其作为"助道之一"。当他的弟子被儒学（宋学）吸引而疏于佛学的时候，义堂即大怒，扬言他们要是再读俗书，就烧掉寺院中所有儒书，对他们大加训斥。康历二年（1380），义堂从镰仓到京都，成为将军足

① 梁容若：《中日文化交流史论》，商务印书馆，1985年，第181、182页。

利义满的老师。他劝说义满学习作为治道要书的《四书》，当义满注意到汉唐古注和宋代新注存在不同时，他说新注优于古注，原因是宋学摄取了禅学，最终使义满皈依禅宗。之后，义堂就不再给义满讲授儒学了。由此可见，禅僧提倡宋学怀有功利主义的目的。而禅僧们的这种功利主义态度也限制了他们对宋学的理解和研究。他们仅仅注目于儒学与佛教，尤其是宋学与禅宗在形式上的关联，着重论述二者之间的交涉和融合，因此最终没有达到把握宋学实质的程度。当时，宋学是作为佛教禅宗的附庸而存在的。

禅僧们之所以研究儒典(包含宋学著作)，是以其为兴禅和写作四六文(禅林日用文书的文体)的手段，在迫于极其实用的必要情况下才进行的。不过，应仁之乱后，偏重宋学理论的研究倾向开始逐渐显现，儒典研究本身成为目的。这一研究学风的形成，以京都五山之一东福寺为中心。岐阳方秀于东福寺出家，应永三十一年(1424)卒于东福寺不二庵。岐阳著有朱熹《四书集注》和训。其门下人才众多，有名者有云章一庆和翱之慧凤。东福寺还陆续出现了桂庵玄树、文之玄昌等专门研究儒典者，可谓名家辈出。禅僧中也有人开始着力于宋学。最终，日本近世出现了脱离禅僧而一归儒学的藤原惺窝和山崎闇斋。可以说，日本禅林的宋学，在意识形态上饰演了从佛教向儒学过渡的桥梁角色。不过，大陆宋学在成长为统治阶级意识形态的过程中，并没有这种桥梁，与禅僧的儒佛一致说也没有关系。

宫廷儒学

自镰仓时代末起，镰仓时代禅僧间唱道的宋学的影响，开始波及宫廷的天皇、公卿和博士家。

《花园天皇宸记》元应元年(1319)闰七月二十二日条有这样一段记载："今夜资朝、公时等，于御堂殿上局谈论语。僧等济济交之。朕窃立闻之。玄惠僧都义，诚达道欤。自余又皆谈义势，悉叶理致。"一条兼良著《尺素往来》中记载了玄惠为朝廷讲宋学，传授北畠亲房《资治通鉴》一事。《大日本史》文学传也有后醍醐天皇与公卿日野资朝等"设无礼讲，结将士之心，恐为人所怪，阳延玄惠使讲书"的记述，即天皇在"男脱乌帽放髻，法师不著衣而为白衣"之饮酒放浪之间，筹措讨幕计划。足利衍述与西村时彦据这些记载认为，玄惠是宫廷宋学的首倡者，建武中兴的原动力是宋学，北畠亲房等南朝忠臣勤王思想的源流也在于宋学。[①] 和岛芳男则反对他们的观点。他认为，《花园天皇宸记》中玄惠的"达道"，不一定指玄惠通达宋学，应该解释为达到《中庸》"天下之达道"的道义，而且，关于玄惠的宋学以及他与南朝或亲房的关系也没有确切证据，《大日本史》关于"无礼讲"和建武中兴之间的关系的记载，仅《太平记》有记录，而《太平记》的这条记载更类似于小说。[②] 上述论争暂且不谈，新来的宋学已经登上后醍醐天皇朝廷的讲席，这应该是个事实。《花园天皇宸记》元亨二年七月条说："廿七日癸亥，晴，谈《尚书》。人数同先昔。其义不能具记。行亲义，其意涉佛教，其词似禅家。近日禁里之风也，即是宋朝之义也。"元亨三年七月十九日条也说："近日风体，以理学为先。"这里的"宋朝之义"和"理学"明显都指宋学。

守旧派即墨守古注的公卿学者，坚决抵制新注的流行。《花园天皇宸记》元应元年九月六日条说："近日禁里频道德儒教之事。……而冬方朝臣、藤原俊基等，此义殊张行者也。而如惟继卿，频偏执，以浅略义加难……"也就是说，公卿吉田冬方和藤原俊基等大力提倡宋学新注，平惟继则非难宋学"浅略"。虽然后醍醐天皇的讲座讲了宋学，但宋学并没有被完全接纳和研究。

镰仓时代，儒学新注派为禅林宋学，古注派则是清原、中原、菅原、日野等博士家。博士家奉侍于天皇之讲席或出仕于将军、执权幕下时，讲的内容仍然是作为家学或家说的汉唐训诂，墨守旧习。看到禅林宋学兴

---

① 足利衍述:『鎌倉・室町时代之儒教』,有明書房,1970 年復刻版,第 139—167 頁。西村时彦:『日本宋学史』,梁仁堂書店,1909 年,第 31—69 頁。

② 和島芳男:『中世の儒学』,吉川弘文館,1965 年,第 120—127 頁。

起，且日益受到当时社会的信赖和欢迎，他们便不堪愤懑之情。当时大儒菅原为长与圆尔辩论，想把圆尔驳倒，结果反被圆尔问住，哑口无言。到镰仓时代末期，博士家们受朝廷采用新注和禅林提倡宋学的刺激，也开始钻研宋学。他们认为，适当采取宋学新注补强自家的学问，对于保存博士家的权威是必要且有效的。结果，引起了折衷之风，开启了室町时代博士家新、旧注折衷学的端绪。

以明经博士清原家为例，最早在传统家学中添加宋学新义的是清原良贤。足利学校遗迹图书馆藏、元天历元年(1328)刊陈澔著《礼记集说》中，有良贤写的跋。其中说："永和元年(1375)五月二日，以此本候禁里御读讫。清原良贤。"陈澔是宋末元初朱子学派大儒，其《礼记集说》被认为是朱子学派《礼记》注的标准，备受尊崇。从良贤采用此本来看，他是认可宋学的。

图 41　朱熹《论语集注》草稿

清原良贤的曾孙清原业忠(1409—1467)也对宋学感兴趣。业忠读过《四书大全》和《晦庵集》。他的《论语》讲义以古注为主，参考并采用了朱熹集注。关于《论语・里仁》"子曰：'参乎！吾道一以贯之。'曾子曰：'唯'。子出，门人问曰：'何谓也?'曾子曰：'夫子之道，忠恕而已矣'"一章，他这样解释说："忠体恕用，体用同一即一贯也。以己心及于物，恕也。自他同一则一贯焉。"他还说："忠恕者，曾子所传道也。万殊一本，一本万殊也。"[①]业忠解释的依据是朱熹《论语集注》"至诚无息者，道之全体也，万殊之所以一本也；万物各得其所者，道之用也，一本所以万殊也。以此观之，一以贯之之实可见矣。"业忠的学问整体上仍然采用古注，有

① 和島芳男：『中世の儒学』，吉川弘文館，1965 年，第 174 頁。

时参以新注。

到清原业忠之孙清原宣贤(1475—1550)时,清原家摄取新注的过程大致完成,宣原的学风已变成以新注为主,参以古注。宣贤是一代硕儒,一生致力于讲解经书。他上曾担任后柏原、后奈良两朝及方仁亲王的侍读,幕府将军足利义稙、义晴及诸公卿的老师,下还为一般缁素(僧俗)广开讲席。此外,他还曾到能登、若狭和越前讲经解道。宣贤是日本能够讲解全部四书五经的第一人,著作也有很多。他认为孔子之学为心性之学、宋学是其正传,说:"汉儒谙于心理之学而不识义理。"①他还认为,宋儒中没有人能超越二程,朱子之学也只是传播二程之道而已。他重视自孟子至程朱的道统,说:"程子、朱子云者,如不出世,圣人之道实于孟子已断。"②宣贤还以新注《大学》《中庸》和古注《论语》《孟子》为底本,制作定本,即整备了所谓的明经家四书。宣贤还受禅学和一条兼良的神儒佛三教一致思想的强烈影响。例如,他的《孟子抄》整篇引用朱熹《集注》,并附以明快的解说,阐述禅儒融合论。他解释"尽心知性"说:"内典云直指人心,见性成佛。直指人心言尽其心,见性言知其性,成佛言知天。"③以上内容表明,在博士家的儒学中,即便是理解宋学最深的清原宣贤,最终也未能超越新古二注折衷及神儒一致的不彻底立场,未能脱离汉唐古注和禅学,未能使宋学独立。不过,将宋学包摄于自家传统家学的博士家儒学,依然是江户时代独立儒学的源流之一。

第二节　向地方传播

萨南学派

在镰仓和室町时代,儒学主要流播于京都的公卿、博士和五山禅僧

① 足利衍述:『鎌倉室町时代之儒教』,有明書房,1970 年復刻版,第 477 頁。
② 和島芳男:『中世の儒学』,吉川弘文館,1965 年,第 189 頁。
③ 同上,第 191 頁。

间，形成所谓京学博士派和京学五山禅僧派，即儒学主要在中央地带传播。此外，与京都五山相对，镰仓也有五山，还有足利学校和金泽文库，儒学在关东的一角也深深扎下了根。不过，在室町时代后期，尤其是“应仁・文明之乱”后，战乱频发。博士家学者和禅僧们为逃避战乱带来的不安与贫困，纷纷离开京都，去依附地方大名和武将，于是，儒学逐渐普及于地方。

就博士家来说，在镰仓时代就已出现流往地方的现象。不过，流往地方的人不是博士家的嫡传，而是以那些即使留在京城也不能继承博士官职的博士家庶流为主。“应仁・文明之乱”后，京都几乎化为灰烬，太政官厅旧址成为农田，大学寮只剩下土坛，种了两棵树以代表孔庙。博士家在京都丧失谋生之路，于是不论嫡传还是庶流，都不得不避难地方。如上节所述，明经博士清原家的嫡传清原宣贤于享禄二年(1529)从京城前往能登，在能登守护大名畠山义总的府邸讲解《蒙求》。讲座从六月下旬开始，到八月初为止，共举行 24 次。翌年，宣贤又到能登，讲授《中庸章句》和《孟子赵注》。享禄五年(1532)，清原贞贤到若狭小浜的栖云寺讲授《孟子》。享禄十四年(1545)，71 岁的宣贤去越前，并在一乘谷附近建私宅，为当地人讲《古文孝经》和朱熹《大学章句》《中庸章句》等，并终老于此，享年 76 岁。由于宣贤离开了京城到了地方，便从博士家的束缚中解放出来，讲解新注相当自由。如上节所述，宣贤的讲说虽仍采取新、旧注折衷的态度，但已明显倾向于新注，即倾向宋学。除宣贤外，文章博士菅原家的菅原章长和菅原长淳也分别到过越前和丰后。

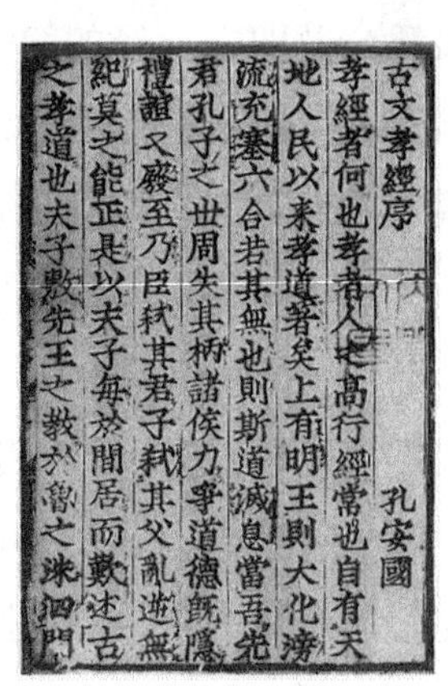
古文孝經序　孔安國
孝經者何也孝者人之高行經常也自有天
地人民以來孝道著矣上有明王則大化滂
流充塞六合若其無也則斯道滅息當吾先
君孔子之世周失其柄諸侯力爭道德既隱
禮誼又廢至乃臣弒其君子弒其父亂逆無
紀莫之能正是以夫子每於閒居而歎述古
之孝道也夫子數先王之教於魯之洙泗門

图 42 《古文孝经》(复制)

“应仁・文明之乱”后，一些禅僧也离开五山，在地方建禅寺，讲宋学，并以他们为中心，形成儒学的所谓“萨南学派”和“海南学派”。

萨南学派的活动中心在九州的萨摩和肥后。其开创者是禅僧桂庵

(1427—1508)。桂庵9岁时进京入南禅寺,除参禅外,还师事禅僧惟正、景召学习朱熹的《诗集传》和《四书集注》。16岁剃度,后返回故里,住在长门赤间关(今山口县下关市)的永福寺。应仁元年(1467),41岁的桂庵随将军义政的遣明使赴明。1468年在北京受到明宪宗接见。后在苏杭一带游学7年左右。桂庵擅长汉诗文,并与苏杭贤大夫过从甚密。桂庵受明儒宋学的熏陶,读《尚书》用南宋蔡沈《尚书集传》,讲"四书"则用元代倪士毅的《四书辑释》和曹端的《四书详说》。文明五年(1473),桂庵返日。当时,正值"应仁·文明之乱"激战方酣,细川氏与山名氏在京都争雄,五山亦遭战火。因此桂庵离开京都,先后在石见(今岛根县)和长门永福寺短暂停留,后来渡海到九州。文明九年(1477),桂庵受到守护大名菊池为邦和菊池重朝父子的欢迎,来到肥后。桂庵向菊池父子介绍游明的见闻,他借用当时明人中流行的一句话"不宗朱子元非学,看到匡庐始是山",说"宋朝以来,儒学如果不以晦庵为根据,学问就是不对的。因此,儿童走卒都会背诵这句话。汉以来儒者虽然很多,但都以晦庵为宗,就像山虽然有很多,但匡庐山集众山之美于一体",①劝菊池父子学习宋学。

文明十年(1478),萨摩守护大名岛津忠昌慕名邀请桂庵,桂庵接受岛津氏的聘请,辞别肥后来到萨摩。此后,桂庵便一直在萨摩授徒讲学,直至1508年六月去世,享年82岁。桂庵最应称道的功绩是,经他的促进,萨摩的重臣伊地知重贞刊行了朱熹的《大学章句》。这是日本刻印宋学著作的嚆矢。在此之前,镰仓幕府的将军和执权也曾多次刊书,但多系佛经。京都五山的禅僧也曾刊书,被称为"五山板",亦皆是禅书,未及儒典。日本刊行儒典始于元亨二年(1322)三论宗僧侣悦堂素庆刊刻《古文尚书孔氏传》,此后还有一个叫元澄的僧人在正中二年(1325)刊行《春秋经传集解》。最有名的是正平十九年(1364)堺的居士道佑刻《论语集解》,也称"正平板论语"。不过,它们都是古注书。伊地知重贞刊行的

① 西村時彦:『日本宋学史』,梁仁堂書店,1909年,第105頁。

《大学章句》，又叫"文明板大学"。因需要者甚众，这本书屡屡印刷，十年余后，刻板磨损而不可用。于是又于延德四年(1492)重新制板再印，称"延德板大学"。以后，虽也有清原宣贤刊印的"天文板论语"和长州守护大名大内氏刊印的"大内板"，但都比萨摩的"文明板"和"延德板"迟40—50年。

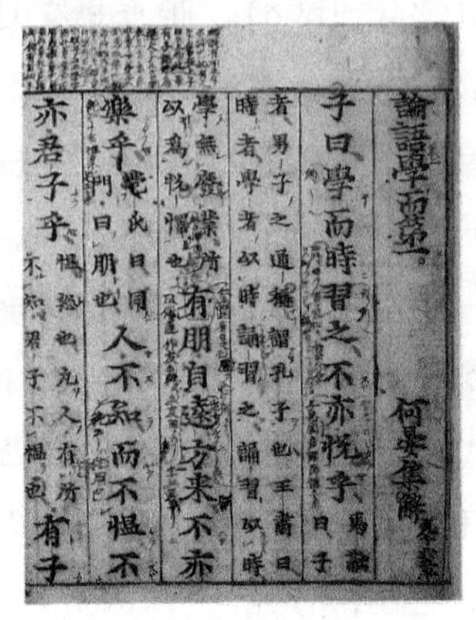

图43　正平板《论语》

桂庵虽是禅僧，但因是在偏远的九州，便从五山学风中解放出来，极力鼓吹宋学新注。佐藤一斋曾这样评价桂庵，说他"身披禅衣，心服阙里(孔子的住所)"。① 这确实道破了桂庵阳禅阴儒的本质。桂庵在萨摩讲学31年，其学徒除大名菊池氏、岛津氏，及其重臣鸟取政秀、伊地知重贞、平山忠康外，还有很多禅僧，如月渚、舜田、郁芳、云梦等。桂庵的门人又秉承师说而授徒，致使"国都顷兴仲尼之道，移东鲁之风"，儒学在九州一带相当普及。②

桂庵死后，文之成为萨南学派的中心人物。文之曾受当时到萨摩的明儒黄友贤的指导，学习周敦颐和二程的学说。文之的学问也是阳禅阴儒，据说："公及士大夫游其门者，问禅者少，皆受朱注，自此三州(萨摩、大隅、日向)靡然成风。"由于萨南学派的努力，宋学在九州已成学界一大势力。③

海南学派

海南学派，简称南学派，其活动中心是四国的土佐，开创者为南村梅轩。梅轩的生卒年、出生地及家系学统等均不详，仅知他曾作大内氏的家臣，后于天文年间(约当16世纪30—50年代)来到土佐，成为守护大

---

① 足利衍述:『鎌倉室町时代之儒教』，有明書房，1970年復刻版，第561頁。

② 西村時彦:『日本宋学史』，梁仁堂書店，1909年，第122頁。

③ 和島芳男:『中世の儒学』，吉川弘文館，1965年，第221頁。

名吉良宣经的宾师。梅轩为宣经论儒学讲政治，对宣经的国政贡献很大，颇为宣经所尊敬。梅轩学风亦颇与桂庵同趣，半禅半儒、阳禅阴儒。他说："三纲五常之道，足以维持天地。诸子百家弗能改变之。但明晓此心，莫若禅。"他承认儒学对政治的效用，但认为禅学才是安心立命之道。[①] 梅轩极力推崇《四书》，主张真儒之学即道义之学，认为这在《四书》中已详备无缺。吉良宣经死后，由于种种原因，梅轩不得不离开土佐。此后，"南学三叟"即忍性、如渊、天质成为海南学派的中心。天质门下谷时中成为江户时代儒学勃兴后的南学派的先驱。

萨南学派和海南学派等地方儒学流派的兴起，除有赖于禅僧们的活动外，还得益于偏僻地区的大名已经注重文教，相比禅学更倾向于儒学。大内氏、菊池氏与岛津氏等不仅利用禅僧的文学知识和海外见闻，代他们起草外交文书，协助外交活动，还欲利用禅僧们的儒学教养为其政治统治服务。随着领国的扩大和安定，大名们需要能为其稳定地实行政治统治即"治国平天下"提供理论依据的思想工具。这样，力主武士"若能空一念，一切皆无恼，一切皆无怖"，驱使他们驰骋战场"击碎生死关头"忘却生死的禅学便不再能满足他们的需要。较之贵族佛教和禅学，儒学尤其是宋学能够更好地支持现世的政治规范。地方大名之所以渴求禅僧的儒学教养，正是基于这样的政治需要。

这些地方大名中的典型是大内义隆(1507—1551)。他是西国最大的大名，兼为周防、长门、安艺、石见、备后、丰前、筑前七国守护，并掌握着与明和朝鲜的贸易大权。他利用地理优势，于天文三年(1534)遣使朝鲜，要求"四书""五经"的注释书，天文七年(1538)，又致书朝鲜，要求"朱子新注五经"。天文十年(1541)，使节从朝鲜送来了《诗经》和《尚书》二经的新注。随着与明的交通贸易的频繁，他不仅输入书籍，还曾经将纸张运往明，委托明人印刷。天文十六年(1547)，大内义隆制定《渡唐船法度条约》，说："进贡意趣、公仪等事，对唐人等，不可及言语，同私笔谈停

---

① 西村時彦:『日本宋学史』，梁仁堂書店，1909 年，第 148 頁。

止也。但到医学儒学等练习者，非制限之事”，①禁止赴明的日本人与明人有公事上的交谈或笔谈，但修习儒、医二学的人在学问上的谈话或笔谈则不在限制之列。要之，就是鼓励学问交流。大内义隆还从京都招聘了很多经学博士派的名儒，并集合有名的五山禅僧，令他们讲释经书。前述的桂庵和梅轩都曾在大内氏的领国内讲学和供职。大内氏等地方大名支持宋学，是江户幕府尊崇儒学的先声。

足利学校

图 44　足利学校校门（足立市昌平町）

把儒学引到关东地区的有功者，当举足利学校。足利学校创建于何时，日本学者意见不一。一般认为足利义兼创建说最为可信。足利义兼（？—1199）是镰仓幕府第一代执权北条时政的女婿，在文治五年（1189）的奥州征伐中立过战功，深得将军源赖朝信任。义兼晚年出家，在足利庄内设氏寺鑁阿寺，还在寺内安置了讲书设施。据该寺现存文书，可知当时讲书的内容有《大日经疏》和《周易注疏》等，即兼习儒佛。很多学者认为，足利义兼在领内鑁阿寺设置的子弟教育用设施，是足利学校的由来。此后百余年，室町幕府第一代将军足利尊氏（1305—1358）又在足利庄建圣庙、设学堂。《分类年代记》说：“源尊氏出奔西海与菊池战于多多良浜，时默祷孔庙遂得胜利矣。于是再造圣庙以崇奉之，以先祖之所创，世世不绝祭祀。”看来儒学教育在足利学校中的地位日渐提高。不过，学校的主导权仍然掌握在禅僧手中。《续本朝通鉴》说：“尊氏曾祈胜军之事于足利学校，称有验，乃召京师之儒官而管之，然因水土之变，儒官不久先亡。自此儒官厌东行而不来，故窥禅徒之文学者领之。”到 15 世纪初，足利学校

① 足利衍述：『鎌倉室町时代之儒教』，有明書房，1970 年復刻版，第 723 頁。

已有相当规模，甚至设立了供学徒修养的病舍。不过，这时的儒学教育仍然墨守古注，以致遭到提倡宋学的人们的批评。通晓宋学的禅僧岐阳曾这样说："大唐一府一州以及郡县皆有学校，日本才足利一处。学校，学徒负笈之地也。然在彼而称儒学教授为师者，至今不知有好书，徒就大唐破弃之注释，教诲诸人，惜哉。后来若有志本书(《论语》)之学者，速求新注书而可读之。"①这段记述一方面说明足利学校的重要地位，另一方面又说明其学风十分守旧。

永享四年(1425)，上杉宪实扩充了足利学校，并使学风为之一变。上杉宪实(1411—1466)是室町时代的武将，深得幕府信任。他喜好文史与搜集书籍。1432年，上杉宪实受幕府之命，管理成为幕府直辖领地的足利庄。宪实聘请五山禅僧快元担任足利学校的庠主，还向学校赠送宋刻本《尚书正义》《毛诗注疏》《春秋左传注疏》等。上杉宪实扩建足利学校，一般称之为"永享中兴"。"永享中兴"后，学风的转变可从足利学校所存藏书管窥其一斑。藏书中有《易学启蒙通释》《周易传》《书经集传》《礼记集说》等新注书籍。虽然《毛诗》《论语》等仍用古注本，但书中已有历代庠主手书的新注插语。这表明新旧注折衷已成为足利学校的学风。当时的足利学校，已成为不习佛学专攻汉学的学府。《校规三条》第1条就规定，除"三注"(胡曾《咏史诗注》、李暹《千字文注》、李瀚《蒙求注》)、"四书"、"五经"、《列子》、《庄子》、《老子》、《史记》、《文选》外，应禁止其他讲义。不过，足利学校对五山禅僧仍持宽容态度，作为例外，还承认他们的自由讲义。

上杉宪实死后，上杉氏一族一直保护着足利学校。宪实之子宪忠曾赠送宋刻本《周易注疏》，同族宪房则赠明版《后汉书》和《十八史略》。室町时代后期，战乱频仍。由于上杉氏先发生内乱，后上杉氏与北条氏两个势力又发生冲突，关东地区也陷入混乱，学校也再三罹祸。元禄三年(1560)，第七代庠主九华认为学校复兴无望，从学校辞职欲回归乡里。

---

① 西村時彦:『日本宋学史』,梁仁堂書店,1909年,第91頁。

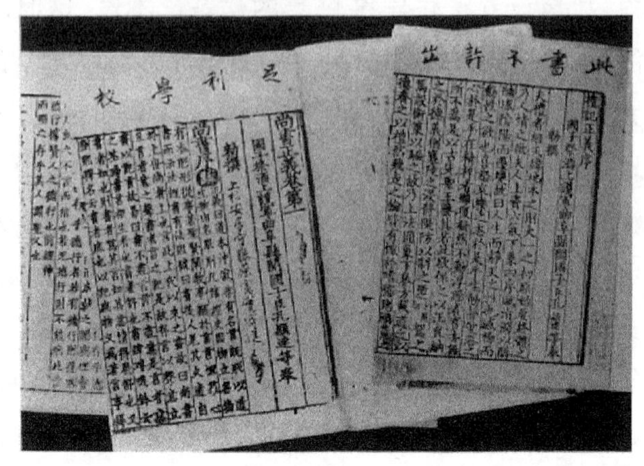

图 45　上杉宪实捐献之宋版《礼记正义》(右)和宋版《尚书正义》(左)

途经小田原城时，北条氏康、氏政父子邀请九华讲《周易》《三略》，并应允援助学校，劝他回校。自此，足利学校便得到北条氏的庇护，作为全国性的儒学教学机关，于战乱中仍然继续经营下去。关于足利学校在全国的地位，《镰仓大草纸》说："近顷，诸国大乱，学道亦中绝，此处乃日本唯一之学校。"葡萄牙的耶稣会传教士沙勿略，在天文十八年(1549)十月从日本寄往果阿的书信中也说："坂东有学院，日本国中最大而最有名也。"①

图 46　足利学校孔子像和释奠祭器

① 和島芳男：『中世の儒学』，吉川弘文館，1965 年，第 243 頁。

上杉氏和后北条氏所以扶持、保护足利学校，不能仅仅归因于他们爱好文教，更重要的在于足利学校培养的学生符合他们的需要。足利学校汉学教育的重点是易学。而上杉氏和后北条氏所关心的，与其说是作为经学的易学，莫如说是作为占筮的易筮。正如耶稣会教士沙勿略在1551年写的信中说："四方攻学之徒云集坂东大学，斯学徒归其国，则各以所学教授乡人。"从这里毕业的学生亦到处展开活动。① 他们为武家行易筮，观战阵，讲兵书，有兼才者还负责医疗，发挥类似军事顾问的作用。当然，也有人回乡后只教授汉学。无论如何，以上事实都表明足利学校的学风，到室町时代后期已经逐渐脱离纯粹学问的窠臼，变成以实学为主，并广泛向地方普及。

回顾镰仓和室町时代儒学的发展历程，大致可以看到如下发展趋向：镰仓时代初期，吸收汉唐训诂学流的儒学已经衰落，镰仓时代中期，宋学作为禅宗的附庸开始在日本传播。此后，皇室、公卿和博士家受宋学影响，形成了京学博士派新古注折衷的学风。就禅、儒之间的关系变迁而言，可以说，最初包摄于禅学中的儒学，逐渐与禅学对等，到最后阶段，甚至出现了阳禅阴儒的儒者禅僧。室町时代后期，由于大名政治统治的需要，博士、禅僧开始前往地方，宋学向地方普及，地位也逐渐提高，形成了萨南学派和海南学派。虽然宋学势力在镰仓和室町时代弱于佛教，但经过长时间的传播和浸润之后，其影响逐渐扩大，为江户时代儒学的全盛和独立准备了条件。

---

① 和島芳男：『中世の儒学』，吉川弘文館，1965年，第249頁。

第四章　日本的朱子学

第一节　日本儒学的独立

江户儒学开创者藤原惺窝与朝鲜朱子学

进入江户时代后，日本儒学摆脱了从属于禅宗的地位，开始独立发展，进入全盛时期。

藤原惺窝（1563—1619）脱离禅门还俗转向儒学，是日本儒学独立的标志。藤原惺窝是名门贵族藤原氏冷泉家的后裔，7—8岁时在故乡播磨龙野的景云寺出家。18岁时，他的父兄遭土豪袭击而死。于是，他不得不陪同母亲去京都，并在禅宗五山之一的相国寺为僧。这时候，惺窝和其他禅僧一样，既修禅学，又习儒学，还对中国的老庄思想感兴趣。惺窝是号，当时还号“柴立子”。“柴立”典出《庄子・达生》的“无入而藏，无出而阳，柴立其中央”。由于丰富

图47　藤原惺窝画像

的教养，惺窝后来成为有名的禅僧。天正十九年(1591)，当时的关白丰臣秀次曾邀惺窝参加在相国寺举行的诗会。文禄二年(1593)，惺窝应德川家康之邀到江户，给家康讲授《贞观政要》。

作为著名禅僧的藤原惺窝之所以转向儒学，与他受到来自大陆的思想影响，尤其是朝鲜朱子学的影响有关。当时，朝鲜迎来了朱子学的黄金时代。天正十八年(1590)，朝鲜通信使一行访问京都。惺窝经常前往拜访，双方互以诗文赠答。朝鲜使节中的书信官许箴之(号山前)曾致书惺窝，即《柴立子说》一文，说："子释氏之流而我圣人之徒，拒之尚无暇，反为不同道者谋，岂非犯圣人之戒而自陷异端。"①许箴之是朝鲜朱子学派的代表人物，为李退溪门下三杰之一——柳希春的高足。许箴之说儒学与佛、道峻然有别，视藤原惺窝为"不同道者"，这种态度无疑给了一直生活在日本神儒一致习气中的惺窝很大刺激。庆长三年(1598)，惺窝在京都结识了在丰臣秀吉侵略朝鲜时被俘的学者姜沆，彼此间经常进行学问交流。姜沆也是李退溪学派的朱子学者。受其影响，惺窝更加倾向朱子学。惺窝受其经济援助者、在野城主赤松广通之命，在姜沆的协助下，开始编纂《四书五经倭训》，并于 1599 年完成。这是日本最早据朱子学观点来注解整个四书五经的著作。在此之前，除明经道博士外，民间人士是不可以注解和研究儒家经典的。《四书五经倭训》的编纂，是打破传统禁制的行为，标志着惺窝向儒学转变。惺窝和姜沆交往不久，即还俗结婚，在个人生活上也脱离佛教。庆长五年(1600)，德川家康召见惺窝，惺窝穿着一身既非和服又非僧衣的"深衣道服"(私制的儒服)去见家康，公开表明自己与禅宗分袂而成为儒者。在座的旧友承兑、灵三等看到惺窝的奇怪装束，诘问说："有真有俗，今足下，是弃真归俗也。"惺窝反驳说："由佛者言之，有真谛，有俗谛，有世间，有出世。若以我观之，则人伦皆真也。"②

---

① 阿部吉雄：『日本朱子学と朝鮮』，東京大学出版会，1971 年，第 47 頁。

② 趙剛：『日本思想大系 28　藤原惺窝 林羅山』，岩波書店，1975 年，第 192 頁。

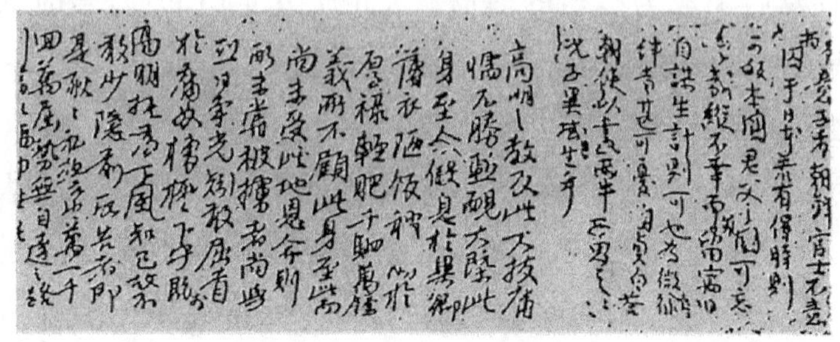

图 48　姜沆笔谈（自笔稿本）

藤原惺窝认为“人伦皆真”，如中国宋学者那样，否定佛教的出世主义，表明他从思想上排佛归儒。他还曾这样说：“我久从事释氏，然有疑于心。读圣贤书，信而不疑。道果在兹，岂人伦之外哉！释氏既绝仁种，又灭义理，是所以为异端也。”①有学者认为惺窝的排佛归儒论不过是其弟子林罗山的虚构，说惺窝“依然没有能摆脱五山习气”，②但从以上惺窝的言论和行动来看，他在主观上要摆脱佛教转向儒学的意图是很明显的，这一点毋庸置疑。惺窝对朱子学的倾倒，是五山禅僧怎么也比不了的。确实如有些学者指出的那样，惺窝晚年过着一种偏出世的生活，对明朝三教一致论者林兆恩也怀有兴趣，但这并不是回归五山禅儒，他本人到底还是一名儒者。当然，惺窝是从作为五山禅僧的佛教徒的立场来学习朱子学的，其思想存在残滓倒是不争的事实。

还有学者认为藤原惺窝是日本朱子学派的开创者。③ 这种看法并不合适。藤原惺窝的基本立脚点虽然是朱子学，但正如很多学者指出的那样，他并不是一个纯粹的朱子学者，他对传来的陆（象山）王（阳明）之学持包容和折衷的态度，同时也没有忽视旧儒学——汉唐训诂学的作用。

① 趙剛：『日本思想大系 28　藤原惺窩 林羅山』，岩波書店，1975 年，第 191 頁。

② 大江文城：『本邦儒学史論攷』，全国書房，1944 年。今中寛司：『近世日本政治思想の成立 惺窩学と羅山学』，創文社，1972 年。

③ 足利衍述：『鎌倉室町时代之儒教』，有明書房，1970 年復刻版，第 873 頁。丸山真男：『日本政治思想史研究』，東京大学出版会，1953 年，第 34 頁。阿部吉雄：『日本朱子学と朝鮮』，東京大学出版会，1971 年，第 320 頁。

从惺窝对理的观念的理解来看，可知他基本立足于朱子学。惺窝像朱熹一样，把理视为形而上的、万事万物产生的本体。他说，“夫天道者，理也。此理在天，未赋于物曰天道。此理具于人心，尚未应事曰性，性亦理也。”[①]惺窝还像朱熹一样，用“理一分殊”的理论去说明封建等级结构的合理性。他说：“学问之道，分别义理，以理一分殊为本。万物一理，物我无间，则必入于理一，流于释氏平等利益，墨子兼爱而已。”[②]即他认为如果只讲“理一”而不强调“分殊”，就会“入于理一”，流于释墨。

不过，惺窝对于朱子学的兴趣并不在其本体论，而在其伦理学。因而，惺窝的文章中几乎没有理气关系的论述。相较于理作为形而上的本体论概念一面，惺窝在讲“理”的时候，更注重其作为伦理道德性质的“道理”或“义理”一面。他说：“人事亦不可忽诸，人事即天理，下学即上达。”[③]尽管惺窝以朱子学为立足点，但并不排斥陆王之学，他说：“古人各有自入头处。周子之主静，程子之持敬，朱子之穷理，象山之易简，白沙之静坐，阳明之良知，其言似异而入处不别”，[④]持折衷态度。惺窝推崇宋学，说：“汉唐儒者，不过记诵词章之间，说注释、音训标题事迹耳，决无圣学之诚实之见识矣。……若无宋儒，岂续圣学之绝绪哉！”[⑤]不过又说：“汉唐训诂之学，亦不可不一涉猎者也。其器物名数典刑，虽曰程朱，依焉而不改者夥矣，让焉而不注者数矣。”[⑥]惺窝对二者采取包容的态度。相较儒学各流派之间的异处，惺窝更重视它们的共同性，即“异中之同”。他之所以如此，是因为其背负的历史使命是要将儒学更明确地与佛教区别开来，构筑儒学各流派的统一战线，巩固儒学的独立地位。惺窝对弟子林罗山说：“凡见异书，莫见异中之同处。见同中之异处，然后知异之

① 趙剛：『日本思想大系 28　藤原惺窩 林羅山』，岩波書店，1975 年，第 444 頁。
② 阿部吉雄：『日本朱子学と朝鮮』，東京大学出版会，1971 年，第 105、106 頁。
③ 趙剛：『日本思想大系 28　藤原惺窩 林羅山』，第 461 頁。
④ 同上，第 204 頁。
⑤ 同上，第 95 頁。
⑥ 朱谦之：《日本的朱子学》，三联书店，1958 年，第 155 页。

实对”,[①]然而关于朱陆之辨,他又说“我于朱陆,并无偏执”。[②] 藤原惺窝在使日本儒学摆脱宗教束缚,确立为建筑于人类理性之上的独立学说的进程中,发挥了巨大的积极作用。

藤原惺窝培养了一大批儒者,其门下除幕府官学派开创者林罗山外,还有与林罗山学风迥异的松永尺五、那波活所等人。通过这些风格多样的弟子们,可以看出开出江户儒学各流派灿烂花朵的种子已经为惺窝所培育出。与其说惺窝是日本朱子学派的开创者,倒不如说他是江户时代独立儒学的开创者更为恰当。

图 49　松永尺五

林家朱子学和幕藩制国家意识形态

日本朱子学派的真正开创者是林罗山(1583—1657)。林罗山也是从批判佛教走向朱子学的。罗山出身于浪人之家,为家中长子,13 岁时即入京都五山之一的建仁寺,在大统庵禅僧古涧慈稽门下作“稚儿”。稚儿不是正式僧侣,相比读佛经,主要是接受读儒书、练字、学习作诗的教育。稚儿时代的林罗山对学习十分热心,有时甚至听不到寺院召唤吃饭的木板敲击声。等到去吃饭时,已经结束,灶熄锅冷,只好挨饿。这种事情时有发生。罗山 15 岁时,建仁寺诸僧看到他才气过人,认为“使之为禅僧,则必为丛林之翘楚”,劝他出家,但罗山却以儒家“孝”的思想为根据表示拒绝,诸僧的劝说都没有奏效。他之前曾对养母说:“身体发肤不可毁伤,孝也。且无子孙,亦为不孝。”[③]之后,罗山不辞而别,离开建仁寺回家,广览群书。在涉猎群书时,他专心于经学之志愈强。1600 年,罗山

① 趙剛:『日本思想大系 28　藤原惺窩 林羅山』,岩波書店,1975 年,第 472 頁。
② 同上,第 417 頁。
③ 同上,第 471 頁。

18 岁时，开始接触朱子集注。从此倾心于朱子学，开始批判佛教。他在 20 岁时，写了 18 篇题为“辩”的文章，其中攻击佛教的占 11 篇之多。如他在《苏马子辨》中，借批判历史上的苏我马子，指责佛教紊乱人伦和政治，说：“马子不唯骎骎入(佛法)，且知犯上而好乱，则佛法之敝大矣。”①罗山在《告禅徒》一文中，还对有关大灯国师在出家前烧家食子的传说进行夸张，说“大灯国师(妙超)原有妻子。为断恩爱之欲，故使妻买酒，因闭户串炙啵吞其二岁儿。其妻熟视之叫唤而出，超亦逃去”，并评论大灯国师“灭人伦绝义理不劣虎狼，天地间之大罪人”。②他还批评佛教“以山河大地为假，以人伦为虚妄”的出世主义，③指斥建造寺院浪费国家财物。以后日本儒者排佛的论据，林罗山几乎已经全部提出。罗山排佛表明他的儒学已与佛教明确划清界限。

图 50　林罗山画像
(林智雄氏藏)

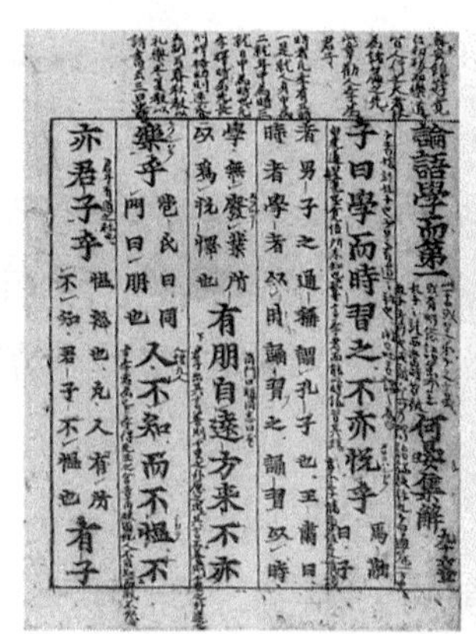

論語學而第一　何晏集解
子曰學而時習之不亦悅乎　馬融曰子者男子之通稱謂孔子也王肅曰時者學者以時誦習之誦習以時學無廢業所以為說懌也
有朋自遠方来不亦樂乎　包氏曰同門曰朋也
人不知而不慍不亦君子乎　慍怒也凡人有所不知君子不慍也
有子

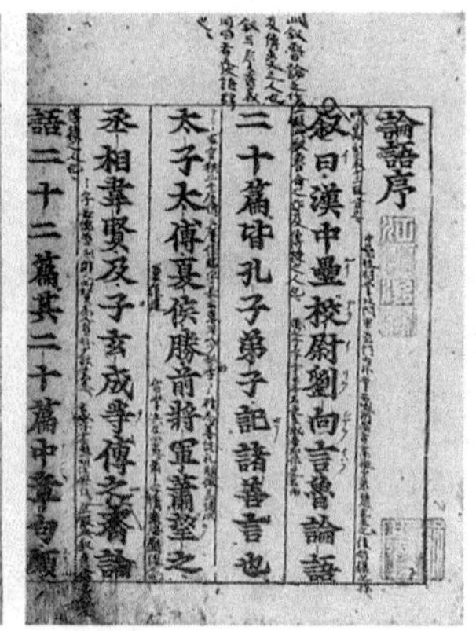

論語序
敘曰漢中壘校尉劉向言魯論語
二十篇皆孔子弟子記諸善言也
太子太傅夏侯勝前將軍蕭望之
丞相韋賢及子玄成等傳之齊論
語二十二篇其二十篇中章句頗

图 51　罗山加笔本

林罗山是热情的朱子学者。1604 年林罗山 22 岁时，结识藤原惺窝，并投入其门下。林罗山赞同其师惺窝排佛，不过并没有盲从惺窝对儒学各流派的包容态度。罗山不仅批判佛教，还批判陆王之学。到晚年，这

① 趙剛:『日本思想大系 28　藤原惺窝 林羅山』，岩波書店，1975 年，第 472 頁。
② 同上，第472頁。
③ 同上，第 475 頁。

种批判态度表现得更加彻底。罗山攻击日本阳明学者熊泽蕃山，并认为池田藩的阳明运动就像耶稣变装，说蕃山“可惧可备，不可不扑灭”，“大抵耶稣之变法也”，“与耶稣何异！”①不过，在精读朱子原典方面，林罗山不如山崎闇斋及崎门学派诸人。罗山的朱子学哲学思想研究，主要是假道《性理大全》或朱熹门人陈北溪（淳，1159—1223）的《性理字义》。因此，林罗山要真正把握朱子学的思想体系，尤其是有关理气论的本体论思想，并非易事，需要一个过程。青年林罗山虽然大致了解程朱的理气论，但由于受到中国明代学者罗钦顺（整庵）的《困知记》和王阳明的影响，主张理气不可分论。他说：“太极理也，阴阳气也。太极之中本有阴阳，阴阳之中亦未尝不有太极。五常理也，五行气也，亦然。是以或有理气不可分之论。胜（罗山）虽知其迫朱子之意，而或强言之……”②但对于自己的观点，罗山也无自信。所以在1607年朝鲜使节访日时，他问道：“理气一耶？二耶？”③步入壮年之后，罗山渐渐倾向于王阳明“理者气之条理，气者理之运用”的理气一元论。他说：“理气一而二，二而一，是宋儒之意也。然阳明子曰：‘理者气之条理，气者理之运用。’由之思焉，则彼有起后学支离之弊。”④1621年以后，林罗山就归着于朱熹的理气论，不再谈王阳明的理气不可分论了，声称自己“今崇信程朱，乃以格物为穷理之谓”。⑤

林罗山的读书范围广及日本、中国、朝鲜书籍。就中国情况而言，不仅有儒学系统著作，还有诸子百家、兵书、史书、医学书、医书、文学著作等。虽然林罗山思想的最后归结点是朱子学，但他的朱子学内容超越了朱子学，包含非朱子学的成分。正如源了圆所言，罗山关于心法、天、敬和利等思想，还受到中国兵书《六韬》和《三略》的影响。⑥

---

① 相良亨：『近世儒学における儒教運動の系譜』，理想社，1975年，第39頁。
② 趙剛：『日本思想大系28　藤原惺窝 林羅山』，岩波書店，1975年，第417頁。
③ 同上，第418頁。
④ 同上，第419頁。
⑤ 同上，第422頁。
⑥ 源了圆：『近世初期実学思想の研究』，創文社，1980年，第241—255頁。

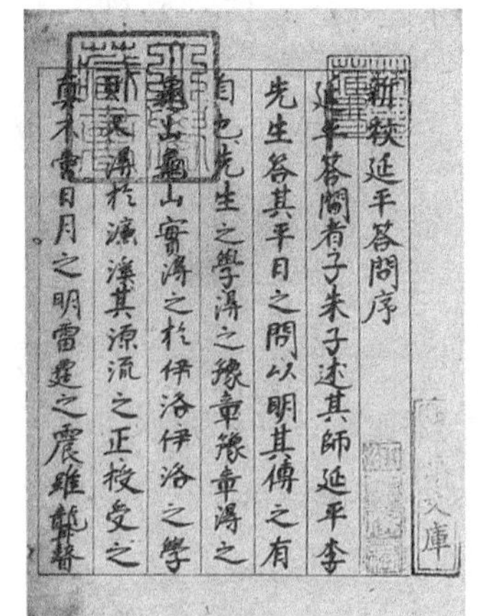

新校延平答問序
延平答問者子朱子述其師延平李
先生答其平日之問以明其傳之有
自也先生之學得之豫章豫章得之
龜山龜山實得之於伊洛伊洛之學
則又得於濂溪其源流之正授受之
真不啻日月之明雷霆之震雖聾瞽

图 52　《延平答问》　罗山自惺窝处借李退溪后语朝鲜本，抄录

图 53　汤岛圣堂（东京都文京区汤岛）

图 54　孔子像 明朱舜水携至日本

虽说都是朱子学，林罗山朱子学与中国的朱子学并不相同。林罗山对朱熹学说并无什么创造性的发展，但是，为适应当时日本国情，他对朱熹的思想内容和概念内容分别进行了修正和置换，从而表现了林罗山朱子学的日本特色。例如，与论述“性理”的原来的朱子学不同，罗山朱子学相较“性理”更倾向于论述“心理”。就忠孝关系而言，中国的传统观点认为“孝” 比“忠”更重要。林罗山则认为“忠＝公，私＝孝”。他说：“舜虽云为孝行而爱父，然不可以私恩破公义。”①又说：“二者不可得而兼也，舍轻而取重可也。”②结论就是，相较于“孝”，罗山更看重“忠”。林罗山朱子学和中国朱子学一个最大的不同，是对宗教的态度。中国宋学者吸收了佛教华严宗和禅宗的思想，表现出排佛的态度。林罗山朱子学反对佛教和耶稣教，

① 石田一良:『体系日本史叢書 23　思想史 2』，山川出版社，1980 年，第 92 頁。

② 朱谦之:《日本的朱子学》，三联书店，1958 年，第 164 页。

却与神道结成了意识形态联盟。在此之前，神道一直处于神、儒、佛三教一致思想的影响下。他切断神道和佛教的关系，利用儒学尤其是朱子学为神道奠定基础，强化二者之间的关系。他说神道“即是王道也，儒道也，圣贤之道也”。[①] 又说：“此神道即王道也。心外别无神，别无理。”[②] 他把自己的神道说成为“理当心地神道”。

关于林家朱子学在幕藩制国家中的地位，日本学者的评价有很大差别。一直以来，以丸山真男为代表的观点居支配地位。丸山认为，朱子学“在幕府权力的庇护下占封建教学的正统地位”，林罗山为“官学之祖”。[③] 与此相反，以尾藤正英为代表的观点则以外来思想朱子学不适合幕藩制国家为基本前提，说：“朱子学的自然法思想在江户时代的日本社会，并没有获得真正意义上的受容”，“单纯以儒学或朱子学起拥护幕藩制的作用的观点，不过是有碍客观理解近世思想史的先入为主之见”，林罗山被起用的原因是“让他担当政治上的事务”，“齐备个人的教养”。并断定，“在这一方面，利用有学识的僧侣……是室町幕府以来的传统”，“并不能认为那是幕府的教育政策或教化政策”，“在罗山、鹅峰时期，统治者并未对其拥护政治支配体制的任务抱有很大期待。”[④]总之，论争的根本问题在于林家朱子学是否适合幕藩制国家，即林家朱子学是否具备作为幕藩制国家意识形态的重要内容。

首先，从当时日本社会的历史状况来看，朱子学有被摄取为幕藩制国家意识的必然性。江户幕府创立者德川家康及其继承者们，面临着整顿由战国时代的“下克上”风潮而倾覆的封建秩序的任务。家康实行兵农分离制、士农工商四民等级制及武士阶级内部的世袭等级制，颁布相应的法度，通过集中封建权力采取了一系列强化封建统治的措施。在思想意识形态领域，为这些法度和措施构建思想基础是有必要的。当时，

---

① 趙剛：『日本思想大系 28　藤原惺窩 林羅山』，岩波書店，1975 年，第 445 頁。
② 石田一良编：『体系日本史叢書 23　思想史 2』，山川出版社，1980 年，第 90 頁。
③ 丸山真男：『日本政治思想史研究』，東京大学出版会，1953 年，第 200 頁。
④ 尾藤正英：『日本封建思想史研究』，青木書店，1986 年，第 6、24、29、35 頁。

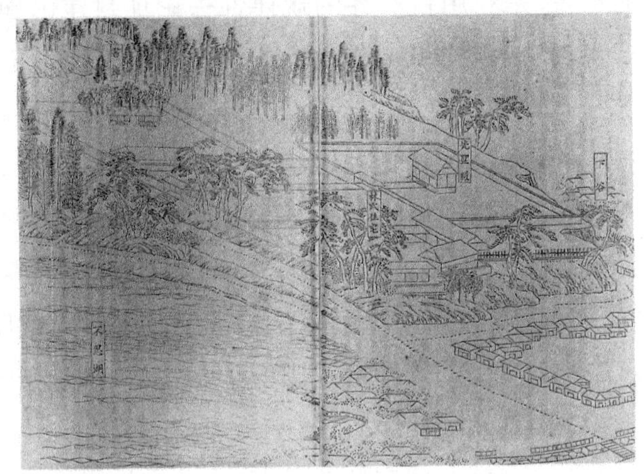

图 55　忍冈家塾图　上野忍冈时之林家学舍。如图右上，为德川义直于宽永八年（1631）所建先圣殿

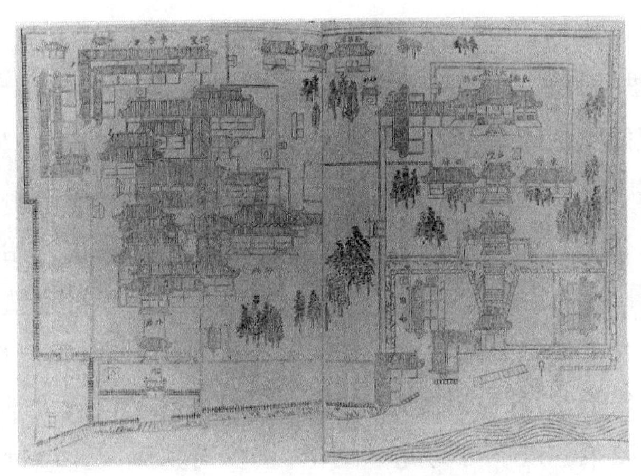

图 56　汤岛圣堂图　元禄四年（1691），五代将军德川纲吉将忍冈林家家塾移至汤岛，建筑非常宏伟。此为移建时图

幕府统治者迫切需要一种肯定政治统治的现世本位、武士本位的思想。德川家康已经认识到“虽以马上得天下，然生来既具神圣之性，渐知不可以马上治天下之道理”。① 中国朱子学是对现世封建伦理的哲学化。朱

① 丸山真男：『日本政治思想史研究』，東京大学出版会，1953 年，第 12 頁。

熹理学思想的本质，是利用自然界的规律性去论证封建伦理的必然性，乃一种肯定现世封建秩序的自然法思想。朱熹说："鸢飞鱼跃，道在其中。盖上下定分而君有君道，父有父道。为臣而忠，为子而孝。其尊卑贵贱之位，古今不可乱，谓上下之察也。举鸟鱼之微小，而天地万物之理具于此矣。"①罗山把幕府制定的礼仪法度看成是"上下定分之理"的外在体现。他说："天尊地卑，天高地低。如有上下差别，人亦君尊臣卑，分其上下次第，谓礼仪法度。"②罗山尊敬礼仪与其顺从当时封建阶级秩序是一脉相承的。与佛教、耶稣教、神道或阳明学相比，林家朱子学最适合幕藩制国家统治者需要的思想。

就林家朱子学和幕藩制国家的关系而言，林家朱子学是作为幕藩制国家意识形态被采用的。1607年，23岁的林罗山作为儒者被家康聘用，通过恣意解读方广寺钟鸣事件和解释汤武放伐论，为德川幕府讨伐丰臣氏提供了理论根据，罗山还负责《武家诸法度》以下诸法度及外交文书的起草工作，被委任选定年号，到江户给二代将军秀忠讲授史书。其原因是罗山博识能文的能力得到了幕府的认可。但是，随着罗山发言愈受重视，地位也获上升，幕府统治者对朱子学的认识也深刻起来。1630年，家光为林罗山在上野忍冈建立学塾。与此同时，御三家也开始登用儒者。罗山死后，幕府更加积极支持朱子学。罗山儿子鹅峰将家塾命名为"弘文院"，亦被允许称弘文院学士。林家第三代凤冈时期，第五代将军德川纲吉在汤岛建圣堂，任命凤冈为大学头。自此，林家世袭大学头之职，掌管幕府文教政策。以下可为此节结论：从罗山到凤冈这一过程中，林家朱子学已经被当作幕府意识形态的主要内容来采用，可以说，这奠定了宽政异学之禁后朱子学官学化的基础。

---

① 源了圆：『德川思想小史』，中央公論社，1981年，第18頁。

② 趙剛：『日本思想大系28　藤原惺窩 林羅山』，岩波書店，1975年，第131頁。

第二节　日本朱子学派的分化

贝原益轩和罗整庵

林罗山死后，其思想取向为林家历代所继承，林家内部并无可观的思想发展。然而，从罗山以后整个日本朱子学派的发展来看，却沿着两个方向发生了分化。一是浓化了朱子学的唯心主义侧面，强调其封建伦理学，相较“穷理”更重视“居敬”。一是浓化朱子学内含的唯物论要素，强调朱子学认识论中的合理内容，相较“居敬”更重视“穷理”，表现了对“民生日用之学”和科学技术的兴趣。属于前者的有山崎闇斋及崎门学派诸人、大塚退野以及幕末的横井小楠、元田永孚等。属于后者的有贝原益轩、安东省庵、新井白石、大阪怀德学派的中井竹山、中井履轩、山片幡桃等，以及幕末的佐久间象山。以下分别以贝原益轩和山崎闇斋为例，简略考察下日本朱子学分化的状况。

贝原益轩(1630—1714)出生于黑田藩士之家。14 岁时跟随其次兄学习“四书”的句读。又在其父的指导下读过医书，掌握了一些医学知识。28 岁以后，曾受黑田家资助上京，在京都学习 7 年。在此期间，贝原益轩并无固定业师，但与京都的儒学大师松永尺五、山崎闇斋、木下顺庵、中村惕斋，及医学者向井元升、稻生若水、黑川道祐都有往来。这时的贝原益轩既学朱子学，又习陆王学。据他的读书目录《玩古目录》记载，他在读书初期好读阳明学书籍，曾读过 12 遍王阳明的《传习录》。但是，在 36 岁时读了中国明朝学者陈建的《学蔀通辨》之后，他开始放弃兼修朱陆的做法，彻底转向朱子学。此后，贝原益轩便站在朱子学的立场上，在批判王阳明学说的同时，也反对批判朱子学的古学派。但是，贝原益轩对朱子学也渐渐产生疑问。益轩在写给朱子学者谷一斋的书信中，谈到了他在 46 岁时对程朱之论抱有疑问的事情。谷一斋提出反驳，说他的一些想法和古学派大家伊藤仁斋的论述类似。不过，在相当长的时间内，贝原益轩并未将他对朱子学的疑问与批判书诸笔端。直至临死那年，他才完成《慎思录》和《大疑录》两部批判朱子学著作，但他害怕人们误以为他背叛朱子学尊奉异学，因此对《大疑录》秘而不宣。益轩死后第三年，他的门人才把《大疑录》展示给荻生徂徕看。

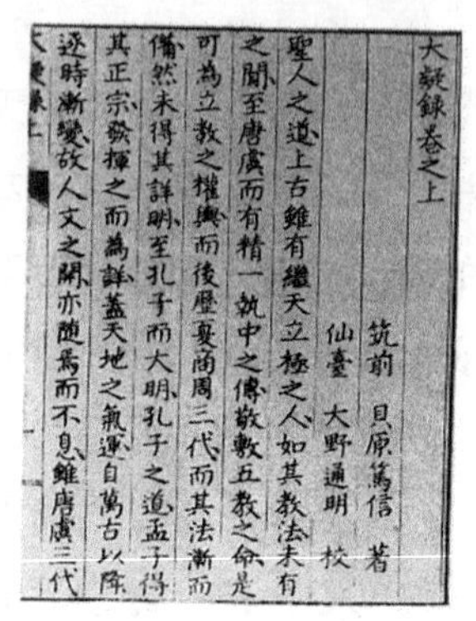

大疑錄卷之上

筑前　貝原篤信　著

仙臺　大野通明　校

聖人之道上古雖有繼天立極之人如其教法未有之聞至唐虞而有精一執中之傳敬敷五教之命是可爲立教之權輿而後歷夏商周三代而其法漸而備然未得其詳明至孔子而大明孔子之道孟子得其正宗發揮之而爲詳蓋天地之氣運自萬古以降逐時漸變故人文之開亦隨焉而不息雖唐虞三代

图57　《大疑录》明和四年刊本

图 58　贝原益轩

贝原益轩走上批判朱子学道路的起点是他的怀疑精神。颇值玩味的是，为其怀疑精神提供根据的恰是朱熹的教说。益轩经常引用朱熹的这句话："大疑则可大进，小疑则可小进，无疑则不进。"在益轩看来，"六经语孟"是义理和物理的源泉，不管后世的文化多么精密详尽，都"不能出六经语孟之范围之外"。① 但是，他又认为程朱在义理的发展上并没有达到极致，程朱学说并非完美无缺，即"天下义理无穷，圣人蕴奥难尽。是以宋之诸贤所说，虽义理明备，然其细微曲折之余意，尚待后人议论，有益详审者"。②

益轩宋儒批判论的重心，主要集中于程朱的本体论和人性论方面。他的观点受中国明代学者罗整庵（钦顺）的影响，与罗整庵的著作《困知记》不无关系。益轩《大疑录》第二条说："宋儒之说，以无极为太极之本，以无为有之本；以理气分之而为二物，以阴阳为非道，且以阴阳为形而下之器；分明天地之性与气质之性以为二，以性与理为无死生，是皆佛老之

① 荒木見悟、井上忠校注：『日本思想大系 34　貝原益軒 室鳩巣』，岩波書店，1970 年，第 468 頁。
② 同上，第 469 頁。

遗意，与吾儒先生之说异矣”，[①]概括性地指出了朱子学的问题点。在人性论上，贝原益轩认为性是一物，不可将之二分为天命之性和气质之性，因为人有生死，但人死后性就没了。在本体论上，益轩认为，“太极者，此道之本源，为万物之根柢”，又说世界本源“太极”是“一气混沌，阴阳未分之称”。而宋儒认为是形而下之器的“阴阳”，照益轩的说法，则是“太极既分之名。其实非有二也”。因此，也可以说是“天地之间，皆一气……”[②]以上观点显然不同于朱熹的本体论，是“气一元论”或“气本体论”。关于理气，益轩也不赞同朱熹的“理先气后”论，认为“理即是气之理，一气之行于四时也，生长收藏而不乱者，自顺正而不乖戾，故须就气上认取”，[③]以气来论理。贝原益轩的“气本体论”唯物主义思想，和罗整庵的《困知记》有关系。《困知记》上卷有这样一段：“天地之间不过一气，此一气动静、往来、开闭、升降，成四时温凉寒暑，成万物生长收藏，成人间伦理道德，成人事成败得失。其颇错综而于一丝不乱秩序之下，此所谓理。其初非别有理一物，依气而立，附气而行也。”[④]二者不唯思想相似，连所使用的语言也相差无几。将以上罗整庵的论述视为益轩唯物论思想的源流，应该是没有错的。

罗钦顺(1465—1547)号整庵，与王阳明是同时代人。当时王阳明学说盛行，罗整庵首先表示反对。他猛烈攻击偏唯心论的陆王之学，在继承朱熹哲学唯物论思想要素的基础上，又前进了一大步。另一方面，他又批判并大幅改造朱熹的理气心性理学，建立气一元论哲学，还把宋学的欲望否定主义重构为肯定欲望的思想。事实上，在罗钦顺之前，就有沿着“理气不离”这一方向批判朱熹“理先气后”说的学者。明代初期薛瑄(敬轩，1389—1464)提出“理在气中”，虽然向唯物论前进了一步，不过并没有完全解决理气的关系问题。罗钦顺受薛瑄的影响，明确提出“理

① 荒木見悟、井上忠校注：『日本思想大系 34　貝原益軒 室鳩巣』，岩波書店，1970 年，第 13 頁。
② 同上，第 55—56 頁。
③ 同上，第 54 頁。
④ 阿部吉雄：『日本朱子学と朝鮮』，東京大学出版会，1971 年，第 505 頁。

气为一"这一唯物论命题,建立了唯物主义理气观,开启了通往中国哲学史发展新阶段的道路。[①] 日本学者阿部吉雄把薛敬轩划为"主理派",这是不合适的。[②] 罗钦顺《困知记》的朝鲜刻本,被认为是日本刻《困知记》的源头。此后,以朝鲜本或罗山抄本为底本,日本广泛刻印《困知记》,很多人都阅读过这本书,对日本气哲学的勃兴产生了极大影响。贝原益轩非常推崇罗钦顺及其《困知记》,说:"唯罗氏师尊程朱,而不阿其所好,其所论最为正当。"[③]贝原益轩以罗钦顺为师,踏上了批判朱熹的道路。

贝原益轩对朱子学的批判,实际上针对的是崎门学派,抨击他们对道德精神的歪曲。贝原益轩不赞同崎门学派的教条主义和只以"敬"为中心的偏执酷薄学风。"居敬"和"穷理"是朱熹修养方法的两大支柱,朱熹屡次比喻二者如鸟之两翼、车之两轮,以二者不可废其一。在朱子学中,"敬"的地位较"穷理"高。这从他定义"敬者一心之主宰,万事之根本也","最紧要处",便可以推知。山崎闇斋比一般的朱子学者更重视居敬,而贝原益轩认为,敬不是心之主宰,只是存心的工夫之一。这样,敬从心的主座上跌落,忠信占据了心的主座,即他把朱子学中敬和忠信的位置进行了对调。益轩更重视"格物"和"穷理",强调朱子学认识论中的合理部分。可以说,朱子学的"穷理"包含道德的形而上学之理和作为事物规律的理,朱子更重视前者。贝原益轩对"穷理"的理解,则从道德的形而上学之理转移到了作为事物规律的理。他曾称赞荷兰人的外科医术,说:"彼国俗穷理,往往长于外治,疗病有神效……"[④]在这里所说的"穷理",可以理解为穷尽自然规律之理,即贝原益轩的"穷理"是转向了客观探索事物规律的理。贝原益轩重视"穷理"的合理性与客观性,主张学问应以"博学洽闻"为宗旨。他常言学问是"民生日用之学",如"宇宙

① 蒙培元:《理学的演变》,福建人民出版社,1984 年,第 366、367 页。
② 阿部吉雄:『日本朱子学と朝鮮』,東京大学出版会,1971 年,第 528 頁。
③ 荒木見悟、井上忠校注:『日本思想大系 34 貝原益軒 室鳩巣』,岩波書店,1970 年,第 32、33 頁。
④ 同上,第 503 頁。

内事，皆吾儒分内事”，“满天下事物众多，其理亦无穷。为学而得逐一通晓其理而无可疑，是人生一大快事，其乐可无穷”，[①]视“穷理”为儒者的责任和乐趣所在。为此，益轩的学问领域从对道德的体认躬行扩展到了礼法、制度、语言学、医学、药学、养生、博物学、数学、音乐、兵法等。其著作《大和本草》十六卷，是日本本草学的巨著。《养生训》和《用药日记》是他的医药知识的总结。他写作《筑前国续风土志》的时候，曾亲自去筑前地区的农村和高山大谷实地考察。贝原益轩博学洽闻的学风与崎门学派的学风正相反。

益轩在晚年著作《大疑录》中，对朱子学的基本思想提出质疑，但在情感上仍然没有否定朱子学。对朱子学，他在《大疑录》中说：“敬之如神明，信之如蓍龟”。益轩的宋儒批判和古学派伊藤仁斋的论说类似，但益轩对仁斋学说持批判态度，不允许伊藤仁斋非难道学。在心性问题方面，益轩对陆王心学的批判，终究没有超出朱子学的范围。他没有从根本上否定日本朱子学所要赋予基础的现存社会秩序。总之，贝原益轩应该是建立修正朱子学学派的学者。

山崎闇斋的学风

与贝原益轩不同，山崎闇斋(1618—1682)强调朱子学的唯心主义侧面。山崎闇斋出生于京都浪人之家。7岁入比睿山。15岁时转入妙心寺，成了真正的禅僧。19岁时，移至土佐吸江寺。在当地，他接触过南学派的谷时中，并与时中门下的实力武士野中兼山、小仓三省等交往，从他们那里学到了南学派朱子学。25岁时，从思想上否定佛教，脱掉僧服转入朱子学。29岁时，回到京都，蓄发入儒。31岁著《辟异》一卷，抨击佛教，论说居敬穷理，介绍自己脱儒归佛的个人体验，这是闇斋最早的归儒宣言。38岁时，开始设教席，讲授内容为“先小学，次近思录，次四书，次

① 源了圆：『徳川合理思想の系譜』，中央公論社，1977年，第34、36頁。

周易程传”。[1] 后成为幕府大老(地位仅次于将军的幕府官员)保科正之的宾师,声名鹊起。在这期间,四方游学者增多,闇斋每年往返于京都和江户之间,无暇教育著述。55岁时,保科正之去世,后大约十年间,闇斋一直在京专事教育与著作。1682年,闇斋去世,享年65岁。17世纪后半期,闇斋门徒据说多达六千人,形成颇有实力的一个学派。崎门学统连绵不绝,一直延续至明治维新以后。以支持天皇制国家为理想的国粹主义者推崇崎门的尊王思想和神道思想,众所周知,这一现象在太平洋战争时期达到高潮。确实,崎门学派最典型地体现了日本朱子学派停滞与固陋的一面。

图59　山崎闇斋画像

山崎闇斋不同于贝原益轩的第一点是教条主义。他不仅没有贝原益轩那样的怀疑精神,还说“先生实孔子以来第一人也”,“学朱子而谬,与朱子共谬也,何遗憾之有?”[2]宗教狂般地推崇、皈依于朱熹。他是如此地倾倒于朱熹,甚至在生活中,用朱色手帕系于腰部,夏天穿朱色的外褂,包书皮也只用朱色。他不仅抨击佛教和陆王之学,还排斥朱子后的中国和日本的朱子学者的著作。朱子学在南宋后期占据主导地位之后,各家对朱熹经注和性理学进行研究、注解的著作可谓是琳琅满目,涌现不绝。明初永乐帝曾搜罗宋元以来程朱学派各家注说,编辑为《性理大全》《五经大全》《四书大全》,并作为科举考试的参考书。明代的学者又标注、敷衍《大全》,流于烦琐之极。江户前期的日本朱子学者,阅读的几乎都是《四书集注》或朱子学末流的祖述敷衍著作,并没有真正地对朱熹的文集、语类进行精读和探讨。闇斋原

① 西順蔵、阿部隆一、丸山真男校注:『日本思想大系 31 山崎闇斎学派』,岩波書店,1980年,第563頁。

② 同上,第565頁。

则上否定这些末流，即便是对《大全》《蒙引》这些权威著作，也认为是“混塞却甚”，予以严厉批判，[①]并要清除其中的夹杂物，阐明醇正的朱子学真意。他批评藤原惺窝是中国元代主张折衷朱陆的学者吴草庐（澄，1249—1333）的亚流，并说林罗山是“剃发腐儒”，非常讨厌他。山崎闇斋以忠实的朱熹祖述者自任，常自称“述而不作”。因此，他的著作虽然数量有很多，却甚少创见。其最主要著作《文会笔录》二十卷，大都是抄引《朱子语类》、《朱子文集》、程朱门人著作或是朝鲜李退溪集等。因此，丸山真男说：“最早把程朱之学作为理论和实践相贯通的世界观，以己身体认并与其格斗的学派是闇斋学派。”[②]就于日本介绍朱子学真意方面而言，崎门学派自然贡献很大，但其学风也不免有偏狭之弊。崎门学派的读书对象仅限于四书五经和程朱的著述，严禁翻阅史子集，玩弄词章游戏。荻生徂徕评价闇斋的讲学释书，说他好似僧侣街头讲道，商人甩卖货物。

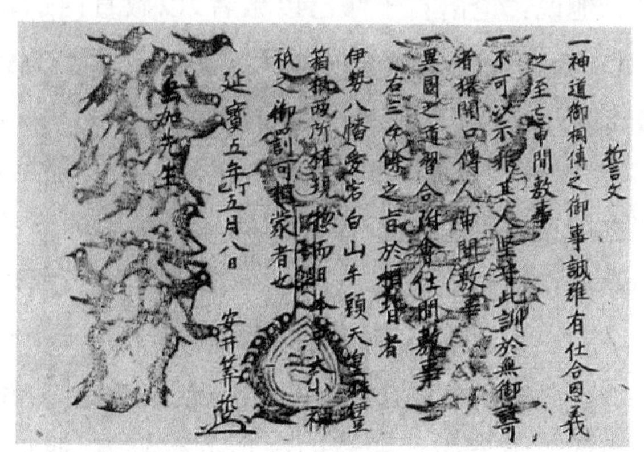
誓文
一神道御相傳之御事誠雖有仕合恩義
延寶五年丁巳五月八日
安井算哲

图 60　寄山崎闇斋誓约书　门人安井算哲（涩川春海）学业终了后，提交于其师。据此，准许其传授他人

山崎闇斋不同于贝原益轩的另一点是重“居敬”而轻“格物”“穷理”。

① 西順蔵、阿部隆一、丸山真男校注：『日本思想大系 31　山崎闇斎学派』，岩波書店，1980 年，第 601 頁。

② 同上，第 663 頁。

虽然他以忠实的朱熹学说祖述者自居，但事实上与朱熹还是有差别的。尤其值得重视的是，正如尾藤正英所言："闇斋跳过自格物致知以下五个条目的修养工夫，论说可以直达明明德，意味着他无视了朱子学的核心——'穷理'思想，而代之以'持敬'或'居敬'，并大书特书。"[①]对于《大学》八条目，闇斋认为"圣人于八目之中，特指修身为本"，又说"觉我身即敬也"，"八条目皆由敬"。[②] 这些主张表明他把"持敬"与"修身"直接联系起来，认为自我修养过程的始终只在于"持敬"。他强调敬是万事先行的根本，无视"穷理"的地位。朱熹的"穷理"并非仅仅穷自然规律之理，其主要是要穷尽道德的形而上学之理。闇斋无视"穷理"，完全抛弃了朱熹思想中要认识自然规律之理的合理性内容。他还特意提出"敬义"说。对于《易经》的"敬以直内，义以方外"说，也做出不同于程朱的解释。程朱解释之为人的精神与行为的关系，即内＝心，外＝身，敬和意都是针对人自身的问题。闇斋则认为敬与人的身心相关，义是与自身以外的他者相关联的德目。他说："论语君子修己以敬者，以敬直内也。修己以安人安百姓者，义以方外也……大学修身以上直内之节目，齐家以下方外之规模。"[③]如此，他不仅认为人要对其自身内面"整齐严肃"，还应严以待人，以求其正。例如，即便门人浅见䌹斋吐血了，闇斋仍然不许他请假，弟子列于闇斋之门就好像面对王侯那样战战兢兢。闇斋的师道就是这么严厉。崎门学派重视道统、墨守师说，他们原样记录闇斋所写的夹杂着俗语的讲义，奉之为金科玉律，仅在同志之间才公开，不让别的儒者看。在崎门学派，即使是师生同门之间也不会迁就妥协，经常会有开除和断绝师生关系的事情发生。闇斋的高足佐藤直方、浅见䌹斋，就是因为对闇斋把"敬义内外"说解释为"内为修身，外为家国天下"提出异议，遭到开除。闇斋的学风是道德至上主义、严肃主义。源了圆说："他的学

① 尾藤正英：『日本封建思想史研究』，青木書店，1986 年，第 65 頁。

② 西順蔵、阿部隆一、丸山真男校注：『日本思想大系 31　山崎闇斎学派』，岩波書店，1980 年，第 572 頁。尾藤正英：『日本封建思想史研究』，青木書店，1986 年，第 52、65 頁。

③ 西順蔵、阿部隆一、丸山真男校注：『日本思想大系 31　山崎闇斎学派』，第 569 頁。

说，接受了朱子唯心主义的一面，或许比朱子还要朱子。”①然而，虽然山崎闇斋如前述那样党同伐异，却没有抨击神道，而是致力于朱子学与神道的折衷，并创立了新的神道流派——垂加神道。山崎闇斋的神道说与林罗山的不同，林罗山认为神道是王道，也是儒道，闇斋则强调神道是日本独特之道，只不过由于神道与儒道在内容上有神秘契合之处，所以二者能合流为普遍的“一之真理”。闇斋说：“盖宇宙唯一理，则神圣之生，虽日出处日没处之异，然其道自有妙契者存焉。”②山崎闇斋还强调朱子学的大义名分论。其神道说与神国思想、大义名分论相结合，对内确立了尊王论，对外确立了对自己祖国的反省和自觉，成为忠君报国主义的发展动向。众所周知，《先哲丛谈》中有关于闇斋的这样一段记载，闇斋曾问学生：“如果中国以孔子为大将，孟子为副将来进攻日本，我们该怎么办呢?”学生们沉默不知如何回答。闇斋劝勉学生说：“我们要披坚执锐和他们决一死战，擒孔孟来报效祖国，这才是孔孟之道。”

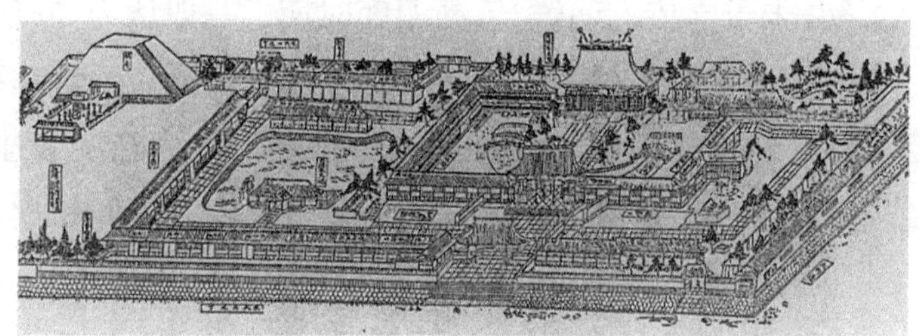

图 61　日新馆总图　会津藩招聘山崎闇斋使其宣讲程朱之学，为广集人才，设立日新馆

山崎闇斋死后，“崎门三杰”佐藤直方、浅见䌹斋和三宅尚斋，虽无全盘接受山崎闇斋的思想，但各自继承了他的理气论、名分论和神秘主义，使崎门学派延续下去。

---

① 源了圆：『徳川思想小史』，中央公論社，1981 年，第 35 頁。

② 西順蔵、阿部隆一、丸山真男校注：『日本思想大系 31　山崎闇斎学派』，岩波書店，1980 年，第 625 頁。

图 62　日新馆学问图

第三节　中、日、朝朱子学的差异

朝鲜的朱子学

14 世纪初，朱子学传入朝鲜，值高丽朝时期。一般认为，安珦最早把朱子学传入高丽。他在忠烈王三十年(1304)致力于复兴国学和孔庙，购买了六经子史等相关书籍。《高丽史・安珦传》记载："晚年常挂晦庵先生真，以致景慕，遂号晦庵。"与日本的朱子学书籍传入时间相比，朝鲜晚了 60 余年。证据确凿的朱子学传入者是安珦的门人白颐正。白颐正在元朝学习朱子学，将其传入高丽。在元朝，仁宗于 1313 年确立科举制，并于翌年开始科举取士。朱熹的经注书自此成为国家公认之学，受朝廷支持，而同时期高丽才开始对朱子学进行研究。后来，参加科举并入第的高丽人有九名之多。在高丽，最开始传播朱子学的并非僧侣，主要是那些在元朝学习的官僚和参加元朝科举的人。1367 年，曾在元朝科举入第、作过元朝官吏的李穑成为朝鲜大司成，郑梦周等成为学官。至此，朱子学终于取代佛教，成为朝鲜官方指导思想。概言之，可以说高丽的朱子学研究与元朝的文教政策，特别是科举制的实施存在紧密关联。到李氏朝鲜时代(1392—1897)，朱子学受到王室庇护，"君临"思想界，丧祭礼俗也专用《朱子家礼》。李氏朝鲜初期，天下太平，印刷文化兴盛起来，百数十年后，李滉（退溪）这样的著名学者终于出现了。李退溪（1501—1570）是朝鲜朱子学第一人，他继承和发展了朱熹的思想，构筑了博大的思想体系，与李珥（栗谷，1536—1584）被称为朝鲜朱子学界的两座高峰。因丰臣秀吉侵朝，不单是印刷术，数量众多的宋元明学者著作的朝鲜刻本以及李退溪的著作等也传到了日本，给江户时代朱子学的勃兴产生了不小的影响。藤原惺窝之所以成为独立儒者，除一开始受许箴之的启发，以及之后姜沆的激励等原因外，还和他尊信李退溪的《天命图说》以及李退溪校刻的《延平答问》有很大关系。林罗山的学说也多得益于他读了很多来自朝鲜的宋明儒学著作。山崎闇斋学风的创立，很大程度上也得益于李退溪学问的启发。闇斋几乎遍读李退溪的著作，高度评价其学说，推崇他为朝鲜第一人，认为他和朱熹的高足并无差别。在崎门学派，甚至有人提倡这样一种道统说：朱熹学问的正统通过李退溪才传给山崎闇斋。不过，由于李氏朝鲜独尊朱子学实行思想统制，异于朱子学的其他儒学很难兴起，仅肃宗朝（1675—1724）时期出现了提倡阳明学的郑霞谷，正祖、纯祖朝（1777—1834）出现了考证学者金阮堂。朝鲜朱子学还与政党斗争紧密相连，四端理发、七情气发问题以及礼论的问题都被党派斗争利用。李氏朝鲜还不见各样学问思想的勃兴，便宣告终结了。①

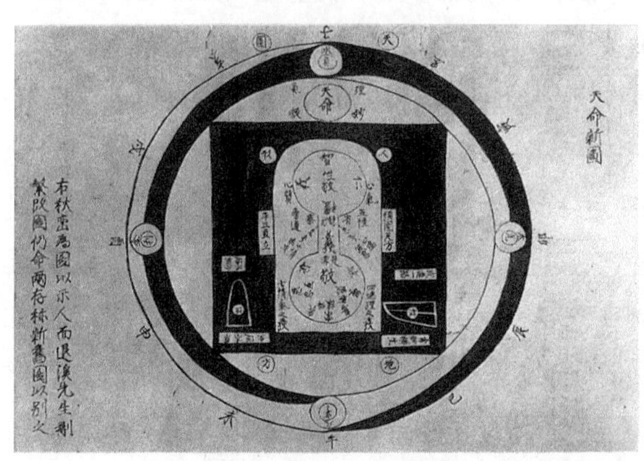

图 63　天命图说　李退溪等作天命、理、气之相互关系图，林罗山抄写

图 64　李退溪铜像（首尔市南山公园）

① 阿部吉雄：『日本朱子学と朝鮮』，東京大学出版会，1971 年，第 552—555 頁。

中、日、朝朱子学的异同

日本和朝鲜的朱子学均为引入之外来思想，不过都长期居正统地位。日本和朝鲜的朱子学，与其母体——中国的朱子学，无疑有很多相似处。然而，由于社会、文化、历史环境的差异，又自然会展现出各自不同的特点。中、日、朝朱子学的比较研究，是十分重要的研究课题，但又是尚未取得充分进展的困难研究课题。笔者在这里基于对先行研究成果的认识和自身理解，试概述中、日、朝朱子学的相异点。以下先举其主要相似点。

第一，均尊信孔孟，视朱熹为道学正统。朱熹以继承儒家“道统”为使命，著述《伊洛渊源录》和《近思录》，阐明了宋代儒家的“道统”谱系。这一谱系以二程为中心，上至周敦颐、邵雍、张载，下及二程门人，王安石的“新学”和二苏（苏轼、苏辙）的“蜀学”则被排除在外。朱熹以后，中国的朱子学者几乎都承认这一道统。南宋的魏了翁（1178—1237）认为，朱熹与孟子同样，也继承了儒家道统。元代的吴草庐和郑玉（1298？—1357）也视朱熹为道学正统（事实上吴澄和郑玉提倡朱陆兼修，为朱熹思想转入王阳明心学的桥梁）。虽然明代的罗钦顺（整庵）就理气关系的问题，改造了朱熹的思想并确立了唯物主义的观点，但他仍以程朱学派自任，持拥护朱熹思想的态度。承认朱熹为道学正统，是中国朱子学者的外在标志。朝鲜的李退溪和李栗谷也是如此。朝鲜有学者说：“（李）退溪学朱子，（李）栗谷慕朱子，（宋）尤庵党朱子。”①李退溪笃信朱熹，除批判佛教这一自然命题外，还严厉批判陆王学和朱陆折衷学，甚至批判元明以后朱子学，只尊信朱熹一个人。如前所述，日本学者山崎闇斋也如宗教信仰般地尊崇朱熹，说：“先生（朱熹）实孔子以来第一人也。”崎门学派的尾藤二洲依据元代朱子学者刘因（静修，1249—1293）“邵至大，周至精，程至正，朱极其大，尽其精，而贯之以正也”（《元史本传》《静修文集》）

① 阿部吉雄：『日本朱子学と朝鲜』，東京大学出版会，1971年，第257頁。

这句话，称赞刘因“善言朱子”。[①] 贝原益轩在《大疑录》中，也赞同这一道统说，认为“孔子之后，传圣人之教，到学至处，唯孟子一人……孟子之后，周、程、张、邵及司马，并为贤者，为斯道有功之人，而程朱所传，最得其正……故孟子以后，程朱之功甚高。而朱子之功最大也。然则孔孟之后，唯此二子，诚可以为知道之人，学者之所当为宗师也”。[②] 因此，虽然贝原益轩就很多问题对朱熹思想提出过批判，但他依然被认为是朱子学者。

第二，虽中、日、朝的朱子学派向着不同的方向发生分化，但在理论上仍然有共通之处。照中国学者的理解，[③]中国朱子学派的分化一般包括三类：(1)客观唯心主义方向；(2)心学的主观唯心主义（主观的观念论）方向；(3)唯物论方向。(1)是朱子学正统派，忠实祖述朱熹思想，本身并无太大意义。作为重要研究对象的是(2)和(3)两个方向。中国学者认为，在朱子学的分化的系谱中，属于心学（主观）观念论方向的有宋代的真德秀（西山，1178—1235）、魏了翁（鹤山，1178—1237），元代的许衡（鲁斋，1209—1281）、吴澄（草庐），明代初期的吴与弼（康斋，1391—1469）等。属于唯物论方向的有宋代的黄震（于越，1212—1280）、文天祥（文山，1236—1282）及元代的刘因（静修）、许谦（白云，1270—1337），明代的薛瑄（敬轩）、罗钦顺、王廷相（浚川，1474—1544）等。

日本学者大致将中、日、朝朱子学的分化划分为两种倾向或谱系。阿部吉雄分之为：(1)主知博学派（主气派——知识主义派）；(2)体认自得派（主理派——精神主义派）。[④] 源了圆则分之为：(1)经验的合理主义；(2)思辨的合理主义（价值合理主义）两派。[⑤]

据阿部吉雄研究，中国属于主气派的学者有罗钦顺、王阳明、湛若水

① 源了圆、松本三之介、相良亨：『江戸の思想家たち』(上)，研究出版社，1979年，第119頁。
② 荒木見悟、井上忠校注：『日本思想大系 34　貝原益軒 室鳩巣』，岩波書店，1970年，第14頁。
③ 蒙培元：《理学的演变》，福建人民出版社，1984年，第8—10页。
④ 阿部吉雄：『日本朱子学と朝鮮』，東京大学出版会，1971年，第493頁。
⑤ 源了圆：『近世初期実学思想の研究』，創文社，1980年，第118頁。

(甘泉,1476—1560)、王廷相、王道(顺渠,1476—1532)、蒋信(道林,1483—1559)等,属于主理派的有黄幹(勉斋,1152—1221)、真德秀、许衡、薛瑄、胡居仁(敬斋,1434—1484)等。① 这种划分方法与中国学者不同。阿部吉雄和源了圆把朝鲜李栗谷和李退溪分属于朝鲜朱子学的第一谱系和第二谱系。他们认为,日本属于第一谱系的有林罗山、中村惕斋、木下顺庵、新井白石、贝原益轩、西川如见、中村竹山、中井履轩、山片蟠桃、佐久间象山等,属于第二谱系的有藤原惺窝、山崎闇斋及崎门学派众人、大塚退野、横井小楠、元田永孚等。二者之所以坚持以上两个方向或谱系,是基于学者对朱熹的理气关系思想如何认识的问题。也就是说,分化的胚胎实孕育于朱熹思想自身。这两个方向实际就是内在于朱熹思想中的两个方面。这两个方面在后世分化,各被重视、发展,并逐渐显著,因此并没有越出朱熹思想的范围而发展出独特的创见。

朱熹的思想体系,特别是关于理气的思想,存在自身无法解决的矛盾。即"理本论"与"理不离气"这一气化学说的矛盾。朱熹说:"未有天地之则,毕竟先有理","有是理而后气生"。他认为,理是"无声无臭",即无法通过感觉来体认;是无"方所",即没有可称为其位置的空间场所;是无"造作",即无任何作用的"形而上者"。同时,他又加以修正说:"理气何者为先,何者为后,不可分。"在既无物又无气的时候,又说理"无所挂缚"。后世有朱子学者,强调"理生气"这一命题和理的形而上学的实在性格,被称为主理派或思辨的合理主义。与此相反,也有人强调理气不相离和理的自然规律性格,被称为主气派、经验的合理主义或唯物论。

图 65　朱熹画像

① 阿部吉雄:『日本朱子学と朝鲜』,東京大学出版会,1971 年,第 501、538 頁。

朱熹思想体系的中心问题是“性”与“天道”的问题，即关于世界本源与人性本源的问题。如上所述，在关于世界本源问题的本体论（存在论）即理气论方面，朱子学派发生了分化。不过，在关于人性本源的人性或伦理说（心性论）方面，朱熹及中、日、朝朱子学派学者大都仍承认“性即理”的命题。这正是中、日、朝朱子学派理论的共通之处。理气论是朱熹思想体系的出发点，心性论为其归结、中心。朱熹心性论的核心是心与理的关系问题。他继承程颐“性即理”的思想，主张“心具理”，反对陆象山的“心即理”。又继承二程和张载的思想，认为“性”可分为“本然之性”（天命之性）和“气质之性”，“天命之性”是天理赋予人的。而关于“天命之性”的内涵，照朱熹的说法，就是仁义礼智信五常，也可以说是先天的道德性或道德本体。这种先天的道德性或道德本体为人性的本源。这样，人类的伦理课题就是要从“气质之性”回归“本然之性”。

朱熹以后的中国学者，如罗钦顺就理气说提出“理气为一”，批判以理主宰气的朱熹思想，就理欲问题提出“理不离欲”，批判朱熹“穷天理，灭人欲”的思想，不过，他承认“性即理”这一命题，认为性是不能改变的“定理”，是“太极之本然”。① 罗钦顺之前的朱子学者黄震、薛瑄也是如此。②

朝鲜朱子学学者李退溪的“四端七情”说，讨论了“性”与“情”的关系问题。简言之，他认为《孟子》的四端之情（恻隐、羞恶、辞让、是非之心）发于理，《中庸》的喜怒哀乐爱恶欲七情发于气。李退溪的“四端发于理”，不过是“性即理”的推论。③

就日本方面而言，藤原惺窝在文集中说：“此理具于人心而无应事者曰性。性亦理也。”这也是朱熹的学说，即以人性未发为性，已发为情，以性为理。山崎闇斋的理气心性说大致沿袭朱熹和李退溪的思想，稍有不同的是，他没有把性理作为形式的形而上学问题或本体论问题，而提出将其作为身边的伦理、修养问题，人当取之道的问题。贝原益轩在《大疑

① 蒙培元：《理学的演变》，福建人民出版社，1984年，第378、389页。

② 同上，第151、253页。

③ 张立文：《李退溪哲学逻辑构造探析》，《哲学研究》，1985年第3期。

录》中说："性即理，非性字之正解也"，似乎不赞同"性即理"命题，但他还说："《中庸》天命之谓性，天之所命，便人之所受，此谓性之言也。"①其在《五常训》中又说："'人心所具仁义礼智四德，其根本究在何处，由何处而享有？'曰：'是其根本在天。出于天而赋予人心'。"②贝原益轩仍然承认"天命之性"和先天道德本体的存在，其论说只是把作为人性本源的"理"替换成了"天"或"天命"。承认"性即理"的命题，是中、日、朝朱子学派的理论特征，也是朱子学派与佛教、儒学中的陆王学派、反理学思想相区分的理论标志。

第三，中、日、朝朱子学派的修养方法，即成圣的方法。此方法有两个：一个是居敬，一个是穷理（即格物致知）。用《中庸》的话来说，就是"尊德性"和"道问学"。原则上均承认二者不可偏废。前者可说是主观的方法（内面工夫），后者则是客观的方法（外向用功）。当然，如上所述，修养方法的侧重也因人而异。例如，相对于山崎闇斋重视居敬，贝原益轩则重视穷理。不过，他们都主张"合内外"的命题。事实上，以这一修养方法为"支离"，欲贯彻内面主义，夺"外"之权而归于"内"，主张"心即理"的是王阳明。不过，王阳明的"心即理"主张已经偏离朱子学，变成了非朱子学的内容。

关于中、日、朝朱子学的不同，在此要一一指出各学者思想内容的不同点是不可能的。以下概述三国朱子学比较大的不同点。

（一）自我分化的速度、难度与分化后的力量对比不同。就中、日、朝朱子学的分化过程而言，在较短的时间内明显表现出代表性的倾向，是日本朱子学分化的一大特色。例如，林罗山和经验合理主义派代表人物贝原益轩年龄仅相差 43 岁，朝鲜主气派的李栗谷和主理派的李退溪则诞生于李氏朝鲜建国一百余年之后，中国朱熹和将朱子学理气思想进行唯物论改造的罗钦顺，相差了整整 335 年。造成这种差别的很大一个原

① 荒木見悟、井上忠校注：『日本思想大系 34　貝原益軒 室鳩巣』，岩波書店，1970 年，第 17 頁。
② 同上，第 71 頁。

因，是日本人利用其文化接收国的有利地位，吸收在中国或朝鲜业已形成的思想，从而实现了“思想上的（经济）节约”，[①]还可以说，这与中国文化重视统合与调和，具有不易自我分化的基本性格有关。在中国，朝向探究自然世界之理的分化的发展尤其不易。向经验的合理主义分化发展的方向，虽然也有罗钦顺、王廷相这样的思想家，但他们的思想在中国并没有成为很有影响的势力。如罗钦顺《困知记》的思想，在中国和朝鲜两国都没有受到足够重视，却在日本思想界造成了巨大影响。在元明清时代的中国，朱子学正统派作为官学，占据着主流地位，阳明学也有一定影响力。在朝鲜，虽然主气派和主理派存在对立，但主气派并没有成为很大的社会力量，主流是主理派的朱子学者。而在日本，存在上述两种倾向的朱子学，则几乎是相对等的势力关系。

（二）中、日、朝朱子学的社会功能不同。在中国，朱子学的出现标志着中国人的思维水平前进了一大步，然而，随着朱子学在元、明、清时代被定为官学，成为科举指定法典，其他思想被视为“异端邪说”，因此占据主流的朱子学正统思想的发展陷入停滞，阻碍社会进步，起拥护封建统治的保守作用。在朝鲜，支持上层两班阶级的主理派朱子学强化其保守倾向，阻碍自由精神土壤的形成。日本的朱子学则与中国、朝鲜的情况不同。在朱子学传入日本之前，非世俗的信仰主义占据着思想界的主流地位，合理主义思想未获得发展。随着朱子学成为官学，朱子学的合理性对于推进日本人的合理主义思维的发展起了重要作用。在日本，具有先验的合理主义倾向的朱子学派，虽然也有保守的一面——为身份制社会提供思想基础，但其效用并非仅仅如此。例如，藤原惺窝、幕末的横井小楠的思想中都存在以理性论述国际平等，日本朱子学在幕末时亦显露出吸收西洋自然法思想的一面。崎门学派尤其强调朱子学的尊王论，尊王论在幕末与攘夷论结合成为讨幕论，发挥了与拥护封建统治完全不同的作用。具有经验合理主义倾向的日本朱子学派，与近世日本经验科学

---

① 源了圆:『実学の系譜』，講談社，1986 年，第 74 頁。

的成立有很深的关联，到江户时代后期，其又致力于朱子学与西洋自然科学的联合。总之，日本并没有因朱子学而完全排斥近代思想，而是以朱子学为基础来吸收近代思想。这可说是日本朱子学的一大特色。[①]

（三）日本的朱子学者（除室鸠巢之外）中，无论是林罗山，还是山崎闇斋、贝原益轩，大都信奉神儒一致，以朱子学的思维方法阐释神道，倡导神儒合一说。与中国、朝鲜的朱子学不同，日本的朱子学还带有神秘主义色彩。

① 阿部吉雄：『日本朱子学と朝鮮』，東京大学出版会，1971年。源了圆：『実学の系譜』，講談社，1986年。

第五章 日本的阳明学

第一节 中国的阳明学

王阳明

中国明代中期思想家王阳明的出现，是中国思想史上的一件大事。在中国思想史上，陆（象山）、王（阳明）二人并称，与程（颐）、朱（熹）相抗，形成了中国明清时代并立的两大儒家学派。当时的儒学者，非朱即王。两派中虽然程朱学派为主流，但在明朝末期，王阳明学说则风靡一世。在朱子学已经陷入停滞的明中期，王阳明心学继承发展陆象山心学，把儒家哲学从客观唯心主义转化为主观唯心主义，在中国思想史上极富创造意义，带来了发展的气运。王阳明心学一般被认为是陆象山心学的延续，但是从王阳明思想的内容及发展来看，其也与朱子学有直接关系。首先，他继承了朱熹心学思想以及其后具有心学唯心主义倾向的朱子学者的思想成果，完成了心学体系。朱熹的心性论本来就内含矛盾。朱熹一方面说“性即理”，这是从本体论出发而言，一方面又说“心与理一”（《语类》卷五）、“惟心无对，心统性情”（《语类》卷九十七），主张“心具众理而应万事”（《孟子集注》卷七），提倡心为本体的心本论，提出人心、道心理论，强调“尽心”和“收放心”。后者为真德秀、魏了翁、许衡、吴澄、吴与弼、陈献章等继承和发展，最终形成了王阳明的良知说。王阳明通过陈献章门人湛若水（甘泉），深受当时流行的心学思潮的影响。其次，王阳明最初并非从作为陆象山的学徒出发，而是从朱子学进入的。也就是说，王阳明是通过埋头于朱子学，与其僵持并勤奋思索，才最终突破难关拈出“心即理”这一原理的。以下简述王阳明的思想历程。

王阳明（1472—1528）名守仁，字伯安。他后来喜好会稽山阳明洞的风光，依洞名而号阳明。阳明生于浙江余姚，少时即有诗才。他在11岁时，随祖父游玩镇江金山寺，赋诗。祖父还没作出来，阳明就已经咏出：

金山一点大如拳，打破维扬水底天。醉倚妙高台上月，玉萧吹彻洞龙眠。

图66　王阳明像

王阳明18岁时，在广信与朱子学者吴与弼的门人娄谅（一斋）会面，听闻朱子学入门之“格物”说，被告知“圣人可学而至”，自此崇信朱子学，常阅读经书、历史书到深夜。不过，阳明逐渐对朱熹思想产生怀疑。朱子学的修养方法源自《大学》的“格物致知”。朱熹思想认为，理既是个人的内在之理，同时又是外部的事物之理。要通过“格物”到达“致知”，不仅要穷尽内部之理，还须穷尽外部之理。在内省的同时，还要格外面的万事万物，以穷尽事物之理为要，要求内部之理与外部之理的合一。

阳明21岁时，随父亲住于京师。他父亲所在官署庭院中有很多竹子，阳明就和朋友按照朱熹之教穷格竹子之理。两人端坐于竹子前，沉思默考，但完全不得要领。他朋友三天后精神恍惚，王阳明自己也在第七日病倒了。两人最终互相叹息说：“成圣贤等，非我等之能事。”阳明按照朱熹的修养方法，不管如何广格物、多读书，“物之理”和“我之心”（内部之理)依然二分,找不到其中的连接点,怎么也无法体认。王阳明的困境,即对朱熹修养方法的纠结。为此,王阳明很是苦恼,为了解决此苦恼,他修习道家养生法、导引术,甚至还要像佛教那样出世过隐居的生活。但是在出佛入道之间,他领悟出道教和佛教都非正道。自此,王阳明陷入了思想的僵境中。

37 岁时,王阳明触怒宦官刘瑾一派被下狱,后贬于贵州龙场作驿丞。龙场地处贵州西北的山间僻壤,生活环境非常艰苦。其间,三位从者都生病了,王阳明自己割柴汲水,熬粥照顾他们。王阳明日夜打坐养心,想借此超越因种种困境而带来的辛劳和烦闷。一天晚上,他忽然顿悟,发现朱熹的"格物致知"说是错误的。他说:"圣人之道,吾性自足。向之求理于事物者误也",认为理非在于外物,而实在于人心,即"心即理"。这就是"龙场大悟"。自此,王阳明从朱熹理学转至心学。陆象山也倡导"心即理"的命题,但他的重心在理上,是"心已具备众理"的意思。阳明的"心即理"则非常复杂,在此不作深入展开。后来,王阳明还给贵阳提学副使讲过"知行合一"论。他认为朱熹的"知先行后"说致使当时学者贵道德层面的空谈而不重视实行,出现所谓"文盛实衰"的状况,进而提出"知为行之始,行为知之成"的观点,以知行不可分开。王阳明把《大学》中的真知行解释为"好好色,恶恶臭",属见美色于"知"的范畴,属好美色于"行"的范畴。事实上,人们在见美色时,已经好美色了,并非看到后才开始"立心去好"。也就是说,王阳明认为知、行本来就是合一的。这里面有"知即行,行即知"的意味。

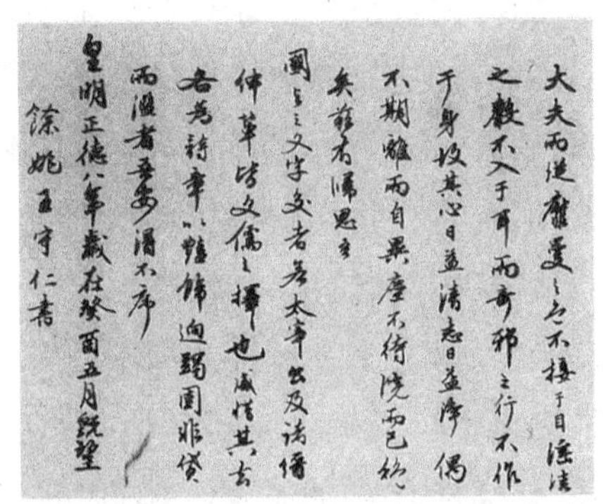
[illegible]
之数不入于耳而奇邪之行不作
于身收其心日益清志日益净偶
不期离而自异尘不待浣而已绝
矣兹有归思焉
[illegible]
绅辈皆文儒之择也咸惜其去
[illegible]
[illegible]
皇明正德八年岁在癸酉五月既望
余姚王守仁书

图 67　王阳明真迹《送日东正使了庵和尚归国序》

在度过两年谪居生活后,朝廷政治风向发生变化。随着刘瑾一派被诛,阳明回到京师。从 42 岁到 46 岁,王阳明边做官边为众弟子讲学,于

46 岁时转任南赣(江西省南部)巡抚,镇压了当地的农民暴动。当时,他在给门人杨仕德的信中写道:“破山中贼易,破心中贼难。”48 岁时,王阳明兴兵讨伐皇族宁王朱宸濠叛乱,最终虏获宁王。因战功卓著,王阳明被委任为南京兵部尚书。

阳明 49 岁时,提倡“致良知”说。此说的理论来源有两个,一是《孟子》的良知良能说,一是《大学》的格物致知说。“良知”原出《孟子》,指人生来就有的辨别善恶是非的能力。关于《大学》“格物致知”说的解释,与朱熹解释“格”为“至”不同,他将其解释为“正”。他还认为“物”即事,为意之所在,“格物”就是格“事”,即正心之不正。关于“致知”的含义,他认为“致”指的是《论语》中“葬致哀”的“致”,“知”也只是指“良知”。阳明的“良知”内含有多种性格。据阳明所论,良知是“心之本体”、“是非之心”、“未发之中”、天理本身等。他甚至还认为,良知包含有作为天地万物本源的普遍性存在的意义。因此,他的“致知”是致吾心之良知于万事万物,即在万事万物中实现良知。他说:“吾心之良知,即所谓天理也。致吾心良知之天理于事事物物,则事事物物皆得其理矣。致吾心之良知者,致知也。事事物物皆得其理者,格物也。是合心与理而为一者也。”也就是说,致知并非推敲知识的意思。因此,没有必要“合内外”,反复“内省”才是强化人的道德、修养的最有效方法。这样一来,就把儒家强调的“作圣”工夫简单直接化了。

概言之,王阳明的学问不过是“心即理”“知行合一”与“致良知”。此三者,具有内在关联。“心即理”是“知行合一”的理论基础,即所谓“求理于吾心,此圣门知行合一之教”。“致良知”是“知行合一”的发展,为王阳明思想发展的最后归结点。

王阳明 51 岁时,父亲去世。此后六年间,他在越(绍兴)地专心讲学,门人众多。1528 年,57 岁的王阳明奔赴江西,镇压农民暴动,于回程途中的南安病逝。

阳明学派的分化

王阳明死后，阳明学派开始分化，用今天的话讲，就是分裂为左派和右派。不过，对于阳明学者谁属于哪一派的问题，中国和日本学界至今还没有达成一致。

在中国学术界，一般把以王畿（龙溪，1498—1583）、钱德洪（绪山，1496—1574）为代表的学者视为浙中王学，把以邹守益（东廓，1491—1562）为代表的学者视为江右王学。后者近于王阳明之正宗。对此，学者间的意见还算一致，没有特别的论争。论争比较多的是以王艮（心斋，1483—1540）为代表的泰州学派。侯外庐、吕振羽、杨荣国等以王艮当属于阳明学左派。侯外庐认为，王艮所言“良知”就是百姓的“日用现在”（即人民的一切日常事务，如吃饭、穿衣等），王阳明的良知说到了王艮手里，就从封建教条悄悄变成了人民的欲望。[①] 吕振羽也持相同认识，他认为，王艮的思想方法从日常的现实生活出发，摆脱了“玄之又玄”的良知说，以“真理”不在天而存在于现实生活中。据吕氏见解，王艮的思想当属于唯物论体系，而且，当时不少泰州学派学者均出身于下层人民，他们文化水平并不高，如王艮是盐场灶丁，朱恕是樵夫，夏廷美是农夫，韩贞是陶匠，所以他们不拘泥于文章字句而重视体认，更容易助长自由的意志，能够脱离礼法的拘束。所以到后来的颜山农、何心隐（1517—1579）一派时，便明确开辟出了封建正统思想批判的道路。颜山农以 80 岁高龄遭明政府收监，何心隐更是被明政府冠以“妖逆”之罪名惨遭杀害。这些都是泰州学派为阳明学左派的证据。[②]

不过，还有一些学者，如任继愈、张岱年、杨天佑等，否认泰州学派是阳明学左派，认为泰州学派把王阳明的学说又向右推进了一步。任继愈指出，王艮所宣扬的百姓日用，正是“明德”“亲民”“止至善”这一套封建

---

① 侯外庐：《中国思想通史》（第四卷下），人民出版社，1960 年，第 978 页。

② 吕振羽：《中国政治思想史》，人民出版社，1953 年，第 572 页。

伦理的教条。王艮不是把圣人降低到百姓的水平，而是把百姓教导到能够心悦诚服地接收封建道德规范的水平。有人说，这让老百姓与圣人平等，其实是捆上百姓的手脚，送给“圣人”作奴隶。① 其他人也指出，王艮所谓“百姓日用即道也”，是为了让百姓在日常生活中，如穿衣、吃饭之际，非常自然地保护自己的良知，即不过是为了让百姓按照封建道德观念行事，不能说他具有“人民性”。②

对于泰州学派的最后代表人物李贽(卓吾，1527—1602)，中国学者有以下认识：虽然李贽推崇王阳明的学说，但他已不属于阳明学系，是具有市民民主启蒙色彩的思想家；李贽提出“童心”说，以“绝假纯真”之心为哲学的最高原则，把主观唯心主义思想作为其民主启蒙思想的哲学基础；他还反对以孔子之是非为是非，批判封建传统观念，反映了市民阶层反封建以及民主的诉求。

关于中国阳明学者所属，日本学者与中国学者的认识存在不同之处。有学者认为，以王艮为代表的泰州学派自不待言，王畿和李贽也属于阳明左派系统。如岛田虔次在自著《朱子学和阳明学》中说，阳明学的“右派可以说是正统的士大夫派、名教捍卫派……右派自觉或不自觉地越发接近朱子学，比如阳明视为画蛇添足的‘敬’，也积极主张提携”。照岛田虔次的认识，右派的代表人物是钱德洪(绪山)，而与此对立的左派则是“理论上、实践上的积极主义者(小人之无忌惮者)”。左派巨头是并称为“二王”的王畿和王艮。据说左右两派对立的发端，是围绕阳明“四言教”的争论。所谓“四言教”，就是指“无善无恶心之体，有善有恶意之动，知善知恶是良知，为善去恶是格物”这一四句命题。钱德洪对此的解释是“四有说”，即心体本无善恶，但因人有习心，因此意(心之发动是意)中明显存在善恶。王畿的主张称“四无说”，即若心体为无善无恶，意当然是无善无恶之意，知亦是无善无恶之知，物亦是无善无恶之物。阳明

① 任继愈：《中国哲学史》(第三册)，人民出版社，1979年，第345—347页。

② 北京大学哲学系编：《中国哲学史》(下册)，中华书局，1980年，第154—157页。杨天石：《泰州学派》，中华书局，1982年，第50、51页。

学左派诸学者还新展开了阳明学。如王畿把良知扩展为宇宙原理，以之为“动”之物。他还主张“现成良知”，甚至儒、佛、道三教一致。王艮思想的本质在于实践主义。岛田虔次认为，李贽依然是主观唯心论者的“嫡派儿孙”，其“童心”说可谓王阳明“良知”的成年。①

另一方面，冈田武彦在自著《王阳明和明末的儒学》中认为，阳明之后，阳明学派分化成了以左派王畿、王艮等为代表的归寂派，以右派聂豹(双江)、罗洪先(整庵)等为代表的归寂派，以及以正统派邹守益、欧阳德(南野)等为代表的修证派。

现在的再评价

中华人民共和国成立后，中国学界基本上对程朱和陆王两大儒家流派持批判态度。不管是阳明学说，还是朱熹学说，都被认为是维护封建制度的学说。虽然也有人对王阳明思想中的若干合理性内容进行过积极评价，但大体而言，否定倾向依然是主流。在文革时期，曾兴起运用所谓“儒法斗争史”观念批判儒学的风潮，因此，以儒学为有害的观点被允许，而以儒学为有益的观点则遭到禁止。王阳明的学说与其他儒家学说同样，被全部否定。“四人帮”粉碎后，自由讨论在中国学术界得以展开，关于王阳明思想的新见解和新评价开始不断涌现。

中国学术界关于王阳明政治立场的认识并无二致。王阳明“破山中贼易，破心中贼难”这两句明言，揭示出其学术思想与政治立场是一致的，即均拥护明代封建统治。如上所述，王阳明一生的事迹在于镇压了两次中国南方的农民暴动以及平定了明朝皇族朱宸濠发动的叛乱。不过，中国学术界也有人指出，王阳明在政治领域还提出过改革的主张，目的是为了缓和地主与农民的矛盾。例如，他主张命令豪绅、官吏把在战争中攫取的土地归还原主，提案免除南赣地区的粮食税以减轻农民负担。这些都说明他和一般的腐败官吏不同。因此，不可将作为历史人物

① 島田虔次:『朱子学と陽明学』,岩波書店,1983 年,第 146—157、177 頁。

的王阳明一棍棒杀。

评价王阳明思想是一个超乎想象的复杂问题。中国学术界多把王阳明哲学归入主观唯心论。王阳明批判朱熹的"析心与理为二",主张"合心与理为一",视"良知"为宇宙的本体,认为"良知"先验地存在于人"心"之中,因此他是把"心"作为天地万物的根源,以主观唯心论替代朱熹的客观唯心论。王阳明的主观唯心论,继承了孟子以来的主观唯心论传统,且比传统更典型、更彻底,具有较高的思辨水平。而且,其内容丰富,体系严密,具备儒家思想之集大成的特征。但是,到现在还有人认为,王阳明的哲学并不是主观唯心论,而是唯心论的泛神论。① 其根据是,王阳明把心提升至绝对性的地位,同时以心与物、良知与气为同一物,天地万物若离开良知就无所谓天地万物,良知离开天地万物也无所谓良知,心外无体,以天地万物感应之是非为体等等。

中国学术界关于"致良知"比较一致的看法是:王阳明所述的良知是封建主义道德伦理观念。不过,关于王阳明的"良知"说是否存在"个性解放"的意义,学者之间意见不一。侯外庐认为,王阳明的"良知"决不是封建时代末期启蒙思想家所说的"理性",而是封建主义的道德律。② 例如,王阳明认为孝弟(悌)、忠、信皆出于人之"良知",见父自然知孝,见兄自然知弟(悌)。王阳明的"致良知"以克服和排除反封建的邪恶想法为目的,当然不包含启蒙思想家所主张的"个性解放"的含义。

但是,最近也有学者提出新的见解。③他们认为,到明代中期,作为正统思想的程朱理学日益没落,不再能够有效发挥维系人的精神的作用。当时,王阳明揭露此弊端、强调"心"的作用、以"良知"为判断是非的基准,本身就是一种反对旧权威、旧教条的行为,在一定程度上具有"思想

① 邓艾民:《王守仁唯心主义泛神论的世界观》,收入于《中国哲学》(第八辑),三联书店,1982年,第174—199页。

② 侯外庐:《中国思想通史》(第四卷下),人民出版社,1960年,第905页。

③ 沈善洪、王凤贤:《论王阳明哲学思想的积极意义》,收入于《中国哲学》(第五辑),三联书店,1981年,第220页。

解放”的含义。如果发展到任己所欲的程度，就有可能冲破礼教的规范而转化为异端。一旦革命思想家或激进的人物出现，他们就能够借用主观的“良知”来对抗他们所要反抗的权威。阳明学虽风靡一世，却没有获得政府承认的统治性地位，是其自身含有上述离经叛道的要素的缘故。

关于“知行合一”，侯外庐指出，王阳明的知行观为唯心论。因为“知”和“行”这两个范畴，在王阳明的哲学语言中只是观念上的顺序区别，二者均统一于一心（观念）之中，“行”决不是客观的实践。① 正如明末思想家王夫之所批判的那样，王阳明的“知行合一”是“销行以归知”。不过，最近也有一些学者提出以下新见解：王阳明明确提出“知行合一”，是中国古代知行学说的一大发展。② 王阳明以知与行不可拆分，明确了知行问题的辩证法思想，使这个命题向合理方向转化。王阳明既重视知，又重视行。他在把“行”向主观的领域发展的时候，认为“行”不过是思考的同义词；在把“行”体现于实际活动领域的时候，“行”又被赋予了实践的含义。王阳明的“知行合一”思想，在历史上也为进步思想家所吸收，被赋予特定解释，并被运用为激励人们勇敢战斗的精神武器。

现在，有部分学者主张必须从认识发展史的视点出发，对王阳明思想中的合理成分作出应有的评价。那么，在评价思想家思想价值的时候，必须探明其到底起过什么样的作用。③ 社会作用自然是评价的一个方面，认识上的作用也是重要的一个方面。就王阳明的思想而言，像他的“心外无物”的命题，包含有认识仅来源于感觉的意思。其“心外无理”的命题，具有以理性思维和主观概念来把握事物之理进而指导人的行动的意义。其“意之所在便是物”的命题，承认人的意识、思想在创造世界时的巨大能动作用。

---

① 侯外庐：《中国思想通史》（第四卷下），人民出版社，1960 年，第 899 页。

② 张绍良：《评王守仁的“知行合一”说》，收入于《中国哲学》（第五辑），三联书店，1981 年，第 244 页。

③ 陈远宁：《王阳明哲学合理因素试探》，收入于《中国哲学》（第五辑），三联书店，1981 年，第 159—175 页。

总之,现在的中国学术界正沿着科学的、历史主义的轨道,对王阳明思想进行全面的评价。

第二节　中日阳明学之不同点

图 68　中江藤树画像　鹤泽探竜笔

有无形成学派

一般认为,中江藤树(1608—1648)是日本阳明学的元祖。而事实上,早在室町时代就有日本人曾与王阳明有过往来。1510 年,禅僧了庵桂梧奉幕府之命,作为遣明正使赴明。1511 年,了庵率从者 292 人抵达北京。明武宗下诏命了庵居住在育王山广利寺,并赐给他金襕袈裟。当时,了庵常与明儒相往还。1513 年,王阳明与门人徐爱等游四明而经宁波时,曾与了庵会见。同年五月,了庵归国时,王阳明作序相赠,即《送日东正使了庵和尚归国序》。此序未收入《王阳明全书》,不过在师蛮的《本朝高僧传》、伊藤威山的《邻交征书》、斋藤拙堂的《文话》中都有收录。从序文来看,了庵与阳明就儒、佛的教义进行过交流是事实确凿的。但是笔者认为,阳明学传入日本始于了庵的说法①是不正确的。了庵是否尊信阳明学,其归国后是否宣传阳明学,并没有可兹证明的文献,因为他在回国后第二年就以 90 岁高龄去世了。

图 69　中江藤树墓(滋贺县高岛郡玉林寺)

在日本江户时代,以中江藤树为首,其门人熊泽蕃山,以及三轮执斋、佐藤一斋、大盐中斋等

① 武内義雄:「儒教の精神」,收入于『武内義雄全集』,角川書店,1979 年。

学者为代表，对王阳明的思想确实存在共鸣的倾向。但与中国阳明学派不同，他们既没有全面吸收王阳明的思想，又没有形成不间断的且具有明确传承关系的学派。在这一点上，恰与中国阳明学派相对照。为此，可以说江户时代日本阳明学的发展并不是很容易的。

中江藤树在30岁以前，基本上是朱子学信奉者。其《年谱》30岁时的记载说："此时，先生尚泥格法。故执三十而有室之法。"严守格法的藤树，到30岁时才娶了高桥氏之女为妻。当时，他是一个严格的格法主义者，以至在遇到朋友时，被嘲讽为"孔老夫子来了"。藤树渐渐对朱子学产生了怀疑。33岁时，中江藤树始读《性理会通》和《王龙溪语录》，开始接触王阳明的思想。37岁时入手《阳明全书》，此后开始倾倒于阳明学。

关于藤树思想和阳明学的关系，学者之间的认识并不一致。一些学者认为，藤树后期即阳明学时代的思想具有与阳明学完全相反的性格。①即，在藤树思想中，心的本性（良知）被把握成静物，对行为方式的关心（格物）也被限定于主观层面，专力于追求内心的平静状态（诚意），表现出肯定佛教吸收道教的三教一致态度。还有学者说，"观藤树之静的宗教性倾向，不可直接说其思想为非阳明学"，认为藤树受中国阳明学左派的影响，其思想是对阳明学中本来就有的内容的展开。② 事实上，藤树思想的形成，并非全受阳明思想的影响。虽然他是沿着阳明学的方向，但也有自身的思想特色。其"全孝心法"的逻辑结构就很有特色。③ 王阳明以"孝"为人类爱亲的根源意义上的本性，中江藤树则把"孝"作为最高范畴。藤树的"孝"并非王阳明所认为的狭义的"孝"，而是万事万物的根本道理或充满生气的宇宙的本源。正如我们是父母的孩子，父母得其身于天，天地又得其身于太极，藤树把宇宙也看成是血缘性的归属关系。照

① 尾藤正英:『日本封建思想史研究』,青木書店,1986年,第195頁。
② 山井湧等校注:『日本思想大系 29　中江藤樹』,岩波書店,1974年,第399頁。
③ 李甦平:《中日阳明学比较研究初探》,《东方哲学研究》,1985年第1期。

藤树的理解,“孝”的范畴不仅是全宇宙得以永存的绝对者,同时还以具体的形式表现在各个方面,无处不在。藤树对“孝”的认识,在其他儒者中几乎是看不到的,是其独有的特色。不过,藤树也说“孝以太虚为全体”(《翁问答》)、“我心则太虚也”(《与户田氏书》)、“明德,本心之殊称也”(《明德图说》)、“良知明德之本体”(《与朱原氏老母书》)、“道者本体,大学所谓良知也”(《中庸解》)。对他来说,“孝”与“太虚”“心”“明德”一样,是像王阳明哲学最高范畴——“良知”那样的贯通宇宙与人类的精神本体的别称。因此,藤树的“全孝心法”也属于阳明学的思想倾向。而且,藤树自己也说:“全孝心法,即艮背敌应之心法,名易而实道理同。此谓本体工夫也”(《翁问答》)。这里所说的“本体即工夫”的命题,确实是与阳明学派共通的思想。

藤树的门人中最优秀者有 34 岁入门的熊泽蕃山和 37 岁入门的渊冈山。藤树门人也以这两人为中心分化为两派。以蕃山为中心的一派称事功派,以冈山为中心的一派称存养派或省察派。前者未必盲从师说,多有独立见识,后者则忠实地继承了藤树的思想。

图 70　熊泽蕃山画像

然而,熊泽蕃山(1619—1691)醉心阳明学只是在冈田藩从仕池田光政的那一时期。蕃山 27 岁时,二度出仕冈山藩,29 岁时被授予三百石新知行地,颇受光政信用。1650 年,32 岁的蕃山被光政任命为“番头”,主管军务,领年禄 3 千石。由于蕃山的宣传,池田光政也渐渐倾向所谓的圣学(心学、阳明学、藤树学)。池田光政以其花园别邸为教场,经常举行家中同志集会,还提出了称作“花园会约”的学则。当然,讨论的中心人物无疑是蕃山,据说“花园会约”就是他起草的。其第一条便是“今诸子之会约,以致良知为宗”,其阳明学倾向一目了然。随着冈山藩心学的隆盛，蕃山的名声也广闻于天下。1651年，蕃山随从参勤的光政去江户。老中松平信纲、所司代板仓重宗，以及稻叶正则、久世广之等大名或旗本也向蕃山求教。不过，这一时期蕃山吸收的中国思想都是通过其老师的介绍，也看不出他是在仔细阅读《阳明全书》和《传习录》之后才提出良知说的。此外，蕃山也没有全盘吸收阳明学。例如，他的本体论融合了张横渠的《西铭》以及邵康节的《观物内篇》中的学说，取太虚一气说。当时，幕府儒官林罗山及大老酒井忠胜等，对冈山藩心学的兴盛感到不满。罗山诬陷蕃山是由井正雪事件的幕后主使者，说："熊泽备前羽林（池田光政）之小臣也。以妖术诬聋盲。……此草贼等，皆闻熊泽之妖言者也。"[①]酒井忠胜也警告池田光政说："聚众讲学，不善。"[②]蕃山 39 岁时，被迫从冈山藩辞职。在辞职后的 30 年中，蕃山过着颠沛流离的生活，这是他作为思想家的后半生。通过蕃山后半生主要著作《集义和书》可知，他已经从以往的倾心阳明学转为兼修朱、王二学。蕃山自己说"愚既不取于朱子，亦不取于阳明"，"愚拙自反慎独之功向内而成受用，乃取子阳明良智之发起，辨惑则依朱子穷理之学"，欲折衷二者之长。他只想学习阳明学的"自反慎独""使心向内"，即看重与所谓"心学"共通的心之内在契机。当时，蕃山不常使用"良知"或"知行合一"的词汇。为此，尾藤正英以蕃山为"朱子学和阳明学的中间立场"。[③] 尽管如此，蕃山后半生依然饱受幕府压迫，深陷"他出亦不自由之体"的境遇，也没有思想上的继承人，在困厄中死去。蕃山的境遇与崎门学派的繁荣形成了鲜明的对照。

---

① 后藤陽一、友枝龍太郎校注：『日本思想大系 30　熊沢蕃山』，岩波書店，1971 年，第 482 頁。
② 同上，第 482 頁。
③ 尾藤正英：『日本封建思想史研究』，青木書店，1986 年，第 256 頁。

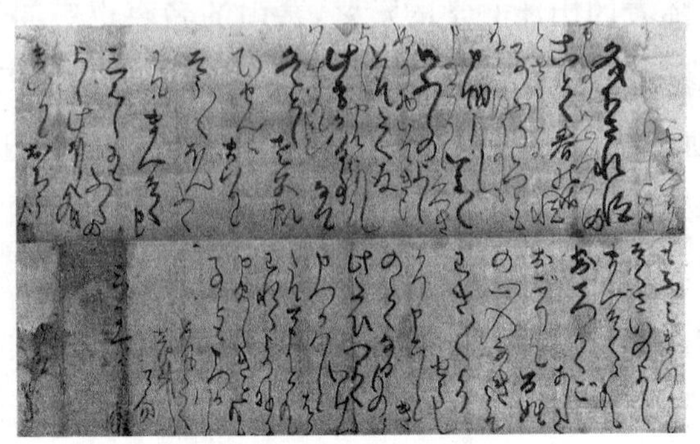

图 71　熊泽蕃山书简

虽然三轮执斋(1669—1744)被认为是日本阳明学的中兴之祖，但他的主要功绩不过是在正德二年(1712)翻刻了王阳明的《传习录》而已。他也说自己是"信王固深，尊朱亦不浅"，很明白地道出了自己的立场。[①]三轮执斋以后，正如大盐中斋所言："我邦藤树、蕃山二子及三轮氏之后，关以西，良知之学既尽矣。故无一人讲之"(《寄一斋佐藤氏书》)。日本阳明学的思想影响几乎完全沉寂了。

图 72　闲谷学校 冈山藩主池田光政领内所建习字所，后成为学校，改为学舍(冈山县备前市)

直至 18 世纪末 19 世纪初，日本阳明学才再次出现复兴的趋势。其代表人物是佐藤一斋和大盐中斋。佐藤一斋(1772—1859)34 岁时成为

① 石田一良编:『体系日本史叢書 23　思想史 2』,山川出版社,1980 年,第 178 頁。

林家学塾的塾头，70岁起开始担任幕府官立学校昌平黉的儒官。他虽从青年时代就对阳明学心向往之，但由于一直处于当时学界乃至教育界的最高地位，所以内心即便信奉阳明学，表面上也不得不标榜朱子学。当时，经常有人说他"阳朱阴王"。不过，他的阳明学究竟是受到谁的影响，已成悬案。他的主要著作《言志四录》，类似于处事格言风格的儒学理论概说或读本，事实上并没有拘泥于朱、王之别。而他给《周易》《大学》《近思录》《传习录》等书所做的"栏外书"（书页上的批注）却较为明显地反映出他的阳明学立场。作为一名思想家，佐藤一斋虽然缺乏如同时代大盐中斋那样的尖锐性和批判性，但其思想影响却比其他阳明学者的影响都要大。其门下和再传弟子英才辈出，如公武合体派的思想家佐久间象山、大桥讷庵，尊王攘夷活动家吉田松阴、西乡隆盛等。

总之，日本的阳明学虽然有时亦被某些人所推崇，但它在社会上几乎没有持续的思想影响，亦没有形成学派。日本的阳明学者并非只吸收王阳明的思想，也不一定以阳明学者自称。可以说，日本的阳明学只是作为一种思想倾向而存在。

图73　吉田松阴画像 松浦松洞笔

图74　佐藤一斋画像 渡边华山笔

反体制性

日本的阳明学之所以没能很容易地获得发展，或许与日本阳明学者批判幕藩制的态度有关。其思想的反体制性，在当时的社会背景下，被视为带有政治危险性的学问。毫无疑问，前述的中国阳明学左派，尤其是泰州学派，也有反体制的思想家。但通过考察日本从中江藤树到大盐中斋、吉田松阴几乎全部日本阳明学者的思想可以发现，他们均含有不同程度的反体制批判精神。这可说是日本阳明学的特色之一。

就中江藤树和熊泽蕃山而言，虽然他们的思想并不否定封建制，但也决不是原封不动地肯定现实社会秩序。他们以儒学的普遍性理念为评价标准，并以这些理念批判性地审视现实社会。"时处位"论是他们独特的思想，就表现出思想上的反体制性。

中江藤树 32 岁著述《论语乡党启蒙翼传》，其中已经开始有系统地展开"时处位"论。他说："凡经济所遇谓之时。时有天地人三境：曰时，曰处，曰位。"即实践经世济民之道的现实状况叫"时"，据天地人三才将其分解考察，又包含时间、处所、地位三元。他又提出"时中"概念，这是指人们应根据时处位的不同境遇，使自己的行为符合应遵循的行为法则(天则)。藤树认为只有圣人才可以完全实现"时中"，因而又称"圣之时"。藤树认为，学问的目的是体得"圣之时"。他又把圣人的行为区别解释为内在意义上的"心"和外在表现的"迹"。他认为"迹"只不过表现了圣人在各个具体场合所表现的具体行为，本身并没有永久的规范权威。照藤树的认识，儒者不应该模仿圣人之"迹"，要体得圣人的"心"来作为自己的准绳。即体得"圣之时"，就是体得圣人的"心"。

关于"时处位"，藤树在 33 岁时所著的《翁问答》中说："纵无违实行儒书所载礼法，然其所行若无有与时处位相应适当恰好之道理，则非行儒道，异端也。"藤树认为儒道在普遍意义上是妥当的，而古代的礼仪制度却因状况(时处位)会有变化。如此，藤树就先把古代的礼仪制度相对化了。在不同的具体情况下，判断标准不是既成礼法，而是圣人的“心”，是齐备于万人之心的道德本体，即“明德”。他说：“明德稍显，则时处位之分别，人事之责任，运命之定数，皆如镜子之映像。”

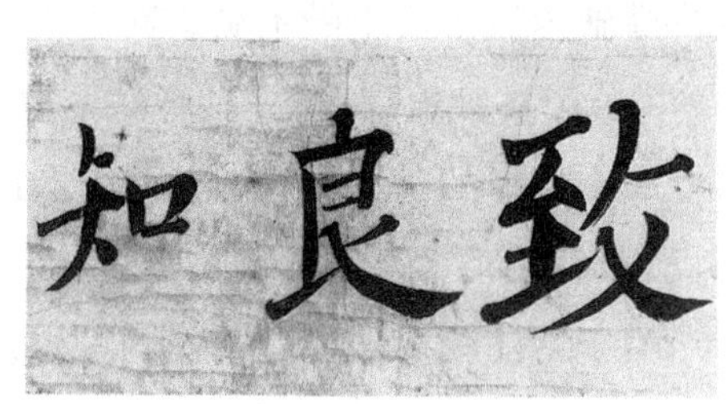

图 75　中江藤树笔迹

《翁问答》中，除有“时处位”“时中”“心・迹”等概念外，还对“权”的思想进行了展开。这最明确地体现出藤树重视心的主体性的立场。在中国儒学诸概念中，权与经是一对对立的概念。关于权的一般解释，通常如《孟子》赵岐注所言：“权，反经（常道）而善者也。”藤树反对这种观点，批判其“言反经适道者为权，大误也”，并说“权外无道，道外无权”，“权者，圣道之妙用，神道之总名也”。即圣人的行为是“权”，是“道”。根据藤树的“心、迹”思想，“权”的基准无疑是“心”，即“明德”。以上所述藤树的基本观点，也贯穿于其政治观中。他说：“礼仪法度有本末。明君心以行道，定国中规范，乃政之根本也。法度条文，祭事之枝叶也”。在此，藤树不仅把古代的礼仪制度，还把现实的法度也相对化了。当时，幕府通过制定各种法度确立幕藩制，中江藤树的“时处位”论，对外部规范持相对自由的态度，重视心的主体性，不妥协于现实情况，因此当然蕴含有反体制性的意义。藤树 27 岁时不经藩主许可就私自脱藩，显示出无视当时武家社会规范、对社会现实不妥协的抵抗意志。不过，在藤树晚年的著作中，具有反体制意义的“时处位论”已消失无踪。

熊泽蕃山继承了其师藤树的“时处位”论，并使其更彻底，更居广泛适用性。在蕃山思想中，“时处位”论占据着最重要的位置。蕃山常以“人情时变”来替代“时处位”的说法，并认为圣人的政治应“谋时处位之至善”。熊泽蕃山的思想，在其参与冈山藩政时期被实践展开。蕃山的改革措施招致了武士的不满。武士们闹事说:“切为百姓计,士共无有之事。”[①]蕃山在被迫辞职之前,曾试图改革诸士世禄之法,建议先减少番头以上武士俸禄的三分之一,这一建议在藩士中泄露后,导致群情激愤,皆云“了介(蕃山)可杀”。[②]

关于中江藤树和熊泽蕃山的思想及行动的社会史意义,一些学者认为,他们代表战国武士的传统,对幕藩制的政治原理持批判的立场。[③] 与此相反,也有一些学者认为,以藤树为反体制的思想家的认识未必妥当。[④] 但是,把现实中的所有存在予以相对化的“时处位”论,并不单单是一种柔软的政治态度,终究还蕴含着批判精神。藤树和蕃山以后,日本阳明学的批判精神并没有被消磨掉,而是改变了形式,由大盐中斋和吉田松阴在思想和政治行动上进行展开。

行动性

如上节所述,王阳明的“知行合一”思想,既重视知又重视行。如果这一思想被革命思想家改造,并用于革命意志的巩固,在行动上就能表现为勇猛果敢。在中国阳明学者中,确实有人如泰州学派的颜山农、何心隐等一批人,发表了很多批判封建正统思想的言论,但是,却很少看到有人付诸行动反抗国家体制。即便是泰州学派的学者,它们也对反抗封建压迫的农民暴动持敌视态度。但是,阳明学对日本人的影响是,不仅加深了他们对内面的关注度,还强化了他们的社会行动性。虽然藤树不认可这种行动性,但幕末的阳明学者大盐中斋,及维新时期的吉田松阴等,在这一方面无疑表现得非常明显。

大盐中斋(1792—1837)即所谓“大盐平八郎之乱”的主谋。他的思

① 后藤陽一、友枝龍太郎校注:『日本思想大系 30　熊沢蕃山』,岩波書店,1971 年,第 491—493 頁。

② 同上,第 491—493 頁。

③ 尾藤正英:『日本封建思想史研究』,青木書店,1986 年,第 274 頁。

④ 山井湧等校注:『日本思想大系 29　中江藤樹』,岩波書店,1974 年,第 397 頁。

想与举兵行动到底有什么关系呢?

图 76 大盐中斋画像

大盐中斋在自述《洗心洞札记》中说,“一曰太虚,二曰致良知,三曰变化气质,四曰一死生,五曰去虚伪”,把这些内容作为自己思想的核心,中心思想是“归太虚”。太虚是什么呢?他说:“躯壳外之虚者,便是天也。心葆含万有,于是可悟焉。”也就是说,太虚是天,是心,蕴含万有。大盐中斋认为,天之虚(身外之虚)和方寸之虚是同一物,即太虚。太虚之灵于人身就是良知。人类的形上学使命在于回归太虚。“圣人则彻始彻终,唯一太虚。”普通人“若有欲塞心,则心非虚”,“若归太虚,则人之能事毕”。“致良知”是回归太虚之道。他说:“心欲归太虚者,宜致良知”。不过,中斋的致良知并没有到达如藤树那样的静止顿悟的境地,而是在行动上的不欺骗良知的行为。照他的说法,圣人之学是“明体适用之学”,“论学明道而无其用者,乃背天”,是“异端之教”。中斋主张在确立个人内面道德意识的同时,还必须将其应用于具体的实践中。这与王阳明的“知行合一”说相近。不过,中斋的致良知并没有止步于此。他说:“学固正己心,修己身,然唯以正己心,修己身为学,盖非大人之道。”他还从“心葆含万有”这一命题出发,认为“夫身外之虚,皆吾心也。即人物在心之中,其为善去恶亦我身之事……”,“夫人之嘉言善行,即吾心中之善,而人之丑言恶行,亦吾心中之恶也”。也就是说,对于人之恶、世间之恶以及自身内面之恶,都必须不欺骗良知而加以修正。以己身于世界灭恶扬善,就是消灭自己心中的恶实现善。如此,中斋的“明体适用”不仅重视个人行为,还强调社会实践。大盐中斋思想中最主要的特色,是把阳明学由个人道德修养的哲学转变为改造社会的行动哲学。他说:“当其义,则不顾身之祸福生死，果敢行之”，倡导勇猛果敢的精神。[1] 天保八年(1837)，大饥荒最厉害的时候，大阪町奉行和奸商趁机中饱私囊为恶一方，中斋不顾生死发动武装起义，严惩这些恶行。对中斋来说，这些行动是必然的。

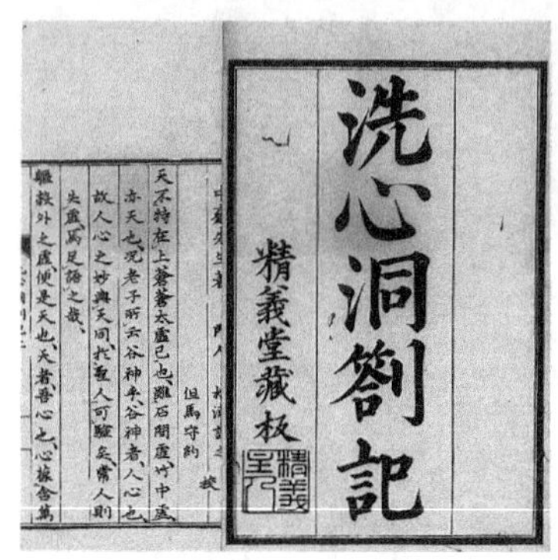
洗心洞劄記
精義堂藏板

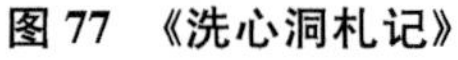
图 77 《洗心洞札记》

图 78 大盐之乱 边烧砸豪商之家、边行进之大盐军(《出潮引汐奸贼闻集记》)

幕末的尊王攘夷派思想家和活动家，也受到日本阳明学行动性的影响，表现出战斗精神。吉田松阴(1830—1859)读过王阳明的《传习录》、李贽的《焚书》、大盐中斋的《洗心洞札记》，并说：“其学真，往往与吾真会耳。”[2]他还说，“君子者，通心与理。体灭气竭，理独亘古今。穷天壤，未尝暂歇也”，从心与理不灭的主观唯心主义生死观出发，提倡不计生死的精神。[3] 他在《自警诗》中说：“士苟得正而毙，何必明哲保身。不能见几而作，犹当杀身成仁。”[4]

松阴门人高杉晋作也喜好阳明学。他在读了王阳明的《传习录》之后作诗曰：“王学振兴圣学新，古今杂说遂沉湮。唯能信得良知字，即是羲皇以上人。”[5]

---

① 相良亨等校注：「日本思想大系 46 佐藤一斎 大塩中斎」，岩波書店，1980 年，第 732 頁。

② 井上哲次郎：『日本陽明学派の哲学』，富山房，1937 年，第 386 頁。

③ 同上，第 378 頁。

④ 同上，第 389 頁。

⑤ 魏常海：《王学对日本明治维新的先导作用》，《北京大学学报》，1987 年第 1 期。

第六章　日本的古学

第一节　古学三巨头

山鹿素行的士道论

图 79　山鹿素行画像

一般认为，山鹿素行、伊藤仁斋和荻生徂徕是日本古学派的三大代表人物。三者之间并无明确的师承关系，思想上既有共通之处，亦存在不少差异。“古学派”之名是后来才出现的，并不是当时已经存在以这三人为代表的“学派”。当然，相比他们的异处，他们的共通之处更存在本质上的关联。他们的共通点是都提倡复古，与以朱子学为代表的后世儒学相抗，把朱子学和阳明学看作类似佛老、阳儒阴佛的学问，主张圣教之实必须从中国儒学古典中直接体认。他们之所以被称为“古学派”，是因为他们都要求回顾古典。不过，他们的复古要求决不是简单地回归中国传统的孔孟之学（原始儒学），而是借古典否定朱子学以求得思想自由，并企图从古典中探求对当时社会起作用的，作为实践伦理的生活智慧。中国学者朱谦之在自著《日本的古学及阳明学》中指出，日本古学派的复古主张，实际上是要回归经世之学与实用之学。①

山鹿素行(1622—1685)是日本古学的先驱。据记载，他6岁时就学于离家很近的私塾，8岁时已经大致记住四书五经和一些诗文书，是一个很了不起的神童。9岁时进入汤岛林家学塾，直接接受罗山的教导。15岁时便可讲解《大学》。此外，素行并不满足于仅仅学习儒学，还投身于兵学、神道、佛教、老庄等几乎所有类型的学问，非常有天分。但是，他在经历了如此长时期的精神恶战之后，终于认识到之前的努力方向是错误的。他在自传《配所残笔》中，曾这样回顾自己的思想历程："余自幼年至壮年，专攻程子、朱子之学理。……中年好老子、庄子，以玄玄虚无之说为本。此时尤贵佛法，会五山之名僧，乐参学悟道，迄相看隐元禅师。然或因余之不敏，修程朱之学则陷持敬静坐之工夫，觉人品趋于沉默。较之朱子学，老庄禅之作略豁达自由，……然于今日日用事物之上，则不得要领，……神道虽本朝之道，而旧记不分明，事之端底不全"。他找到的出路是"读汉唐宋明学者之书不得要领，则直览周公、孔子之书，以为规范，或可正学问之道"。宽文二年(1662)山鹿素行41岁时，从朱子学者转为古学者。现在日本对山鹿素行在日本思想史上的地位的评价大约可归纳为三点：(1) 山鹿素行与仁斋、徂徕同样，是古学的创立者；(2) 尊奉日本为中朝，力图论证日本古代就有圣教这一事实，是日本主义的鼓吹者；(3) 采取儒学的士君子之道论说士道，是武士道的提倡者。

关于(1)，山鹿素行说，"唯宜详文字训诂，虚心平气，直以圣人之言体穷日用之间"，②提出以文献学方法，以古典为根据，树立新儒学思想的古学方向。而且，与朱子学把世界的本体当作永久不动的"理"相对，山

① 朱谦之：《日本的古学及阳明学》，上海人民出版社，1962年，第27页。

② 田原嗣郎：『德川思想史研究』，未来社，1967年，第26頁。

鹿素行没有把世界的本体设想为观念的东西，而是认为世界的本源是“天地”，世界本质上是运动的，其本性在于生生无息之“诚”。他否定“理”的形而上学性格，认为“理”是“天地万物”的“生生无息”之“条理”，即“有条理之谓理”。① 他还批判朱子的“复性”说。在某种意义上，可以说素行与仁斋、徂徕是在同一轨道上的。但是，正如田原嗣郎在《德川思想史研究》中所指出的那样，从素行思想的构成来看，“素行的朱子学批判，是没有真正理解朱子学且立足于己见的一种所谓超越性的批判”，因此，在很多方面，素行思想的归着点仍然与朱子学近似。② 此外，素行的文献学方法是不成熟的，没有能够树立可佐证其朱子学批判的文献学，因此，在训诂方面又不得不以朱熹为据。正如相良亨所言，山鹿素行是在“朱子学的地盘上与朱子斗争”。③ 作为古学者的山鹿素行，在日本思想史上的地位和影响是无法与仁斋和徂徕相比的，不过是提出古学方向的先驱者。

关于(3)，与作为古学思想之先驱相比，作为儒学的武士道提倡者的山鹿素行具有更大的历史意义。江户时代以前的武士以战士的身份发挥社会功能，武士道理论的核心是对主君献身，而且，还强调从容赴死的死之觉悟。由于禅宗中存在与武士生活方式相符合的教义，所以禅宗对武士道理论影响很大。据禅宗思想，坐禅是克服自身而发现绝对境地的方法。所谓绝对境地，既非死亦非生，而是赶赴战场与敌人对峙时所最需要的一种状态。也就是说，在想起死的时候，人就会被恐惧困扰，而想起生的时候，又会产生卑怯的行为。当时，武士通过佛教寻求精神归所。“死生一如”“常在战场”这些话语，在武士间的日常生活中常被使用。一些学者认为，这种武士道是“死之觉悟”的武士道。进入江户时代后，随着兵农分离的实现、幕藩制的整备以及和平社会的到来，武士的社会功能和生活方式发生了变化。虽然有的武士成为了政治家或行政官僚，但

---

① 田原嗣郎、守本順一郎校注:『日本思想大系 32　山鹿素行』,岩波書店,1970 年,第 397 頁。

② 田原嗣郎:『德川思想史研究』,未来社,1967 年,第 177 頁。

③ 相良亨:『近世日本における儒教運動の系譜』,理想社,1975 年,第 124 頁。

是大多数的武士并没有职务。武士们大都离开知行地，聚集在城下町，作为非生产者而生活。在这种状态下，“死的觉悟”的武士道，就不可能原封不动地成为江户时代武士的指导理论。一些人试图利用儒学为这种武士的新生活方式建立道义上的理论基础。德川家康、中江藤树、熊泽蕃山等都为建构新武士道付出过努力。山鹿素行为新武士道的形成投入心力最多。一些学者称这种新武士道为“道之自觉”的武士道，认为山鹿素行是完成从“死的觉悟”的武士道向“道的自觉”的武士道转变的思想家。①

图 80　圣堂讲释图　江户圣堂

《山鹿语类·士道篇》中，先论说有“知己职分”。什么是士的“职分”呢？他说：“凡云士之职，在于顾其身，得主人而尽奉公之忠，交朋辈厚信，身慎独专义。而己身有父子、兄弟、夫妇等不得已之交接，是亦天下万民悉不可无人伦。而农工商以其职而无暇，不得常相从以尽其道。士则弃置农工商而专勤斯道。三民之间苟有乱人伦之辈者，速加惩罚，以待正人伦于天下”。于此，山鹿素行认为武士有两大职分：一是像往昔那样为主君尽忠节，一是作为模范或指导者自觉和实践“人伦之道”，并向世间普及，假如有败坏“人伦之道”的事情发生，须进行纠正。简言之，武

① 相良亨:『武士道』,塙書房,1968 年。

士的天职就是实现道。由于被授予这样的天职，武士就必须严格遵守“立本”“明心术”“练德全才”“自省”“详威仪”“慎日用”六个节目。“立本”“明心术”和“自省”三个节目属于内在问题。由于素行把日用事物应接之行为当作修养的应用之义来看待，所以他的士道论就特别重视“详威仪”和“慎日用”。他结合武士的日常，详细论述了坐作进退等细目的规则。

在江户时代，虽然存在像鼓吹以往战国武士道的《叶隐》这样的武士道理论，但经山鹿素行而儒学化的士道则对江户时代武士产生了更为重要的影响。文武并重成为当时武士的理想形象。山鹿素行 39 岁时，在江户教授兵学和儒学，从学者超过二千人。

伊藤仁斋与吴廷翰(苏原)

图 81　伊藤仁斋画像

山鹿素行活动的中心是江户，伊藤仁斋(1627—1705)的活动中心则为京都。二者并无任何思想上的关系，但几乎同时在宽文二年(1662)提倡古学，而且两人在走向古学之前的思想经历也极其相似。仁斋出生于商人之家，不顾家人的反对，执意成为一名儒者。最初，他尊奉朱子学，自号“敬斋”。但是，他对朱子学渐渐感到不满，又学习阳明学，甚至是佛老之道，还曾醉心于禅宗的“白骨观法”。经过种种不安和迷惑之后，仁斋最终认识到朱子学、阳明学以及佛老之道都脱离日常人伦，主张直接通过孔、孟的古典《论语》和《孟子》去寻求真正的“圣人之道”，即“悉废语录注脚，直求诸语孟二书”。宽文二年(1662)，他写了所谓古义堂四书之一的《论语古义》，以后又写了《语孟字义》(1683)、《童子问》(1691)等，完成了他的古学思想体系。仁斋运用文献学的方法，否定朱子学派的依据《大学》和《中庸》的正统性，指出《大学》是汉代儒者的伪作，还指出《中庸》也有后人添加的内容，不过是《论语》的衍义。伊藤仁斋推重《论语》是“最上至极宇宙第一书”，认为《孟子》是《论语》不可或缺的注脚。然而，仁斋的古学并不是对原始儒学的单纯回归，而是以《论语》《孟子》为据，批判后世的儒学，重新构成自己的新思想。仁斋的学问表象目标是要重新获得原汁原味的孔孟思想——“古义”，即要在思想上解明孔孟之教，因此他的学问被称为“古义学”。仁斋通过艰苦自学树立了自己的学说，但他一生不仕，成名后一直在京都堀河向门人讲授和鼓吹古义学。他的门人几乎遍布全国，有三千余人，形成了“堀河学派”。

伊藤仁斋的古学思想曾受中国明代思想家吴廷翰(苏原)的影响。吴廷翰的业绩未见中国正史记载，但据近年来出版的《江南通志》《无为州志》和陈田的《明诗记事》等资料，可知其生涯的大略。吴廷翰(1490? —1559)，字崧伯，号苏原，明南直隶无为州(今安徽省无为县)人。正德十六年(1521)登进士，后历任兵部主事、户部主事、吏部文选司郎中、广东佥事、岭南分巡道、浙江参议、山西参议等，官位都不高。嘉靖八年(1528)前后，吴廷翰致仕归故里，专心著述。著有《吉斋漫录》二卷、《椟记》二卷、《瓮记》二卷、《湖山小稿》、《洞云清响》、《诗集》、《文集》等。吴廷翰死后，上述著作曾辑为《苏原先生全集》付梓。吴廷翰在中国是被遗忘的思想家，在中国思想史上并未发生重大影响。近年来，中国吉林大学图书馆收藏有《苏原先生全集》的一部分，南京图书馆仅收藏有其《文集》。但是，吴廷翰在日本影响很大，至今仍保存有《苏原先生全集》。1982年末，中国社会科学院哲学研究所的学者在日本复制了《苏原先生全集》。1984年，中华书局根据这一复制本，编印了《吴廷翰集》。① 由此，吴廷翰思想研究才在中国展开。

---

① [明]吴廷翰著、容肇祖点校:《吴廷翰集》，中华书局，1984年，第1、2页。

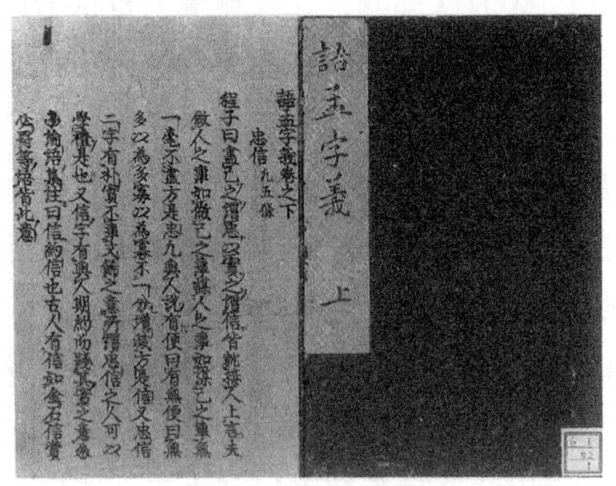

語孟字義　上

語孟字義卷之下

忠信　九五條

程子曰盡己之謂忠以實之謂信皆就接人上言夫做人之事如做己之事謀人之事如謀己之事無一毫不盡方是忠凡與人說有便曰有無便曰無多以為多寡以為寡不一分增減方是信又忠信二字有朴實不事文飾之意所謂忠信之人可以學禮是也又信字有與人期約而踐其言之意如論語集註曰信約信也古人有信如金石信賞必罰等語皆此意

图 82　《语孟字义》

图 83　《吴廷翰集》(中华书局)

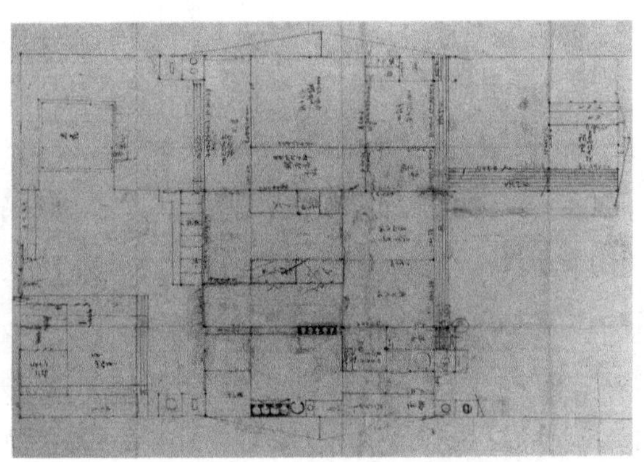

图 84　古义堂平面图

图 85　古义堂正面

关于伊藤仁斋思想与吴廷翰思想的关系，学者们的意见尚有分歧。江户时代日本学者太宰春台的《圣学答问》、多田义俊的《秋斋闲话》、那波鲁堂的《学问源流》、尾藤二洲的《正学指掌》、太田锦城的《九经谈》等，都认为伊藤仁斋思想得益于吴廷翰著作。唯有山县周南不赞同这种说法。明治以后，井上哲次郎和大江文城等人也认为此说为虚妄。但中国学者朱谦之和衷尔矩认为，伊藤仁斋确曾受到吴廷翰思想的影响，但其成就却比吴廷翰高。[①] 第一个理由，既然太宰春台等已经强调，自然有他们的道理，持反对论的学者的论据都不足以否定太宰春台等的说法，而且伊藤仁斋门人中江岷山（1655—1726）祖述师说的著作《理气辨论》，有四处引用了吴廷翰的著作，由此可以推测伊藤仁斋在教授门人时确曾言及吴廷翰思想。第二个理由，伊藤仁斋思想与吴廷翰思想有许多相似处。首先对于"四书"，两者都推重《论语》《孟子》。吴廷翰的《吉斋漫录》是以《论语》《孟子》中的论述为据去批判朱熹与王阳明等后儒学说的。其次，两者都提倡气一元论，甚至语言也十分相似。吴廷翰的《吉斋漫录》和伊藤仁斋的《语孟字义》的开头，都是论述"道"。吴说："天地之初，一气而已矣"（《吉斋漫录》）。仁斋则说："天地之间，一元气而已矣"（《语孟字义》）。他们又都从气一元论出发认为气"或为阴，或为阳"，"一阴一阳往来不止者，便是道"。从而批判了朱熹的"阴阳非道，所以阴阳者是道"的说法。两者还都围绕《易・说卦》的"立天之道，曰阴与阳；立地之道，曰柔与刚；立人之道，曰仁与义"对"道"展开论述。所不同的是，吴廷翰认为阴阳与仁义不过是"道"的同体异名，伊藤仁斋则如丸山真男在《日本政治思想史研究》中指出的那样，明确区别了天道与道（人道），主张阴阳完全属天道，仁义则纯粹属人道。他说"不可混而一之。不可以其阴阳为人之道，犹不可以仁义为天之道也"，[②]即伊藤仁斋很明显地促进了"朱子学（规范和自然的）连续性思维的解体"。再次，二者都认为"理"不过是"气之条理"。不过，二者也有不同的地方。仁斋割断天与人的连续性，将理限定为"物理"，吴廷翰则未曾达到这种思想高度。第三个理由，二者都对"情欲"表示宽容。吴廷翰说："饮食男女，人

① 朱谦之：《日本的古学及阳明学》，上海人民出版社，1962年，第29—31页。衷尔矩：《伊藤仁斋对吴廷翰哲学思想的发展》，《中州学刊》，1983年第1期。

② 丸山真男：『日本政治思想史研究』，東京大学出版会，1953年，第52、53頁。

之大欲存焉。日用饮食，男女居室，苟得其道，莫非天理之自然。”[①]伊藤仁斋说：“苟有礼义裁之，情即是道，欲即是义，何恶之有？”[②]他们都反对朱子与王阳明以人的情欲为敌的“穷天理，灭人欲”说。

在人性论和认识论方面，伊藤仁斋并没有超出吴廷翰而出现特别的创造发展。但是，在自然观方面，仁斋进一步发展了吴廷翰的思想。首先在解释元气如何存在时，仁斋在气一元论的基础上，提出了“天地一大活物”论。这是对《易传》和吴廷翰关于气的“生生不息”的观点的发展。仁斋在《童子问》中论述了“天地一大活物”说。他先论证人只要生存就不会停止运动，说：“其生也昼动夜静，虽然熟睡中，不能无梦。及鼻息呼吸，无昼夜之别。手足头面，不觉而自动摇。”他进而“验之天地”，说：“日月星辰，东升西没，昼夜旋转，无一息停机。日月相推明生，寒暑相推岁成。天地日月，皆莫不乘斯气而行。”照仁斋的说法，存在即运动，静止非存在，即“凡天地之间，皆一理而已。有动而无静，有善而无恶。盖静者动之止，恶者善之变”。而天地之所以有“活物性”是由于元气“或为阴，或为阳，两者专于两间盈虚消长往来，未尝止息”。然而，必须注意到的是仁斋的“天地一大活物”论也具有物活论的色彩。伊藤仁斋还批判了程朱和邵康节的宇宙开辟论，说：“今日之天地，何有终始，何有开辟。”“大凡诸言天地开辟之说者，皆不经之甚也。”[③]这是仁斋思想的一大特色，比其他儒者的认识更接近于科学的宇宙观。不过，伊藤仁斋也说，“既不可谓天地有始终开辟，则固不可谓无始终开辟。然于共穷之际，则虽圣人不能知之，况学者乎？故存而不议之为妙矣”，带有浓厚的不可知论色彩。[④]

徂徕学与清代经学者

荻生徂徕（1666—1728）也和山鹿素行、伊藤仁斋一样，是脱离朱子

---

① [明]吴廷翰著、容肇祖点校：《吴廷翰集》，中华书局，1984年，第66页。
② 丸山真男：『日本政治思想史研究』，東京大学出版会，1953年，第57頁。
③ 吉川幸次郎等校注：『日本思想大系 33　伊藤仁斎　伊藤東涯』，岩波書店，1971年，第17頁。
④ 同上，第18頁。

学而成为古学者的。照日本学者的说法，徂徕一生可以分为三个阶段。第一阶段是从幼年到 40 岁左右的时期。他 25 岁时回到江户开设家塾。31 岁成为幕府重臣柳泽吉保的家臣，也是五代将军纲吉的侍讲。他像当时的大部分儒者一样，儒学尊朱子学，文学则崇尚宋代文学。第二阶段是从 40 岁左右到 50 岁这一时期。徂徕 44 岁时，由于吉保下台，退归蘐园，之后专事诗文创作和汉语讲习等学术活动。他在文学方面已经脱离宋学开始提倡“古文辞”，但在儒学方面仍然尊护朱子学。第三阶段是从 50 岁到 63 岁故去这一时期。他把“古文辞”的主张移植到儒学方面来，在儒学方面也脱离了朱子学。1717 年徂徕 52 岁时，著《辨道》和《辨名》，构筑了他的独特的古学体系。

图 86　荻生徂徕画像

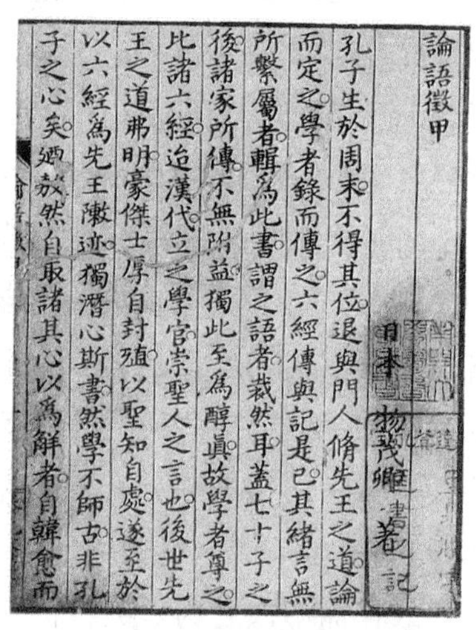

論語徵甲

日本物茂卿著

孔子生於周末不得其位退與門人脩先王之道論而定之學者錄而傳之六經傳與記是已其緒言無所繫屬者輯爲此書謂之語者裁然耳蓋七十子之後諸家所傳不無附益獨此至爲醇眞故學者尊之比諸六經迨漢代立之學官崇聖人之言也後世先王之道弗明豪傑士厚自封殖以聖知自處遂至於以六經爲先王陳迹獨潛心斯書然學不師古非孔子之心矣迺敖然自取諸其心以爲解者自韓愈而

图 87　徂徕《论语征》
（中国南开大学图书馆藏）

徂徕脱离宋代文学提倡“古文辞”的原因，是受到中国明代学者李攀龙和王世贞的影响。徂徕在《辨道》的开头曾说：“不佞藉天宠灵，得王、李二家书以读之，始识有古文辞。”李、王二人在中国和日本现在已经被遗忘了。但是，他们是 16 世纪中国风靡一时的“古文辞”运动的领导人物，是所谓“后七子”的中心。他们的口号是“文必秦汉，诗必汉魏隋唐”，

“不读宋以后书”，是激进的古典主义的文学主张。在徂徕同时代的中国，这种主张已经被认为是“假古董”，早不那么行时了。徂徕却把这种主张应用到他对儒学古典的解释，移植到了儒学方面。照徂徕的说法，“道”不是朱子学那样的形而上学，而是“圣人之道”“安天下之道”，是政治性的。[①]“道”的具体内容记载于《诗经》《书经》等六经中，是中国古代先王给民众制作的“礼乐刑政”，并不是自然的或道德的规范。他认为，通过解释古文辞，能够直接得到作为非理论的具体事实的“圣人之道”。但宋代儒者和日本朱子学者，都“以今文视古文，以今言视古言，故其用心虽勤，卒未得去之道者”。为了理解中国古代的“圣人之道”，需要“以识古文辞古言为先”，“知古今之文辞所以殊，则古言可识，古义可明，而古圣人之道可得而言焉”。[②]从以上来看，古典文献学的研究是徂徕儒学研究的出发点与基本方法。因而徂徕学也被称为“古文辞学”。徂徕虽猛烈批判仁斋，但徂徕学的出发点也受到仁斋不小的影响。

日本学者对徂徕学在日本思想史上的地位评价很高。关于江户时代儒学的历史发展，他们从很多视角进行了考察。但无论采取什么视角，均承认荻生徂徕的重要地位。据丸山真男《日本政治思想史研究》，主张自然、社会、人类相连续的朱子学道德合理主义思维体系虽已被仁斋、素行和益轩分解，但最终促使其解体的是徂徕学。而且，徂徕的思想切断了政治与道德、公众领域与私人领域之间的连续性，在思想上确立了政治的、公的领域的优越地位，同时承认私人的、内心世界的自立性，具有近代精神的性格。从自然制度观向制度观的变迁的角度来看，把现实政治秩序作为圣人、君主的“作为”的徂徕学，开辟了向近代制度观转变的道路。[③]相良亨也认为，江户时代儒学是从封闭体系到开放体系的

---

① 吉川幸次郎等校注:『日本思想大系 36　荻生徂徠』,岩波書店,1973 年,第 12 頁。

② 同上,第 170 頁。

③ 丸山真男:『日本政治思想史研究』,東京大学出版会,1953 年,第 78—92、125、209—232 頁。

历史，徂徕踏出了这一转换的第一步。① 今中宽司提出，江户时代后期的日本儒学不再具有作为学派的意义，形成了所谓文献学的黄金时代，而这种倾向以徂徕为始。② 当时，徂徕学在思想界造成的影响确实很大。徂徕死后，正如那波鲁堂在《学问源流》中所述，"士人，喜其说习如狂"，徂徕学风靡一时。

不过，笔者作为中国人，尤其想要关注徂徕学对中国经学界的影响。③ 1809（文化六，清嘉庆十四）年，徂徕的《论语征》《大学解》《中庸解》以及蟹养斋的《非徂徕学》已传入中国。1810（文化七，清嘉庆十五）年，吴英著《竹石斋经句说》就引用了 8 条《论语征》的话。清嘉庆、道光时期的狄子奇《论语质疑》也引用过 13 条《论语征》的话。刘宝楠于 1865（清同治四，庆应元）年所著的《论语正义》是清代论语学的代表作，也引用了《论语征》。著名经学者俞樾（1821—1907）的《春在堂随笔》摘录《论语征》17 条，并评价说："其大旨好与宋儒抵牾，然亦有谓朱注是处，议论通达，多可采者。" 1880（清光绪六，明治十三）年十二月四日，李慈铭在《越缦堂日记》中写道："如记日本物茂卿所撰论语征诸条云云，皆有关系实学。"1836（清道光十六，天保七）年，钱泳并合徂徕《辨道》和《辨名》，并附加"自序"与"日本徂徕先生小传"，出版《海外新书》。

中国最大丛书《四库全书》也收录了徂徕学者的著作或经注，即山井鼎的《七经孟子考文补遗》（物观之补遗）、根本逊志的《论语义疏》、太宰纯（春台）的《古文孝经孔氏传》。山井鼎（昆仑，1690—1728）、根本逊志（伯修，1699—1764）和太宰纯（春台，1680—1748）都是徂徕的门人，物观是徂徕的弟弟。山井鼎的《七经孟子考文补遗》在收录于《四库全书》以

---

① 相良亨：「江户時代の儒教」，收入于宇野精一等編：『東洋思想の日本的展開』，東京大学出版会，1967 年，第 281—288 頁。

② 今中寛司：『徂徠学の基礎的研究』，吉川弘文館，1966 年。

③ 朱谦之：《日本的古学及阳明学》，上海人民出版社，1962 年，第 175—178 页。梁容若：《山井鼎与〈七经孟子考文〉》，收入于梁容若著：《中日文化交流史论》，商务印书馆，1985 年，第 292—300页。周迅：《四库全书所收的日本人著作》，收入于《中日文化与交流》（第二辑），中国展望出版社，1985 年，第 143—151 页。

前，已经有中国经学者收藏和引用。据翟灏的《四书考异总考》，他在1761（清乾隆二十六，宝历十一）年已阅读过《七经孟子考文》。1779（清乾隆四十四，安永八）年，著名经学家卢文弨读了该书后曾说："友人示余日本国人山井鼎所为《七经孟子考文》一书，叹彼海外小邦，犹有能读书者。颇得吾中国旧本及宋代梓本，前明公私所梓复三四本，合以参校，其议论亦有可采。"名儒阮元曾称赞山井鼎的著书"有功圣经，亦可嘉矣"，并于1797（宽政九，清嘉庆二）年刊行了该书。

中国清代经学家虽屡屡称赞徂徕学的著作，但对日本学界和徂徕学者的具体情况并不很了解，甚至对日本的年号也不清楚。例如，关于太宰纯（春台），《四库全书总目提要》说："太宰纯未详为何如人……"太宰纯的《古文孝经孔氏传》刊行于享保十七年，值清雍正十年（1732），鲍廷博却说其"乃皇清康熙十一年（1672）也"，相差60年。从这里可以看出，当时中国的日本研究要滞后于日本研究中国的历史。

第二节　与清代考证学的比较

文献学的方法

关于日本古学和中国的清代考证学，尤其是伊藤仁斋与中国清代学者戴震的比较，有很多日本学者进行过讨论。[①] 如吉川幸次郎说："当时（与仁斋同时代）中国还没有开始批判宋儒，其批判始于18世纪后半，即进入乾隆时代之后。与仁斋同样，从批判宋儒出发，通过古代语言研究而进行的以'汉学'为名的古典原意研究，成为后来中国学界的主流。其代表人物即创始者戴震（1723—1777），生于仁斋死后十八年……戴震主著《孟子字义疏证》不仅在书名上与一百年前仁斋写的《语孟字义》类似……

① 青木晦藏：「伊藤仁斎と戴東原」，斯文，第8编2号、4号、第9编1号、2号。高橋正和：「孟子字義疏証と語孟字義」，别府大学国语国文学10号。岡田武彦：「戴震と日本古学派の思想唯理論と理学批判論の展開」（美国加利福尼亚州"清初思想研讨会"报告，1977）。

二者的思想也非常相似……仁斋在文献批判上的功绩是明确指出通行本《书经》中的半数为后世之伪作，这可与小他 9 岁的阎若璩(1636—1704)的著作《尚书古文疏证》一较高下。”①阿部吉雄指出：“仁斋著《论语古义》《孟子古义》《语孟字义》等，以文献实证的方式指出朱子学说的错误，又相对于朱子理的哲学提倡气的哲学，从根本上推翻了朱子的人类观。仁斋的学问功绩领先于中国学者，与清代戴震提出这种学说的时间相比，几乎早了 80 年。”②源了圆认为，徂徕的古文辞学是“比清朝考证学先行的认识”。③

将仁斋和戴震进行比较，自然没有问题，但如果比较后得出的结论是日本的古学派比中国的早，就有再认识的必要。也就是说，在中国，“从批判宋儒出发，通过研究古代语言开启古典原意研究”的创始者并不是戴震，“18 世纪后半、乾隆时代”以前，已经有很多中国学者“以文献实证的方式指出朱子的错误，且相对于朱子理的哲学提倡气的哲学，从根本上推翻了朱子的人类观”。正如本书卷头指出的那样，中国学者一般以顾炎武(1613—1682)和阎若璩为清代考证学的创设者。④ 两者分别代表了清代考证学内部的两种倾向。以顾炎武、黄宗羲(1610—1695)、王夫之(1619—1692)为代表的明末清初学者，已经以“经世致用”为目的，运用考证训诂的方法批判宋儒，尝试确立新的哲学。他们既是思想家，也是文献学家，开辟了清代考证学“经世致用”倾向的道路。这种倾向遭到清朝反动文化政策的压制，没能获得进一步的发展。但是，乾隆、嘉庆时期的考证学派(“汉学”)中的皖派，仍多少继承了一些。戴震是皖派的代表人物，他复兴了顾、黄、王的考证学倾向。戴震在文献学研究方面的

① 吉川幸次郎等校注：『日本思想大系 33　伊藤仁斎　伊藤東涯』，岩波書店，1971 年，第 578、599 頁。

② 阿部吉雄：「日本儒学の特質」，收入于宇野精一等編：『東洋思想の日本的展開』，東京大学出版会，1967 年，第 268 頁。

③ 源了圆：『徳川思想小史』，中央公論社，1981 年，第 71 頁。

④ 章学诚：《文史通义》内篇二《朱陆篇》。章太炎：《检论》卷四《清儒》。梁启超：《中国近三百年学术史》六《清代经学之建设：顾亭林、阎百诗》。

水平高于顾、黄，且在人类论方面，批评“后儒以理杀人”，比顾、黄的宋学批判还要激烈。不过，在当时乾嘉时期的考证学者中，戴震的宋学批判只是个例外，尚不能作为乾嘉时期考证学者中的思想代表。[①] 而且，他也没有像顾、黄、王那样的社会思想和民族思想。此外，稍晚于顾、黄、王的阎若璩、胡渭(1633—1714)、毛奇龄(1623—1716)等学者，在文献学研究方面也取得了重大成果，但他们主张为考证而考证。乾嘉时期考证学派中的吴派，以惠栋、王鸣盛为中心，他们继承了阎、胡、毛的倾向，并在清政府的支持下发展起来。他们只是文献学者，并非批判宋儒理论的思想家。因此，以乾嘉时期的考证学者为日本古学的比较对象是不适当的。把同作为思想家的日本古学派与清初的顾炎武、黄宗羲、王夫之进行比较，终归更为恰当。这是因为，日本古学派与顾、黄、王的思想和方法很相似。关于他们的共同点，一个是对宋儒理论的批判，一个是从语言的角度解释古典的方法。所谓比较研究，必须要注意到比较对象是否具有可比性，如果比较对象选择不当，比较所得结论自然也不会稳妥。

图 88　黄宗羲

图 89　王夫之

图 90　戴震

与仁斋、徂徕同样，顾炎武也推重“六经”、《论语》、《孟子》，并以这些古典为据反对后世儒学。顾炎武的名言是“理学，经学也”。他在《与施愚山书》中说：“古之所谓理学，经学也。……今之所谓理学，禅学也，不

① 侯外庐：《中国早期启蒙思想史》，人民出版社，1958 年，第 463 页。

取之五经，而但资之语录，校诸帖括之文而尤易也。又曰，《论语》，圣人之语录也。舍圣人之语录而从事于后儒，此之谓不知本矣”（《亭林文集》卷三）。顾炎武等人的宋学批判思想，与日本古学派的思想有很多共通之处。相对于朱子学的理本论，顾炎武提倡气一元论，认为“盈天地之间，气也”（《日知录》卷一“游魂为变”条）。关于道与气的关系，他说：“非器则道无所寓”（《日知录》卷一“形而下者谓之器”条）。顾炎武还论述了天道、理、心、性等范畴，但也与仁斋同样，目的是通过重新诠释这些概念建立新的哲学思想。例如，关于天道与性，他在《日知录》卷七“夫子之言性与天道”条中说：“不知夫子之文章，无非夫子之言性与天道。……《春秋》之义，尊天王，攘戎翟，诛乱臣贼子，皆性也，皆天道也。……今人但以《系辞》为夫子言性与天道之书，愚尝三复其文，……所以教人学易者，无不在言行之间矣。”照顾炎武的说法，人事、言行和文章就是性与天道。这是“道”的外面化，对于顾炎武及仁斋、徂徕来说，道同样应属于人的外面。而且，王夫之的宋学批判比日本古学者也更全面、更彻底。顾、黄就更不用说了。例如王夫之解释《中庸》“诚者，物之终始也，无诚无物”时，说：“夫诚者，实有者也，前有所始，后有所终也。实有者，天下之公有，有目所共见，有耳所共闻也”（《尚书引义·说命上》）。照他的理解，“诚”不是主观精神，而是客观事物，不是生于空虚没于空虚，是可以通过人类共通的感觉和经验来认识的，他还从客观物质存在提出了“实有”的概念。“实有”多少有点类似于近代唯物论中“物质一般”的概念。王夫之提出的“实有”概念，与顾炎武和仁斋依然以元气为本体的气本体论相比，无疑前进了一大步。

图 91　惠栋

顾炎武关于自己的文献学研究，说，“三代六经……多后人所不通，以其不能通而辄以今世之音改之，于是乎有改经之病。……古人之音亡而文亦亡”（《亭林文集》卷四《答李子德书》），主张按照古典的古音一古字义—古制度—“古圣人之教”的顺序对古典再认识。照他的说法，“古人之音”和后代的“今世之音”不相连续，若以“今世之音”读古典，对古典的理解就会错误百出。他在《音学五书》和《答李子德书》中，指出朱熹及宋儒的很多错误。可以说，顾炎武的从语言出发解释古典的方法，和仁斋、徂徕很类似。不同的是，顾炎武的文献学研究不从“字义”出发，而是从“发音”出发。后世“汉学”大师戴震和王念孙父子都继承了顾炎武的这一方法。此外，顾炎武还提出了“本证”“旁证”等考证学方法，说：“本证者，《诗》自相证也。旁证者，采之他书也”(《音论》卷中“古诗无叶音”)。除顾炎武外，黄宗羲在给阎若璩《尚书古文疏证》作的序文中，与仁斋同样，认为《大禹谟》篇中的“人心”“道心”等词语是“古文”诸篇为伪书的确凿证据。中日思想家的观点不期而合，不能说谁比谁先。根据以上，以“仁斋的学问功绩领先于中国”的认识是不妥当的。确实，仁斋围绕天道、天命、道、理、德、仁义礼智、心、性、情等宋学的重要范畴，著述了全面批判性著作——《语孟字义》，而顾炎武、黄宗羲却没有类似的著作，但不能说顾、黄没有与仁斋学类似的学问思想和方法。应该说，到 17 世纪后期，中日两国的宋学都在思想上陷入了死胡同，顾、黄、王与日本古学派的诞生是两国儒学内在发展的必然。①

单就文献学研究水平而言，清代初期阎若璩等也不输于日本古学者。这通过比较阎若璩的《尚书古文疏证》和仁斋的《语孟字义》，便可一目了然。吉川幸次郎也认为：“仁斋的考证有不少牵强之处，而且其资料也不能说很全备。如后所述，晚于仁斋百年的、与其向着同一方向努力的中国清朝汉学派学者肯定要引用的《说文解字》，至少仁斋是无法看到其原本的。仁斋所依据的《字书》也仅限于明朝人所著的《字义》，这是非常令人遗憾的，而且作为其议论发端的孙奭的《孟子正义》，现在也被认为是不值得信赖的。”②如前节所述，虽然中国经学者对徂徕的文献学研

① 余英时：《戴东原和伊藤仁斋》，《食货》，卷四第 9 期。黄俊杰：《儒学传统和文化创新》，台北东大图书，1983 年，第 94—102 页。

② 吉川幸次郎等校注：『日本思想大系 33　伊藤仁斎　伊藤東涯』，岩波書店，1971 年，第 575 頁。

究成果评价很高，但其还是要晚于阎若璩等的研究成果。从这一点来讲，我们也不能说徂徕的古文学是清代考证学的先驱。

与政治的关系

这里要说的“与政治的关系”，不是指是否做官，而是指学问是否含有以“经世济民”为目的的社会政治论或经世论的内容。在这一点上，日本的古学者与清代初期的顾炎武、黄宗羲、王夫之类似，与乾嘉时期的考证学者有异。

顾炎武在《与人书二十五》中说：“君子之为学，以明道也，以救世也”（《亭林文集》卷四）。他批评投降清朝的知识分子是民族的罪人，说“保天下者，匹夫之贱与有责焉”，表现出强烈的民族思想。顾炎武不仅反对清朝统治，还反对普遍意义上的君主制，主张“众治”，他说：“人君于天下，不能以独治也，独治之而刑繁，众治之而刑措矣”（《亭林文集》卷六“爱百姓故刑罚中”）。在这一点上，黄宗羲比顾炎武的思想还要彻底。黄在《明夷待访录·原君》一篇中说：“古者以天下为主，君为客，凡君之所毕世而经营者，为天下也。今也以君为主，天下为客，凡天下之无地而得安宁者，为君也。是以其未得之也，屠毒天下之肝脑，离散天下之子女，以博我一人之产业，曾不惨然。曰，我固为子孙创业也。其既得之也，敲剥天下之骨髓，离散天下之子女，以奉我一人之淫乐，视为当然。曰，此我产业之花息也。然则为天下之大害者，君而已矣。”他指出，秦汉以后的历代法制都是为皇帝一家的“利欲之私”而制定的。黄宗羲对封建专治君主和封建法制的批判，表现出其民主思想。他还为寻求学校权力的扩大，想把学校改造成类似现代议会那样的东西。王夫之主张“平天下者，均天下而已矣”的平均思想，强调“夷夏之防”，反对清朝统治。总之，抨击当时的统治体制是他们思想的主要内容。

日本古学者的思想缺乏顾、黄、王那样的反抗思想，他们只主张学问的“经世致用”，即参与政治。例如，作为山鹿素行社会论的“君主论”，就与顾炎武、黄宗羲的“君主论”不同，它肯定君主的作用。照素行的认识，君主的作用是统合天下，用现代话来说就是“政治”。当然，他也主张君主必须要守其“分”，对君主要求非常严格。素行的有德者君主的思想，是与其肯定武家政治的现状相表里的。其《谪居童问》中的“治平”部分与晚年著作《治平要录》，均是政治论的著作。伊藤仁斋是个隐者，他拒绝细川氏等的招聘，一生都是町人，但他在理论上否定了隐遁者拒绝参与政治的态度。按仁斋的理解，学问的终极目的在于回归“经济”，即“经世济民”。他说：“其独善其身者，岂圣人之本心欤？后世儒者，虽说王道，其实专不能不入”（《童子问》）。荻生徂徕与素行、仁斋不同，他参与过幕府政治。如前节所述，徂徕学事实上就是政治学。如果说徂徕的《辨道》《辨名》和《论语征》是政治哲学，那么《徂徕先生答问书》《太平策》和《政谈》就是经世论。例如，《政谈》是徂徕在晚年——享保十至十二年间（1725—1727），应八代将军德川纲吉的要求而写的。在以强化维持封建制为目的这一点上，徂徕学的经世论是保守的。

在中国清代乾嘉时期考证学者的学问倾向中，除极少数学者（如戴震）外，几乎都不见“经世致用”思想。值得注意的是，很多考证学者还都做过官且身居要职。例如，毛奇龄当过清翰林院检讨和《明史》的纂修官，王鸣盛（1722—1797）做过内阁学士兼礼部侍郎。其后的王念孙（1744—1832）和王引之（1766—1834）父子也身居高位。他们的学问是对古籍中一字一句进行正误判断的训诂考证，他们投身于此并竭尽全力。然而在他们的著作中，也没有像顾炎武、黄宗羲和王夫之那样的社会思想和民族思想，也看不到如日本古学者那样的经世论，完全回避政治问题。从这一点而言，与其说日本的古学者像乾嘉时期的考证学者（汉学者），倒不如说他们像乾嘉学派先驱——清代初期的顾炎武、黄宗羲和王夫之。

总之，从学问的内容、方法以及学问与政治的关系而言，在 17 世纪后期，中日两国几乎同时出现了以文献学的方法批判宋儒的倾向。虽然仁斋的《语孟字义》与戴震的《孟子字义疏证》在思想和方法上类似，但如果据此就得出“仁斋的学问功绩领先于中国”的结论，笔者不得不说这是不恰当的。

第七章　江户后期的日本儒学

第一节　日本儒学的衰退和变质

折衷学派的盛行

江户时代的日本儒学以享保期(1716—1735)为界大体可分为两个时期。从思想层面来说,前一时期是日本儒学的全盛期,相继形成了朱子学派、阳明学派、古学派,涌现了一些优秀的独具思想体系的思想家。如前所述,徂徕学既是江户时代日本儒学全盛期的代表,又是日本儒学转换期的代表。荻生徂徕死后,日本儒学逐渐走向衰落。其衰落的主要表现是开始失去思想和理论的创造力。之所以如此,是因为日本当时的客观社会现实和经验科学的发展已经超越了儒学的思辨范围。也就是说,仅通过儒学思辨的自我完善,已经不能把握处于瓦解过程中的封建社会和发展中的经验科学。享保期以后,日本儒学或表现为理论上的折衷主义,或成为缺乏理论的文章学、考证学和经济论,无论是哪一种都丧失了理论的创造力。虽然有一些独立学派的学者(如富永仲基、三浦梅园、山片蟠桃等)在提出新思想时依然使用儒学的范畴或概念,但其思想本身已经脱离儒学的范围,因此不可以再称他们为儒学者。另外,从思想界的论争来看，儒学与国学、兰学的论争逐渐取代了儒学内部各流派之间的论争。江户幕府及御用朱子学者为恢复朱子学的主导权，在18世纪末期利用幕府的政治权力镇压非朱子学派儒学者，即所谓“宽政异学之禁”。但是，这仍然难以阻止日本儒学的颓势。

徂徕死后，徂徕学派发生分化。被称为徂徕门双璧的服部南郭和太宰春台，各自继承了其师徂徕学问的一个侧面。以服部南郭为代表的一派，继承徂徕学乐、诗的文艺倾向，形成美文派。以太宰春台为代表的一派，继承徂徕学礼、政治论的倾向，形成经世论派。从两派的影响力看，应该说遁入诗文与风雅世界的美文派更为昌盛。服部南郭曾说：“文史星历，与之为伍，与医及有用之士优游，得交于太平之幸民，不亦乐乎。”（《灯下书》）。徂徕学的其中一派转变为单纯的文辞学，也表现了日本儒学已经失去了理论的创造力。

图92　广濑淡窗画像

徂徕死后，批判徂徕学派的折衷学派兴起。如广濑淡窗在《儒林评》中说：“当时著名儒者，十之七八折衷学。”18世纪后期到19世纪前期，折衷学派盛行起来。其代表人物是片山兼山（1730—1782）和井上金蛾（1732—1784），活动中心在江户。他们不只是针对徂徕学，对以往的任何一个学派都持批判态度。折衷学者企图超越当时各学派的对立抗争，以追求所谓的“圣人之教”。但由于他们缺乏理论的创造力，不能根据儒学理论构建新的体系，因而只好从儒学各流派乃至中国的诸子百家，特别是老庄思想中寻同去异，理论上对先行思想家采取了包容的态度。例如，片山兼山一方面批判朱子学和阳明学是“阳儒阴佛”，另一方面又承认朱熹“有功于圣门”。关于荻生徂徕，他说：“物氏等知先王孔子之道之大，全在于礼乐，然不知礼乐之本与实，唯论礼乐之肉而不及骨”（《山子垂统》）。[①] 关于老庄申

① 相良亨：『近世の儒教思想』，塙書房，1982年，第198頁。

韩,他说:“讥尧舜文武及孔子,本皆议论之言,有不得已之势,非其本心,读其书则明矣。”又说:“虽后世禅释之索引行怪之书,其理之所据,其语之所由,皆未出吾道之圈,可知其所谓裂天下者也”(《山子垂统》)。[①] 折衷学者对先行思想家的折衷态度和折衷学派的流行,反映了前期儒学理论探究热情的衰退。

折衷学派中的一部分学者因为格外关心作为折衷依据的“训诂”,所以被看作是日本儒学的考证学派。其代表人物是皆川淇园(1734—1807)和太田锦城(1765—1825),活动中心在京都。皆川淇园的《名畴》,是对儒学抽象观念孝、悌、仁、义乃至儒学经典中所述神、政、刑、礼、乐、心、意、志、情、性、命等概念加以考证性解说的著作。如这类解说所示,他无法离开古典采取自由批判的态度,无法创造出新的见解。但是,他在《易学阶梯》中说:“圣人舍己私智,当天地日月之道之大规矩,得物之真实,求执其所也。”在《开物学》中,展示出“人类意识、知识(认识)的根本在自然”这种唯物论的见解,初次提出关于人类意识和自然(精神和物质)认识论关系的课题。太田锦城的主要著作《仁说三书》也是以考证学的方法来解释“仁”。太田锦城的考证学,受到中国清代初期的考证学者顾炎武、阎若璩、毛奇龄等人的影响。他引用的中国古典,基本上是对清代学者曹溶编辑的《学海类编》的间接引用。但是,值得注意的是日本考证学派和中国清代考证学派的不同点。首先,从对古典的态度来看,日本的考证学者更为尊信古典,而缺乏部分中国清代考证学派的“疑古”(怀疑古典)辨伪精神。其次,日本考证学者的考证还不能说彻底。例如,皆川淇园的考证学方法,较之词语更为重视“文辞”,即致力于文字表现能力的研究。[②] 再者,从社会影响来看,中国的考证学是当时学界的主流,200多年间拥有很大的影响力,与此相对,日本考证学者的影响力却并不深远。总之,荻生徂徕死后,这种折衷的、考证的儒学的流行,表现出日本儒学创造力的缺乏及日本儒学的衰落。

---

① 相良亨:『近世日本における儒教運動の系譜』,理想社,1975年,第224頁。

② 三枝博音:『日本の唯物論者』,英宝社,1956年,第106頁。

石门心学

石门心学的开创者石田梅岩被得到公认是在享保时代。当时，正如“大阪富商震怒，天下诸侯战栗”所言，町人阶级已经在经济、社会、文化等方面累积了实力。自然经济和货币经济之间的矛盾，导致以农业生产为基础、以武士和农民为主体的德川封建社会的基础开始动摇。为修复封建体制，幕府不得已断然实行享保改革。这是以武士阶级为本位的最初的幕政改革。改革实行的紧缩政策带来了商业不振和经济不景气。在当时的思想界，很多学者从武士本位立场出发，基于儒学“贵农贱商”的传统思想，批判商人只知利而不知义，主张抑制他们追求利润。（荻生徂徕的《政谈》、太宰春台的《产语》、林子平的《上书》、高理昌硕的《富强六略》等是其中典型）。针对此种情况，町人有必要从理论上将追求利润的意义予以正当化，确立其应有的伦理。但是，江户时代町人阶级始终是寄生于幕藩体制之下的存在，与西洋资本主义兴盛期的商人有着本质的不同。因此，日本的町人阶级及其代言人提不出像西洋文艺复兴时期启蒙思想那样的思想，而是从儒学的概念、范畴和理论中选取素材，并加以利用和改造，形成町人的生活哲学。通过此种方式形成的町人生活哲学，在很多方面跳脱出儒学“重义轻利”“贵农贱商”的框架，实际上是儒学的变质。接下来探讨可谓“中小企业町人们的代言者”——石田梅岩的心学。

图 93　石田梅岩画像

石田梅岩，贞享二年(1685)生于丹波桑田郡东悬村(今龟冈市)，为农民石田权右卫门的末子。11 岁时，梅岩前往京都商家当学徒，因主家没落，15 岁时回归乡里，此后八年间，一直在故乡山村默默从事农业。23 岁再次上京，在京都吴服屋黑柳家工作，做过学徒和掌柜，度过了 20 个岁月。他最初热衷神道，立志弘扬神道，但后来学问兴趣逐渐扩展到儒学。他在工作的同时，利用业余时间一边听当地儒者讲学一边自学。据说，早晨师兄弟还没起来，他便面向二楼的窗户读书，晚上夜深人静后也在读书。同时，逐渐形成了对佛教特别是对"禅"的兴趣。到 35—36 岁时，他苦思于"知性"这一问题。43 岁时，梅岩辞去主家工作，四处寻师，但疑问仍未解决。

1727 年，梅岩邂逅市井儒者小栗了云，发自内心敬慕对方。他从小栗了云那里受到"性无目"的启发，自此废寝忘食努力钻研。过了一年多彻底领悟，达到知心与被知心合二为一，得以立于心学传统"无我"的境界上。享保十四年(1729)，梅岩 45 岁时，在京都车屋町自宅中初开讲席，由此，石田心学宣告成立。梅岩讲课时，前门的柱子上写有："何月何日开讲，无需席费，无关人士但欲听讲者，亦可前来"。这是日本最早的社会教育。刚开讲的时候，听众不是很多，后来逐渐增加。1735 年秋天，甚至连续举办了长达一个月的夜讲活动。梅岩的听众多是市井庶民。他的讲授方式与一般的经书讲授不同，每月选定一天举办"月次会"，事先提出问题让弟子们回答，当天以此为中心，一起讨论人性原理问题或较日常的实际问题。元文四年(1739)，梅岩 55 岁时，出版了《都鄙问答》。延享元年(1744)，60 岁时，出版了《俭约齐家论》。不久后生病，于同年 7 月 24 日去世，终身未娶。由于梅岩学问内容和讲授方式的通俗性，以及他和弟子手岛堵庵、中泽道二等的庶民教化活动，心学运动先在京都大阪地方形成强大的社会势力，江户和关东一带自不用说，还逐渐扩展到除九州以外的日本全国，不仅是町人，就连百姓甚至武士也广泛接受了其内容。

但是，石田心学的流行并不意味着儒学的复兴。如上所述，虽然梅岩的思想是他经过一生的体验和思索而形成的，但是正如一部分学者指出的那样，从内容来看，他的思想"未必是全新的思想和教说"。[①] 石田心

① 柴田實校注：『日本思想大系 42　石門心学』，岩波書店，1971 年，第 458 頁。

图 94　心学的讲席

学的思想根源可以说是折衷的，即综合折衷了神、儒、佛乃至老庄思想的要旨。如柴田实指出："梅岩的教养是以儒学特别是朱子学为根干，并抱持禅、念佛的信仰与神道的思想而形成的。"①梅岩的思想虽然吸收了神、佛、老庄思想，但其表现形态基本上是朱子学。首先，这从梅岩提出自说时所引书目的多样性，即可看出。据柴田实氏统计，《都鄙问答》引用的书目总数达到 78 种。大致分类的话，汉籍类书目包括四书、五经、《朱子语录》、《性理大全》和伊藤仁斋的《语孟字义》等 18 种经学类、老庄等 9 种诸子学类、《史记》等 4 种史书类、7 种杂类。佛典类有 31 种。和书类有 7 种。从引用频度来看，儒学经典《论语》136 次，《孟子》113 次，《中庸》《大学》《易》《书》《小学》等，可

图 95　手岛堵庵画像

① 柴田實:『梅岩とその門流』,ミネルヴァ書房,1977 年,第 19 頁。

排前九位。[1] 另外，梅岩的出发点是“知性”和“知心”。梅岩说：“学问之极致，尽心知性而已，知性则知天。知天则天即孔孟之心也。若知孔孟之心，则宋儒之心亦一也。一，故注亦自合。知心之时，则天理备于其中。”[2]这里他引用的是孟子的“尽心知性，知性则知天”（《孟子》尽心上），表现出梅岩天人合一的思想。再者，关于性和心是什么的问题，梅岩的解说引用了朱熹门下陈北溪《性理字义》中的一段内容。这也说明梅岩的思想基本上来源于朱子学的性理说，其表现形态也是朱子学的。但是，应该注意的是，梅岩在其语录中引用《庄子·秋水》中的“夔怜蚿，蚿怜蛇”，并详细说明其意，提出“由形之心”说。“由形之心”是说人或万物各有其特殊形态，并各有与此外形相合之心，但它们深处都存在着普遍的性——天。“由形之心”思想，是为了更准确地解释普遍（一般）与特殊（个别）的关系。梅岩的普遍和特殊的逻辑，也被应用于他的社会理论中。但是，梅岩的学问中几乎看不到考证学的成果。在他的经书引用中不得不说存在一些断章取义（仅从全文或话语中选取合乎己意的内容）的地方。

石田心学为什么一时盛行，被众多的人特别是町人所接受呢？这终究还是因为石田心学具有自身的特色。第一，石田心学是通俗的，具有易于理解、有益日用的实践性格。因此在江户后期的庶民中广泛流行。第二，在肯定商人追求利润的同时，论说了町人的伦理。这是石田心学的最大特色。梅岩积极主张商人的存在意义，说：“士农工商，助成天下之治也。四民有缺，则无以为助。治理四民，君之职也。佐助君主，四民之职分也。士者，原有位之臣也；农人，草莽之臣也；商工，市井之臣也。”[3]梅岩认为，尽管人有身份上的差别，但在职分上是平等的。商人的职分是什么呢？梅岩说就是“以其有余易其不足，以互通有无为本”。于是，商人买卖所得利润，为完成任务所得正当报酬，与武士侍奉君主所得

① 柴田實：「『都鄙問答』の成立」，史林，1956 年，3916 号。
② 石田梅岩：『都鄙問答』，岩波書店，1970 年，第 51 頁。
③ 同上，第 61 頁。

俸禄毫无差别。梅岩说:“工匠得工钱,乃工之禄也;农人耕作收获,亦同士之俸禄。天下万民若无产业,以何而立?商人卖货之取利,亦是世间公认之禄也。”[①]这是武士出身的经世家们无法想象的,是对世间贱商主义的强烈批判。不过,在梅岩之前,已经有人提过肯定商人职业及其盈利的思想。例如,中国清朝初期黄宗羲曾提出“工商皆本”思想。但是,黄宗羲并没有充分展开这一思想,自那之后也没有看到新的拓展。这或许是清朝社会工商业者的势力不及日本町人势力的缘故。在17世纪中期的日本,铃木正三(1579—1655)已经以佛教的理论来阐述武士、农民、手工艺者、商人各自的职业伦理,论说士农工商各自勤勉于自身的职业就意味着佛道的实现。他说:“为买卖者,必先致力于增大其利”,公开肯定商人对利润的追求。[②] 虽与梅岩的用语不同,但所说却如出一辙。不过,与铃木正三不同的是,梅岩以儒学的概念和理论,把同时代商人的思想作为更深层次的人性问题来审视,通过“由形之心”理论,阐明了町人特殊之道与万人普遍之道相通的事实。

图96　含翠堂　伊藤东涯讲解经书的场面。三宅石庵也经常来此讲学

梅岩在说“不取利非商人之道”的同时,还主张追求利润必须采用正当的方法。他体悟到商人的社会责任,说:“诚实商人应奉彼立我立之原

① 石田梅岩:『都鄙問答』,岩波書店,1970年,第61頁。

② 源了圆:『德川思想小史』,中央公論社,1981年,第104頁。

则”。即追求营利不应从自我本位出发，要求商人应具有“正直”和“俭约”之德。但是，梅岩所说并没有仅仅停留在町人的处事之道上，还将“正直”“俭约”提升到道德原理的层面。梅岩认为“俭约”是适合商人经济生活的主要道德，并将其与人类传统道德的“正直”结合在一起。梅岩所说的“正直”并不仅仅是不贪图不当之利，还使用“应然”一词，论述“我物即我物，人之物即人之物，收所贷之物，返所借之物，不私一毛，行应然者，正直也”(《齐家论》)，①主张尊重所有关系和借贷关系。梅岩认为，人只要正直，自然就会俭约。他所说的“俭约”不是基于私欲上的吝啬，而是遵循并最大程度地发挥事物的效用。他将其归纳为“遵循万物之法”(《答问集》)。梅岩“正直”和“俭约”的思想，可以说既是一种具有近代性的经济合理主义，又是町人的生活哲学。因此，石田心学在江户后期的町人社会中拥有巨大的影响力，就是自然而然的事情了。但是，这并不意味着儒学的复兴，因为石田心学是儒学的变质。而且，虽然他的思想多少带有近代性，但从总体来看，还不能说它是近代的或否定封建社会的思想。不过，尽管如此，同时代的中国也没有出现这种近代的经济合理主义思想。

怀德堂学派

怀德堂学派是以大阪的商业资本为背景的儒学学派，是基于大阪町人们的教育需求，自发创建的教育机关。享保九年(1724)，三宅石庵(1665—1730)的住宅遭遇火灾，其弟子三星屋武右卫门、道明寺屋吉左卫门、舟桥屋四郎右卫门、备前屋吉兵卫、鸿池又四郎等大町人互相合作，在道明寺屋吉左卫门提供的土地

图 97　怀德堂纹瓦的拓本

① 柴田實校注:『日本思想大系 42　石門心学』,岩波書店,1971 年,第 27 頁。

上重建私塾，以石庵为塾主，此即怀德堂。1726 年，二代塾主中井甃庵打通幕府关节，使怀德堂成为半官半民的教育机关。五井兰洲（1697—1762）进一步巩固了怀德堂的基础。兰洲门人中井竹山（1730—1804）和中井履轩（1734—1817）兄弟则带来怀德堂的黄金时代。从创立到明治初年闭馆，怀德堂延续了 146 年。由上述这些学者和他们的门人形成了所谓的怀德堂学派。

图 98、99　怀德堂幅和怀德堂镂板方坮　三宅石庵书

大阪町人出于自发的求知欲而创立的怀德堂，具有与一般教育机关不同的独特学风。首先，学风极其自由。当然，没有町人的社会基础就没有怀德堂独特的学风。怀德堂基本上维持着朱子学或者接近朱子学的学风，但又不耽于此。正如第一代塾主三宅石庵的学问被称为“外朱内王”或者“鵺学问”①那样，怀德堂并不拘泥于朱子学、阳明学，不仅如此，有时还会邀请古学派的伊藤东涯来此讲学。

从学问内容来看，怀德堂从一开始便采取了独具特色的思想立场，②即否定阴阳五行说。三宅石庵首先提倡否定五行说，他曾论及“五行配当之非”。兰洲也说阴阳五行说是“牵强附会”（《兰洲先生遗稿》）。但是，阴阳五行说不仅是朱子学也是中国思想的基本内容。日本朱子学的始祖林罗山说：“万事皆以五行配当”（《神道传授》）。怀德堂否定阴阳五

① 译者注：“鵺”为想象中的怪物，猿头，狸身，蛇尾，手足如虎，鸣声如虎鸫。后被喻为不伦不类之意，“鵺学问”即不伦不类的学问，“四不像”的学问。

② 師岡佑行：「近世合理論の展開　懐徳堂の思想をめぐって」，收入于奈良本辰也編：『近世日本思想史研究』，河出書房新社，1965 年。

行说可以说是与此直接对立的。但是怀德堂的学者们并未提出取代阴阳五行说的新理论。这也说明寄生于封建社会的商业资本，尽管可以提供新创造的契机，但自身尚不能成为创造者。

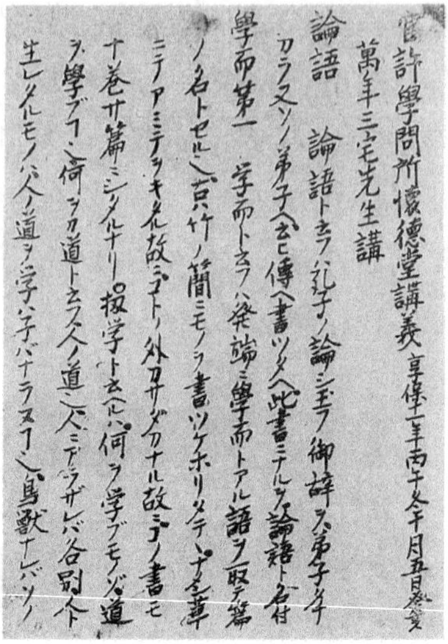

图 100　大阪学问所开讲仪式上三宅石庵关于论语的首章讲义卷首

另外，怀德堂学派的思想立场和石田心学一样，肯定“利”的概念，将其认为是积极的。中井甃庵说：“为所当为，己有所据，则贤良定……皆为此术，为此者，己之利隐于术中。勤则生，惰则去”(《とはずがたり》)。中井竹山也说：“商人之利，如士之知行，农之作德，[①]皆义非利。”

除此之外，授课方法和学生听讲也十分自由。石庵在怀德堂所挂的《壁书》(据说是商人三星屋武右卫门所作)上有如下记述(《怀德堂内事记》)：

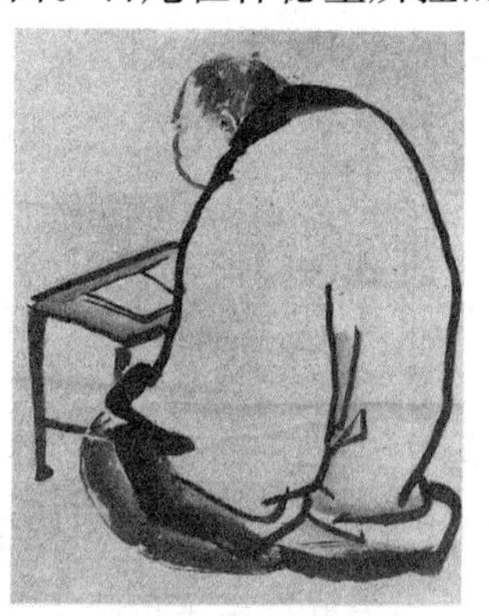

图 101　中井竹山画像

定

一、学问以尽忠孝、勤敬业为上，讲释亦以此为趣。故人虽未持书物，于听讲亦无害。万一有事，可中途退席。

一、武家子弟可坐上座，但中途出席者无此差别。

一、首次出席之人，需向中井忠藏(甃庵)提出申请，若忠藏不在，可向掌管之人道明寺新助提出。

---

① 译者注：农之作德即指农民的收成。

以上
午十月　　　　　　　　学问所行司

也就是说，允许未带书本之人前来听讲，如有急事也可退席，虽分士庶，但开讲后便无差别。最初禁止讲四书五经以外的书，但至五井兰洲时期缓和了禁令，提出："倘有余力，可秘而不宣地向留心之人讲述诗赋文章或医术，或集体阅读讨论，或举办诗会文会，此乃特别之义所在……然不可公开讲读。"怀德堂培养了独立学者——富永仲基和山片蟠桃，另外三浦梅园、麻田刚立、帆足万里等先进的学者们与怀德堂有一定关系也并非偶然。

近代的性格

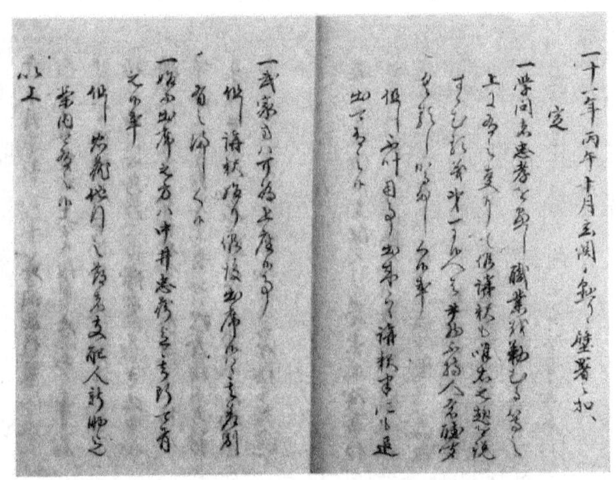

图 102　中井竹山手抄怀德堂壁书

怀德堂学派思想的最大特征是批判徂徕学的不可知论，重视"格物穷理"，通过对其的重新解释，构筑了接受西方自然科学的思想基石。徂徕学虽然割断了自然与道德、道德与政治的连续性，使政治学具有近代色彩，但是，徂徕以"理无定准"(《辨名》)否定了合理认识世界的可能性。他说："学问之道，以信圣人为先"(《辨名》)，认为人智不过是"臆"，从而

图 103　中井履轩画像

否定了人们合理认识世界的可能性。然而，如果没有对于客观世界规律性的认识和对于人的认识能力的确信，就不可能接受近代科学。如果说徂徕学的政治论和石田心学的经济论带有近代色彩的话，那么也可以说怀德堂学派在认识论方面已表现出了近代性格。也就是说，在徂徕学认为不可能的领域，怀德堂学者多少提出了一些近代思想。针对徂徕学的不可知论，五井兰洲主张人的“知新之功”(《非物篇》)，他说：“虽古人已云，先师已传，我所始得亦以为新”(同上)，把“我”即人自身视为认识的主体。作为“我”即主体认识客体的方法，他设定了“真知”“实见”概念，说：“穷理工夫乃真知实见天下之理，真实此二字，穷理之神明也”(《兰洲茗话》)，承认自然现象的规律性。在此前提下，兰洲说：“红毛人①一般所说之算用方法，以理目见，用器具实测，不言不用不确实之事”(《兰洲茗话》)。承认自然现象有一定的规律性，并且认知是可能的，这便成为其接受西方自然科学的思想基础。此后，中井履轩进一步强化了兰洲“真知”“实见”的认识路线。履轩从有异于荻生徂徕的角度完全切断了朱子学的思辨合理主义的自然与人类社会的连续观。他说：“云天地为我覆载，日月为我照临，星辰为我参列，草木为我生殖，昆虫为我动伏。故由日月之会食以至昆虫草木之异，而自咎相责。岂不陋哉，谓之俗习”(《水哉子》)。他直接依据天文学知识，指出太阳比地球大很多，根本不可能与地球上每个人的言行相关，主张天与人的非连续性。以否定天人连续观的见解为基础，便自然会主张“物理”与道德的分离。履轩说：“日用事物当行之理属于物，而非属于人”

① 译者注：红毛人指荷兰人。

(《中庸逢原》)。所谓“日用事物当行之理”的概念，指其自体规律性的存在，与朱熹所说的“理”的内涵不同，可以认为它已具有近代意义。以此为前提，怀德堂学派的人们还曾脱离儒者之业，直接接触西洋经验科学的成果。① 例如，中井竹山曾与兰学者麻田刚立交流知识，在当时的解剖学方面写下十分出色的作品。中井履轩的《越俎弄笔》则是在观察麻田刚立解剖人体之后所写的人体解剖学著作。他还参观了从荷兰传入的显微镜，写了《显微镜记》。这是日本最早的有关显微镜的文献。

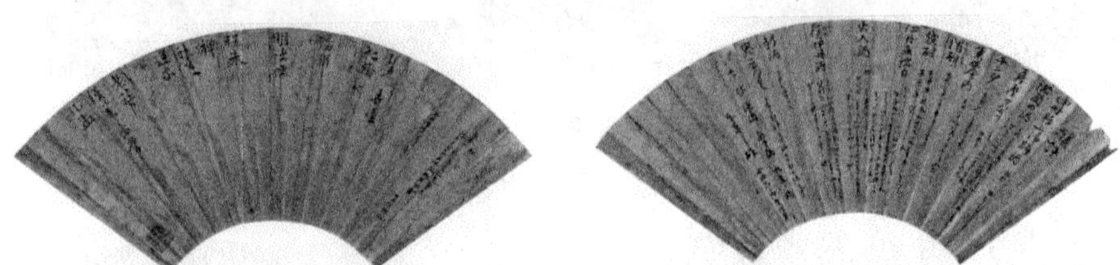

图 104、105　圣贤扇 正面是圣人的名字，内面写着酒的名字。中井履轩选，中井柚园书

如上所述，虽然怀德堂学派的思想具有近代的思想要素，但是还不能说他们的思想已是完全的近代思想。例如，中井履轩虽明确提出具有近代意义的规律性的概念，但没有进一步发展这一概念。在社会观方面，中井甃庵主张农本主义，中井竹山和履轩兄弟也提倡保护小农论。他们的道德说教中心依然在于强调“孝悌”和“诚”。这些显然是维护幕藩体制的思想。

在上述怀德堂学派所达到的基础思想之上，出现了富永仲基、山片蟠桃、三浦梅园等独特的思想家。但是，他们相比怀德堂学派更进一步脱离了儒学的框架，因此从某种意义上可以说他们并不是儒者。(关于他们的详细叙述在此省略。)

---

① 末中哲夫:「懐徳堂学派の人々」，收入于『江戸の思想家たち』(下)，研究出版社，1979 年。

图 106、107　三浦梅园画像和三浦梅园旧宅（106 三浦タヅ氏藏/107 大分县东国东郡安岐町）

古学、折衷学、考证学、石田心学、怀德堂学派的相继出现，表现了儒学的衰退和变质，以及朱子学权威性的失去。为了恢复朱子学的权威，幕府和朱子学者们于宽政二年(1790)断然实行了“宽政异学之禁”。主持“异学之禁”的有力人物是筹划宽政改革的幕府老中松平定信。定信首先起用关西的朱子学者柴野栗山，后起用冈田寒泉、西山拙斋，向当时的大学头林信敬下令：“朱子学之仪，乃庆长以来代代信用之事。已命其方代代维持学风。无疏而正学相励，门人可共取立。然近来世有种种新规之说，异学流行，风俗败坏，皆正学衰微之故哉。甚不可置之不理。时间门人之中亦有学术不纯者，当如何。此番严命圣堂加以取缔，并令柴野彦、冈田清助，申明此旨，定当禁止门人异学，另，不拘自门他门，相

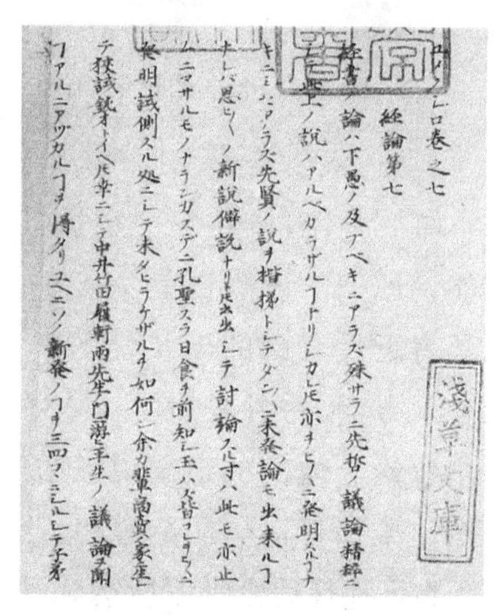

图 108　《梦之代》山片蟠桃随笔集

约讲究正学、取立人才。”[1]1795年，取代定信的幕府老中松平信明又下令各藩禁止任用异学者。异学之徒被禁止录用为官吏意味着异学本身被镇压。由“宽政异学之禁”而涌现出宽政三博士、林述斋等有名的朱子学者，但他们仅位于所谓的道学者之列，在儒学学说的发展上，并没有做出什么贡献。之所以这么说，是因为儒学已经衰退到其中学派如何不能成为问题的地步。

在此应予以注意的是，类似日本“宽政异学之禁”的思想镇压，在中国也曾发生过，而且比日本要早得多。在中国清代初期，朝廷通过“文字狱”和驱逐传教士，镇压了以顾炎武、黄宗羲、王夫之为代表的“经世致用”思想和由西方传教士在明末清初带来的科学思想，剥夺了其发展的可能性，因此，中国近代思想的产生比日本晚。与之不同，在日本“宽政异学之禁”以前，各个学派即已得到较为自由的发展，因此，比中国更易形成近代思想。中日异学之禁的这一时间差异，对中日两国儒学的发展史具有很大的影响。

第二节　儒学者西洋文明观的转变

兰学的传播

16世纪后期，西班牙和葡萄牙的传教士与商人来日，带来了称作“南蛮”文化的西洋文明。但是，由于江户时代初期实行“锁国”政策，西洋文明的传播陷入了停滞状态。然而在享保五年(1720)，第八代将军德川吉宗下令缓和汉译洋书的输入限制。1740年，又命青木昆阳和野吕元丈学习荷兰语。在这些政策的带动下，西洋文明的传播形势逐渐高涨，以长崎为窗口，通过荷兰人或者荷兰语书籍对西洋文明的研究盛行起来。当时，此学问被称为“兰学”，其主要内容是医学、动植物学、天文学、地理学等。但是，西洋的社会科学和人文科学，在当时几乎不为人知。一般认

---

① 相良亨:『近世日本における儒教運動の系譜』，理想社，1975年，第232、233頁。

为，1774 年由前野良泽和杉田玄白翻译出版《解体新书》为日本兰学的出发点。自那之后，犹如《兰学事始》中所说："一滴油滴入池水，迅即布满全池"，兰学从 18 世纪末期到 19 世纪前半期在日本各地广泛传播，成为学界一股可观势力。

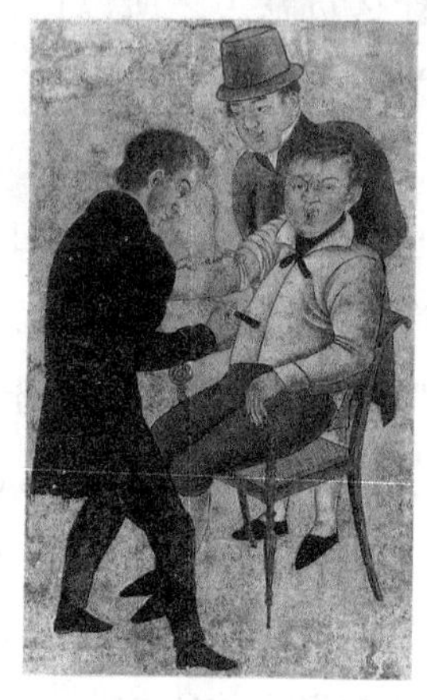

图 109、110　鸣泷塾和西博尔德放血手术图　文政六年(1823)，作为荷兰商馆医师赴任的西博尔德，在长崎的鸣泷兴办了诊疗所和学塾，一边进行诊疗一边向日本人传授西洋学问

随着兰学的传播，兰学者或者是与兰学相关的学者的西洋文明观开始发生变化。在此之前，人们的西洋文明观由于深受儒学中"华夷"思想的影响，普遍使用中华—夷狄的固定模式，将西洋诸国视为伦理上、文化上处于劣势的存在。只有新井白石称赞西洋科学技术的优越性，但是就连他也说："彼方之学只精于形和器，即所谓只知形而下，未闻形而上"(《西洋纪闻》)。但是，兰学者的西洋文明观逐渐发生了变化。例如，杉田玄白说："真正医理在西洋荷兰。"前野良泽基于兰学的自然知识，批判作为儒学自然观基础的五行说，他说："仅中国一地之私言，与四元浑天浑地之公言相异。"①前野良泽和司马江汉从一定程度上肯定了西洋社会的合理性，对日本封建制的基本原理抱有疑问。前野良泽指出在世界

① 沼田次郎等校注：『日本思想大系 64　洋学 上』，岩波書店，1976 年，第 153 頁。

各种宗教中，佛教所影响的范围仅仅是亚洲的十分之二，儒教只不过十分之一而已，而天主教的影响却遍及各大洲，另外通过指出在欧洲以教化之主的法王为首，诸国王位或官职均由选举产生之事，暗地批判日本封建的世袭制度。司马江汉主张人类平等，说在西洋社会“贵称天子、诸侯，卑为农夫、商工。然若由天定之，同为人也，而非禽兽、鱼虫也”(《和兰天说》)。之后的渡边华山说西洋诸国“艺术[①]之精博，教政之羽翼鼓舞，似为唐山[②]所不及”(《慎机论》)。他们的西洋观虽然还处于朦胧中，但已经开始承认西洋诸国科学技术和社会制度的优越性。当然，此种认识在当时的日本人中尚属少数。儒学者中还未出现此种认识。遗憾的是，经历“宽政异学之禁”(1790)、“西博尔德事件”(1828)、“蛮社之狱”(1839)，兰学遭到弹压，日本人西洋文明观的转变被迫中断。[③]

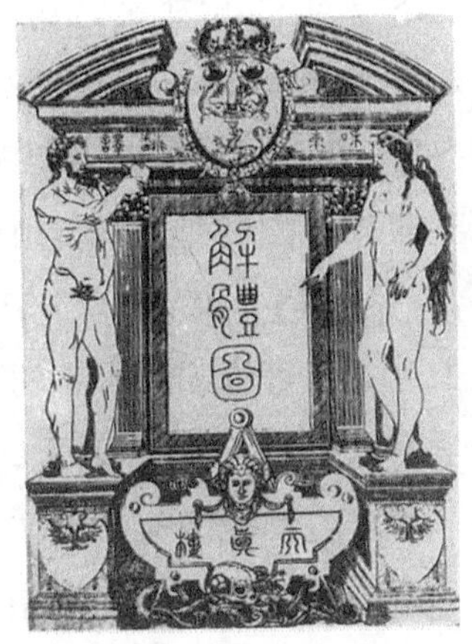

图 111、112　杉田玄白画像和《解体新书》　画像由石川大浪书，是玄白 80 岁时的肖像

儒学者西洋文明观的转变，是在鸦片战争(1840)之后。鸦片战争中中国的败北，给日本人以极大的冲击。以此为契机，一部分儒学者不得

① 译者注：此处“艺术”即指“技术”。

② 译者注：此处“唐山”即指“中国”。

③ 王家骅：《幕末日本人西洋观的变迁》，《历史研究》，1980 年第 6 期。

不承认西洋科学技术的优越性，并开始主张吸收西洋科学技术。特别是佩里来航后，不仅是“兰学”，英、法、德等国的学问和思想也涌入日本。这些知识被总称为“洋学”。当时的“洋学”，不仅包括医学和自然科学知识，政治学、经济学、法学也包含在内。随着洋学的传入，一部分儒学者开始承认西洋社会、政治制度的优越性，这些儒学者通过重新解释儒学的概念和理论，试图调和儒学和西洋文明。其代表人物是佐久间象山和横井小楠。

佐久间象山

图 113　佐久间象山画像

佐久间象山(1811—1864)原本为朱子学的信奉者，并立志振兴“业已衰微之正学”。在 1837 年的大盐平八郎起义之后，他认为起义的原因即在于阳明学，强调有必要振兴“正学”。但是，鸦片战争之后，象山认识到西洋各国的炮术要比中国和日本强得多，他说：“当今武备莫过于是”(天保十三年十月九日寄给加藤水谷的信件)。于是，为了“知己知彼”，他从 34 岁开始学习荷兰语。每日仅睡 2—3 小时，用了两个月的时间即读完他人需要一年才可读完的荷兰语文法书，然后大量阅读科学书和军事关系的相关书籍。他还亲自参与制造大炮、火药、硝石、照相机等，专心于兰学。通过这些，他清楚地认识到西洋的科学技术是西洋的长处，从“国力第一”(寄川田八之助等书，安政元年二月十九日)即强调“力”的观点出发，主张为了“以夷之术制夷”(寄小寺常之助书，嘉永六年六月二十九日)而引进西洋科学技术。他分析中国失败的原因，批判儒学的华夷思想，说：“清朝唯知本国之善，视外国为贱物，侮为夷狄蛮貊，而不知彼(西洋诸国)之熟练于实事，兴国利，盛兵力，妙火技，巧航海，遥出己国之上，故一旦与英交乱，必致大败，遗耻于世界……”(波留麻出版的寄于藩主之书信①，嘉永二年二月。）另外，他批判朱子学的自然说，说："汉人之天地说，秦汉以来，至于周张程朱诸贤，影响虽多，得其实则甚少，看而厌之。故某以西洋实测之学补大学格致之功。"（寄小林柔介书，文久三年一月二十八日。）

图 114　象山自制的电气治疗器

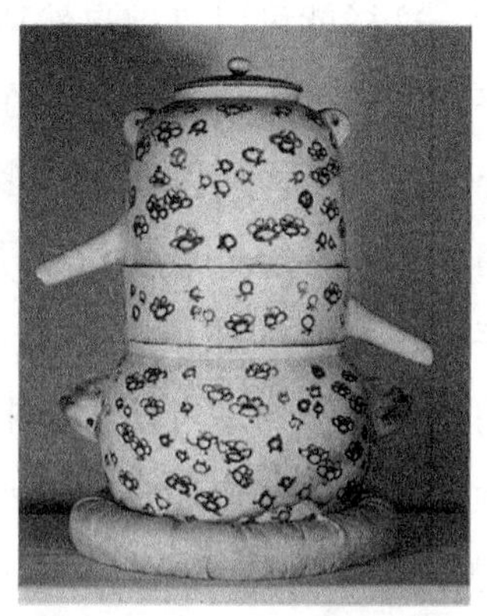

图 115　象山使用的蒸馏器

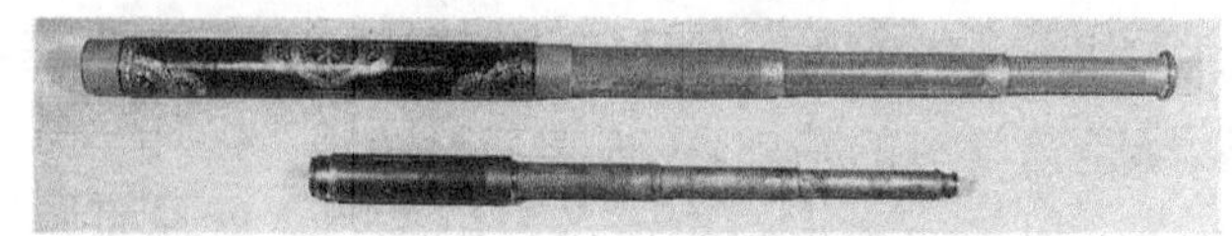

图 116　象山使用的望远镜

但是，象山批判朱子学的自然观，提倡学习西洋科学技术，并不意味着他完全抛弃了朱子学。他是以朱子学的"格物穷理"观念为媒介来理解吸收西洋科学技术的。他虽说"为学之要在格物穷理"（《邵康节先生文集序》天保十一年），但同时又指出："西洋穷理亦符合程朱之意，故程朱二先生格致之说放之四海而皆准。依程朱之意，西洋学术皆吾学之一端，本非他物"（寄川路圣谟书，弘化四年十月二十二日）。即"西洋的穷理"不仅与朱子学的"格物致知"不矛盾，而且是"符合"它的，因此，他虽

① 译者注：波留麻即长崎波留麻，嘉永二年（1849）佐久间象山出版。

认为可以以朱子学“格物致知”的理论为媒介吸收西洋技术,但仍是以儒学观念作为评价西洋文明的基准。但是,他对“格物穷理”的解释已逐渐脱离道学[①]的传统,已将其解释为近似于近代科学的实验或实证的方法。在对“格物穷理”再解释的过程中,他首先强调了宇宙间“理”的同一性和普遍性。这样就可以打破自然科学的国界限制,评价吸收西洋科学。他说:“宇宙间实理无二。理之所在,天地不能异,鬼神不能异,百世圣人亦不能异。近来西洋所发明之许多学术,要皆实理,皆足以资吾圣学”(《赠小林炳文》)。象山虽然承认朱子学的理、道理与物理、道德规范与自然法则存在连续性,但他关心的重点已转移到物理和法则方面。他说:“人伦日用岂有外于物理者耶?余未见昧于物理而周于人伦日用者”(《邵康节先生文集序》)。依照象山的说法,“穷理”方法不是内省的方法,而是重“实测”和“实验”,是根据“能归结为规则的证据”,一步步地去把握世界。象山屡屡使用的“实验”概念,已不是以往那种实地见闻考察的意思,而是指有目的地设定人为条件,从而把握观察对象的规律性或因果关系,是具有近代意义的实验。他还指出“详证术乃万学之基本”(《省諐录》),认为数学是诸学科的基础,主张学习数学。

但是,象山西洋文明观的转变仅仅局限在科学技术的范畴,尚未涉及社会、政治体制领域。如他所宣扬的“贵贱尊卑之等级,天地自然,礼之大经有之”那样,仍然视封建的阶级秩序为天地间自然的秩序。[②] 他的这种思想倾向被凝练为一句话,即“东洋道德,西洋艺术”。

横井小楠

与象山不同,横井小楠在社会、政治体制方面,开拓了评价与引进西方文明的先河。

---

① 译者注:道学在此指朱子学。

② 佐藤昌介等校注:『日本思想大系 55 渡辺華山 高野長英 佐久間象山 横井小楠 橋本左内』,岩波書店,1975 年,第 671 頁。

横井小楠(1809—1869)出身于九州熊本细川藩的武士家庭,8岁即进入熊本藩校时习馆,作为住校生,接受以朱子学为中心的正统教育。1839年到1840年间,他曾前往江户,结识了后期水户学派的藤田东湖,在现实的社会政治论方面,受到水户学很大的影响。直至1853年佩里来航后,小楠仍对东湖说:“须大兴士气,定江户为必死战场,致夷贼为齑粉,于天地间明示我神州正气。”可见,小楠对水户学的夷狄观产生了深深的共鸣。[①]

图117　横井小楠画像

小楠的西洋文明观发生转变是在缔结《安政条约》的1855年。这一年,他读了中国清末学者魏源的《海国图志》,得知西洋诸国的实情后,受到了激烈的冲击。小楠与象山不同,没有学习西洋语言,而是仅通过汉译洋书和听来的知识间接了解西洋的事情,但比象山先进一步的是,小楠对西洋文明的关心和评价扩大到了社会和政治体制层面。例如,在1860年写成的《国是三论》中,有以下内容:“在墨利坚,[②]华盛顿以来,立三大规模:一曰,因天地间惨毒莫过于杀戮,故则天意以息宇内战争为务;一曰,取智识于世界各国,以裨益治教为务;一曰,全国大总统之权柄,让贤不传子,废君臣之义,尽以公共和平为务。政法治术,以至于其他百般技艺、器械,尽地球上称善美者,悉取为己有,大扬好生之仁风……”在此,小楠理解与评价了美国的和平主义、开国进取精神和共和政治。

横井小楠评价英国的议会制度,说:“在英吉利,政体一本民情。官吏之所行,无论大小,必议于民,随其所便,不强其不悦。”

关于俄国和其他西洋国家,小楠说:“俄罗斯及其他各国,不唯广设

① 植手通有:『日本近代思想の形成』,岩波書店,1974年,第76頁。

② 译者注:此处墨利坚指美国。

文武学校，犹设病院、幼儿园、聋哑院，政教悉由伦理，无不急生民之所急。殆至符合三代治教。”

小楠评价西洋诸国的社会、政治制度，是为了解决幕末日本所面临的问题。早在1855年他就提出了“天下之人才共理天下之政事”（寄立花壱岐书，安政二年十一月三日）的主张，到1863年又提出“日本国中共和一致”（寄熊本社中书，文久三年六月六日）体制的构想。从这些主张与构想中，可以看出小楠对西洋文明的评价。

但是，正如佐久间象山是以朱子学的“格物穷理”为媒介去评价西洋自然科学，把“格物穷理”重新解释为近代科学的“实验”“实测”那样，小楠是以儒学的“天下大公”“民为邦本”的观念为媒介去评价西洋诸国的社会、政治体制，把“天下为公”等民本主义思想重新解释为近代民主主义。象山的价值判断基准是朱子学的“理”，是以“理”的普遍性与同一性为依据去比较西洋科学技术和东洋文明的，而小楠的价值判断基准是儒学的超越性的“道”，他认为日本与西洋诸国在超越性的“道”面前，是平等的存在。照小楠的说法，所谓“道”是“三代之道”，并进而说：“于尧、舜、孔子之道之外，世上无道。”①三代是指在儒学中被视为神圣的夏、殷、周三个时代理想的君主治世。如前所述，小楠评价美、英、俄诸国的基准是它们“符合三代治教”。他提出的政治改革纲领是“返回三代”。当然，小楠所说的“三代之道”的内涵已与传统儒学的“道”的内涵不同。小楠晚年时，曾明确地说：“我辈虽信此道，然与日本、唐土儒者之学有天壤之别。”②小楠基于儒学的立场，将西洋理想化，进而变革日本的幕藩体制。因此，小楠的政治思想并非复古主义，亦不能说是近代思想。尽管象山和小楠试图调和儒学和近代思想，但是，他们的思想还未能脱离儒学的框架，可我们终究能从他们的思想中听到日本儒学衰落和近代思想前进的足音。

---

① 佐藤昌介等校注：『日本思想大系 55　渡辺華山　高野長英　佐久間象山　横井小楠　橋本左内』，岩波書店，1975年，第697頁。

② 山崎正董：『横井小楠遺稿』，日新書院，1942年，第508頁。

同中国的比较

一些日本学者曾把佐久间象山、横井小楠、吉田松阴视为幕末的变革思想家，并认为他们的思想与中国清末的变革思想相类似。还说："如果从类型上看，可以说象山相当于清朝的洋务派，小楠相当于变法派，松阴相当于排满派。"①

象山的确与中国洋务派的思想在某种程度上存在相似性。如源了圆所说："一方面非常热心于西洋科学技术的导入，一方面又饱含维持既存儒教道德、政治体制、社会秩序的热情，在这一点上两者具有共通的态度。"②

但是，关于小楠相当于变法派和"这种思想的形成，中国比日本晚了30 多年"③的见解，却并非如此。

依照一部分日本学者的看法，"小楠与变法派的相似点是不仅像洋务派那样承认西洋文明在军事和科学技术方面的卓越性，而且承认在政治制度等方面也有值得自身学习的地方，因此在试图改革现实政治的同时，反省儒教的传统，设法从根本上变革儒教，并逐渐活用儒教的根本精神，解决时代课题。"④

但是，中国在变法派出现之前，即中国的洋务运动末期，已经出现了王韬(1828—1897)、薛福成(1838—1894)、马建忠(1844—1900)、陈炽(？—1900)、郑观应(1841—1922)等早期的改革主义思想家。与其说小楠的思想与变法派类似，倒不如说与这些思想家的思想类似。例如，王韬、陈炽、郑观应等是基于儒学的体用论来评价西洋文明，以"论政于议院，君民一体"(《盛世危言》初刊自序)的立宪君主制为西洋诸国的"体"，

---

① 源了圆:『徳川思想小史』，中央公論社，1981 年，第 223 頁。源了圆:『実学思想の系譜』，講談社，1986 年，第 56 頁。

② 源了圆:『徳川思想小史』，中央公論社，1981 年，第 223、224 頁。

③ 同上，第 223、224 頁。

④ 同上，第 223、224 頁。

以汽船、大炮、火枪、铁道等为“用”。他们认为不仅要学西洋的“工艺之精”(《盛世危言》卷一道器),还要学习西洋诸国的政治制度,主张“君民共治”的立宪君主政治。王韬说:“惟君民共治,上下相通,民隐得以上述,君惠亦得以下逮,都俞吁咈,犹有三代以上之遗意焉”(《弢园文录外编·重民下》)。由此可见,王韬和小楠在肯定西洋政治体制时,是以符合“三代以上之遗意”为基准的。陈炽也认为“泰西议院之法”、“合君民为一体、通上下为一心”是“英美各国所以强兵富国纵横四海之根源”(《庸书外篇·议院》)。郑观应也在1893年出版的《盛世危言》中说:“自有议院,而昏暴之君无所施其虐,跋扈之臣无所擅其权,大小官司无所卸其责,草野小民无所积其怨”,“中国果能设立议院,联络众情,如身使臂,合四万万之众如一人,虽以并吞四海无难也”。如上所述,在主张学习西洋诸国的政治制度,改革现实政治方面,小楠和王韬等早期的改革主义思想家是相似的。

但是,值得注意的是,小楠的“日本国中共和一致”构想还没有明确提出设立议会制度。① 他构想中的“共和政治”仅仅是列藩和幕府、幕府和朝廷之间的“共和”政治,还丝毫不含“民”的概念。从这点来看,不必说中国变法派,就连王韬等的“君民共治”主张中所包含的近代性也比小楠“日本国中共和一致”构想要先进一些。

陈炽、郑观应在评价、吸收西洋诸国政治制度时,虽以儒学的超越的“道”为价值判断基准,但所说的“道”和小楠所说的“三代之道”或“孔孟之道”的“道”是一样的。例如,郑观应说:“道为本,器为变,器可变。道不可变。庶知可变者富强之权术,非孔孟之常经。”中国变法派代表人物之一的谭嗣同则对其中“器变道不变”的见解提出批判,主张“器既变,道安得独不变”。② 可以说横井小楠或者王韬等早期改革主义思想家们还未达到中国变法派思想的水准。

---

① 思想科学研究会編:『共同研究 明治維新』,德間書店,1975年,第168頁。

② [清]谭嗣同:《短书》.收入于《谭嗣同全集》,中华书局,1981年,第390页。

总之，从时期而言，中国确实比日本晚形成小楠这样的思想，但实际上这种思想在中国变法派之前已经出现，而且小楠思想的近代性水准也不及中国变法派。

第八章　水户学和明治维新

第一节　朱舜水和前期水户学

朱舜水

图 118　朱舜水纪念碑像

水户学派是由江户时代水户藩的大名和一些学者形成的儒学流派。它可以分为前期水户学和后期水户学。参与由水户藩第二代藩主德川光圀主持的《大日本史》修史事业的学者们被称为前期水户学派。与此相对，幕末的德川齐昭、藤田幽谷、会泽正志斋、藤田东湖等被称为后期水户学派。如一些学者指出的那样，参与《大日本史》修史事业的学者中，既有林家门流、京学派、崎门学派的朱子学者，又有古义学派学者，还有接受过中国亡命学者朱舜水教育的舜水学派学者。朱舜水对前期水户学及修史事业的影响重大，不可忽视。

朱舜水（1600—1682），名之瑜，字鲁玙，号舜水，浙江余姚人，出身于清廉的官僚家庭。少年时代就学于名儒，曾被誉为当地“文武全才第一名”。舜水一生虽12次受明廷招聘，但因不满明朝腐败，拒不应招。但在明朝面临危机之际，从45岁到60岁的15年间，舜水先后参与明朝守将张苍水、王翊、郑成功的抗清战争，为争取外援，多次往返于江苏以南的各地和日本、东南亚诸国之间。郑成功失败后，舜水怀“踏海全节之志”，于万治二年（1659）冬流寓日本长崎。客寓日本初期，生活极为窘迫。所幸的是，一位筑后柳河藩的儒学者安东省庵（1622—1701）不仅拜入舜水门下，还拿出自己的一半俸禄资助舜水。此后，舜水名声日隆。宽文四年（1664），正在筹备编纂《大日本史》的德川光圀派小宅生顺会见朱舜水。两人谈话后，小宅生顺非常钦佩朱舜水的学问，并将其推荐给德川光圀，于是，朱舜水被德川光圀聘为客师，来到水户。《桃源遗事》中记载着：“朱之瑜至长崎，公（指德川光圀）遣使聘其为师，问道讲学，亲执弟子礼。”当时，64岁的朱舜水和38岁的德川光圀经常竟夜长谈，结为“忘年之交”。朱舜水提倡中日两国应该“世世通好，如同汉赵之交”，①两国人民应该平等相处，亲如一家。在回答奥村庸礼的书中，他说：“不佞视贵国之人如一家昆弟父子。”②舜水向德川光圀和日本学者全面介绍中国的思想文化和科学技术，并就日本的政治方针、教育措施、礼仪制度、学术建设、文化本末、工程设计、农事园艺、服装衣饰等各方面，提出建议和实施方案。其中，有许多被幕府和水户藩当政者所采纳。例如，现在仍完好保存在东京的汤岛圣堂，就是当年根据舜水设计的《学宫图说》，并由他亲自参与建成的。总之，朱舜水客居日本的二十几年间，在接受日本友人援助的同时，也竭尽全力从事日本的文化教育事业，为中日文化交流起到重要作用。

关于朱舜水的思想倾向，中国研究者的观点是多种多样的。既有认为其属于朱子学系统的，③也有认为其属于阳明学左派的。④ 还有研究

① [明]朱舜水：《朱舜水集》，中华书局，1981年，第171页。

② 同上，第272页。

③ 邵念鲁：《明遗民所知录》。

④ 陶希圣：《朱舜水》序说，收入于郭垣编：《朱舜水》，正中书局，1937年。苏曼殊：《断鸿零雁记》。

者认为“朱舜水是反理学的思想家，与同时代的启蒙学者顾炎武、颜元等的思想有很多共通点”。① 依笔者之见，第三种意见更为恰当。

图 119　德川光圀画像
（水户市义烈馆藏）

正如朱舜水所说的“学贵不阿”那样，他不盲从于朱子学或阳明学，而是对宋明理学和程、朱、陆、王各家，持具体分析态度，择善而从之。例如，舜水评价程颐说：“学以有用为贵，先生之学即有用也”，但同时又批判说：“伊川先生……但欲自明己志，未免有吹毛求疵之病。”②关于王阳明的学问，他说：“王文成亦有病，然好处极多。讲良知，创书院，天下翕然有道学之名，高视阔步，优孟衣冠，此其病也。”③舜水对明代中叶以后的理学家也尖锐地批判道：“嘉、隆、万历年间，聚徒讲学，各创书院，名为道学，分门别户，各是其师。圣贤精一之旨未阐，而玄黄水火之战日烦。高者求胜于德性良知，下者徒袭夫峨冠广袖，优孟抵掌，世以为笑。是以中国学问真种几尽绝息。”④

舜水在批判道学家的同时，提倡“实理”“实学”主张。所谓“实理”，就是与道学家“说玄说妙”相对的“现前道理”；“实学”就是“为学当有实功，有实用”⑤、“学问之道，贵在实行……圣贤之学，俱在践履”⑥、“以开

① 梁启超：《中国近三百年学术史》，中国书店，1985 年，第 83 页。侯外庐：《中国早期启蒙思想史》，人民出版社，1958 年，第 259 页。王金林：《朱舜水的实理实学思想及对日本水户学派的影响》，《延边大学学报》，1983 年，东方哲学研究专刊。

② [明]朱舜水：《朱舜水集》，中华书局，1981 年，第 402 页。

③ 同上，第 397 页。

④ 同上，第 171 页。

⑤ 同上，第 406 页。

⑥ 同上，第 769 页。

物成物，经邦弘化为学”。[①] 即学问应该有益于自己的身心和社会。舜水的“实理”“实学”思想与颜元、李塨等的“经世论”有许多相似之处。

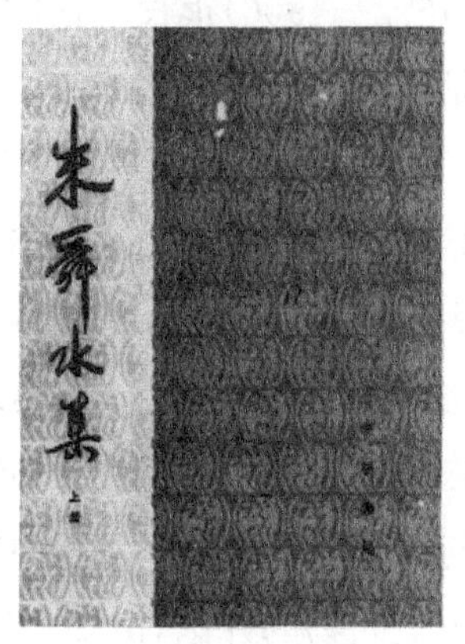

图 120　《朱舜水集》（中华书局）

朱舜水的思想在当时的中国影响并不大。进入 20 世纪后，中国才逐渐开始对朱舜水的研究。之后，有赖梁启超等人的研究，朱舜水及其思想终于引起人们的注意。昭和五十六年（1981）中华书局出版了《朱舜水集》。而在当时的日本，朱舜水的影响却很大。日本当时的朱子学派、阳明学派、古学派的代表人物都和朱舜水有直接或间接的交流，例如，朱子学派木下顺庵、安东省庵、安积澹泊等，古学派山鹿素行、伊藤仁斋等。伊藤仁斋最初是在安东省庵的弟子那里结识舜水的，欲拜舜水为师，但舜水考虑到仁斋的性心之学与自己所学不同，再三拒绝。而在仁斋脱离宋理学，转向唯物论“气一元论”后，舜水则高度评价说：“伊藤诚修兄之《策问》甚佳，较旧年诸作，遂若天渊。若由此而进，竟成名笔乎！岂逊中国人才也！敬服敬服。”[②]不过，受朱舜水思想影响最大的要属前期水户学派及修史事业。

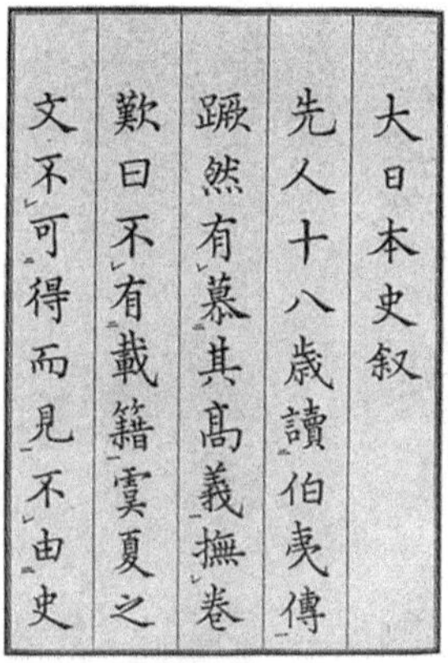

大日本史叙
先人十八歲讀伯夷傳
蹶然有慕其高義撫卷
歎曰不有載籍虞夏之
文不可得而見不由史

图 121　《大日本史》（德川家藏版）

《大日本史》的“正名”思想

水户学是以《大日本史》的编纂事业为基础而成立的。编纂周期

① [明]朱舜水：《朱舜水集》，中华书局，1981 年，第 786 页。
② 同上，第 194 页。

(1672—1906)很长,可分为前期和后期。由德川光圀主持,正式开始编修是在宽文十二年(1672)。首先编纂的是本纪和列传。在光圀死后的第五年即正德五年(1705),本纪和列传脱稿,享保五年(1720)向幕府呈献了本纪 73 卷,列传 170 卷。至此为修史事业的前期。此后,虽着手编纂志与表,但因诸多困难,于元文五年(1740)后大约半个世纪里几乎陷于停滞状态。直到天明六年(1786),立原翠轩任彰考馆总裁后,才再兴修史事业。自那之后被称为后期。如尾藤正英指出的那样,前期修史事业的指导理念与后期存在差异。[①] 在前期编修成果本纪和列传后添加的论赞部分(对历史上人物的评论,由安积澹泊执笔),基本上是依据儒家的正名思想,而支撑后期修史事业的理念则是日本传统的神话历史观及大义名分论。因此,朱舜水的历史观对前期《大日本史》的修史事业产生了一定的影响。

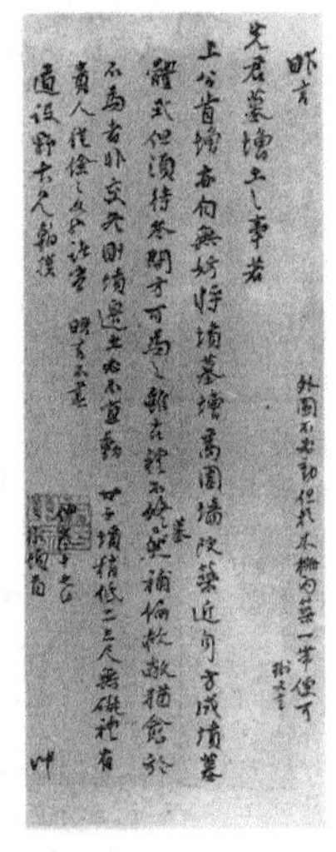

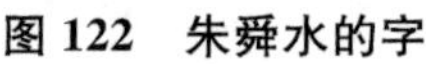

图 122　朱舜水的字

图 123　朱舜水画像　立原杏所书

根据朱舜水的历史观,史书编纂的目的不止于叙述历史事实,还在于明"义理"。"义理"是儒学的道德理念,明"义理"就是展示支配历史的道德理念。另外,明"义理"最好的方法是读史书。他说:"一部《通鉴》明

① 尾藤正英編:『日本文化と中国』,大修館書店,1973 年,第 188—200 頁。

透，立身制行，当官处事，自然出人头地……经简而史明，经深而史实，经远而史近，得之史而求之经，亦下学而上达耳。”①朱舜水认为明“义理”的经典历史著作是《春秋左氏传》和《资治通鉴》。

在编修《大日本史》时，德川光圀曾“聘舜水朱之瑜，讲究《春秋》之大义”（板仓胜明《书澹泊先生史论后》）。德川光圀受到舜水的影响，认为编修《大日本史》的目的在于“正闰皇统，是非人臣，辑成一家之言”（《梅里先生碑文》），即基于一定的道德标准，区分日本皇室的正统与闰统，判定人臣的是非功过。反过来说，通过读《大日本史》所描写的历史，可以逐渐把握一定的道德理念。比较朱舜水和德川光圀的历史观，可以发现两者之间存在共通点。

最能明确体现前期修史事业历史观的是每卷的论赞部分。论赞是德川光圀死后，由安积澹泊执笔所作，其内容是以一定的道德标准严格地评价历史上的人物，特别是历代的天皇和朝廷重臣。安积澹泊自10岁起跟随朱舜水学习儒学经典，是舜水在日本最亲密的学生。舜水通过安积澹泊对《大日本史》前期的编纂事业产生了思想上的影响。

另外，明确体现《大日本史》思想主张的是有名的“三大特笔”。与本纪相关的“三大特笔”，即不为神功皇后立本纪，而将其归于后妃列传之中；承认天智天皇死后大友皇子即位，为其立天皇大友纪；基于南朝正统的主张，为南朝天皇立本纪（因此视楠木正成为忠臣）等三点。所谓的“三大特笔”都是基于“正名”思想而做出的判断。《大日本史》三大特笔中所表现的“正名”思想是中国儒学传统观点中的一种，与朱舜水的“君臣、父子、夫妇、朋友、天地间之定位也”有关。再者，从朱舜水称赞楠木正成“忠勇烈节，国土无变”（《楠木正成像赞》）中，也可以看出他对具体历史人物的评价与《大日本史》是相同的。

但是，到了修史事业的后期，初期的编纂方针逐渐被修正，为后小松天皇立本纪，在其卷首添加北朝五主记事的同时，还在论赞部分引入了

① [明]朱舜水：《朱舜水集》，中华书局，1981年，第274页。

以三种神器所归为基准定正统的新想法，到文化六年(1809)，论赞部分全部被削除，初期编纂方针被全盘否定。

图 124　朱舜水先生终焉之地纪念碑(东京大学农学部区域内)

第二节　后期水户学的历史意义

藤田幽谷

关于后期水户学的历史意义，学界评论不一。其一是说后期水户学的本质在于拥护德川幕藩体制，是一种阶级秩序名分论，对维新变革具有否定性的影响。① 其二是说后期水户学的理念(例如，尊王论、"国体"观)和其理论的综合性中有对维新变革发挥积极作用的要素。② 其三，"平时"以拥护幕藩体制为目的的后期水户学，在佩里来航后的"动乱期"，分裂、展开为肯定倒幕的外样的后期水户学和拥护幕府的亲藩的后期水户学。③

但是，笔者认为，若从后期水户学的影响来看，其著作中洋溢的对幕藩体制现状的危机意识，特别是对外危机意识，唤起了幕末知识分子和尊王攘夷志士的民族危机感，尊王攘夷志士所继承的"尊王攘夷"口号，成为批判幕府和要求建立中央集权国家的理论根据，在这一方面，后期水户学起到了积极作用。但是，从后期水户学"尊王攘夷"论和"富国强兵"策本身来看，其始终是以重新强化幕藩体制为目的的。接下来探讨后期水户学代表人物藤田幽谷、会泽正志斋、藤田东湖、德川齐昭的主要思想。

---

① 遠山茂樹:『明治維新』,岩波書店,1951 年。山口宗之:『改訂増補 幕末政治思想史研究』,ぺりかん社,1982 年。

② 源了圆:『徳川思想小史』,中央公論社,1981 年。尾藤正英:「水戸学の特質」,收入于今井宇三郎等:『日本思想大系 53　水戸学』,岩波書店,1973 年。鈴木暎一:「水戸藩尊攘派の思想と行動」,季刊日本思想史,13 号。

③ 吉田昌彦:「後期水戸学の論理」,季刊日本思想史,13 号。

奠定后期水户学基础的是藤田幽谷(1774—1826)。幽谷出身商家,15 岁时得到其师立原翠轩推荐进入彰考馆,18 岁时,被提拔为下士,参与《大日本史》的编修工作。1807 年,被选为彰考馆总裁,第二年,在担任总裁的同时被任命为浜田郡郡奉行。

图 125　藤田幽谷画像

当时,幕藩体制的危机不断加深。国内方面,征缴苛酷的贡租和商品经济的渗透,使农民阶级分化,饥荒和起义频繁发生。另外,商业高利贷资本的经济实力不断增加,而幕藩财政窘迫、武士家计贫乏现象日趋严重。国外方面,西洋资本主义列强对日本周边虎视眈眈。以宽政四年(1792)俄国使节拉克斯曼抵达北海道根室为契机,日本人的对外危机意识蔓延到了各个领域。

为了应对幕藩体制的危机,1792 年,年仅 18 岁的幽谷著述了《正名论》。《正名论》虽是幽谷青年时代的文章,但其中已经明确体现了晚年幽谷乃至后期水户学尊王论的特色。《正名论》首先强调构成幕藩体制基本原理的名分论,以其为尊王论的理论支柱之一。卷头便说:“甚矣哉,名分之于天下国家,不可不正且严也,其犹天地不可易欤!……君臣之名不正,上下之分不严,则尊卑易位,贵贱失所,强凌弱,众暴寡,亡无日矣。”①但是,面对危机,社会秩序一旦开始动摇,自然秩序的名分论便很难被接纳。为了强化名分论,幽谷引进神道以及国学中的“神国”思想,强调日本国体的不变性,作为尊王论的另一支柱。《正名论》说:“赫赫日本,自皇祖开辟,父天母地,圣子神孙,世继明德,以照临四海。四海之内,尊之曰天皇。八洲之广,兆民之众,虽有绝伦之力,高世之智,自古

① 今井宇三郎等:『日本思想大系 53　水戸学』,岩波書店,1973 年,第 10 頁。

至今，未尝一日有庶姓奸天位者也。……皇统之悠远，国祚之长久，舟车所至，人力所通，殊庭绝域，未有若我邦也。”①

但是，幽谷的尊王论并不否定幕藩体制。按照幽谷的说法，将军尊奉天皇为君主，祭上天的郊祀之礼与祭皇祖的宗庙之礼，如同中国天子尊奉天和祖先的牌位为主君一样，都显示了君臣之道。这只是一种礼仪形式，并不伴随君臣关系的实质。这种形式化的君臣关系具有巩固上下秩序意识的道德教化作用，即“幕府尊皇室，则诸侯尊幕府；诸侯尊幕府，则卿大夫敬诸侯；夫然后上下相保，万邦协和。”②幽谷为维持、再建已松弛的上下秩序，强调具有阶级秩序的尊王论。尊王仅是将军的特权，而大名、藩士、庶民阶级对其直属上级尽忠就是尊王，结果，确立了顺从现存秩序的道德。《正名论》中避免谈及天皇政治上的责任。幽谷的尊王论可以说是以敬幕和强化幕藩体制为实质内容。其与知晓天皇意志所在、并满腔热情对其遵奉的尊攘志士的尊王论是有显著区别的。

宽政四年(1792)，俄国使节拉克斯曼抵达北海道根室，给了幽谷很大的震撼。幽谷以此为契机，痛感外患危机而提出攘夷论。幽谷的攘夷论是后期水户学攘夷论的开端。宽政九年(1797)，幽谷在向水户藩主治保上呈的信即《丁巳封事》中，针对外患提出以下警告：“北冥黠虏，窥窬神州，常有图南之志。奈何如今小智不及大智，妄以斥鴳之见，讥笑大鹏之为。所谓厝火于积薪之下而寝其上，火未及燃，因谓之安，方今之势，何异与此，天下之忧孰甚于此。”③但是，幽谷强调对外危机感，是为了推进以富国强兵为目的的内政改革。幽谷力说对外危机感是“强兵良机”。他在《丁巳封事》中说：“有为之君，安不忘危，必作内政，以寓军令。自有北虏之警，幕府尝屡下令，使缘海诸侯预备不虞，此强兵之良机不可失也。”④幽谷的富国强兵策，具体来说不外是除“好货之疾”和“借金之弊”。

---

① 今井宇三郎等:『日本思想大系 53　水戸学』,岩波書店,1973 年,第 11 頁。
② 同上,第 13 頁。
③ 同上,第 31 頁。
④ 同上,第 44 頁。

因而幽谷的攘夷论依然是以锁国为实质内容，与工藤平助、林子平、本多利明等的开国海防论形成鲜明对比。

幽谷构筑了后期水户学尊王论和攘夷论的基础，但尚未将二者有机结合。完成这一使命的是其门人会泽正志斋。

会泽正志斋

图 126　会泽正志斋画像

会泽正志斋(1782—1863)10 岁时，成为幽谷最早的门人。18 岁时经幽谷推荐进入彰考馆，从事《大日本史》的编修工作。文政七年(1824)，英国船员强行登陆水户领内的大津浜，时任"笔谈役"的正志斋与英人交涉，看到他们有侵略日本的野心，感受到外患的威胁。受对外危机意识的刺激，正志斋于第二年开始执笔写作《新论》。

《新论》中，正志斋以"国体"论为纽带将"尊王"与"攘夷"结合起来。依照《新论》的理论构造，维护"国体"既是"攘夷"的目的，也是其根本方策。另外，"国体"的核心在于天皇之尊严，即"尊王"是维持"国体"的关键。为了"尊王"，"攘夷"才有意义，通过"攘夷"才能实现"尊王"。

关于"国体"的内容，《新论》中虽未明确定义，但从其论说来看，首先是天皇统治的永久性，即"天胤君临四海，一姓历历，未尝有一人敢觊觎天位，以至于今日。"①天皇统治永久性的根据在于"天日之嗣，世御宸极，终古不易"。《新论》在强调这一国粹神话的同时，②又以"神圣以忠孝建国"③的普遍道德理念为保证。另外，祭政一致、政教一致的政治体制和

① 今井宇三郎等:『日本思想大系 53　水戸学』，岩波書店，1973 年，第 52 頁。
② 同上，第 50 頁。
③ 同上，第 51 頁。

“以武建国”也被视为“国体”的内容。

正志斋的“国体”论所阐述的国家组织原则，是以天皇为君主的统一国家，看似与现存的幕藩体制原理不同，但实际上并不否定现存的幕藩体制。按照《新论》的说法，日本的国家统一，并不是天皇的政治统一，不必废除分权性质的幕藩领主制，仅由天皇向日本各地神社统一班给币帛，则“群神百祀有所统一”。[①] 政治上依然是“幕府及邦君之治统一”。[②]正志斋的主张并不包含否定现实的幕藩体制，实现天皇亲政的意图。把幕府说成是辅佐天皇的中央政府，把大名比做朝廷的地方官。这样，现实的幕藩体制就与正志斋的“国体”秩序等同。可以说正志斋的“国体”论重新确认了幕藩体制的合理性。因此说：“今共邦君之令，奉幕府之法，戴天朝以报天祖。”[③]（《新论》）还说：“为臣民者，各从其邦君之命，即从幕府政令之理，仰天朝报天祖之道也。”[④]（《迪彝篇》）看来，正志斋的尊王论以敬幕为实质内容。不过，正志斋的尊王论具有将幕府的绝对权威相对化的意义，孕育着发展国家主义思想的可能性，但这种可能性直到幕末开国乃至明治以后，才转化为现实。

《新论》是在受到对外危机意识的刺激后，以 1825 年幕府发布的异国船驱逐令为契机而作成的。正志斋提出“国体”论，不仅是为了应付内忧，还为了抵御外患。《新论》中说：“奸民横行而莫之禁，戎狄伺边而莫之御……国体其何以维持”，[⑤]“用海内全力，以兴膺惩之师，以丑虏屏迹窜形不敢近边，庶几不忝国体矣。”[⑥]即“攘夷”本身不是目的，维护“国体”才是终极目标。为了实现攘夷，正志斋还提出了“修内政”“饬军令”“富

① 今井宇三郎等：『日本思想大系 53 水戸学』，岩波書店，1973 年，第 153 頁。
② 同上，第 153 頁。
③ 同上，第 153 頁。
④ 高須芳次郎：『水戸学大系 2 会沢正志斎集』，井田書店，1943 年，第 359 頁。
⑤ 今井宇三郎等：『日本思想大系 53 水戸学』，岩波書店，1973 年，第 63 頁。
⑥ 同上，第 78 頁。

邦国""颁守备"等"富国强兵"策，他认为"攘夷"之"大经"[①]在于"明夏夷之邪正""明国体"。因此正志斋一边认识到西洋诸国军事、政治力量的强大，一边轻蔑其为夷狄，支持幕府的异国船驱逐令。可见，正志斋的攘夷论是以锁国为实质内容的。

正志斋的《新论》广为流传，对幕末人心产生了极大的影响。在当时的志士中，一般认为若未读过《新论》便不具备做志士的资格。例如，吉田松阴嘉永六年(1853)直接会见会泽正志斋，并自称为"信水府之学者"。[②] 松阴不仅对《新论》所表达的民族危机感产生共鸣，而且直至1856年，仍对后期水户学以敬幕锁国为内容的尊王攘夷论坚信不疑，说："对幕府之忠节即对天朝的忠节。"[③]但是，安政五年(1858)，幕府不顾孝明天皇的敕令，签约《日美友好通商条约》，从此，吉田松阴等尊王攘夷志士们明确脱离了之前热衷的后期水户学。口号依然是"尊王攘夷"，但松阴等的尊王攘夷论是以讨幕开国为内容的。1858年7月，松阴攻击幕府说："傲然自得，以谄事墨夷为天下之至计，不思国忠，不顾国辱，而不奉天敕，是征夷[④]之罪，天地不容，神人皆愤，准此大义，讨灭诛谬，然后可也，不可少宥。"[⑤]于当年所作的《对策一道》中说："以国家大计言之，欲振雄略驱四夷，非航海通市何以为……锁国故苟偷之计，末世之弊政也。"[⑥]如上所述，正志斋的尊王攘夷论与松阴等尊攘志士们的尊王攘夷论不可等同视之。明治维新运动中，前者与公武合体运动相连接，后者则是尊王攘夷运动甚至是讨幕运动的指导理念。

晚年的正志斋继续坚持自己的主张，与讨幕的尊攘志士相对立。1858年8月，不满幕府草率签约的孝明天皇直接向水户藩下达谴责幕府的密令，

---

① 译者注：即根本方针。

② 今井宇三郎等：『日本思想大系 53　水戸学』，岩波書店，1973年，第557頁。

③ 市井三郎：『明治維新の哲学』，講談社，1975年，第130頁。

④ 译者注：指将军。

⑤『吉田松陰全集』(卷五)，岩波書店，1940年，第192、193頁。

⑥『日本の名著 31　吉田松陰』，中央公論社，1977年，第324頁。

图 127　樱田门外之变

并让水户藩向其他各藩转达这一敕命。当时，尊攘派寄希望于此敕命，并力求迅速传达，而正志斋反对传达敕命，为回避水户藩和幕府的对立，主张恭顺幕府。他批判朝廷敕命说："京师勃勃为天下可畏，视诸公意见，皆浮躁轻薄，无与虏战轻易取胜之见识深谋远虑，可推知，如此之人妄动，败事必然，徒成天下之祸。"①1860 年，水户浪士在樱田门外杀死大老井伊直弼，天下尊攘志士无不拍手称快，而正志斋则指责说："对国家挥白刃者，狂悖之所为。"②1861 年 5 月，水户浪士袭击东禅寺的英国公使馆，对此，正志斋说："若捕获东禅贼③，首先应向幕府道歉。"④他将 1862 年在坂下门袭击安藤信正的一伙人称为"十五日贼"。⑤ 上述这些行为对在《新论》中提出敬幕即尊王论理的正志斋来说，可以说是很自然的。同时这些行为也表明了正志斋尊王攘夷论的历史意义。

图 128　藤田东湖座像

藤田东湖和德川齐昭

藤田东湖（1806—1855）是藤田幽谷的

---

① 山口宗之：『改訂增補 幕末政治思想史研究』，ぺりかん社，1982 年，第 268 頁。
② 同上，第 270 頁。
③ 译者注：指参与袭击东禅寺的武士。
④ 山口宗之：『改訂增補 幕末政治思想史研究』，ぺりかん社，1982 年，第 271 頁。
⑤ 同上，第 271 頁。

次子，生于水户。文政九年(1826)，幽谷去世，第二年东湖继任家督，参与彰考馆的编修工作。1829年，东湖带头策划了拥立齐昭的运动。因此得到水户藩第九代藩主德川齐昭(1800—1860)的信任，成为水户藩的政治中心。天保八年(1837)，齐昭命东湖为即将创建的藩校弘道馆起草《弘道馆记》草案，阐明其理念。东湖很快完成并向齐昭提出了草案，1838年，以齐昭的名义公开发表了《弘道馆记》。《弘道馆记》被视为后期水户学的完成之作，其中展现了东湖和齐昭二人的思想。东湖的代表作《弘道馆记述义》是对《弘道馆记》的解说，与《新论》一同作为后期水户学的经典，在全国被广泛阅读。《弘道馆记》和《弘道馆记述义》仅仅沿袭了幽谷和正志斋的思想，内容上并无创新之处，但是，东湖的才能在政治方面，他是将后期水户学理论带入政治领域的实践家。

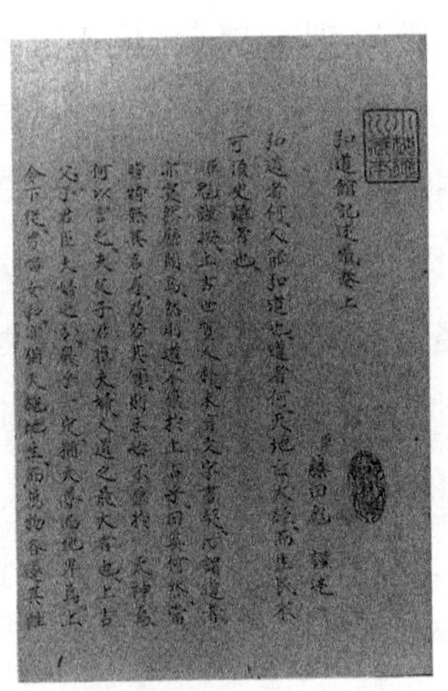

图129、130　《弘道馆记述义》封面和正文

《弘道馆记》和正志斋的《新论》一样，都从尊王攘夷的方面赞美了德川家康的事业，说："我东照宫拨乱反正，尊王攘夷，允武允文，以开太平之基。"①东湖的尊王论，并没有超越幽谷、正志斋，而是与他们一样固守于尊王的封建阶级秩序，不带有反幕性质。东湖在《弘道馆记述义》中有

① 今井宇三郎等:『日本思想大系53　水戸学』，岩波書店，1973年，第230頁。

如下记载:"天下万姓煦育之恩,本于天祖。二百余年太平之化,源于东照宫……若慢其君父,欲直尽忠于朝廷与幕府,则犯分逾等之甚,适足以取僭乱之罪而已。"①德川齐昭的尊王论也是如此。在 1834 年十一月十七日给幕府老中大久保忠真的信件中,齐昭写道:"鄙人认为,将军敬京都之仪,天下自然大统,第一,应适其身份,士民尊敬其领主,领主尊敬将军,将军尊敬京都,若忘其身份应称乱民。"②总之,只有位于封建阶级秩序顶点的将军才能直接尊崇天皇,大名、藩士直接尊王不仅不合适,反而会被认为"犯分逾等"、"僭乱之罪"。这种尊王论绝对肯定现存的幕藩体制,以敬幕为实质内容。

东湖从很早就抱有强烈的对外危机意识。在 1828 年十二月十四日的信件中,东湖说:"目前忧患种种,笔纸难尽,其内夷狄、盗贼、凶荒三条,其征既现,其祸既萌,决不可疏忽。"③但针对如何应对"外患",东湖基于"华夷、内外天下之大闲"的华夷思想,主张锁国的"攘夷论"。他视德川家康为"攘夷"模范,即"至东照宫,更大设宪令……于此外夷之防,妖教之禁,永为宪法第一义,其果决明断,攘除夷狄,盖亦如此。今恭观其遗训,于仁政武备之要,尤垂深戒。虑其内忧防其外患之所以者,不一而足。"④按照东湖的想法,必须靠振兴"天地正大之气"来克服危机。而且认为,只有靠"万人的魂入替"才能振兴"正气",即"磅礴正气之所,富国强兵是大本,若国富兵强,外患何足担忧。"⑤即使到佩里来航之际,东湖的"外夷"对策也没有改变。

安政二年(1855),江户大地震中,东湖为了救出母亲而被压死,没有参与"开国"以后的尊王攘夷运动,齐昭作为幕政改革运动的指导者和幕末尊王攘夷论的象征,活跃在幕末的政治舞台上。那么,佩里来航后,齐

① 今井宇三郎等:『日本思想大系 53　水戸学』,岩波書店,1973 年,第 335 頁。
② 『水戸藩史料 別記上』,第 210、211 頁。
③ 鈴木暎一:「藤田東湖の思想」,日本歴史,413 号,第 10 頁。
④ 今井宇三郎等:『日本思想大系 53　水戸学』,岩波書店,1973 年,第 297 頁。
⑤ 鈴木暎一:「藤田東湖の思想」,日本歴史,413 号,第 14 頁。

图 131　旧弘道馆(茨城县水户市)

昭的尊王攘夷论和《弘道馆记》时期的尊王攘夷论之间是否有变化呢?

《日美友好通商条约》签订后,齐昭始终对外采取强硬姿态,批判幕府的开国政策。齐昭担心若将军不采取对外强硬姿态,就会造成"失征夷之名目故,大名又轻蔑公家之义,终至背弃公家"的后果。① 另外,齐昭主张将军家自身应作为模范带头向天下展示尊王,不给诸大名以下之人留下批判幕府的口实,摘除外样大名和朝廷的勾结之芽。但是,齐昭也承认,在内忧外患面前,如果继续遵循原先老中的政治方式,是不可能打破危机局面的。于是,为了使亲藩大名和外样大名共同分担克服危机的任务,他主张进行幕政改革。齐昭将他们的力量汇聚起来是为了守住遭遇内忧外患危机的德川家族的天下。另外,齐昭之所以参加一桥派的幕政改革运动,是因为其内心期待自己的儿子庆喜成为将军。但是,按照齐昭的想法,虽然将亲藩、外样大名的政策积极反映在国政上是必要的,但终究还是要对应亲藩、谱代、外样等传统的身份。

齐昭采取上述姿态在很大程度上与他作为御三家或者副将军的意识有关。齐昭认为"唇亡齿寒,御三家谱代大名皆幕府之唇,实应有所作为"。② 因此,幕府老中有不当行为时,"即使舍身也应上报"是"三家溜诘"理所当然的职责,也是维持德川体制所必要的。可以说,在幕政改革运动中,站在御三家的立场,坚持封建阶级秩序的"尊王论"和对外强硬政策的齐昭与其他一桥派大名之间是有明显差异的。"安政大狱"前后,

① 山口宗之:『改訂増補 幕末政治思想史研究』,ぺりかん社,1982 年,第 291 頁。
② 同上,第 293 頁。

随着尊攘志士的反幕倾向逐渐增强，齐昭更是对尊攘志士的尊王攘夷运动采取了反对态度。樱田门外之变中水户藩浪士杀死井伊大老，齐昭说："扫部头[①]纵有不妥，仍是将军家信任之宰相，杀害之，不妥之极，言语道断之曲事也。"[②]总之，齐昭直到最后都坚守"副将军"姿态，想保住遭遇内忧外患的德川家族的天下。所以随着尊王攘夷运动的推进，德川齐昭和后期水户学的影响力逐渐削弱也就不难理解了。

① 译者注：指井伊直弼。

② 山口宗之：『改訂増補 幕末政治思想史研究』，ぺりかん社，1982年，第293頁。

第九章　明治维新后的日本儒学

第一节　儒学思想的复活、变容和《教育敕语》

启蒙学者和自由民权思想家的儒学批判

明治维新后，新建立的明治政权所面临的课题是：在国内，亟需发展资本主义；在国际上，摆脱由欧美列强施加的半殖民地化危机，并使日本成为独立的近代化国家。为了实现这一目标，明治政府“自上而下”推进“富国强兵”“殖产兴业”政策，作为“富国强兵”的手段，施行了“文明开化”政策。所谓“文明开化”，就是吸收西洋诸国的经济、政治制度和思想、文化，批判佛教、神道、儒学等封建文化。这表明明治政权具有一定程度的开明性。新政府首先推进神佛分离和废佛毁释政策，以致各地佛像、佛具和佛堂被大量烧毁和破坏。明治三年(1870)正月，新政权下达大教宣布诏令，意图推进神道国教化政策，但因开明派官僚和民众的抵制，教部省于1877年被解散，神道国教化政策宣告失败。新政府批判封建教学的儒学，1872年学制发布的《太政官布告》批判以前的学问教育为“趋于词章记诵之末，陷于空理虚谈之途”。学制发布的结果是，普通私塾和寺子屋大多被关闭，以前的藩校或则停办或则被令关闭。汉学很快濒临废绝。就连东京大学汉文科的学生也十分稀少。

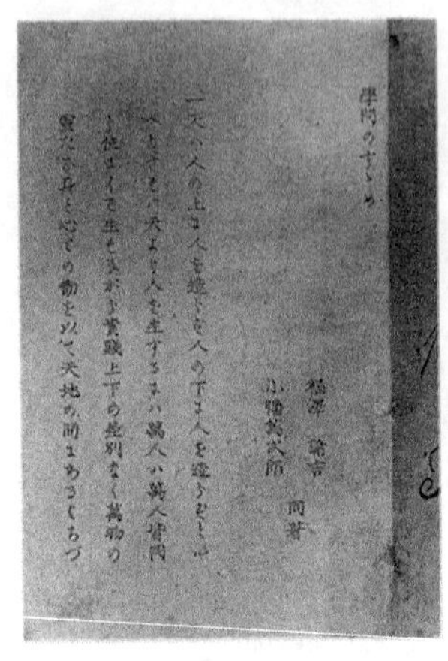
学問のすゝめ

福澤諭吉
小幡篤次郎　同著

一天ハ人の上ニ人を造らす人の下ニ人を造らすと云へ
りされハ天より人を生するニハ萬人ハ萬人皆同
じ位ニして生れなから貴賤上下の差別なく萬物の
靈たる身と心との働を以て天地の間にあるよろつ

图 132、133　《劝学篇》和福泽谕吉

在明治初期的文明开化时期，以“明六社”为中心的启蒙学者们积极吸取西洋思想，大胆批判儒学等传统思想。他们引进法国思想家孔德的实证主义，提倡“实学”，批判儒学是“虚学”。他们引进英国哲学家穆勒的功利主义，提倡功利主义的人生观和对情欲的尊重，批判儒学的禁欲主义。他们引进“天赋人权说”和“社会契约论”，提倡“自由平等”和“独立自尊”，批判儒学的名分思想和服从道德。在启蒙学者中，对儒学展开最尖锐而有系统的批判的是福泽谕吉。福泽在《劝学篇》中说：“天不生人上之人，也不生人下之人。”①他批判古代以来“上下贵贱”的名分论和忠义道德，说它们“归根到底是让他人之魂占据我身”，②他不无讽刺地说世间所谓的“忠臣义士”不过是“他人之魄止宿的旅舍”的可怜之人。③ 另外，福泽认为，“自古以来中日劝人行孝的故事……愚蠢而又可笑”。④ 他认为，“政府职能在于牧民”是“极其失礼的说法”。⑤ 还说：“主张正上下

① 福泽谕吉：『学問のすすめ』，旺文社，1971 年，第 13 頁。
② 同上，第 100 頁。
③ 同上，第 100 頁。
④ 同上，第 106 頁。
⑤ 同上，第 130 頁。

贵贱名分，乃源于欲行专制之权，其毒害在于使人间流行欺诈术策。”[①]福泽在《文明论概略》中进一步批判儒学是“一半是有关政治的学问”，而且是“帮助政府本来性质中的专治元素发生并为其润色的一种存在”，是与“人民同权”存在敌对关系的学问。

文明开化时期的启蒙学者们吸取西洋思想，批判传统思想，在培养日本人科学自然观和政治主体意识上具有划时代的意义，政治主体意识的成长，对自由民权思想起到了启蒙作用。

自由民权运动时期，自由民权思想家们在提倡彻底解放人格与人权的民主主义和人文主义的同时，批判儒学。例如，植木枝盛对儒学的批判，主要针对作为儒学社会基础的父家长制家族制度。植木在《兄弟论》中说，自古以来重视长幼秩序的思想“可谓专制思想的分派”。[②] 在《男女及夫妇论》中，考虑男尊女卑陋习的由来，主张男女同权、夫妇平等，谴责儒学的传统的道德观助长了这种陋习，大声疾呼“妇女们，抛弃儒学，撕毁四书五经及小学之类，它们都是你们的仇敌”。[③]

日本的启蒙学者们大多富于汉学教养。因此，他们一边批判儒学，一边以儒学概念为依据，理解和接受西洋近代思想。例如，启蒙学者经常使用的“实学”概念，朱熹在有名的《中庸章句》的序言部分就使用过。日本近世的儒学者中江藤树和荻生徂徕也使用过“实学”概念。据源了圆研究，日本近世“实学”的内容是“追求人生真谛的学问，道德实践的学问，以政治实践为宗旨的实用的学问，被实理证实的实用的经世济民的学问等等，包含有多种意思”。[④] 当然，启蒙学者所说的“实学”，并非指以上内容，其包含的内容已经变化了。福泽谕吉常常将其与“科学”作为同等意思使用。津田真道认为儒学是“虚学”，西洋的近代科学和哲学才是“实学”，说：“盖学问大别有两种。夫论高远空理之虚无寂灭，若五行性

---

① 福泽谕吉：『学問のすすめ』，旺文社，1971 年，第 133 頁。

② 家永三郎：『日本近代思想史研究』，東京大学出版会，1956 年，第 120 頁。

③ 同上，第 120 頁。

④ 源了圆：『実学思想の系譜』，講談社，1986 年，第 42 頁。

理、或良知良能之说，虚学也；征之实象，专说确实之理，如近今西洋之天文、格物、化学、医学、经济、希哲学等，实学也。”①除“实学”之外，“理学”“格物学”“穷理学”“修身学”等古语也被赋予了新的含义。

元田永孚的儒学至上主义

图 134　元田永孚

文明开化时期，明治政权虽在一定程度上具有开明性，但随着其基础大致完成，出现了放弃开明、企图复辟的现象。明治八年(1875)，明治政府制定了新闻纸条例和诽谤律，开始全面镇压舆论。因担心会员触碰到政府的忌讳而被革职，明六社自行解散。随着阶级对立的尖锐化和自由民权运动的发展，明治政府的反击逐渐激烈。随着 1878 年演说取缔令、1879 年集会条例、1887 年屋外集会条例等的先后发布，明治政府镇压了言论、出版、集会自由。作为应对自由民权思想的对策，明治政府的御用学者们，首先引进社会进化论，以此来否定天赋人权的人间观。通过把原先适用于动植物界的进化法则机械地用到人类社会发展史，将作为现在“优者”的专制统治正当化。加藤弘之说：“以有关物理学科之进化主义驳击天赋人权主义。”②另外，明治政府还想复活、引用儒学思想，特别是其中的伦理思想。

在儒学思想的复活和变化过程中，元田永孚(1819—1891)和西村茂树(1828—1902)起了最为重要的作用。元田永孚始终坚持儒学至上主义，西村茂树则主要致力于将儒学旧物翻新，使其适用于新时代。

元田永孚出生于九州熊本藩士之家，曾就学于藩校时习馆。1871 年出仕宫内省，被命为侍讲，向天皇、皇后讲授儒学。他利用这种侧近地

① 遠山茂樹等:「近代日本思想史」(卷一)，青木書店，1956 年，第 227 頁。
② 同上，第 168 頁。

位，不断地进行政治活动。1879年，元田永孚策动明治天皇向内务卿伊藤博文和文部卿寺岛宗则颁布了《教学大旨》，其内容由元田起草。其中认为，文明开化风潮带来了如下结果，即“其流弊在于后仁义忠孝，徒洋风是竞，将来之所恐，终至不知君臣父子之大义，亦不可测”，命令“自今往后，基祖宗之训典，专明仁义、忠孝，道德之学当以孔子为主”。[①] 针对《教学大旨》，伊藤博文上奏《教育议》，提出反驳。伊藤博文认为，风俗之弊是伴随维新变革的必然产物，未必是学制发布以来教育之缘故，由于汉学学生是政谈之徒的种子，因此，他主张比

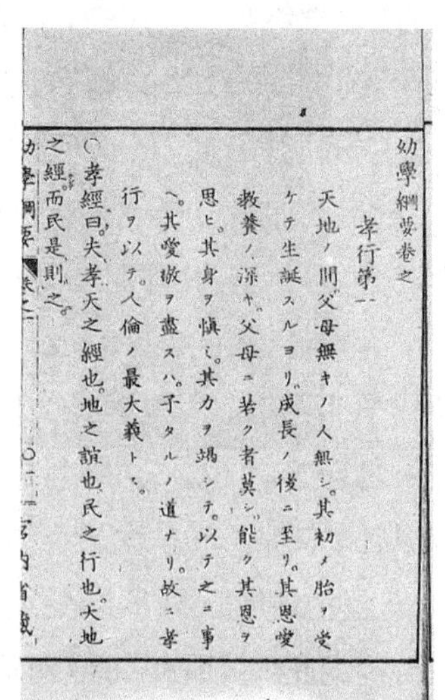

幼學綱要卷之

孝行第一

天地ノ間父母無キノ人無シ。其初メ胎ヲ受ケテ生誕スルヨリ。成長ノ後ニ至リ。其恩愛教養ノ深キ。父母ニ若ク者莫シ。能ク其恩ヲ思ヒ。其身ヲ慎ミ。其力ヲ竭シテ。以テ之ニ事ヘ。其愛敬ヲ盡スハ。子タルノ道ナリ。故ニ孝行ヲ以テ。人倫ノ最大義トス。

〇孝經曰。夫孝天之經也。地之誼也。民之行也。天地之經。而民是則之。

图135　《幼学纲要》
（早稻田大学图书馆藏）

起汉学更应学习工艺技术百科。针对《教育议》，元田又起草了《教育议复议》反驳伊藤，力主“以四书五经为主”的修身教育。围绕德育方针，保守派元田永孚和欧化派伊藤博文的论争，实际上是明治政府的官僚们争夺文教政策主导权的斗争。在反对自由民权运动方面，他们却是一致的。论争的结果是伊藤保持沉默，元田取得胜利。这是因为元田处在天皇“侍讲”这一有力的地位上，此外，还因为自由民权运动日益高涨，伊藤等开明派也需要利用天皇的权威。明治十四年（1881）政变之后，明治政府的开明政策更加趋向保守，复活儒学的气势越发高涨。1880年6月，一些朝野名流设立了斯文学会，1881年7月，推举有栖川宫炽仁亲王为会长，展开了以儒学思想为基调的道德运动，与自由民权运动和开明派的欧化主义相对抗。

1883年11月，宫内省向全国各学校和一般民众颁布了元田永孚编

① 宇野精一等：『講座東洋思想10　東洋思想の日本的展開』，東京大学出版会，1972年，第334頁。

写的《幼学纲要》。其中，最为明确地体现了元田永孚的儒学至上主义。《幼学纲要》等政策的颁布，确立了儒学伦理思想在学校教育制度和基本方针中的稳固地位。《幼学纲要》的体例，从“孝行”说起，至“勉职”止，共20条，每条都先引用《孝经》和四书五经的语句，然后再叙述中国和日本的道德事例，还附有插图，据说是以朱熹的《小学》体例为范本，或者至少是作为重要参考编写而成。1884年，元田永孚又发表了《国教论》，主张以儒学为国教。《国教论》中写道：“以天祖之诚心立，君臣之大义明也，父子之至亲敦也。扩充之，以孔子之道德；补益之，以欧学之格物。用此为国教。”①从《教学大旨》《幼学纲要》《国教论》可以看出，元田永孚的儒学至上主义是原封不动的复活儒学，没有创新之处。因此，在文明开化既已经过的时期，作为应对高扬的自由民权斗争是不充分而且无效的。

西村茂树的《日本道德论》

图136　西村茂树

政府分裂、弹压自由民权运动的工作奏效之后，荣升为内阁总理大臣的伊藤博文为了修改条约继续推行欧化主义。明治十八年(1885)，文部大臣森有礼跟随伊藤的方针，主张“在现代提倡孔孟之教是迂腐的”。当然，伊藤博文、森有礼等开明派官僚的欧化主义，和保守派的儒学至上主义一样，都是以强化富国强兵政策和天皇制政权为目的的，但伊藤博文等人认为，在当时的情势下，儒学至上主义是不合时宜的。1886年，西村茂树针对欧化主义发表了《日本道德论》，主张调和儒学和欧洲哲学，把作为传统价值的儒学加以改造，使之满足新阶段天皇制统治的需要。

① 岩井忠雄：『明治国家主義思想史研究』，青木書店，1972年，第64頁。

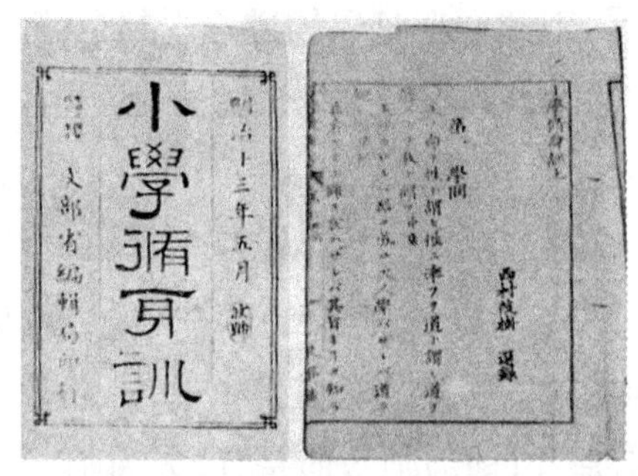

图 137、138　西村茂树选录《小学修身训·下》(1880 年)和《日本道德论》(早稻田大学图书馆藏)

明治初期,西村茂树曾作为启蒙学者,介绍过西洋的哲学、伦理学、历史学。但是,西村茂树逐渐回归到儒学主义。西村的《日本道德论》,首先指出道德是国家的根本问题,并说:“今日之势,不可不以合全国民力而保本国之独立,并耀国威于他国为必须至急之务。若问何以可达如此希望?余答之,除提高国民之智德勇即道德外,别无他法。”①西村茂树认为道德说“一种叫作世教,一种叫作世外教”。② 中国儒学和西洋哲学是“世教”,以道理为主。印度佛教和西洋耶稣教是“世外教”,以信仰为主。“现今本邦立道德之教,与舍弃世外教,宜用世教恰当类似。”③那是因为“今日世外教只能取得下层社会人民的信仰,而无法获得上层社会的信仰。”④世教中,西洋哲学虽然“学理的微妙已达到无与伦比”,⑤但还是存在很多缺点。其中重要的是,理论上偏重知识,尚古思想淡薄,实践上缺乏安定人心之术,具有功利主义和利己主义倾向,特别有轻视君主、父母的缺点。而儒学则“以父子、君臣、夫妇、长幼、朋友等五伦为中心,从致知格物起,直至诚意、正心、修身、治国、平天下,关于现世的事物,儒

① 西村茂樹:『日本道德論』,岩波書店,1969 年,第 12 頁。
② 同上,第 9 頁。
③ 同上,第 24 頁。
④ 同上,第 24 頁。
⑤ 同上,第 27 頁。

道可谓网罗一切天下的教法”。① 因此，“今日以儒道为本邦道德之基础，胜于哲学。”②但是，西村茂树的主张与元田永孚的儒学至上主义不同。他说：“在今日，亦不能专以儒道立本邦道德之基础。”③那是因为儒学有六个不足之处。第一，儒学在理论的精密度上不如西学；第二，儒学“有安于退守，乏于进取的弊端”；第三，“儒道对尊属者有利，对卑属者不利”；第四，“儒道男尊女卑的说教多”；第五，“儒道是古非今，每事追求效仿唐虞三代之治”；第六，儒学不是“以理为师”，而是“以人为师”等。④ 所以西村茂树主张“一定的主义即采取二教（儒学、哲学）精华而弃其糟粕”，由而“合成”“天地的真理”，以为“日本道德之基础”。⑤ 像这样，儒学思想在西村茂树的《日本道德论》中，经过改变而得以重生。

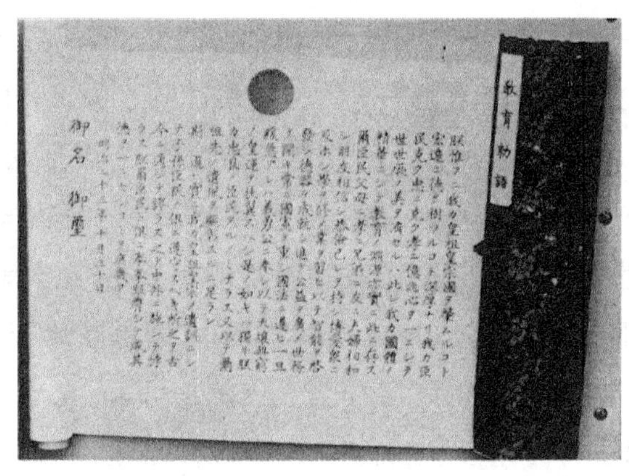

图 139 《教育敕语》

1889 年，日本颁布《大日本帝国宪法》，确定天皇为国家的最高统治者和国政的总揽者，同时在近代日本国家体制定型后，1890 年 10 月公布了《教育敕语》。《教育敕语》由侍讲元田永孚和法制局长官井上毅合作

① 西村茂樹：『日本道徳論』，岩波書店，1969 年，第 28 頁。
② 同上，第 28 頁。
③ 同上，第 28 頁。
④ 同上，第 29、30 頁。
⑤ 同上，第 24 頁。

写成，由山县有朋首相和芳川显正文相审议。按照芳川显正所言，《教育敕语》是为了“立道德大本统一民心”而颁布的。《教育敕语》的根本内容是：“孝父母，友兄弟，夫妇相和，朋友相信，恭俭持己，博爱及众，修学习业，以启发职能，成就德器，广进公益，开拓世务，常重国宪，遵国法，一旦有缓急，则应义勇奉公，以辅翼天壤无穷之皇运。”①《教育敕语》的颁布，确立了以儒学道德为主要内容的教育方针及国民道德方针。它不仅影响着日本的近代教育，而且还广泛、持久地制约着日本近代的思想。直至 1945 年 8 月日本战败为止，《教育敕语》都发挥着作为日本教育乃至国家主义意识最基本的经典的作用。

总之，明治维新后，儒学自然观的影响已基本消失，但儒学道德观却与日本的国家主义意识相结合而继续存在。

第二节　日本军国主义和对儒学的恶用

军人精神和儒学道德

从明治维新到 19 世纪末，明治政府致力于“改正条约”事业，争取修改欧美诸国强加而来的不平等条约。但是，明治政府在力求摆脱被压迫民族地位的同时，还采取了侵略亚洲各国的错误方针。明治十七年(1874)，日本政府为了向外转移国内武士阶层的不满，出兵中国台湾。1875 年，日本政府又策动“江华岛事件”，利用军事力量逼迫朝鲜签订《日朝修好条规》这一不平等条约，使朝鲜开国。日本政府对内镇压人们争取生存、自由和权力的斗争，对外为了不断寻求侵略和扩张领土的机会，采取了一系列军国主义政策。1872 年颁布了“国民皆兵”征兵令。1878 年，将参谋本部和监军本部设置为直属天皇而独立于政府权限之外的部门，统帅和军令也从一般政治中独立出来。另外，关于国家政治，参谋本

① 宇野精一等：『講座東洋思想 10　東洋思想の日本的展開』，東京大学出版会，1972 年，第 358 頁。

部可以通过天皇对政府施加压力。于是，形成了使军部专制成为可能的机构。这样，日本在国内国外的政策方面，都踏上了军国主义路线。日本军国主义引发了中日战争和太平洋战争，并最终导致日本全面败北。

在日本军国主义膨胀的过程中，儒学遭到恶用。这主要表现在国内，以儒家德目为基本内容的“武士道”精神，首先以“军人精神”的崭新形式复活，进而作为“国民道德”被宣扬；在国外，以建设“王道乐土”为口号，成为侵略中国乃至亚洲各国的宣传工具。

图 140 《寻常小学修身书》(1910 年)

1878 年，日本以陆军卿山县有朋的名义，发布了《军人训诫》。《军人训诫》规定“忠实”“勇敢”“服从”是军人精神的根本。《军人训诫》还说：“幕府时代的武士位于三民之上，以忠勇为宗旨，侍奉君上，以名誉廉耻为主。明治维新后，任何人都可以名列军籍，对三民来说是值得庆幸的事。因而，毫无疑问也应以忠勇为宗旨。”①这不仅表明以“忠勇”为宗旨的武士道以军人精神的形式得以再生，而且明治政府还企图将其与国民道德相结合。近代的军人精神与封建时代的武士道不同的是，忠节的对象从主君变为天皇。紧接着在 1882 年 1 月，以天皇的名义发表了《军人敕谕》。《军人敕谕》说：“朕乃汝等军人之大元帅”，并将军人精神总结为五条纲领，即“军人以尽忠节为本分”“正礼仪”“尚武勇”“重信义”和“以质朴为宗”。②《军人敕谕》所列举的德目与武士道基本一致，也是儒学的德目。《军人敕谕》所体现的军人精神

---

① 藤直幹：『日本の武士道』，創元社，1956 年，第 147 頁。

② 宮島真一：『東洋哲学史綱要』，文進堂，1943 年，第 299—301 頁。

是封建时代武士道的继承与发展。由于日本当时实行所谓的“国民皆兵”制度,因而军人精神与国民道德是相通的。这一点从前述《教育敕语》所列举的德目与《军人敕谕》所列举的德目基本一致也能看出。当时有学者直接将《教育敕语》与《军人敕谕》联系在一起。例如,内藤耻叟的《敕语训义》和重野安绎的《敕语衍义》都在注释《教育敕语》中“义勇奉公”时,全文引用《军人敕谕》,认为不仅仅是现役军人,所有与军籍相连的国民都应该铭记于心,宣扬武士道和军人精神、国民道德的一致性。

日本在1894年至1895年的甲午中日战争和1904年至1905年的日俄战争中取得胜利后,对军人精神的鼓吹更是甚嚣尘上。青年将校樱井忠温参加了日俄战争中的旅顺攻击战,并身负重伤,据此发表了实战记录——《肉弹》。明治天皇读后大加赞赏,《肉弹》因此被多次印刷。对军人精神的鼓吹,在国民教育中尤为严重。例如,当时小学修身教科书的第二卷中,记述了海军中佐广濑武夫的事迹。广濑武夫在参加由闭塞船福井丸沉没而闭塞旅顺港的战争中战死,被尊称为“军神”。1907年到1941年,国定教科书前后共修订了5次。观察其中出现的人物数量,在修身教科书中,日本的武人、军人的数量占10.3%,居第三位。国语教科书中,占33.9%,居第一位。通过这种宣传,以忠节为中心的军人精神被敬为“大和魂”的精华和国民道德的模范,渗透到日本全体国民的心中。正如反战论者幸德秋水在《帝国主义》中所揭露的那样:“他们平常在其家庭、学校、兵营里,只受到为天皇献身的教训,而不知有其他。”①

新渡户稻造曾留学美国、德国,是一位娶西洋妇人为妻的基督教和平主义者。他在1899年用英文写成了《武士道》一书,向西洋人介绍武士道的渊源、特点和影响。《武士道》中写道:“就严格意义的道德教义来说,孔子的教训是武士道最丰富的渊源。”②新渡户稻造赞扬日本的武士道,说:“作为封建制度产物的武士道光芒在其基底制度消失之后依然存

① 藤直幹:『日本の武士道』,創元社,1956年,第165頁。

② 新渡戸稲造:『武士道』,岩波書店,1969年,第32頁。

留，如今仍照亮我们的道德之路。"①"有人说日本在最近和中国的战争中取胜靠的是村田式步枪和克虏伯大炮的力量，这只不过说出了真理的一半……最进步的步枪也不能自己发射，最近代的教育制度也不能使胆小鬼变成勇士。我们在鸭绿江、朝鲜和满洲取胜，靠的是跃动于我们心中的祖宗的威灵。这些威灵是我们勇武的祖先不死的魂魄，有眼力的人可以清楚地看到。哪怕是思想最先进的日本人，只要揭开他的外衣，就会发现他是一个武士。"②关于武士道的前途，他认为与禁欲主义思想一样，武士道"作为体系是消灭了，但作为道德依然存续。"③还说："武士道作为一个独立的伦理规定或许消失了，但其力量于地上无穷尽。其武勇和文德的教训作为体系或许已经被毁灭，但其光明、其光荣将永存。"④即便是当时"思想最先进的日本人"——新渡户稻造，也赞誉这种武士道与军人精神，可见，作为时代错误价值意识的军人精神，是以怎样的广度和深度毒害着日本国民的心灵。

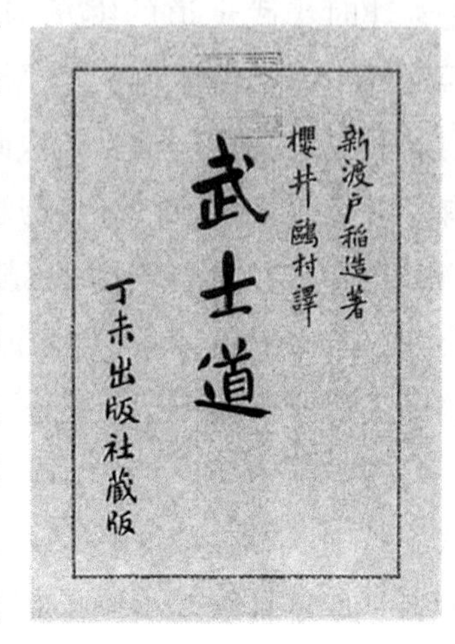

图 141　《武士道》

日本法西斯主义和对儒学的恶用

20 世纪 30 年代兴起的所谓"日本型的一种法西斯主义"——日本主义，也与儒学有着不可分割的联系。如同当时的进步学者户坂润所指出的那样，"这种意识形态，即使一个个分别来看，理论上也不具有任何体系的真实性，更不具备统一全体的世界观构造。而是分裂成精神主义、

① 新渡戸稲造：『武士道』，岩波書店，1969 年，第 23 頁。
② 同上，第 137 頁。
③ 同上，第 140 頁。
④ 同上，第 140 頁。

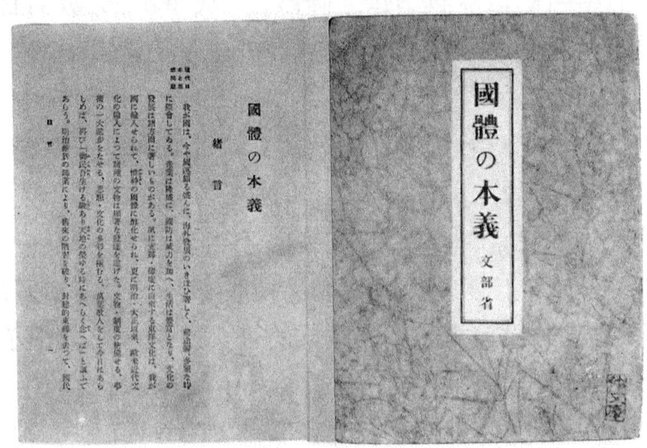

图 142 《国体本义》,1937 年出版,由文部省向全国学校配发。其中很好地体现了国体明征思想

农本主义、日本国民主义、亚洲主义、东洋主义、王道主义等种种,不知所归何处。归处……经过皇道主义,最终都归着于国体明征主义。”①关于日本的“国体”究竟是什么,当时一部分人基于《教育敕语》作出如下解释:“形成我国国体精华的是(一)‘我皇祖皇宗肇国宏远,树德深厚’(二)‘我臣民克忠克孝’(三)‘(我臣民)亿兆一心’三个要素。”②实际上,不过是《纪》《记》神话宣扬的神秘主义国家观和儒学“忠孝”道德观的混合物。天皇制法西斯主义的所有思想都仅仅被集约为“忠君爱国”四个字。

日本军国主义者,正是在“国体明征”和“忠君爱国”的号召下,麻痹民众的良心,强迫民众参与战争。昭和十二年(1937)开始的国民精神总动员运动,其口号是“举国一致、尽忠报国、坚忍持久”。1941 年 1 月,以东条英机的名义发布了《战阵训》。其中《第一、皇国》一章中,有“大日本乃皇国。万世一系之天皇在上,绍继肇国之皇谟,君临于无穷。皇恩遍及万民,圣德光被八纮。臣民亦忠孝勇武,祖孙相承,宣扬皇国之道义,

---

① 戸坂潤:『日本イデオロギー論』,岩波書店,1982 年,第 420 頁。

② 高階順治:『日本精神の哲学的解釈』,第一書房,1937 年,第 372 頁。

翼赞天业，君民一体，以克致国运之隆昌。”①战争中，无数的日本青年盲信所谓“八纮一宇”的日本至上主义思想和“忠孝勇武”的儒学道德，成为侵略战争的牺牲者。一位前军人根据《太平洋战争特别攻击队遗芳录》一书，推察死者有何愿望，关于自己死的意义是如何想的。结果，在278名死者中，有138人说为了“祖国、父母、悠久的大义、天皇”而死。② 在中国被思想改造的战犯，反省自己的过去说：“我崇拜天皇，盲信神佛，成为日本帝国支配阶级的忠实猎犬。他们驱使我参与到侵略中国的战场中，让我认为这是‘优等民族指导劣等民族的正义之举’，并且视杀人放火为‘忠君爱国’的英雄行为。”③儒学道德被恶用为高扬战意的手段，这一事实虽已成为历史，但是我们必须从中吸取必要的教训。

图143 《初等科国语一》

另外，日本军国主义者在“王道乐土”“大东亚共荣圈”的“美名”下，侵略中国及亚洲诸国，虐杀民众。在思想界，一些右翼学者配合军国主义者侵略中国的行动，他们恶用儒学，试图从思想上为此侵略行动“正名”，提出了很多建议。

---

① 古川哲史、石田一良编：『日本思想史講座7　近代思想2』，雄山閣，1976年，第223頁。

② 長嶺秀雄：『日本軍人の死生観』，原書房，1982年，第154、155頁。

③ 金源：《从战争狂人到朋友》，群众出版社，1986年，第32页。

第三节　日本的现代生活和儒学

一亿“孔孟之徒”

如同彗星一般登上世界历史舞台的“大日本帝国”，随着 1945 年 8 月 15 日的无条件投降，又如同彗星一般消失。由战败体验带来的日本人的反省和占领军的诸多改革，使日本作为资本主义民主国家再次出发。通过战后改革，学问和思想的自由得到保障，国家主义教育也被新的教育制度所改革。战败前以儒学道德作为学校德育和国民教化根本方针的政策被摈弃。在现代日本，作为思想体系的儒学仅仅作为人文科学研究的对象，成为中国思想史或者日本思想史著作论述评价的内容。但是，这并不意味着儒学在日本的现代生活中完全丧失了影响力。儒学的一部分伦理观、价值观，已沉淀为日本人的道德规范和民族心理。美国学者赖肖尔在其著作《日本人》中说：“现代的日本人，显然已经不再是德川时代他们祖先那种意义上的‘孔孟之徒’了，但是，他们身上仍然渗透着儒教的价值观和伦理观。儒教或许比任何其他传统哲学或宗教对他们的影响都大。”“今天，没有一个人认为自己是‘孔孟之徒’，但在某种意义上来说，几乎一亿日本人都是‘孔孟之徒’。”①“一亿孔孟之徒”的说法或许有些夸张，但是，赖肖尔的上述说法大体上正确地表现了儒学在日本现代生活中的影响力的实态。

首先，我们看看现代日本人的家族道德观。例如“孝”是儒学家族道德的基础，“孝”是指子女对亲长的恭顺、服从义务。“孝”这一儒学道德不仅作为江户时代幕府的官学拥有着支配力，即使在明治维新以后，仍作为国定的道德理论成为学校德育与国民教化的基础。战后，通过制定新宪法和改定民法，日本否定了作为封建家族制度的“家”的观念，开始

---

① 赖肖尔著、国弘正雄訳：「日本人」，文芸春秋，1981 年，第 22 頁。

强调个人人格的尊严，家督继承和户主权等概念被从民法中取消，遗产继承的规定也从长子单独继承变为诸子均分继承。支持核家族家庭观念的人逐渐增加。但是，在今天，“孝”的观念仍对日本人的意识有很大的影响。例如，在战后相当长的时间内，日本法律仍规定对于杀害尊属的处罚要重于其他杀人事件，一般是处以极刑。这一法律规定直至昭和四十八年(1973)才被废止。另外，从遗产继承情况来看，法律上虽然变为诸子均分制，但实际上很少实行遗产均分。大多数情况是根据亲长的意志，优先分给家的继承人，当然该继承人应承担“孝”内容之一的老后抚养义务。这样的遗产继承方式依然是传统型的。在 1955 年总理府的调查和 1975 年 NHK 的调查中，同样有 40%的调查对象认为“最好是由长子继承家并承担照顾双亲的义务”。

其次，从妇女地位和夫妇关系看。战后，男尊女卑观念受到批判，两性平等被宣扬，结婚也开始重视当事者男女的意见。一般说来，妇女在家庭中的地位较战前提高了，但实际上在日本远未实现男女平等。幼时从父、婚后从夫、老后从子的儒学观念依然存在。日本的传统夫妇关系有以下三个特征：(1)丈夫掌握家庭主导权；(2)生育后代重于夫妇爱情；(3)“男主外，女主内”的家庭内的性别分工是社会普遍承认的范式。总之，妇女自由受到限制，要从属于男性。战后，日本人的夫妇关系虽有变化，但大体上仍是传统型夫妇关系的延长。1978 年日本经济新闻社曾进行调查，关于家庭的主导权问题，作为调查对象的妻子的过半数(53%)认为“为使家庭正常运转，希望丈夫掌握主导权”。1977 年 NHK 进行的有关“日本夫妇形象”的全国性调查表明，由妻子掌管财务的家庭占调查对象的多半数，即从事家政、养儿育女的仍是妻子。也就是说，传统的性别分工仍在现代日本继续存在。再者，据 1979 年日本经济新闻社调查，在丈夫所期望的妻子形象中，排在第一位的仍是“贤妻良母型”(74%)。从性道德方面来看，婚后的男人仍享受性交往的自由，但对有夫之妇的贞洁要求却很严格。日本人的夫妇关系仍表现出儒家伦理观的影响，与欧美诸国和中国现代有明显不同。

另外，一部分学者，特别是一部分美国学者，在探究战后日本经济高速发展的原因时，承认儒家伦理观发挥了很大的作用。傅高义（Ezra Feivel Vogel）在《日本名列第一》中认为：日本在自身传统的基础之上，创造性地吸收欧美诸国的制度并加以改造是日本取得成功的原因之一。[①] 吉布尼指出，将传统的儒家伦理与由美国引入的现代经济民主主义完美地糅合在一起是战后日本经济取得高速发展的主要原因。[②] 从类型上看，他们都认为日本属于"儒家资本主义"国家。一部分美籍华人学者，例如哈佛大学教授杜维明也持上述观点。傅高义甚至主张，美国应该学习日本等东方"儒家资本主义"国家的"集团尊重主义"以及其他长处，并以此克服由指导美国经济的个人主义造成的各种弊害。[③] 傅高义等的主张是否有效，即"东方药"能否治好美国病的问题暂且不说，他们的主张说明儒家的伦理观确实存在于日本人的日常生活中。1981 年，日本某公司对公司职员进行调查，让他们从 100 个汉字中选出最喜爱的汉字。调查的结果，占第一位的是"诚"，第二位是"梦"，第三位是"爱"，第四位是"愁"，第五位是"美"等。第一位的"诚"在儒学古典《中庸》中被特别强调。这个调查结果也说明儒学的伦理观在日本人心中依然存在。

总体来说，战前的日本和经历战后变动的现代日本明显不同，随着资本主义经济的发展，西洋的个人主义和利己主义增大了其影响力，但儒学的伦理观和价值观仍然存在于现在日本社会的各个角落以及日本人心中也是不容置疑的事实。

日本的"纵式社会"和儒学道德

为什么儒学的伦理观在现代日本社会中依然具有重大影响力呢？笔者认为，主要原因有两个。一是与精神文化的"滞后"现象有关。一般

---

① 沃格尔著、谷英等译：《日本名列第一》（中译本），世界知识出版社，1980 年，第 18 页。

② 程伟礼：《日本经济发达的文化溯源》，《人民日报》，1986 年 1 月 11 日。

③《天下杂志》，台湾，1986 年 3 月。

说来，物质文化可以急速变化，但精神文化，特别是社会伦理观和民族心理，不会与物质文化并行，在一朝一夕间发生变化。社会的伦理观和民族心理，虽然会因为社会环境的变化受到一定的影响，但它的变化要比物质文化和社会环境变化滞后。没有被革命改造过的社会或是历史悠久的社会，这种“滞后”现象更为显著。战后的日本，伴随着经济的高速增长，社会生产和日本人的生活环境、生活方式、消费水准等，都可与欧美先进各国相比肩。而且在建立大众社会与大众文化方面，日本与欧美先进各国相比，也毫不逊色。但是以儒学道德为其部分内容的日本人的伦理观和民族心理的变化则相对滞后，仍作为潜流存在于日本社会中。

二是因为儒学道德的部分内容仍适用于现代日本独特的社会构造。关于日本的社会构造，川岛武宜在《日本社会的家族式构成》(1947 年)一书中曾指出，日本社会是由家族以及家族结合而组成的。在战前的日本社会中，除儒教家庭和民众家庭外，很多家族关系都被打造成与真正的亲子关系几乎相同的虚拟亲子关系。例如，地主与佃农之间被称为“亲方子方”的再版亲子关系，家里“奉公”人和商店“奉公”人与“主家”之间的封建亲子关系，其现代版“企业一家”的工厂劳动关系，在公司、官厅、学校中亲分子分的派系集团，议会这种近代制度下的亲分子分政党，最后，由作为“子”的臣民和持有“亲心”来“指导”臣民的政府一起成立为家父长制国家，即是如此。在上述家族关系中，家庭生活的种种原理被扩大规模体现。其主要内容是：(1)“权威”的统治以及对权威的无条件服从；(2)个人自主行为缺失以及由此而来的个人责任感的缺失；(3)社会规范不允许进行任何自主的批判与反省；(4)团体内的亲子式家庭氛围和对团体外成员的敌对意识。这种家族、家族式关系或家族式原理都

图 144 《日本社会的家族式构成》(早稻田大学图书馆藏)

是与民主主义相对立的，如不“否定”它们，日本就无法实现民主化。①

19 世纪 50 年代，川岛武宜关于日本社会构造的观点得到日本人的广泛赞同，家族性质的团体主义成为批判的对象，被视为前近代的残留，但是，由于 60 年代以来日本经济的高速成长，被近代主义批判的家族式团体主义重新恢复自信。以此为背景，中根千枝于 1964 年发表了《纵式社会的人际关系》一书。

中根千枝在《纵式社会的人际关系》中，对日本社会独特结构的现象描述，与川岛武宜和其他学者并无显著不同。中根千枝与川岛武宜一样，也认为家族主义及其虚拟是日本社会结构的特色，她说：“日本社会集团构成的原理集中地表现为‘家’，在日本的所有人口（至少在江户时代中期以后的农村中）中都可以看到‘家’的存在，这种集团构成可以视为日本社会构造的特色。”②“以‘亲分’‘子分’为象征的人际关系，不仅存在于政治家和黑社会中，实际上还存在于自己认为也被他人认为具有进步思想的文化人、讲授西欧经济与社会的大学教授或在最先进的大企业中工作的人们中间。”③

中根千枝与川岛武宜的不同之处在于她对日本社会的家族式构成的解释和评价。中根千枝是以社会人类学的“场”和“资格”的理论来分析日本社会构造的。她认为日本是强调“场”的社会，如日本人对外（向他人）介绍自己的社会位置时，相比“资格”（自己的姓氏、出身、学历、地位、职业等）更喜欢先讲“场”（自己所属的职场、公司、机关、学校等）。因此，在日本社会中“纵式”的人际关系（亲分子分关系、异质者因异质性结合而成的关系）发达，而“横式”的人际关系（理论上的种姓、阶级关系）并不发达。中根千枝虽然承认“纵式”团体成员间的“不平等性”和“序列意识”，但更加强调上下之间纵式关系的情的联系和“人间平等主义”（根据会田雄次的《日本人的意识构造》，前者是表面的纵式关系，后者是内在的纵式关系）。

---

① 川島武宜：『日本社会の家族的構成』，日本評論社，1950 年，第 18—22 頁。

② 中根千枝：『タテ社会の人間関係』，講談社，1967 年，第 36 頁。

③ 同上，第 164 頁。

中根千枝对日本的独特社会构造的评价，虽然承认这种“纵式”人际关系压抑了个性或自我的发展，还会造成同类团体的过当竞争，但又认为它不是用“封建的”可以简单概括的人际关系，而是日本文化的特殊性，是日本人的人际关系中难以变化的部分。她说：“日本式的团体构造，不能用封建的或前近代的简单概括，其原理在某种意义上说是具有现代性的，是非常有效的组织方法。”“实际上，日本人能成功地实现令人瞩目的现代化的原因之一，即在于百分百地灵活运用了这一‘纵式’联系的结构。”①

日本社会构造中的家族主义特色到底是“封建残余”，还是具有延续性的日本文化的特殊性？其功罪如何？关于这一问题的正确答案，或许需要未来的历史学家去做。但在这里可以指出的是，中根千枝对日本社会构造的分析，对于说明日本社会的现状是颇具说服力的。日本式的“家”制度确实如川岛武宜所指出的那样，在战后被否定，但是，这种家族式的团体主义即使其表现形态与战前不尽相同，但仍继续存在于日本社会的每个角落，特别是存在于企业中（当然，随着机械化和合理化的进展，企业中的共同体气氛必然会发生变化）。而这种继续存在于现代日本社会中的独特的社会构造，正是儒学道德依然存在的主要原因。

在优先考虑个人与个人之间关系的“纵式”社会中，日本人的价值观不置于以绝对性为前提的宗教，而是置于作为社会强制性规范的道德。反过来说，这种“纵式”社会需要道德的正当性予以维持。为“纵式”社会提供道德支柱的，不可能是欧美的个人主义伦理观，而只能是适应“纵式社会”需要的、以儒学道德为主要内容的传统伦理观。总之，儒学虽是以中国的社会构造和人际关系为基盘而成立的思想，但由于中国是一个横竖关系平衡的社会，儒学道德中既有适应“资格”的人际关系内容（例如“悌”“信”等），又有适应“场”的人际关系内容（例如“孝”“忠”“恩”“和”等）。并且，一部分儒学道德观念，为适应日本的“纵式”社会而被改造

---

① 中根千枝：『タテ社会の人間関係』，講談社，1967年，第126頁。

(就像川岛武宜指出的那样,日本现代儒学中的“孝”与中国古典儒学中的“孝”不同,其中包含着在给予“恩”的条件下的特殊的伦理性心理构造)。这些适应“纵式社会”(根据“场”形成的人际关系)的儒学道德,作为“纵式社会”的道德支撑而持续存在。

在通过“场”将不同性质的人组成团体的“纵式”社会里,为强化团体,增强它的机能,必须加强团体成员的一体感。在这种场合,儒学“和为贵”的道德观念便发挥了巨大作用。对日本人来说,“和”是至上的美德,日本团体领导人的主要任务就是维持“和”。为维持团体成员的一体感,日本人想尽一切办法避免公开对抗。例如,做出重大决定时,不是仅由领导个人提出,而要经过团体成员的讨论确定。讨论时,为避免公开对抗,人们谨言慎行,尽可能用委婉的语言表达意见。但是,日本人的伦理观,具有相对主义的特色。这种“和”的道德仅适用于本团体成员(自己人),不是普遍适用的。因此,同类团体之间便互相视为敌手,彼此进行过当的竞争。表现在国际社会中,日本人的“和”和对他人的同情并不涉及其他民族或其他国家,甚至将其他民族或其他国家视为现在的或将来的敌手。现在,日本被国际社会称为利己主义国家的原因即在于此。

在“纵式”人际关系构成的团体中,每个人都处在一定的上下关系位置上,但是,这种上下关系不仅仅是下级对上级的忠诚和服从,它们之间还有“纵式”的情的联系,即保护由依存予以报答,温情将得到忠诚的回报。个人与团体的关系也是如此。中根千枝认为这种“纵式”的情的联系,不是等价交换,而是从“纵式”的人际关系中理所当然产生的。但是笔者认为这种“纵式”的情的联系,包含有居上位者为维持上下关系的稳定,有意识地予以利用的因素。关于这个问题的意见暂且不论,但在现代日本的“纵式”社会中,确确实实存在上下的情的联系。这种上下关系中的情的要素,正是“恩”“诚”(“忠”)等道德观念能够继续存在的土壤。例如,日本的企业,特别是大企业大都实行终身雇佣制,就像“全包”所说的那样,企业对雇员的关心甚至涉及雇员的私生活(提供住宅、结婚、生育等)。同时,企业致力于培养雇员的忠诚感情和爱社精神,而雇员则被要求尽全力于企业的运营和发展。这样,企业与雇员之间形成“恩”和“诚”的关系。日本人希望上司与部下之间存在从个人忠诚心出发的温情主义。例如,自1953年以来,日本统计数理研究所曾进行多次调查,调查的题目是,在“遵守规则不让加班,但在工作之外也不给予照顾”的科长和“有时不遵守规则让部下加班,但在工作之外善于关怀人”的科长之间,你选择谁做领导?历年的答案都是八成以上选择后者,1978年,选择后者的高达87%。

总之,战后的日本虽然没有了作为国民教化根本方针的儒学,但儒学的价值观和伦理观仍然存在于日本人的心中。那么,儒学的价值观和伦理观会不会在日本永存不衰呢?关于这一点,还是不做推测为好。但是,做出如下判断似无大碍,即只要前述的“纵式”社会在日本继续存在,儒学的影响便不会全部消失。

终章　日本儒学的特色——中日儒学之比较

日本儒学的特色

日本儒学的特色是什么？首先是比较思想的问题。如前几章所述，日本儒学是从中国儒学中吸取滋养，以中国儒学为原动力而逐步成长的。但是，由于中日两国的社会和文化构造不同，日本在吸收中国儒学时，有所选择和改变。因此，日本儒学的内容和社会机能，与中国以及同属极东儒学文化圈的朝鲜、越南相比，既有相同处也有不同处（当然，比起不同，相同的部分占据重要地位，若非如此，也不能称日本儒学为儒学）。那些不同点，正应该被作为日本儒学的特色来理解。因此，要解明日本儒学的特色，有必要采取比较思想的视点。

与此同时，这也是探索日本儒学者多方面思想中共通性的问题。日本儒学的特色，对中国以及朝鲜、越南的儒学来说，是具有相异性的，但对日本儒学自身来说，是有共通性的。日本儒学的特色不是日本某个儒学者的特色或是某个学派的特色，而是超越儒学者的个人差异以及诸学派差异综合起来的特色。因此，要解明日本儒学的特色，不能拘泥于某个儒学者以及某个学派思想中是否具有特色，而有必要采取抓住大倾向的方法。而且，由于日本儒学特色的形成与作为其背景的日本文化有很深的关联，所以在解明日本儒学的特色时，还应该结合日本文化的特色。

因此，探究日本儒学的特色，对笔者来说是极其困难的，因为笔者对朝鲜、越南的儒学基本不了解。所幸的是，关于日本儒学的特色，多少有一些日本学者的实证性研究或综合性考察，除去其中皇国史观的部分，能够成为本论述的参考。下面是在日本学者研究的基础上，加入笔者自身的想法对中日儒学比较所作出的总结。

较不关心形而上学

在中国，原始儒学以伦理、政治学说为中心，虽然不具有像佛教那样缜密的思辨性理论体系，但关于世界的本源，已经形成了超越感觉与经验的形而上学的思维。例如，《易传》的“一阴一阳之谓道”，就是思辨的、形而上学的探究世界法则的哲学思想。汉代董仲舒的“天人感应”思想体系中包含的阴阳五行思想也是形而上学的思想。到了宋代，逐渐形成了包含丰富形而上学思想的理学体系。

与中国儒学相比，日本在江户时代虽然接受了具有强烈思辨性质的宋明理学，但多数儒学者并没有将重点放在其中形而上学的内容上，而且，对其采取不关心的态度，还有一部分儒学者，如源了圆指出的那样：“不知何时，将其变成了可称作‘经验合理主义’的实学思想。”①当然，日本儒学者并非完全不把形而上学作为问题，只是相比较来说不那么重视。相良亨曾指出：“江户时代的日本人以儒教为媒介所进行的思考留给日本人的精神遗产，虽说不是全部，但首先是或基本上是使他们自觉地认识到人们在现实社会中应遵循的伦理道德”，②但不是对世界本源和法则进行形而上学思索的启发。如前几章所述，藤原惺窝基本不把“理气关系”作为问题，即使谈“理”，也是相比把“理”作为形而上学的哲学概

① 源了圆：『文化と人間形成』，第一法规，1983年，第75頁。

② 相良亨：「江戸時代の儒教」，收入于宇野精一等：『東洋思想の日本展開』，東京大学出版会，1967年，第288頁。

念，更多地把"理"解释为具有道德性质的"道理"或"义理"。林罗山长时间侧身于王阳明"理者气之条理，气者理之运用"的理气不可分论，无视"理"形而上学的性质。即使是以严守朱熹学说自居的山崎闇斋，也不将性理问题视为形而上学的问题或本体论的问题来对待，而是将其作为与日常生活密切相关的伦理、修养问题或人生道路问题。贝原益轩更是将朱子学的形而上学向经验主义方向发展。古学派的素行、仁斋、徂徕三人，如田原嗣郎所言，"他们仅将自身的世界限定为人类的世界……而不着眼于在此之前的问题、世界的原因等"。①

日本儒学者在接受中国儒学，特别是宋明理学时，对其中形而上学内容的选择和改变，与日本文化不喜好思辨的、形而上学的思考，而倾向于事实、现象、经验、实证等"即物主义"的特性有关。源了圆在《日本人的自然观》②中，就作为日本人或日本文化性格之一的"即物主义"倾向做了详细论述。源了圆说古代日本没有像古代希腊、古代中国那样的哲学反省。另外，古代日语中，表示山、川、草、木等自然物的词汇很丰富，但是，没有相当于汉语中的"自然"的词汇。这就是说，对古代日本人来说，自然是一个个山、川，一根根草、木，但没有形成超越它们的"自然"的概念。从古代末期到中世，通过佛教"无常观"的印证，日本人形成了"美的自然观"——"雪月花"的自然观，但还未形成"超越自然"，统合"外自然"与"内自然"的哲学视点。到了近世，在上述文化背景下，知识分子受到"超越自然"，统合"外自然"与"内自然"的朱子学思想体系的强大冲击，出现了很多或将其向经验主义方向修正（贝原益轩），或全面否定它的学者（古学派）。另外，中村元在《东方民族的思维方法》中也指出，日本人的思维方式有"非合理主义倾向"，其表现之一即是，日本人拙于思辨的、

① 田原嗣郎：「徳川思想史研究」，未来社，1967年，第494頁。

② 源了圆：「日本人の自然観」，收入于『岩波講座哲学5　自然とコスモス』，岩波書店，1985年，第348—374頁。

逻辑的思维，缺乏以抽象的普遍形式进行的空想性。[①] 日本儒学较不关心形而上学内容的倾向，既是日本人或日本文化性格之一的“即物主义”这一特异性的产物，又是其表现之一端。

重视主观心情

武内义雄的《日本的儒教》和相良亨的《近世的儒教思想》曾提出这样的观点：在中国形成了以“敬”为中心的儒学和以“致良知”为中心的儒学，但未曾形成以“诚”为中心的儒学。以“诚”为中心的儒学是日本儒学的特色，从它的形成可以看到日本儒学的诞生。但这个结论是不妥当的。之所以这么说，是因为在中国，《中庸》的儒学、周敦颐（濂溪）的儒学、王夫之的儒学，无一不是以“诚”为中心的儒学。《中庸》说：“诚者，天之道也；诚之者，人之道也。”这是中日以“诚”为中心的儒学的源流之一。其次，“诚”是周敦颐《通书》的核心思想，是其儒学理论的最高范畴。王夫之也说：“说到一个诚字，是极顶字……尽天地只是个诚，尽圣贤学问只是个思诚”（《读四书大全》卷九），将“诚”作为其思想体系的最高范畴。在《中庸》、周敦颐、王夫之的思想体系中，“诚”既是伦理学概念，也是理论的最高范畴。因此，中日儒学的差异或日本儒学的特色并不在于是否形成了以“诚”为中心的儒学理论，而在于两国怎样理解“诚”这一概念（即“诚”所包含的内容）。

周敦颐和王夫之同样视“诚”为表现世界本源的形而上学的最高范畴。但是两者也有不同之处。周敦颐说：“诚者，圣人之本。”“诚，五常之本，百行之源也”（《周子全书》卷七），唯心地解释“诚”，将“诚”认为是“寂然不动”的“静无”（=“无极”），而王夫之说：“夫诚者，实有者也”（《尚书引义》卷三），唯物的解释“诚”，认为“诚”是概括客观实在性的最高范畴。

与中国的周敦颐和王夫之不同，日本以“诚”为中心的儒学，把“诚”作为表达主观心情的伦理学概念。例如，山鹿素行强调应尽量抒发从人

---

① 中村元：『東洋人の思惟方法』（一、二），みすず書房，1948 年，第 49 頁。

内心涌出的不可抑制之情。从人内心涌出的不可抑制之情，在这种意义上就是“不得已”之情，也就是“诚”。另外，伊藤仁斋认为，作为具体的实践性伦理，“忠信”是对待他人没有虚假之心，从心底尽心为他人。伊藤仁斋虽然没有用“诚”字，但“忠”“诚”都读作“まこと”。徂徕以后的儒学者也几乎都是以“诚”为中心。这个时期，以“诚”为中心的伦理说的代表人物细井平洲(1728—1801)，规定“诚”是“内心与表面一致，里外不二”。到了幕末，志士们常说“至诚”。但是，幕末志士们的“诚”与之前儒者们所说的“诚”有所不同。志士们的“至诚”不单指表里一体，还意味着在任何事态下都要实现心中所想。例如，吉田松阴认为“诚”应具备“实”“一”“久”三个要素。松阴说“实”就是以实心去实行，“一”就是说只有将生活的全部集中到一件事上才能得到“诚”，“久”是说事情达成之前不能中途放弃。①

如上所述，日本以“诚”为中心的儒学者把从中国接受而来的“诚”，由表现世界本源的形而上学的概念转变为重视对他人主观心情的纯粹性的伦理学概念。并且日本儒学重视主观心情的倾向和日本人重视“明净正直”的传统性格或日本文化“情的、共感的性格”方向一致。

对现实的灵活应对

中国的原始儒学中，曾提出“权”的思想。例如，孔子说：“可与共学，未可与共适道。可与适道，未可与立。可与立，未可与权”(《论语·子罕》)。孟子说：“嫂溺，援之以手者，权也”(《孟子·离娄》)。“权”是指在不违反既定行为法则的同时，灵活应对非常规现实的境遇。但是，灵活应对现实这一思想，在后世并没有得到充分发展。宋明理学者们很少谈及“权”。即使谈及，也未将其置于重要位置。相比于应对现实，他们更多地是将注意力放在追求普遍性法则上。直至明末清初的王夫之，才提出了“理随势易”“理外无势”“理势合一”(《读四书大全》)的思想。

---

① 相良亨：「江戸時代の儒教」，收入于宇野精一等：『東洋思想の日本展開』，東京大学出版会，1967年，第288頁。

与中国儒学不同，日本儒学，特别是近世的儒学者，相比把握道理即普遍性法则，更重视应对时势，即对现实采取灵活的应对态度。如本书“中日阳明学之不同点”一节中所述，江户时代初期的中江藤树、熊泽蕃山首次提出的“时、处、位”论，是日本儒学者存在重视普遍性法则在现实中的具象这一倾向的标志，是对从中国儒学引进的“权”思想的发展。相良亨认为，这个“时、处、位”论，从中江藤树开始到横井小楠的“随势理亦不同”论，是“贯穿于江户时代儒教”的普遍倾向。① 整个江户时代，以“经世济民”为课题的日本儒学者，比同时代同类型的中国儒学者要多，应该也与日本儒学的这种特色有关。日本儒学者的“时、处、位”论，原本未必与把握普遍性法则相矛盾，但如井上光贞指出的那样，“这个‘时所位’论，因为是通过将普遍性法则适应于现实状况而实现的，因此，取代现实性和实践性，孕育着后退回追究普遍性法则的危险性。”②丸山真男认为，日本儒学的这种倾向可以追溯到古代宣命中的“中今”，即可说是充实当下的“永远的今”的观念。③ 善于灵活应对现实的日本人或日本文化性格，一方面，能够不拘泥于既定的秩序原则，很好地应对关系日本民族命运的内外挑战和难关，另一方面，也有可能使日本人以时势变化为借口，容许错误的应对，漠视人类普遍的是非基准。

“有德者王”思想的消失

“有德者王”思想是中国儒家传统的政治思想。以天命思想为基础，认为王位是天授予有德者的，同时要求居王位者应是有德之人，主张政治和道德的合一。例如，孔子曾说：“为政以德”，孟子说：“以德行仁者王”。“有德者王”思想与所谓的“革命”思想必然是相表里的。特别是孟

---

① 相良亨：「江戸時代の儒教」，收入于宇野精一等：『東洋思想の日本展開』，東京大学出版会，1967 年，第 288 頁。

② 井上光貞：「日本文化論と日本研究」，收入于『岩波講座日本歷史 24 別巻 1』，岩波書店，1977 年，第 171 頁。

③ 丸山真男：「歴史意識の“古層”」，收入于『歴史思想集』，筑摩書房，1972 年。

子的“禅让”“放伐”，即明确认同王朝的更替。之后的儒者也未放弃对以皇帝为首的统治者提出道德修养的要求。例如，朱熹说：“为政以德，则无为而天下归之”（《论语集注·为政第二》）。“治道必本于正心修身”（《朱子语录》卷一百零八）。“人主之心正，则天下之事无一不出于正”（《戊申封事》）。“有德者王”思想认为，成为君主不是没有条件的，对君主的“忠”也不是没有条件的。

与中国儒学不同，随着日本“神国思想”和“国体观”的流行，江户时代的一部分儒学者开始反对孟子的“革命”思想，放弃了“有德者王”思想。

一部分日本学者认为，孟子的“放伐”“革命”思想不适合日本国体，因而遭到强烈批判，结果，日本自古以来就不读《孟子》，排斥《孟子》。甚至出现只要船舶载有《孟子》，那么该船在途中必然沉没的迷信，并被人们广泛相信。但是，井上顺理的《本邦中世前孟子受容史的研究》利用丰富的史料，作出如下结论：“因为孟子思想不合我国国体，而批判、排斥的意识，绝不是自古以来就存在的……而是到了江户时代之后……才纷纷开始对孟子进行批判的”，①证实了之前的观点是错误的。历史事实也确实如井上顺理所言。

例如，假托作者是藤原惺窝或本多正信的《本佐录》宣扬，由天道确定天下之主，应首先正身。若谋私利或给百姓带来苦难，天道就会取消其地位，其子孙也必定灭亡。林罗山也赞同“放伐”说，认为汤武的“放伐”“是非常也。此先儒权譬也。汤武之举非私天下，唯在救民耳。”②但是，山崎闇斋写了《汤武革命论》一书，反对孟子的“放伐”说。崎门派的浅见䌹斋把在中国被视为圣人的商汤王、周武王说成是“杀主之大罪人”。之后水户学派也更为激烈地反对孟子学说。山鹿素行认为君臣上下的差别是“非以力而成，乃天地自然之仪则”，主张“主君之恶纵如夏桀

---

① 井上順理：『本邦中世までにおける孟子受容史の研究』，風間書房，1972 年，第 607、608 頁。
② 石田一良：『体系日本史叢書 23　思想 2』，山川出版社，1980 年，第 92 頁。

殷纣，而下无蔑上之道”（《山鹿语类》）。在此，“放伐”“革命”思想和“有德者王”思想明显消失了。在中国，如孔子所言，“君，使臣以礼，臣，事君以忠”（《论语·八佾》），君臣关系绝非臣下单方面的义务强制，但在日本随着“有德者王”思想的消失，君臣关系也就成了臣下单方面的绝对忠诚义务。

另外，关于儒学的根本实践伦理“忠”和“孝”的关系，中国儒学传统的思考方法是，相比对君主尽“忠”，更重视对父母尽“孝”，而在日本儒学者中，比起“孝”更重视“忠”（如林罗山等），主张“忠孝一本”（如后期水户学派）。

当然，在日本也有一部分学者提倡“有德者王”思想（如新井白石、室鸠巢、赖山阳、伊藤仁斋等），也有一部分人重视“孝”（如中江藤树、贝原益轩、藤井懒斋、中村惕斋、大盐中斋等），但是，从大局来看，日本的儒者逐渐否定“有德者王”和“革命”思想，比起“孝”更重视“忠”，强调绝对忠诚的道德。这可以说是日本儒学的一种特色，与日本独特的社会、政治构造和日本儒学者对其的自觉有关。强调绝对忠诚的道德，虽然对明治维新后成立中央集权国家做出了贡献，但同时也被军国主义者所利用。

与固有思想的共存及融合

本书“早期儒学特征”一节，已经谈及中国儒学的包容性、排他性和日本早期儒学的共存性，在此不再赘述。这里想作为问题的是：江户时代的儒学和早期儒学一样，表现出与固有思想共存、融合的倾向。这里所说的固有思想是指日本的神道。当然无论是两部神道、山王神道，还是伊势神道、唯一神道，都是吸取佛教或儒学的理论而形成的，不能说是日本原原本本的固有思想，但是，日本的神道仍多少保留了源自日本上古神话的固有思想。江户时代的儒学者对佛教采取否定的态度，但对日本神道，除了极少数的例外（如室鸠巢、佐藤直方、三宅尚斋、赖山阳、太宰春台等），大都主张神儒一致和神儒合一，对固有思想采取共存和融合的姿态。只是，江户时代的儒学者将儒学与固有思想相融合有两种类型。一种是以中国儒学的理性主义改造与取代日本神道的神秘主义的类型。另一种是放弃中国儒学的理性主义，保持日本神道的神秘主义的类型。林罗山的"理当心地神道"就是前者，山崎闇斋的"垂加神道"就是后者。日本儒学和固有思想的共存与融合，反映了日本人在接受外来文化之际，妥善保存传统的日本文化特色。

以上是从儒学内容差异的视点考察中日两国儒学的主要不同，即日本儒学的特色。也可以从儒学社会机能的差异上进行考察。但本书的"中、日、朝朱子学的异同""中日阳明学之不同点""与清代考证学的比较""日本儒学的衰退和变质"等节中，已经就中日儒学社会机能的差异作过论述，在此不再赘述。

总之，中国的儒学思想，作为普遍思想，超越民族和国家界限，包含着被众人广泛接受的内容，成为了被日本人所接受的日本儒学的主要内容。正是儒学中的这种普遍思想，表现了中日儒学之间共通的一面。若无视这一侧面，会得到日本儒学只是借用中国儒学的名字，实际上是一种与中国儒学完全异质的日本思想的错误结论。但是，中国儒学毕竟是以中国社会、文化为基盘而形成的，当然具有被中国社会、文化的特殊性所规制的非普遍性的一面。对日本人来说，理解并接受中国儒学的这个侧面，是极其困难的。并且，即使是被接受的中国儒学的普遍性思想，也必须为符合日本社会、文化而做出改变。如果不这样，就不能在日本扎根。因此，日本儒学只不过是中国儒学翻版的认识，不必说也是一种误解。

在执笔本书的过程中，要论述中日儒学之比较这样的大问题，我深感责任重大，力不从心。而本书只是触此大问题之片鳞半爪而已。限于篇幅与时间，虽然心中对拙著依然甚不满意，但且就此搁笔。

后记

在本书即将完成之际，关于著书过程中的诸多感受交织于心。

1974 年 8 月的某一天，我带上自己关于日本儒学的第一篇文章——《为什么德川幕府以朱子学为官学》来访问恩师吴廷璆教授[①]（现任中国南开大学历史研究所名誉所长）。当时，吴廷璆教授指出了论文中的几处错误，还鼓励了我。受到吴先生的鼓励，我决心以日本儒学史为研究对象。在此，我深深地感谢为我开启日本儒学研究之道的吴廷璆教授。

1983 年 4 月到 1984 年 3 月，我有幸得到仙台市日中友好协会的招待，作为客座研究员，在东北大学文学部的日本文化研究所度过了研究生活。在此期间收集的资料对本书的写作起到了很大的作用。衷心地感谢给予我访日机会的仙台市中日友好协会。留学期间，得到指导教师

---

① 译者注：吴廷璆（1910.7—2003.12），原南开大学历史研究所所长，学术界公认的新中国日本史学科开拓者之一。1932 年考入日本京都帝国大学史学科。1936 年毕业归国，任山东大学讲师。历任四川大学历史系教授、武汉大学历史系教授。1949 年调任南开大学历史系教授，担任核心期刊《历史教学》总编 40 余年。代表性论著有《日本史》《日本近代化研究》等。

源了圆教授[①]（现日本国际基督教大学教授）的诸多指导和照顾。特别是在中日儒学对比方面，启发了我。归国后，源了圆老师经常给我寄来著作和信件，继续鼓励作为研究者的我。本书承蒙源了圆老师的诸多帮助，再次深深地感谢源了圆老师的引导，还有热情的东北大学文学部井上秀雄教授、玉悬博之助教授、阪本浩先生、矶部祐子女士。

在此，还要感谢在本书执笔过程中，赠予相关资料的早稻田大学社会科学研究所的依田憙家教授。

特别感谢在本书出版过程中，六兴出版的贺来寿一社长和福田启三编辑部长给予的支持。福田部长不仅给予了格外的照顾，还费力为本书推敲。

最后，感谢为本书的日语原稿做出多处修改的天津外国语学院日语系李明老师。在此不能一一写出名字，但衷心感谢给予我很多建议的大家以及让我利用研究成果的各位学者。

1987 年 8 月

南开大学历史研究所

王家骅

① 译者注：源了圆（1920.7—　），熊本县人，日本历史学者，近代日本思想史专家。1948 年毕业于京都大学文学部哲学系。历任日本女子大学教授、东北大学教授，1984 年退休，任名誉教授。又任国际基督教大学教授。先后任哥伦比亚大学、北京日本学中心、牛津大学等学校客座教授。

插图出处一览

图 1　匡亚明《孔子评传》齐鲁书社

图 2　《写真图说近代日本史 9》国文社

图 3　中国通信社

图 4　中国通信社

图 5　中国通信社

图 6　中国通信社

图 7　著者

图 8　著者

图 9　中国通信社

图 10　张择端《清明上河图》

图 11　著者

图 12　著者

图 13　著者

图 14　著者

图 15　著者

图 16　著者

图 17　著者

图 18　著者
图 19　《旧都文物略》
图 20　《东洋历史参考图谱》　东洋历史参考图谱刊行会
图 21　《东洋历史参考图谱》　东洋历史参考图谱刊行会
图 22　著者
图 23　著者
图 24　中国通信社
图 25　中国通信社
图 26　中国通信社
图 27　正仓院
图 28　东京国立图书馆
图 29　飞鸟资料馆
图 30　中国通信社
图 31　本居宣长纪念馆
图 32　本居宣长纪念馆
图 33　著者
图 34　著者
图 35　奈良国立文化财研究所
图 36　东京国立博物馆
图 37　《江户时代图志 4 江户 1》　筑摩书房
图 38　由《原书写年代》作成
图 39　由故实丛书《大内里图考证附图》作成
图 40　著者
图 41　东京国立博物馆
图 42　国立公文书馆
图 43　国立历史民俗博物馆
图 44　足利学校遗迹图书馆
图 45　足利学校遗迹图书馆

图 46　足利学校遗迹图书馆
图 47　太田青丘《藤原惺窝》　吉川弘文馆
图 48　太田青丘《藤原惺窝》　吉川弘文馆
图 49　原义胤《先哲像传》
图 50　学研
图 51　国立公文书馆
图 52　国立公文书馆
图 53　汤岛圣堂
图 54　汤岛圣堂
图 55　谦堂文库
图 56　谦堂文库
图 57　《日本思想大系 34 贝原益轩 室鸠巢》　岩波書店
图 58　原义胤《先哲像传》
图 59　《山崎闇斎全集》　ぺりかん社
图 60　出云路敬直
图 61　《会津藩教育考》　东京大学出版会
图 62　福岛县立博物馆
图 63　东京大学史料编纂所
图 64　郑飞石《李退溪小传》　多田屋
图 65　《论语集注草稿》　东京国立博物馆
图 66　著者
图 67　著者
图 68　藤树书院
图 69　小林贤司
图 70　藤树书院
图 71　中江藤树纪念馆
图 72　河出书房新社
图 73　京都大学附属图书馆

图 74 东京国立博物馆

图 75 藤树书院

图 76 大阪市立博物馆

图 77 国立公文书馆

图 78 大阪市立博物馆

图 79 山鹿光世《山鹿素行》山鹿素行出版委员会

图 80 东京大学史料编纂所

图 81 天理大学附属天理图书馆

图 82 天理大学附属天理图书馆

图 83 著者

图 84 天理大学附属天理图书馆

图 85 加藤仁平《伊藤仁斎的学问和教育》第一书房

图 86 荻生敬一

图 87 著者

图 88 著者

图 89 著者

图 90 著者

图 91 著者

图 92 《人物探访日本的历史 12 文人和先觉者》 晓教育图书

图 93 心学参前舍

图 94 《前训》

图 95 石川谦《石门心学史的研究》 岩波書店

图 96 《摄津名所图会》

图 97 大阪大学怀德堂友会

图 98 大阪大学怀德堂友会

图 99 大阪大学怀德堂友会

图 100 大阪大学怀德堂友会

图 101 大阪大学怀德堂友会

下篇　日本现代化与儒学

序章　本书的课题与方法

1990年以后，笔者的研究主要围绕“儒学思想和日本的现代化”这一课题展开。为何选择这个课题？接下来首先对选题理由和背景进行说明。

在中国以儒学思想或儒学为核心的传统文化与“现代化”的关系，即儒学思想的现代意义问题，曾被视为困惑中国知识分子的“世纪之谜”，从本世纪初期开始就多次围绕这一问题展开过激烈的讨论。下面首先对其做一个大致梳理。

清朝灭亡后，以“德谟克拉西”(民主)和“赛因斯”(科学)为口号的五四新文化运动一经开展，儒学当即遭受了猛烈的攻击。胡适(1891—1962)、陈独秀(1879—1942)、李大钊(1889—1927)、鲁迅(1881—1936)、周作人(1885—1967)等知识分子，相继举起“文学改良”“文学革命”“打倒孔家店”的旗帜，对儒学展开了激烈的批判。另一方面，在五四新文化运动反对儒学的同时，还出现了一批对儒学哲学以及中国传统文化给予积极评价，并试图对其加以继承和发展的学者。梁漱溟(1893—1988)和他的著作《东西文化及其哲学》(1921年)就是其中典型的例子。

第一次世界大战结束后，西欧思想文化界掀起了一股批判西洋文化、推崇东洋文化的浪潮。受到这股批判和反省西洋文化之风的影响，

1923年，中国展开了一场名为“科学与人生观”（又称为科学与玄学）的论争。论争的契机为燕京大学哲学教授张君劢（1887—1969）发表了主旨为“科学无法解决人生观的问题”的讲演，北京大学地质学教授丁文江（1887—1936）批判张的讲演会唤起东洋和西洋玄学的幽灵。梁启超（1873—1929）也加入论争，被称为“玄学派”。胡适、陈独秀、吴稚晖（1865—1953）等也加入其中，被称为“科学派”。

这一“科学与玄学”论争告一段落后，一部分受到西欧思想影响的学者，主张东西文化的调和与融合，提倡儒学和现代西洋哲学相结合的“当代（现代）新儒学”。其代表人物有梁漱溟、熊十力（1885—1968）、冯友兰（1895—1990）、贺麟（1902—1992）等。

在1920年代的中国，否定儒学占据了主流位置。进入30年代，随着抗日运动高涨，提倡民族文化再生、继承以及“文化救亡”的“当代新儒家”逐渐获得社会认同。另外，“当代新儒家”的学者们还吸收了现代西洋哲学的概念和方法，在新儒学体系架构上取得了新成绩。正如岛田虔次所说，他们所作的尝试“在整个远东儒教圈都是非常耀眼的、独特的”。①

提到他们的主要成绩，以熊十力为例，他于1932年出版了文言版本的《新唯识论》，1944年出版了该书的白话版本。他最早引入儒学思想，尤其是《易》中的“生”“有”“动”的思想，批判佛教的唯识哲学并尝试对其进行改造，最后引入西洋哲学，尤其是柏格森的生命哲学，对儒学进行重建。

冯友兰分别于1931年出版《中国哲学史　上卷》，1933年出版《中国哲学史　下卷》，为重建传统哲学以及开创具有独创性的哲学倾尽全力。从1939年到1946年，他相继发表《贞元六书》（《新理学》《新事论》《新世训》《新原人》《新原道》《新知言》），形成了“新理学”的哲学体系。他与程朱（程颢、程颐以及朱熹）的“理学”进行“结合”（连结），构筑自己的哲学

① 島田虔次：『新儒家哲学について——熊十力の哲学』，同朋社，1987年，第128頁。

体系架构，但并非是同程朱“理学”进行“对照”（呼应），而是站在新现实主义（新实在论）立场上，对传统程朱“理学”进行再解释和再编，构筑了独特的形而上学理论。

贺麟于 1941 年发表了《儒家思想的新开展》等论文。他受到新黑格尔主义的影响，吸取康德和黑格尔的哲学，并试图与程朱“理学”和陆王（陆象山、王阳明）“心学”进行调和，将陆王“心学”的“心即理”思想贯穿到自己的思想体系中。

马克思主义派的胡绳、赵纪彬、杜国庠、周谷城、蔡尚思等针对“当代新儒家”的动向展开了猛烈的批判。他们主要批判的是“当代新儒家”的观念论和“道统”论。

中华人民共和国成立后，中国大陆学界虽然对唯物论儒学者作出过肯定的评价。但从整体上来看，否定的评价占据主流。儒学因拥护并强化了封建专制，带来了近代的贫困和落伍而遭到批判。另一方面，中国台湾和香港，以及居住在美国的第二代“当代新儒家”，比如唐君毅（1909—1978）、牟宗三（1909—1995）、方东美（1899—1977）、徐复观（1903—1982）等，明确提出了“返本开新”的思想纲领。他们的学说认为：儒学的“心性之学”是中国文化的核心，也是人类的最高智慧。儒学和“民主”“科学”并不矛盾，甚至可以说从“内圣的心性之学”中开拓出“民主”“科学”等“外王的新事功”，是中国文化发展必然的、内在的要求。

中国 80 年代以前的儒学和现代化论争，主要是围绕着中国现代化和中国文化发展道路而展开的思想论争，往往会受到国内政治问题的影响。但是 80 年代以后的儒学和现代化论争发展到国际规模，并转化为以东亚世界为舞台的世界现代史的根本问题。

80 年代以后，被称作亚洲 NIES（新兴工业地域群）的韩国、新加坡、中国香港和台湾、日本在内的东亚各国和地区实现了经济高速增长。立足于其共同的文化特征，“东亚模式工业文明”“儒家资本主义”等说法流行开来。包括日本在内的东亚各国的经济高速增长，对于一部分欧美及东亚学者来说，是对马克斯·韦伯理论的挑战。① 马克斯·韦伯在《新教伦理与资本主义精神》和《儒教与道教》中断言：中国缺少近代资本主义发展所需的社会学基础，儒学伦理、道教价值体系与新教精神不同，近代工业文明是无法从中诞生的。但是从历史、文化的角度来看，实现了经济高速增长的东亚各国均属于儒教文化圈。因此，儒学伦理和近代工业文明的产生和发展是否不相容？现代化中除了西方模式，是否还有产生东亚模式的可能性？现代化模式是否原本就具有多样性等一系列和世界现代史根本相关的问题，作为儒学和现代化论争的新焦点而浮出水面。论争的参与者都是来自世界各国各领域的学者，因此可以说此论争已扩大到了国际规模。

但是，1997 年后半年以后，东南亚各国（泰国、印度尼西亚）的金融危机、经济危机波及韩国、中国香港、中国台湾等地，日本经济也长期无法走出低迷的困局。在这种新形势下，"东亚模式工业文明"（或者说现代化的东亚模式）的存在和儒学价值观的有效性再次受到关注。有的学者主张：日本的经济结构问题和亚洲各国的金融、经济危机表明了"东亚工业文明""亚洲价值观"的破绽和"亚洲奇迹"的终焉。但是，新加坡内阁资政（前首相）李光耀坚持一贯的主张，认为"亚洲奇迹"尚未终结。如果

---

① H. Kahn, *World Economic Development*: 1979 *and Beyond* (London: Croom Helm, 1979), p. 122。R. Macfarquhar, The post－Confucia challenge, *The Economist*, Feb. 9, 1980, pp. 67—72。レオン・ヴォンデルメーシュ:『アジア文化圏の時代』，大修館書店，1988 年。レジ・リトル、ウォーレン・リード:『儒教ルネッサンス』、サイマル出版会，1989 年。エズラ・F・ヴォーゲル:『アジア四小龍』，中央公論社，1993 年。ハンス・ヴィルヘルム・ファーレフェルト:『儒教が生んだ経済大国』，文藝春秋，1992 年。M. Morishima（森岛通夫），*Why has Japan succeeded? West ern Technology and Japanese Ethos*, Cambridge: Cambridge University Press, 1982。中嶋嶺雄:「東アジア比較研究の課題と展望——いまなぜ『儒教文化圏』か」，『東アジア比較研究』第 1 号，1987 年。金日坤:『儒教文化圏の秩序と経済』，名古屋大学出版会，1984 年。金日坤:『東アジアの経済発展と儒教文化』，大修館書店，1992 年。金耀基（香港）:「儒家倫理と経済発展:ヴェーバーの学説の再検討」，『現代化と中国文化に関する検討会論文集』，香港中文大学，1985 年。黄光国（台湾）:《儒家思想和东亚现代化》，台湾巨流图书公司，1994 年。余英时:《中国近世宗教伦理和商人精神》，《士和中国文化》，上海人民出版社，1987 年。杜维明:《儒家传统的现代转化》，中国广播电视出版社，1992 年。

没有“儒教价值观”，亚洲各国的高速发展和再兴就无法实现。① 儒学和现代化论争作为现代史的课题，面向新世纪呈现出继往开来的局面。

通过对儒学和现代化论争史的分析可以得知，中国 1980 年代以前的论争，主要集中在哲学思想领域，围绕儒学的根本价值观（比如“仁”“礼”等）和近代价值观之根本的“民主”“科学”是否契合等问题而展开。② 另一方面，1980 年代以后国际规模的论争，对日本及东亚“四小龙”（韩国、台湾、香港、新加坡）的“经济奇迹”展开了对立的“制度论”解释（否定儒学）以及“文化论”解释（肯定儒学），但主要是围绕儒学伦理和东亚“经济奇迹”的关系（即思想、精神和经济现代化的关系）进行的。但是，因为受到马克斯·韦伯理论框架的限制，“儒家资本主义”“新儒教国家”“儒教文艺复兴”等说法也只不过是作为“韦伯命题”的逆命题而提出的。

笔者作为思想史领域的一名研究人员，非常关注儒学和现代化的论争，并考虑加入论争中去，但问题是需要换一个新的角度。依笔者之见，1980 年代以前中国哲学界的儒学和现代化论争，缺少东亚史的视角。因为儒学在东亚各国具有共同的历史背景。不仅在中国，而且在日本、朝鲜、越南的历史和文化中，儒学对其现代化进程都具有深远的影响。因此，思考儒学和现代化的关系时，如果只考虑中国的情况，所得出的结论就不够充分。中国儒学和中国现代化的关系，对于东亚各国儒学和现代化的关系这一普遍问题来说，仅仅是其中一个特殊的问题。同时，在考虑到日本、朝鲜、越南问题的个性和特殊性之后，才可以正确认识其共同性和普遍性，以公正客观地认识中国的特殊性。笔者对于朝鲜和越南的情况寡闻少见，不足以担当大任。但对于日本儒学和日本现代化关系的

---

①《福布斯》(月刊)，1998 年 6 月。

② 岛田虔次以日本横井小楠、中江兆民为例，强调了儒学和“民主”的亲和性(「尭舜民主政?」，木村英一博士頌寿記念事業会編:『中国哲学史の展望と模索』，創文社，1976 年;「孫文の儒教宣揚の動機論をめぐって」，明代史研究会明代史論叢編集委員会編:『山根幸夫教授退休記念明代史論叢』，汲古書院，1990 年)。渡边浩认为，“在江户后期到明治前半期，儒学教养渗透最彻底的日本知识分子以为同时代的西洋践行了儒学‘仁’、‘公’等最基本的价值观念”(同氏著:『東アジアの王権と思想』，東京大学出版会，1997 年)。

研究，笔者则略有余力，并且认为很有必要。

另外，笔者认为80年代以后的国际“儒家资本主义”论争，过度偏向于儒学伦理和经济增长的关系。在东亚各国儒学和现代化研究中，儒学伦理和经济增长关系的探讨自然重要，但是，仅仅停留在这一层面上则显得不足。在笔者看来，“儒学”不光是儒学伦理，还以儒家的理论形式为中心，包含其“内化”（民众心理所包含的思维方式、行动方式、情感方式、生活方式等）和“外化”（政治、法律、习俗、信仰等正式、非正式的规范）等广泛的领域。① 同时，现代化指的是从前工业化社会向工业化社会转变过程中全体社会的变革，以及在转变过程当中伴随出现的人们思想、行为等的变化。不仅包括经济，还包括政治、社会组织、科学技术、思想文化、人类自身现代化的全部动态过程。因此，我们需要突破“韦伯命题”的束缚，全面考察广义上的“儒学”和现代化的全部动态过程之间的关系。通过这种全方位的考察（比如对近代制度在实际运用中传统因素的动向考察），或许会打破对东亚“经济奇迹”的“制度论”解释和“文化论”解释的对立局面。

以上是本书写作的第一个动机和方法论。

关于本书写作的第二个动机，则是第一个动机的具体化，即按照笔者自己的方式对江户时代思想（特别是儒学思想）和日本近代思想的连续性、非连续性进行探讨。

依笔者管见，包括丸山真男《日本政治思想史研究》在内的日本近世、近代思想史论著中，都认可江户时代思想和日本近代思想存在连续性和非连续性。但是，其连续性包含两个方面。一个是从江户时代思想中所见的连续性，另一个是从日本近代思想中所见的连续性。前者考察江户时代思想中是否具有近代思想萌芽，是否可以看到近代思想的成长，是

① 沟口雄三在『中国儒教の一〇のアスペクト』（思想，1990年6月号）中提出了中国儒教的十个方面：1. 礼制、仪法、礼观念；2. 哲学思想；3. 世界观、治世理念；4. 政治、经济思想；5. 领导层的责任理念；6. 学问论、教育论、修养论、道德论；7. 民间伦理；8. 共同体伦理；9. 家族伦理、君臣伦理；10. 个人伦理。

否已具备近代思维等问题。后者则是考察日本近代思想的形成和发展，如何受到江户时代思想遗产的影响，日本近代思想家如何继承了江户时代思想等问题。但是关于后者的研究似乎并不受重视。从研究成果的量来看，关于前者的著作和论文要远远超出后者。同时，关于后者的著作和论文并非说没有，只是数量极少，尤其尚没有像样的论著问世。围绕后者的研究不受重视，因此关于其研究方法论的探讨也极其少见。

如果进一步考虑从日本近代思想中所见的连续性的话，笔者认为有两个方面。一个是近代日本所继承的江户时代思想遗产，如何对日本近代思想进行了歪曲和迟滞。另一个是所继承的江户时代思想（特别是儒学思想），在日本近代思想发展过程中发挥了怎样的积极作用，给日本近代思想带来了什么特征。① 从研究成果来看，后者比前者的研究略少，尤其是从正反两面进行综合研究的论著则更少。但是，从思想史角度弄清楚日本以及东亚儒学与现代化关系的综合研究是不可或缺的。

另外，从方法论来看，评价儒学在日本及东亚各国的现代化中所发挥的作用时，有两个标准。一个是理想价值的标准（哲学立场的标准），另外一个是功能的标准（历史学立场的标准）。理想价值标准的评价，考

① 木村珠代：「福沢諭吉における天の思想」，『お茶の水女子大学人文科学紀要』第 29 巻 2 期，1976 年。松本三之介：「天賦人権論と天の観念」，『近世日本の思想像』，研文出版，1984 年。田所光南：「福沢諭吉における近代化と儒教伝統」，『比較文学研究』第 45 号，1984 年 4 月。渡辺和靖：『明治思想史——儒教的伝統と近代的認識論』，ぺりかん社，1978 年。源了圓：「西周における『理』の観念の転回」，金子武蔵編『日本における理法の問題』，理想社，1970 年。蓮沼啓介：『西周における哲学の成立』，有斐閣，1987 年。小泉仰：『西周と欧米思想との出合い』，三嶺書房，1989 年。石田雄：「中村敬宇と福沢諭吉」，『近代日本の政治文化と言語象徴』，東京大学出版会，1983 年。荻原隆：『中村敬宇と明治啓蒙思想』，早稲田大学出版部，1984 年。源了圓：「幕末・維新期における中村敬宇の儒教思想」，『日本思想史』第 26 号，1986 年。中村雄二郎：「中江兆民『民約訳解』にみられるルソー思想のうけとり方について」，『近代日本における制度と思想』，未来社，1967 年。宮城公子：「一つの兆民像——日本における近代的世界観の形成」，『日本史研究』第 143 号，1974 年。島田虔次：「兆民の愛用語について」，木下順二他編：『中江兆民の世界』，筑摩書房，1977 年。松本三之介：「中江兆民における伝統と近代——その思想構築と儒学の役割」，『歴史と社会』第 2 号，1983 年 5 月。米原謙：『日本近代思想と中江兆民』，新評論社，1986 年。家永三郎：『植木枝盛研究』，岩波書店，1960 年。大原慧：「幸徳の儒教倫理と『非戦論』」，『現代と思想』1970 年 10 月号。

察儒学的根本概念、思想、思维模式（比如“仁”“礼”“忠”“孝”“理”“心”“实学”等概念，以及“民本”“仁政”思想，“天人合一”的思维模式）和近代思想之根本的“民主”“自由”“合理主义”，在哲学上、理论上是否相容，儒学思想是否可以实现近代转化等问题。而功能标准的评价，考察儒学的概念、思想、思维模式，近代日本各种思潮（启蒙思想、自由民权思想、初期社会主义思想、国家主义思想）和思想家（比如福泽谕吉、西周、西村茂树、中村正直、中江兆民、植木枝盛、幸德秋水等）的思想构成，日本现代化过程中具体的事件如何发挥历史的作用。根据功能标准（历史立场的标准），儒学并非由概念、思想、思维模式所构成的不可分的、一成不变的产物，而是随时代发展而产生变化的思想洪流。儒学的概念、思想、思维模式，也可从儒学思想体系中解析出来，并与时代性要素相组合，使其性质和功能发生变化而得以发展下去。因此，日本近现代儒学（即日本儒学和日本现代化关系的历史）也可以看作是日本儒学史的一个阶段。

但是，对儒学同一概念（或者是思想、思维模式）所展开的理想价值标准评价和功能标准评价，并不一定是一致的。比如，儒学的“忠”，从理想价值标准评价的话，缺少近代的主体性（即在近代是应当给予否定的、负面的存在）。另一方面，从功能标准评价的话，如丸山真男在《忠诚与叛逆》一文中所指出的那样，“忠诚”观念在江户时代初期是对体制的忠诚；从幕末到明治维新，则转化为对原理的忠诚，因此而开始批判体制、幕府、藩，最终为了表示对原理的忠诚走向了脱藩。另外，近代之后日本国民“忠”的对象，转变为天皇乃至天皇制国家，“忠君爱国”的口号最终被日本军国主义体制所利用。战败后，日本国民“忠”的对象变成了所属团体。由“忠”所支撑的日本人的集体意识，对战后经济高速增长发挥了积极的作用。因此，在考察日本儒学和日本现代化的关系时，必须从这两个标准出发进行综合考虑。

以上是本书的写作动机和方法论的构想。但是，由于本书版面所限，笔者不能对上述的大问题进行全面叙述，当然也囿于能力。本书欲对日本儒学和日本现代化的关系展开动态的、全面的（即经济、政治、思想、文化、社会组织、国民性等各方面）考察，并且将重点放在思想层面上。另外，关于江户时代思想（特别是儒学）和日本近代思想的连续性，虽意在从以上两个方面进行考察，但在日本近代思想中所见的连续性研究上尚缺少像样的成果，因此将重点放置于此。而且相比理想价值标准，本书更多地论及功能标准上的评价。同时为强化实证性和说服力，第五、六、七、八、九章，分别选取安藤昌益、福泽谕吉、西周、西村茂树、中村正直、中江兆民、植木枝盛、幸德秋水、堺利彦、涩泽荣一作为典型例子，论述日本儒学和日本现代化的关系。

本书的一部分内容，在中国或日本已发表。但是笔者写作时，对大部分内容进行了增补或者削减。既有论述主旨本身的变更，亦有未作改动之处。

本课题研究和本书写作时，笔者从多位日本学者和部分中国学者的研究成果中获益匪浅，而正文或者注释中所标示出来的仅仅是其中的一部分。借此机会向馈赐研究成果的各位先学致以深深的谢意。当然，在这些研究成果当中，亦有些许无法苟同之处，请各位相关先学恕笔者坦言自己的观点。

本书系笔者用日语所写。但是，因笔者语言能力不足，尚不能自由驾驭以表达其意。因此，拙著不仅在学术问题的认识上，在日语表达上也定会存在纰漏之处，还请学界先学诸氏和日本读者诸位不吝批评指正。

第一章　半欧洲、半亚洲模式的幕藩制社会

——日本现代化构造的前提

第一节　幕藩体制下土地所有制的特征

关于日本封建社会是欧洲模式还是亚洲模式这一问题，学者们意见纷纭。一部分学者认为，中世西欧盛行的领主和封臣间的个人主从关系（家臣制）以及领土分封关系（采邑制）相结合的封建制，和日本武家时代的封建制相类似，因此主张对两者进行比较研究。比如，德国马克斯·韦伯，法国马克·布洛赫的《封建社会》，比利时弗朗索瓦·冈绍夫的《封建制度》，美国赖肖尔，日本中田薰、牧健二、藤田五郎、丰田武等持以上观点。赖肖尔进一步指出，非西欧世界中只有日本拥有和西欧相类似的封建制，这也正是日本比其他东洋各国更早实现了现代化的历史原因。

相对于以上说法，一部分学者认为日本的封建社会具有"亚洲生产方式"形态。比如，羽仁五郎就是这一观点的代表人物。此外，德国魏特夫指出日本是"边缘化亚洲社会"。1960 年代以来，以藤野保、脇田修等为代表的日本学者，主张日本的封建社会是"特殊的日本模式"。

但应该注意的是，在近年来的近世史研究中，幕藩制国家是农奴制国家同时还是封建制国家，成为了学者的共识。另外多数学者认为"幕

藩制国家作为封建制国家日本的一个特征，在多个方面具有‘专制的、中央集权的因素’”，并且“在多个方面都具有亚洲特质”。①

笔者作为一名亚洲知识分子，认为日本江户时代的社会具有欧洲模式要素，同时还具有亚洲模式要素，可以定义为“半欧洲、半亚洲模式的封建社会”。这也正是“特殊日本模式”的特征，也是日本比西欧各国要晚，比亚洲各国要早地实现现代化的历史和结构性原因。

从历史类型学的视角来看，历史上的确存在过半欧洲、半亚洲模式的封建社会。比如，马克思把前近代的俄国看作是具有半亚洲模式的社会条件、风俗、传统、构造的国家。列宁也指出中世俄国的土地关系和土地制度同时具有封建制的一面和亚洲性的一面。笔者在这里并不是想说日本封建制社会和俄国封建社会相类似，当然也不具有可比性，而是想说，兼具欧洲模式要素和亚洲模式要素的半欧洲、半亚洲模式的封建社会的存在是具有可能性的。

江户时代即使从土地所有制层面来看，也具有欧洲模式和亚洲模式两方面的要素。关于这一点下文将试做论述。我们首先来看土地所有权获得的基本方式。在亚洲封建社会中，以印度的土地制度为例，国家拥有最高所有权，限制并支配亚洲式的农村共同体所有权的同时，国家还是最高所有者和主权人。权力是土地占有的依据，因此拥有国家主权就意味着获得全国规模的集中土地所有权。这种集中的土地所有权表现形式就是国家可以从直接生产者手中获得地租和赋税。

中国的封建社会是亚洲模式封建社会的变形。自古就以土地私有为主，以买卖土地作为土地所有权转移的主要方式。国家作为主权者，拥有最高土地所有权，不仅可以掠夺臣民作为土地私有者的所有权，还可以从他们身上征收地税和赋税。

另一方面，相对于这种亚洲模式的封建社会，欧洲模式的封建社会以领主和封臣的主从关系和恩给关系为基准形成了土地所有的等级关

①『講座　日本歴史 5　近世 1』，東京大学出版会，1985 年，第 5、18 頁。

系。在这一点上,江户时代的土地制度和欧洲的分封制(采邑制)具有相同之处。

反抗德川家康的领主们在关原之战后臣服于德川家康及其后继者,作为恩赏获得了领国的领主权。这些关原之战后臣服于德川家的领主们被称作“外样大名”。为控制这些外样大名,德川幕府在全国各地设置了“亲藩大名”和“谱代大名”。另外,原本是将军家臣的旗本、御家人以及大名的家臣们也从将军或者大名那里获得了领地以及禄米、现金。土地封受关系、主从关系、世袭身份等级制度相互结合,形成了封闭的、固定的土地所有等级构造。这种形式可以说明显地具有欧洲模式封建制的特征。

此外值得注意的是,在这种土地所有等级制度中各个等级的封建领主并不具有无限制的、完全意义上的所有权。相对于亚洲君主的最高所有权以及中国地主制的私有权来说,他们的所有权有两点差异。一点是具有附加条件,另外一点是具有相互制约性。

其中的附加条件指的是下级领主(封臣)需要对上级领主(封主)承担各种义务。如果封臣不履行其义务的话,封主有权收回封地。也就是说,授予封臣的领地,并非馈赠品,也不是完全意义上的私有土地。首先,作为义务封臣必须和封主结成主从关系并起誓对封主绝对忠诚。

在西欧,封主死后必须将封地返还给封主。封臣死后也一样。也就是说封主和封臣的土地封受关系是个人的,他们之间的主从关系也是个人的。封臣死后,其继承者再度称臣,同时还必须支付继承金。有的地区在封主死后为重新确立土地封受关系和主从关系,封臣必须缴纳继承金。

日本也有类似的制度。比如 1616 年德川家康死后,二代将军德川秀忠命令金地院崇传“为给各大名授予领地朱印状选择吉日”。[①] 5 月 26 日,向各大名颁发“领地朱印状”。之后整个江户时代各大名在将军更替时都会接受“知行朱印状”,被称作“继目御朱印”。另外,将军更替或者

① 朝尾直弘:『鎖国』,小学館,1977 年,第 115 頁。

大名家出现继承问题时，大名必须在对将军的忠诚誓言书上签字。①

日本和欧洲的不同之处在于：第一，西欧晚期封建社会中，封臣的臣服日渐虚化，几乎不再实施臣服礼。而在日本大名领地世袭化之后，标志主从关系和土地封受关系的“领地朱印状”制度得以继续实施。第二，将军和大名的关系绝非单纯的个人关系，而是带有“公”的色彩。这里指的是将军作为“公仪”将土地授予大名。

为封主提供劳役和赋税也是封臣的义务，在日本相当于军役、“普请”、“参勤交代”等。另外，各藩陪臣还必须向大名提供军役和赋税。如果不履行上述义务的话，就会失去领地或禄米。例如，1617 年，萨摩藩藩主岛津家久命令“家中众”，“从今往后，所有家臣未缴纳贡赋者，无论身份高低，皆要退还知行”。②

西欧封建社会晚期，封臣的奉公仅仅流于形式。而在日本，即使到幕末，封臣也对封主尽一定的义务。

另外相互制约指的是封主和封臣的土地所有权都是不完整、不自由的。从封臣的角度来看，日本的大名和相当一部分家臣占有领地的同时还拥有自由使用权。另外，他们不完全占有附属于土地的直接生产者。作为其经济实现形式，他们从直接生产者手中征收实物年贡，征用劳役。但是他们不能像中国地主那样自由地对土地进行分割、转让、买卖。比如，出现继承权问题时，如果没有上级领主的许可，其继承权就不成立。同时，如果没有继承人，上级领主就会收回领地。当然，并不是说完全没有土地买卖和抵押，前提是需要获得上级领主的许可。这表明领地的最高处置权掌握在上级领主手中，封臣拥有不完全所有权，处于从属地位。

举例来讲，1677 年津藩主藤堂发布的布告中说道：“我等为暂时之国主，田畑均为公仪之物。”③这表明将军对大名领地拥有最高处置权。将军作为“公仪”，拥有类似于国家君主的地位并处于封建主从关系的顶

---

① 笠谷和比古：『近世武家社会の政治構造』，吉川弘文館，1993 年，第 246 頁。

② 佐々木潤之介：『大名と百姓』，中央公論社，1974 年，第 136 頁。

③ 古島敏雄編：『日本経済史大系 4』，東京大学出版会，1965 年，第 49 頁。

点。但是说到底将军也只不过是最大乃至最高领主，将军的最高处置权也受到制约。因此将军既不等同于亚洲最大地主，也不能说是土地国有的体现者。因为毕竟将军不能对大名领地进行直接支配，也不能在全国范围内征收地租和赋税合二为一的年贡。

在全国范围内征收地租和赋税，正是亚洲最高地主的经济实现方式。将军的最高处置权和大名、陪臣的从属所有权相结合，实现了封建主阶级对土地的集体所有以及集体所有权的阶层分有。这和西欧采邑制特征之一是一致的。

但是并不能因此就说江户时代的土地所有制具有欧洲模式。其理由在于江户时代的土地所有制和欧洲是有差异的。正如多位学者所指出的那样，具有“专制的、中央集权的因素”，即“亚洲特征”。

西欧各国中各个等级的封建领主都拥有领地，至少拥有一个庄园，绝大多数都在自己的领地内生活（有一例外，德意志存在没有领地的骑士）。而江户时代日本实施“兵农分离”，将军和大名以外的一般武士基本上没有领地，不得不居住在将军和大名的城下町里。

据宝永年间（1704—1710）《御家人分限帐》（内阁文库本）的统计，将军直臣团的旗本和御家人达到 25544 人。从知行状态来看，其中“地方取”有 2482 人，仅占 10％。其他还有“切米取”“扶持取”“给金取”，不占有领地。另外，各藩大名家臣的情况则因藩而异。九州、东北的大藩，比如萨摩、肥前、肥后、仙台藩的家臣拥有自己的领地。但是，据江户中期记录大名家来历和现状的《土芥寇雠记》所载，1690 年在 243 个藩中，占 83％的 201 个藩的家臣没有领地。

对于即使拥有领地的旗本和诸藩少数家臣来说，也不能像西欧地方领主一样，住在自家庄园中行使领地立法权、行政权、裁判权、税收权。他们集中住在将军或者大名的城下町，因此对领地的权利仅限于年贡征收权。17 世纪中期，各藩推行“平均免”改革，实行全藩统一年贡率。年贡率由藩政府决定，所以他们几乎丧失了对领地的直接权利。

另外在西欧各国，骑士可以同时宣誓对多个主君效忠，接受封地，拥有多个领主。但是江户时代的日本不允许对多个领主效忠，严格遵守一君一臣的原则。将军和大名，在各自领地范围内拥有专制主权者的“公仪”地位，同时拥有集中土地所有权。从这点来看，他们类似于亚洲封建国家专制君主。他们从领地内的直接生产者手中征收地租和赋税合二为一的年贡，也正是这种地位的经济表现。

西欧各国领主和属国的关系，也是支配和从属关系、契约关系。如果一方打破契约规定的话，另一方可以反对，甚至还可以解除主从关系。即使作为最高领主的国王，也必须相互制约，遵守契约。另一方面，江户时代的日本根据土地授予关系结成的封主和封臣间的主从关系中，封主占有绝对性地位，封臣的权利和义务均由上级领主决定。由历代将军颁布的《武家诸法度》《诸士法度》以及各种藩法，绝大部分都是由上级领主单方面制定的。封臣和西欧骑士一样，不允许自主解除对领主的从属关系，不能同上级领主相对抗。

比如江户时代有一个通行于日本全国各地“奉公构”制度。“奉公构”规定原主家可以禁止自己的家臣和其他主家结成主从关系。宽永九年(1632)幕府颁布的《诸士法度》中规定“构有之奉公人，不可抱置”(不可雇佣有奉公构之奉公人)。宽永十二年(1635)《武家诸法度》中规定“本主之障有之者，不可相抱”(不可雇佣有本主者)。①

最能体现日本封主优越性的是封主可以任意找借口，以违反幕府法令、无子嗣、继承斗争、管理不完善等为由对封臣领地进行改易、转封、回收。和日本的这种情况相比，西欧擅自收回封臣领地的情况极其少见。

简而言之，江户时代日本和中世西欧各国相类似，以封主和封臣的主从关系、恩给关系为基础形成了土地所有等级构造，同时上级领主强大的支配权甚至可以和亚洲最高地主相比肩。因此，我们可以将江户时代的封建土地所有组织看作是半欧洲、半亚洲模式，兼具西欧和亚洲封建社会的特征，可以说具有“特殊日本模式”的特色。

---

①『日本思想大系 27　近世武家思想』，岩波書店，1974 年，第 457、463 頁。

但是,江户时代"特殊日本模式"的土地所有组织,在商品经济渗透上比起西欧领主制要更加强化,而比起中国的地主制则要相对弱些。中国不像日本那样具有土地所有等级构造的限制,允许土地私有和买卖,可以说这是中国地主制所开创的模式。通过地主和商人、高利贷资本之间的相互转化,土地权和货币权之间的矛盾得以缓和,商业、高利贷资本对土地经济的破坏和解体作用削弱,形成了三位一体的经济力和政治力,而强化的中央集权国家作为其总体而存在。另外,中国的地主制得以从官员和富裕农民中补充新人。也就是说,土地所有的流动性和开放性反而为地主制带来了稳定性。同时,作为地主制"细胞"的地主个人,因为商品经济的渗透、战乱、经营不善,经常会出现破产的情况。但是通过土地所有权的流动和转让,也就是说通过"细胞"再生,地主制得以存续下去。

但是,日本江户时代幕藩领主制是封闭性的体制,缺少土地所有的流动性和类似于中国地主制的再生活力。因此,随着商品经济日益发展,土地权和货币权之间的矛盾日益激化,土地所有等级构造的壁垒也日益增大。但是,领主阶级和商业、高利贷资本没有结合起来,即没有形成土地权和货币权紧密联系的手段。通过养子制度以及武士身份的买卖,商人以及高利贷资本家摇身一变成为武士身份的例子也不在少数,但是做梦都不能加入幕藩领主之列中去。在这种制约下,幕藩领主制不能利用商业、高利贷资本的经济活力为日渐瓦解的组织注入新鲜血液。

江户时代土地所有等级构造的封闭性,不仅无法维持自身的稳定性,反而因为各自细胞的衰退和不可再生性,导致稳定性减弱。当然,江户时代的商业、高利贷资本和土地权相结合的道路也不可能就此被封锁。17 世纪末期到 18 世纪初期,一部分商人通过新田开发和购买农民的土地成为新生的寄生地主,一部分富裕农民也成为寄生地主。但是,日本的新兴寄生地主制不同于中国的地主制。

中国的地主制是中国封建社会体制的基础,日本的新兴地主制是日本社会资本主义要素发达的产物，具有对幕藩领主制依存同时对立的二重性。寄生地主们依赖于封建领主的权力实行经济外部强制，榨取佃农的剩余劳动。比如，1726 年幕府曾颁布过如何处置佃农滞纳佃租的法令。[①] 其处置的后果是地主必须向幕藩领主缴纳“御用金”，在这种形式下地主成为幕藩领主制的财政来源。

寄生地主作为农民和领主中间的榨取者，地主所收取的佃租和领主所收取的年贡以及其他剥削总额成反比关系。寄生地主制通过蚕食领主的收入弱化了领主经济，同时在农民剩余劳动分配上形成了两者的对立关系。另外，新生寄生地主事实上的土地所有权并不是经过幕藩领主正式承认的，因此领主权力下的任意剥削及非经济性给寄生地主的收入带来了很大影响。所以，某种程度上寄生地主对幕藩领主制有可能持反对态度。而且，江户时代的日本并没有形成像中国一样统一的、巨大的封建土地所有者的经济力和政治力，江户时代的土地所有等级构造的稳定性和坚固性成为不及中国地主制的一个重要原因。

随着商品经济的渗透，江户时代的土地所有等级构造中受影响最大的是下级武士。他们不能像中国地主一样占有私有土地，也不能像西欧骑士一样占有领地。而凭借很少的俸禄支撑在城下町的生活消费绝非一件易事。出现财政危机时，幕藩领主会削减下级武士的俸禄，他们就不得不寻找别的出路。也因为这样，有的转变为商人、工匠、教师、医生等，或者兼职从事这些行业。从封建土地等级构造的经济制约中脱离出来后，他们就有可能成为日本封建社会的反对派。比起中国的中小地主，江户时代的下级武士更容易从封建土地所有组织当中分化出来。这也是江户时代土地所有等级构造的稳定性和坚固性不及中国地主制的原因之一。

---

① 大石慎三郎：『封建的土地所有の解体過程』，御茶の水書房，1964 年，第 104、105 頁。

第二节　小农经济的特征

前述幕藩领主制的土地所有组织，仅仅代表了封建支配阶级，即土地所有者的内部关系。我们需要另从土地所有者和直接生产者的关系层面来探讨一下江户时代幕藩制社会的特征。

从土地所有者的幕藩领主和直接生产者的农民之间的关系来看，幕藩领主直接对小农进行支配和剥削是江户时代幕藩制封建社会的特征。但是，江户时代的小农经济兼具欧洲模式和亚洲模式小农经济的特征。

西欧各国发达的小农经济形成于12世纪以后。从12世纪开始西欧领主们逐渐放弃公田经营，将土地借贷给农奴，征收实物地租。由一夫一妻制家庭经营的小规模农业，成为农业生产的主要方式。另外通过收回农民的武装权，农民的身份开始固化。比如，1152年德意志颁布的帝国和平法令，禁止农民携带枪支和弓箭。农民失去自卫力和武装力，也是导致农民必须依附于领主的重要原因。由此，庄园农奴和自由农民之间的身份差别逐渐消失，同样沦为中世的农奴身份。①

另外地租形态的变化也带来了其他重大意义上的变化。第一，随着农奴对领主的人身依附关系变缓，两者的契约关系从人的关系转变为物的关系，领主不完全占有直接生产者这一根本性封建关系也悄然消失。第二，农村共同体力量削弱。第三，农奴可以自由支配所有劳动时间，被剥削的量和范围也相对固定。这些变化对提高农业生产作用很大，进一步促进了农民阶层的分化。也正是通过这些变化，出现了货币地租形式(比如十四世纪的英国)以及封建制瓦解的前兆。

即使在中国，小农经济也一直是农业经营的主要形式。但是作为直接生产者的农民有两种类型。一个是自耕农，另一个是佃农。清朝自耕

---

① 豊田武:「日本の封建制社会」，吉川弘文館，1980年，第119頁。

农人口所占比例达30%—40%。[1] 自耕农的土地属于私有地，可以自由分割、转让、买卖。而且自耕农是国家编户制下的农民（登录在籍的农民），需要向国家缴纳赋税，承担徭役。另一方面，佃农耕作地主的土地，必须缴纳实物地租（佃租）。但是佃农也和自耕农一样，都是国家可以直接支配的国家编户制农民。根据法律规定，自耕农、佃农、地主的身份都是"良人"，具有平等关系。

17世纪的日本以一夫一妻制家庭劳动为生产单位，独立经营一町左右土地的小家族经营农民大量出现。土地耕作面积不等，但并非是他们的私有地。他们对土地的权利仅仅是拥有世袭的耕作权，不能自由分割、转让、买卖，其本质只不过是为领主耕作的零散土地。他们自身也是土地的所属物，想更换领主时必须转让土地权。他们和领主之间存在着农奴特征的人身依附关系，并向领主缴纳实物年贡，提供赋役。

从土地权不是私有权，将实物作为地租的主要形式，和领主之间依然存在人身依附关系这几点来看，日本的小农经济确实和西欧模式的小农经济具有相似性。但是从前述内容可以得知，断言日本的小农经济是欧洲模式似乎有些草率。

从结果来看，江户时代的小农经济以货币地租作为地租的主要形式，形成了资本主义的大农经济，但并未直接导致封建制的瓦解。带来这种差异的主要原因是江户时代小农经济形成的前提、领主的经济剥削、经济外部强制形式和强度等与西欧是有差异的。上述因素也体现出了江户时代小农经济的亚洲特征。

日本的小农经济得以广泛存在，并非和西欧一样缘于经济发展和社会矛盾的自然走向，而是织田信长、丰臣秀吉以及江户时代的幕藩领主利用作为"公仪"的国家权力或者是领国权力，培养和保护小农经济系列政策的早产儿。这样理解或许更为贴切。

日本从14世纪开始出现了小农的自立化，但是多数小农受到"地

① 冯尔康、常建华：《清人社会生活》，天津人民出版社，1990年，第15页。

侍”小领主或者“名主”家长制大家族的制约。进入16世纪末期,状况开始发生变化。丰臣秀吉多次实行全国规模的“检地”以及“一地一作人”的制度,承认小农作为土地直接生产者的所有权,并将其登录到“检地帐”中,直接向领国“公仪”的大名领主缴纳年贡。

这些措施以及兵农分离政策,加速了小农自立化的进程,促进了一夫一妻制小家族从“名主”大家庭和地方小领主(“地侍”)的束缚中脱离出来。进入江户时代后,幕藩领主继续实施丰臣秀吉时期的政策,幕藩领主作为直接“公仪”,完成了对小农进行剥削和支配的体制。这些独立小农基本上都是登录在“检地帐”中的“本百姓”。在他们的独立经济力尚未成熟的情况下,丰臣秀吉和江户时代的幕藩领主通过上述政策使其登上历史舞台。

另外,从经济外部的强制形式和强度来看,实物地租阶段下的西欧经济外部强制,不是通过领主进行直接强制,而是通过法律加以规定。亚洲各国中依然存在所有臣民从属于国家君主的形式,由国家权力实行经济外部强制,国家权力参与经济。而且,这种经济外部强制绝大多数都是以村落共同体为媒介而实现的。

绝对王权时代以前的西欧封建国家,几乎不具备重要的政治、经济职能。与此相对,亚洲式的国家权力则通过担当部分生产管理职能应运而生。亚洲的国家权力作为最高地主君临天下,大肆参与经济是其主要特征。

在江户时代日本幕藩领主作为“公仪”,和亚洲君主一样行使国家权力,制约小农的土地和人身自由,直接干预小农生产和生活。幕藩领主经常颁布法令,禁止农民外出逃亡和务工。一经发现,小农就会受到严惩。1643年,幕府颁布了禁止买卖土地的法令(永久买卖耕地处罚)。1673年,禁止二十石以下的名主、十石以下的百姓进行继承分割。幕藩领主事无巨细,从农民的生产到衣食住行都要进行干涉和制约,这在世界史上也是极其罕见的。比如,1649年,幕府颁布农民守则三十二条(庆安御触书),规定“早起,除草,昼耕田,夜结绳、编草”,“百姓应守衣服之仪,除麻棉之外禁用腰带与里衣”,“以杂粮为主,以麦、粟、稗、茶、萝卜等制作杂粮,应尽量少食稻米”,“遭遇饥馑之时,大豆之叶、赤豆叶、豇豆叶、芋头落叶等随意扔掉实为可惜”,“禁止只买酒茶”,“禁止购烟”,“宅院之前庭要打扫干净,宜坐北朝南”。① 有一部分藩不仅规定作物品种、耕作日程,甚至连下地时间都作了相关规定。

江户时代日本“村惣中”或者“村中”这些传统的农村共同体得以存续。日本小农的经济力较弱,水田耕作必须依赖公共水利设施和山林肥料资源。因此,当时的农村共同体某种程度上保留了亚洲农村公社的生产功能和公有地的残余。比如绝大部分山林都是“入会地”。“入会地”的使用(草木收割时间、用具、方法等)也由村落决定。另外,农业用水的管理(水路的疏通、排水的时间、用水的数量)由全体村民负担。在上述和村民生产生活息息相关的功能之外,一部分农村共同体还具备独立的自治体功能,具有自卫、自检断(刑事事件的检查、断罪)职能。②

幕藩领主为了对农民实行一元统治,试图解体“村惣中”,但由于农民和共同体的抵抗,最终没有达成。③ 因此,幕藩领主不得不利用农村共同体,将其作为支配农民的媒介。在年贡的缴纳上实施以村为缴纳单位的“村请制”,年贡和赋役实行定量化,而这个量由领主和农民商量之后决定,村共同体按照农民用地石高进行分配。④ 村里如有年贡滞纳人员的话,领主会追究到村役人(庄屋[名主]、组头[长百姓、年寄]、百姓代)。幕藩领主在任命庄屋以下的村役人时,首先进行“村内相谈”,接下来由领主进行任命。⑤ 村落共同体是农民为维持生产生活所必须服从的团体,同时也是国家支配的末端组织,还是抵抗农民权力的据点。

从江户时代的土地所有者和直接生产者的关系来看,日本的小农拥有和西欧农奴一样不自由的身份和阶级地位,同时直接隶属于“模拟的”

---

①『史料大系　日本の歴史　第4巻　近世』,大阪書籍,1979年,第285—288頁。

②『講座　日本歴史5　近世1』,東京大学出版会,1985,第68頁。

③ 同上,第136頁。

④ 同上,第72—74頁。

⑤ 同上,第140—142頁。

亚洲君主——幕藩领主，被束缚在亚洲共同体中。因此他们和西欧的庄园农奴或者说之后的契约制农奴，和亚洲农村公社的农民或者说更加自由的中国国家编户制的农民都有所不同。江户时代的小农被称作“国家农奴”，适应其半欧洲、半亚洲的特质。

和西欧各国相比，江户时代的小农经济力更弱，而外部经济强制却更强。另外因为长期受村落共同体制约，江户时代的日本没有产生和西欧各国一样的小农经济，而是和英国的小农一样较早地从封建领主束缚当中脱离出来，进而出现内部分化，产生了农业资本家和自由雇佣劳动者，但是没有形成农业资本主义。

但是日本的幕藩领主对小农的剥削程度不及中国的封建地主和专制国家。因此，日本学者所说的日本小农经济中形成“农民剩余”的可能性要比中国大。而且中国的地主制经济并未和西欧的领主制经济一样，将农奴作为经济的必要条件。因此，地主阶级以及国家权力的过渡掠夺，经常超过剩余劳动的限制，剥夺农民的必要劳动部分，破坏农民的单纯再生产，甚至剥夺农民赖以生存的手段。

而日本幕藩领主的存在以“国家农奴”小农经济的存在为前提。也就是说，幕藩领主的收入必须依赖“本百姓”缴纳的年贡。所剥削的年贡超过一定界限的话，不堪忍受困苦的农民（以及所有村民）逃散到其他藩或者都市的情况就多有发生。由于幕府法令禁止自由收容其他藩的农民，所以领主的收入呈现出减少的趋势。

农民的“逃散”“诉讼”“强诉”以及“一揆”等斗争的基本要求是减少年贡。各藩领地有限，没有形成像中国一样强大的中央集权权力，因此农民斗争不仅会带来强烈的冲击，还往往成为幕府领地转封、改易、没收的理由。为避免这种事态的发生，幕藩领主对农民的剥削必须控制在一定限度之内。所谓的一定限度指的是剥夺小农的全部剩余劳动，尽可能不剥削其必要劳动部分，保证可以维持他们的单纯再生产。这一事实从年贡率的变化中也可以看出来。

根据现存六藩一幕领的统计资料来看，17 世纪的年贡率并没有一直保持上升。虽然时有上下浮动，但是从总体来看呈现出下降趋势。[①] 这一趋势一直持续到 18 世纪和 19 世纪。从幕领的年贡率来看，最高的 1751—1755 年间的平均值为 38%，最低的 1731—1735 年间的平均值为 30%，并以此为界限上下浮动。[②]

另一方面，农民依靠村落共同体进行水利工程和新田开发以增加财产，同时以村落共同体为据点与幕藩领主进行合法及非合法斗争，努力使村落或者农民手边保留一部分财富。这种通过农民自身的财富积累方式，使农民从村落共同体中脱离出来，拥有了得以独立的经济能力。从元禄到享保年间共有山林被分配到各农家，在农民中出现了“家产”的概念，都是农民从村落共同体中脱离出来试图独立的表现。[③]

另外幕藩领主作为“公仪”，其土地所有是通过村落共同体从农民手中征收地租和国税合二为一的实物年贡得以实现的，不像中国地主一样拥有明确的土地私有权。

伴随着江户时期日本农民斗争的高昂，农民独立倾向的强化以及商品经济的发达，幕藩领主对土地的控制不得不日渐趋缓。其结果是幕藩领主不再全部剥夺包括农民商品化农作物在内的所有剩余劳动。同时农民世袭的耕作权（所有权）也变成日本学者所说的“事实上的农民所有权”。[④] 对于“农民剩余”的形成和日本农业近代因素的发展来说，这些都是有利的条件。但是尽管出现这种情况，由于种种原因制约，日本的小农经济最终未能突破规模化经营的窠臼，未能诞生资本主义的大农经营。

第三节　都市商品经济的特征

在世界各国封建社会史上，都市所具有的独特特性和作用对该国资

---

① 古島敏雄編：『日本経済史大系 3』，東京大学出版会，1965 年，第 268、269 頁。

② 古島敏雄編：『日本経済史大系 4』，第 14 頁。

③『講座　日本歴史 5　近世 1』，東京大学出版会，1985 年，第 146 頁。

④ 津田秀夫：『幕藩制の動揺』，学生社，1977 年，第 24、260 頁。

本主义的形成带来过重大影响。西欧中世中期以后，都市成为工商业的中心地区，而其中的大多数都市也正是因为有程度上的差异才得以成为自由的自治都市。这些都市成为资本主义生成和发展的起源地以及活动的舞台。而亚洲各国的都市是政治统治的大大小小的中心地带，还是贵族以及官僚的消费场所，不存在自治运动。在亚洲各国都市中，资本主义的形成是极其困难的。但是，战国时代的日本却曾发生过欧洲模式的都市自治运动。奈良、平安时代的奈良和京都是亚洲的政治都市，进入镰仓时代后都市的发展渐趋缓慢。到战国时代，都市的发展加快，据说达到了 500—600 个。①

这些都市可以分为京都奈良等旧政治都市、国内外新兴贸易都市、较多的地方型都市以及战国大名的城下町四种。前三种类型的都市中，比如京都、奈良、宇治、山田、大凑、桑名、博多、热田、尼崎等都市曾试图摆脱领主权力而开展过自治运动，并创立过各种形式的自治、自卫组织，得以回避了战国时代的战乱。

这种自由都市的典型代表是堺。1419 年，堺获得了“地下请”的权利，开始走向自治道路。创立于 15 世纪 70 年代的自治市政组织“会合众”，最初只有 10 人，之后增加到 30 人。堺除拥有民事裁判权、“德政”权之外，还拥有雇佣兵武装，战乱时代维护秩序与和平。当年滞留于日本的葡萄牙传教士写道：“像威尼斯小城一样，这里由执政官进行治理。”②和西欧的自治都市相比，以堺为主的日本自治都市虽然规模很小而且力量薄弱，但是类似于欧洲模式的自治都市。如果这样的趋势一直持续下去的话，日本的历史定会是另一番模样。

但是随着战乱的平定，新一代统一者织田信长和丰臣秀吉是不会允许这种自治都市长期存在下去的。因织田信长实行军事迫害，堺于 1570 年承诺缴纳两万贯军费并解除武装，逐渐丧失了自治权。尼崎、平野、坚

---

① 原田伴彦：『日本封建制の都市と社会』，三一書房，1978 年，第 169 頁。
② 参考豊田武：『堺』，東京至文堂，1978 年，第 169 頁。

田、坂本等都市也相继臣服于织田信长，走向了和堺同样的命运。丰臣秀吉以及之后的德川幕府，在商业和海外贸易管制上投入了很多精力，京都、大阪、长崎也都成为其直辖领地。战国时代形成的都市几乎全部衰败，其中一部分成为大名的城下町。从此之后江户时代的日本不再有自治都市，只有极少数地方都市在藩的监视下实行有限的自治。[①]

随着都市的发展，到江户中期，在一部分都市当中出现了由相对平等关系所结成的都市共同体。比如一部分港町中开始实施“町年寄”选举制，新兴工商业者组织“株仲间”。“株仲间”作为幕藩领主管制生产和流通的手段，同时也成为工商业者寻求自治、对抗领主的据点。

另外，在一部分町内出现了“惣町”，成为新兴都市共同体。这些新兴都市共同体的形成经常和对领主的抵抗联系在一起。比如，1786 年近江八幡的中小町人联合起来，选举出 13 名“年寄代表”，要求对町账簿进行审查以及“惣年寄”退出历史舞台，仅在某段时间内，实现了由“年寄代表”主导的自治权。在大凑等都市中，町人抵抗封建领主的压迫，取得了选举权以及其他自治权。[②] 战国时代都市中所出现的欧洲要素在江户时代中期以后的城市中再次得以出现。[③]

但是将日本的“株仲间”和西欧行会或者中国的“行”（又叫“行会”）相比的话也饶有兴味。西欧行会对自治都市的行政产生过较大影响。在一部分西欧都市中，商人行会成员作为都市贵族具有很大影响力。而中国的“行”产生于唐代城市当中，发展于宋代，并在明清年代达到鼎盛。“行”的主要功能是管制商品价格和薪金，都是以保护同行者的利益为主要目的。另外，“行”还是专制国家掠夺工商业者利益的主要手段。“行”不是全国性的组织，每个都市里也都没有成立过自治组织，所以对于地方行政几乎没有任何影响力。相对于此，日本的“株仲间”虽然没有像西欧行会那样对都市行政产生过重要影响，但是也拥有较大程度的自治，

---

① 豊田武：『日本の封建制社会』，吉川弘文館，1980 年，第 175 頁。

② 同上，第 177 頁。

③ 原田伴彦：『日本封建制の都市と社会』，三一書房，第 275—279 頁。

甚至有可能成为和领主权力相对抗的据点。

另外不可忽视的一点是中日两国的封建主阶级对都市商品经济的依存度有所差异。江户时代日本领主阶级对商业、高利贷资本的依赖程度明显比中国地主阶级要高。

封建主阶级从农业和农村中脱离的程度和他们对商品经济的依赖程度是成正比的。明清时代的中国，皇室、贵族以及大部分士绅（身份地位很高）地主以外的庶民地主，尤其是中小地主，依然生活在农村。他们的生活物资基本是通过对佃农和雇农的压榨而获得的，对商品和货币的需求是次要的。相对于此，江户时代所有统治阶级——将军、大名、武士（少部分"乡士"以外）在都市中过着寄生生活。他们如果不把从农民手中获得的以米为主的实物年贡卖掉换成货币的话，就无法维持都市消费生活。另外，在严格的身份制度下武士阶级以商品买卖为耻，大名和旗本将收藏品的保存和买卖，佣金的回收等业务委托给大阪和江户的富商以及高利贷资本。这些人分别被称为"藏元""挂屋""札差"。领主所收取的年贡首先通过商人得以商品化来换取货币。为了应对日渐深刻的财政危机，幕藩领主不得不认可商品农业的发展，这种状况也促进了日本社会商品经济的发展。

17 世纪到 19 世纪中日两国农业生产力的水平差距很大。但是从上述内容可知，中日两国的支配阶级对商品经济的依存度受到两国商品经济发展程度的影响。商品经济发展的深度和广度的差异主要表现在，18 世纪以后的日本突破了地方小市场的限制，市场扩大到了全国规模，生产、生活资料的流通也发生了很大变化。尤其是农民的商品农作物在全国商品流通过程中占了很大比重，但是当时中国尚未达到日本的水准。

江户时代特有的"参勤交代"制度也对全国市场的形成和发展产生过重大影响。参勤交代是德川幕府为实行对大名的统治，要求全国的大名中除去一部分特殊大名，其他都要隔年往返于江户和自国间的制度。结果是大名将妻子作为人质留在江户，同时还必须支付江户和自国往来所需费用以及维护江户宅邸的庞大支出。

为筹措这笔庞大的费用，仅在藩内市场变卖年贡就很困难。以大阪为中心形成的全国市场，在各藩年贡米和特产的流通上发挥了重要作用。随着商品农作物生产的日益扩大，大阪以"天下厨房"为名成为全国最大的商业地。根据1714年的统计，流向大阪的物资共有119种，涉及金额总计286000贯。除米之外的物资，从所占金额来说药品最多，木材、干沙丁鱼、纸张、铁器等物资居于其次。外销品有91种，涉及金额总计高达95000贯。从主要商品品种来看的话，主要有棉布、菜籽油、棉籽油、长崎铜等。①

19世纪初期，年贡米输入量所占比例逐渐下降，从1715年的35.8%下降到15%左右。② 这表明农民的商品性农产品已经成为全国市场流通的主要内容。

江户作为政治都市、消费都市，需要从大阪等城市获得物资。地方城市也为维护全国各地商品流通而得以发展。这样就形成了以江户、大阪、京都"三都"和各地都市为主的全国性市场。最初在全国商品流通中主要是消费物资，后来加入了生产物资，逐渐形成了市场分工。③ 比如18世纪以来，在纤维领域京都的技术远远凌驾于其他地区之上，占据压倒性的绝对优势。陆奥的伊达、信夫，关东的生野、信浓生产的大部分生丝都运往京都。虽然存在地区差异，但象征着日本各个地区已经进入全国性的商品流通阶段。

但是在中国的明清年间，地方小市场仍然是市场结构的主体。当然，地区性市场以及大市场和偏远地区之间并非没有开展贸易。但是从总体来看尚未打破地方小市场的限制。除去东南沿海地区，内陆地区尤其明显。④

通过上述日本和中国状况的比较，可以说在参与全国性商品流通的

---

① 脇田修:『近世封建社会の経済構造』，御茶の水書房，1963年，第261頁。

② 中村哲:『世界資本主義と明治維新』，青木書店，1978年，第32、33頁。

③ 脇田修:『近世封建社会の経済構造』，第330頁。

④ 方行:《中国封建社会的经济构造和资本主义的萌芽》，《历史研究》，1981年第4期。

地区差异上中国要比日本大得多。而且在中国参与商品流通的主要是消费物资，农民的商品性农产品所占比重并不大。这也正是中国生产领域的地区分工不像日本那么发达的原因。

简而言之，比起中国，江户时代都市及商品经济的特征对于资本主义的产生和发展更加有利。

第四节　集权势力和分权势力的均衡

江户时代的幕藩体制，既是土地所有组织，也是剥削直接生产者剩余劳动的组织，同时还是国家政治权力的组成单位。但是江户时代的这种国家权力构造也具有半欧洲、半亚洲模式的特征。

西欧各国的封建权力机构，以王权的衰落和权力的分散为特征。欧洲中世很长的历史中，封建领主作为自己领地的支配者不仅具有立法权、裁判权、行政权、税收权，还具有自己的武装组织。他们上面没有专制君主的统治，王权触及的地方仅仅是国王的直领地。中世晚期进入绝对王权时代之后，强大的王权以及中央集权政治才得以确立。而在亚洲各国，政治、经济、军事、宗教等所有领域一直存在着拥有绝对权力的专制君主。尤其是 15 世纪到 17 世纪的亚洲可以说是“专制国家的争夺、抗争的时代”。① 这些专制国家的君主，通过控制强大的官僚机构和军队实行对中央集权的支配。

和西欧以及亚洲各国不同，江户时代，日本的中央集权势力和地方分权势力在相互对抗的同时，还保持着相互依存的关系。两者的力量均衡，在中央权力的统一管理下实行地方分权政治。

在日本，德川将军是全国的最高统治者，是中央集权势力的代表。将军通过幕府官僚机构，对直领（“天领”）进行直接统治，同时还控制着全国。幕府政治的重点之一是控制离心势力的“外样大名”。外样大名

① 『講座　日本歴史 5　近世 1』，東京大学出版会，第 8 頁。

原本是守护大名、战国大名，或者是织田信长和丰臣秀吉的家臣。关原之战后不得已而归顺德川氏。这些大名们即使降服德川氏，但是仍有反抗之心。他们（如萨摩、长州、肥前藩大名）的领地广阔，并且位于边境，对其统治绝非易事。因此，德川幕府费尽各种心思试图强化对他们的统治。其手段之一就是找各种借口，对大名领地进行改易、削减、转封。在外样大名的领地中巧妙设置谱代大名，监视并牵制外样大名的各种行动。还实行和人质制度相类似的"参勤交代"制度，并通过锁国剥夺大名的对外贸易权和外交权。

从以上观点可以看出德川幕府对全国的统治，比起西欧贵族民主制时代的封建王权要强化得多。但是和西欧的等级君主制以及绝对王权制时代下不断强化的封建王政相比，仍然有些差异。西欧的等级君主制是和封建王权、市民等级代表也可参加的等级代表会议同时存在的政权。西欧的绝对王权是在资本家阶级和封建贵族均衡的基础之上所形成的权力。而江户时代的将军所拥有的封建权力并不具备同样的阶级基础，原因在于当时日本并不存在强大的市民等级以及资本家阶级。但是，德川将军的这种强大权力，既有和亚洲专制君主相类似的地方，也有很大差异。

首先，德川将军对于各藩领地并不拥有直接行政权力。与此相对，亚洲专制君主（比如中国的皇帝）的权力可以通过其官僚机构直接触及国家各个角落。江户时代，日本的各藩政府是为支配大名领地所设的行政机构，并非是幕府的地方行政单位。藩政府成员由大名任命，和大名结成个人主从关系。将军如果不通过大名则无法实现对全国的支配。在这种全国支配体制下，各藩原则上必须采取和幕府政策、法令相一致的政策。比如 1635 年颁布的《宽永武家诸法度》最后一条中规定"万事如江户之法度，各国各地应严格遵守"。① 但是，各藩根据时间和场合不同，需要变更其政策和法令的实施办法。各藩大名，尤其是外样大名，拥

① 『日本思想大系 27　近世武家思想』，岩波書店，1974 年，第 457 頁。

有在其领地内制定政策和法令的相对独立性。比如为禁止基督教，幕府于1664年在各藩设置专门役人，每年开展“宗门改”的调查，令其编成“宗门改账”。但是在萨摩、土佐、长州各藩似乎并未编录“宗门改账”。①

另外，德川将军不具有和亚洲专制君主一样的神人同格的身份。在亚洲封建社会，专制君主以及其政治都被神格化。专制君主常常兼具高级祭司、上帝之子、人和神的媒介者等身份。西欧封建君主始终是人的君主，并未达到神人同格的地位。但是在日本，具有神格的是天皇，并非德川将军。江户时代的天皇虽然没有实权，但仍被看成众神中的最高神天照大神的子孙。1615年7月，由幕府颁布的《禁中并公家诸法度》中规定“天子，诸艺能之事，乃第一大学问也”，使天皇从政治活动中脱离出来，但是天皇仍然保持了传统的神的权威。从形式上看，德川家康“征夷大将军”的称号也是由天皇所赐。因此，有学者指出天皇和将军的关系，类似于中世西欧罗马教皇和国王的关系。② 但是不可忽视的是德川家康死后，天皇曾赐给他“东照大权现”的神号。之后，包括日光在内，全国各地都开始建造东照神宫。一部分幕府的御用学者鼓吹东照宫信仰，将家康作为日本守护神进行祭拜。③ 由此，德川将军首次具有了半神半人的身份。从这一点也可以看出德川时代国家权力机构所具有的半欧洲、半亚洲的特征。

江户时代的地方分权势力是各藩大名，尤其是外样大名。大名通过家臣组成的藩政府而对领地进行支配。大名的权力不是“私”权力，而是“公”权力。但是将军、幕府作为全国最高的“公”权力，原则上并不干涉各藩内政。各藩除拥有相对独立的立法权、裁判权、行政权、税收权之外，还拥有自己的军队。藩和藩的交流被阻断，在和他藩交界处都设置了关所和番所，限制向其他藩运输粮食以及其他重要物资，并且不能自

① 笠古和比古:『近世武家社会の政治構造』,吉川弘文館,1993年,第253頁。

② 豊田武:『日本の封建制社会』,吉川弘文館,1980年,第65、66頁。

③ 石田一良編:『体系日本史叢書23　思想史2』,山川出版社,1976年,第167頁。

由到他藩走动，和他藩的人通婚也有非常严格的限制。[①] 藩如同日本的国中之国。另外大名和亚洲其他国家的地方官僚不一样，其相对独立的权力和西欧领主权力相类似。但是大名的领主权受到强大的幕府权力的监视和限制这一点不同于西欧领主。幕府设置“大目付”一职，监视大名动向。另外，将军更替或者大名继承时，幕府会向各藩派遣“巡检使”或者“国目付”。根据他们的报告，幕府参与藩政，制造理由削减大名领地。[②] 此外，幕府还拥有越过藩境的刑事和民事诉讼裁判权，对各藩内部的纷争也拥有最终仲裁权。以上各点均表明幕府对各藩的行政权、裁判权拥有优先干涉权。

模拟的亚洲专制君主的幕府将军和拥有相对独立性的各藩大名既相互对抗又相互依存，表明江户时代政治构造具有半欧洲、半亚洲模式的特征。这种均衡状态持续了两百余年，到明治维新之前既没有发生过幕府和大名之间的战争，也没有发生过大名之间的私战。

江户时代的政治构造和亚洲各国的专制主义权力不同，对日本现代化的形成具有一定影响。比如，在中国，相对较早出现的中央集权的封建权力带来了“大一统”的局面。这种局面确实对经济、文化的发展起到了促进作用，但是其权力也阻碍了有组织的政治力量的形成和发展。每当发生内乱或者外患时，不允许采取与权力应对和对策不同的处理手段。因此，权力应对和对策一旦有误，必定会导致重大事态发生。比如，19 世纪 30 年代到 40 年代面对西洋列强的侵略，并非没有提出正确策略的有识之士。魏源、林则徐等人，熟悉西洋情况，提倡学习西洋各国“长技”（先进技术），同时还指导了禁烟运动（废弃鸦片运动）和反侵略战争。但是，道光皇帝的一纸敕令将他们的努力化为泡影。而相对于中国的这种状况，在日本，尽管幕府拥有强大的权力，各藩却也保持了决策的相对独立性。比如幕末期面对封建体制和民族危机，一部分藩响应民众和改

---

① 伊東多三郎：『日本封建制度史』，吉川弘文館，1955 年，第 264 頁。

② 児玉幸多：『大名』，小学館，1977 年，第 182—184 頁。笠古和比古：『近世武家社会の政治構造』，吉川弘文館，1993 年，第 245、246 頁。

革派的要求，和商品经济发展相适应，采取了与西欧列强威胁相对抗的政策。他们有组织地采取了和幕府不同的对策。另外，新兴政治力量在一个藩内部取得胜利，比在全国范围内取得胜利要容易得多。而且取得胜利的藩可以成为引领全国走向胜利的革命据点。幕末的长州藩就是一个典型例子。

欧洲资产阶级革命以封建权力机构的内部纷争为导火索。比如，英国的国会和国王之间的纷争，法国等级会议第三阶级（市民）和国王、贵族、僧侣的纷争都是典型的例子。也就是说，资产阶级依托封建权力机构的一部分，自发性地组织政治力量，开展更为有利的政治斗争。幕末的日本也是一样的。拥有革命志向的政治力量以长州等西南强藩作为据点，形成了有组织的势力。如果没有这种据点的话，明治维新就不可能取得成功。中日两国政治机构的差异，即是否从统治阶级内部分化出反对派，是否形成了采取革新政策的政治据点，都是近代中国和日本走上不同道路的历史原因之一。

第五节　多元的文化构造

西欧中世的文化是一元的。基督教作为国教，在很多国家的各个文化领域中产生了广泛影响，形成了独占教会文化和教育的局面。异端裁判所也对自然科学家以及异端思想家实施残酷的刑罚，同时还镇压教会的敌对者。据说西欧在 14 世纪到 16 世纪的两百年间，作为“祈祷师”（魔女）受到处刑的人数达到了 10—30 万之多。[①] 中世晚期，新兴市民的经济和政治要求不仅表现在“文艺复兴”上，还以“宗教改革运动”的形式表现出来。因此，西欧基督教文化的一元构造并未发生根本性的变化。

多神教作为社会基层信仰，在中国、朝鲜和印度没有受到像西欧一样残酷的异端镇压，但是亚洲各国的文化特征是主流文化占据优越性。

---

① 张绥：《中世纪“上帝”的文化》，浙江人民出版社，1987 年，第 190 页。

另外,文化上的专制主义也是亚洲各国的特征之一。中世后期这种文化上的专制主义日渐严酷,导致中世亚洲各国并没有形成真正意义上的多元文化构造。在这点上中国学者主张,中世的中国文化是“儒道互补”或者是“儒道佛互补”的文化。但是,儒学始终处于主流文化的位置,汉代以后从未失去过“官学”地位。明末清初西洋传教士在传播基督教的同时,也带来了欧洲的自然科学和技术。清朝初年康熙帝鼓励学习西洋先进的天文学和历法,让传教士修订历法。康熙帝自己也学习西洋的天文学和数学,著有《历象考成》《数理精蕴》。《数理精蕴》共 53 卷,主要内容是 1665 年以后传来的西洋数学知识。[①] 但是,康熙帝只不过是想利用西洋的天文学和数学知识,丝毫没有尝试变革中国传统文化构造的意愿。1717 年,康熙帝再次发布天主教禁教令,限制西洋自然科学和技术的传入。进入雍正帝和乾隆帝时代,两位皇帝以“天朝”自诩,丝毫不关心西洋各国的发展和西洋文化。他们还兴起“文字狱”,迫害知识分子。被处刑和受到牵连而被问罪的人数多达数万人。在这一时期,朱熹的《四书集注》仍然是科举考试的教科书,朱子学仍然占有不可动摇的官学地位。由此,多数知识分子热衷于科举考试和中国古典研究。乾嘉时代(乾隆、嘉庆二帝统治的时代)考证学的兴起正是上述时代背景的产物。中国在旧观念下,维持了儒学占据优越性的文化构造。

相对于中国而言,日本文化形成期的文化构造不是一元的。江户时代日本文化的多元构造继承了日本文化的这种特征。

将日本考古学、民俗学、语言学、社会学的研究成果进行汇总,可以发现日本文化以及日本民族在形成之初,已经同时具有了南方文化要素和北方文化要素。比如,公元前 3 世纪以后进入弥生时代,先前的绳文文化要素在东日本、西北九州、离岛等地方都仍有残留。另外,日本文化尚处在不成熟阶段,尤其在其价值观的理论形态尚未形成的 5、6 世纪,

---

① 闻性真:《康熙和自然科学》,《明清史国际学术研讨会论文集》,天津人民出版社,1982 年,第 954—958、971、972 页。

儒学和佛教经由朝鲜半岛先后传到日本。通过接触这些高度发达的文化成果以及不同的价值理论体系，当时的日本人在自身特有价值理论体系之上，对这些新理论体系进行批判性地选择取舍的能力尚不充分。因此，非理论的实用主义，即“有用性”成为对固有文化和外来文化进行价值判断的取舍标准。当下可以利用的东西就是有价值的东西，从而进行吸收并加以改造利用，不可以利用的东西就被当成是无价值的东西而遭到摒弃。因此，对于日本民族而言，文化始终是一种手段。不会像中国一样，将文化自身作为目的而守护其纯粹性。日本民族正是以这种“有用性”为基准，不间断地摄取多样性的外来文化并加以利用，形成了民族文化的多元构造。

比如，在奈良时代，神祇信仰（原始神道）作为民族宗教，其主要功能是证明天皇制政权在血缘上的正统性。佛教作为外来宗教，具有利用咒术来护持律令制国家，即“镇护国家”的任务，并担负起“祛病延年，安住世间”的作用。儒学在政治领域，对政治理念和官员的教养发挥了很大作用。儒、佛、神道三者在作用上各具独立性，因此才得以同时存在。当时的日本人并不关心这些信仰、价值体系在理论上的差异性，更重视其功效。

进入没有战争、以和平“偃武”著称的江户时代以后，德川家康已经认识到“武家之学文”的重要性。家康于1615年制定的《武家诸法度》中规定：“左文右武古之法也，不可不兼备矣。”①在家康看来，“文”首先包括“《论语》《中庸》《史记》《六韬》《三略》《贞观政要》，和书包括《延喜式》《东鉴》”。但是家康不仅仅注意到儒学，还说过：“内有石公、张良习悟秘术，外有信玄、谦信等习军法。”②他进一步重用佛僧、神道家，晚年多次在各流派的佛僧、神道家之间开展“御论议”，也接受过“御传授”。家康广泛吸收了各种思想和宗教并用于其统治。德川家康对于“文”的多元化认

---

①『日本思想大系 27　近世武家思想』，岩波書店，1974年，第454頁。

②『岩波講座　日本通史　第13卷　近世3』，岩波書店，1994年，第260頁。

识，对江户时代多元文化构造的形成产生了重要影响，同时还表明了日本文化的传统特征。

儒学多关注现世社会和政治以及人类道德等方面，其影响在江户时代日益扩大，但是也不能说儒学占据了主流文化的地位。即使是受幕府重视的朱子学，至少在“宽政异学之禁”以前，尚未确立其“官学”地位。

佛教有组织性的政治力和经济力，在16世纪受到来自织田信长的沉重打击。进入江户时代以后，德川幕府为镇压基督教，规定所有日本人必须归属“檀那寺”以证明其宗教信仰，同时还需要记录在“宗旨人别账”上。寺院发挥了搜罗基督教教徒的功能，作为德川幕府统治民众的末端组织，再次被利用。另外，佛教寺院还具有埋葬、作法事以及管理墓地的功能，和日本人的日常生活密切相关。

神道以及神社除了证明天皇权威的正统性之外，还充当着强化日本人与所属地区共同体合作的功能。另外，神社还是日本人举行祈福生产、丰收、繁荣等喜事的地方。

江户时代的大部分儒学者都提倡排佛论，但是他们反对的只是佛教思想，仍然认可佛教在丧葬祭礼当中发挥的作用。另外儒学者（佐藤直方、室鸠巢等极少数个例除外）也并不排斥神道。比如，林罗山提出“神道即王道”，山崎闇斋更是提倡“垂加神道”。但是，佛教也不反对儒学，开始提倡人伦道德。江户时代，儒学、神道、佛教以多种形式进行结合、共存，在德川幕府的统治秩序和日本人的精神生活、日常生活当中，各自承担着不同角色。

在中国和朝鲜，经学的地位比史学和诸子学要高。儒学通过科举制度和统治权力紧密联系在一起。因此在中国和朝鲜儒学内部，各学派经常围绕“道统”地位的获得开展理论斗争，而这些理论斗争往往发展成为政治斗争。相对于中国和朝鲜，日本儒学内部不管是对朱子学展开批判的中江藤树等阳明学者，还是山鹿素行、伊藤仁斋、荻生徂徕等古学派，以及朱子学派内部的相互批判，都和政治斗争毫无瓜葛，保持了各学派并存的局面。享保时代（1716—1735）以后，折衷学派曾风靡一时。当时，很多儒学者不仅研究各学派儒学，还研究诸子学，同时还兼修医学、本草学、兵学、神道学、国史学等。

享保时代以后，出现了儒学和兰学、国学的斗争。十六世纪后期，西班牙和葡萄牙的传教士和商人，给日本带来了名为“南蛮学”的欧洲文化。但是德川幕府的“锁国”政策使欧洲文化的传播陷入停滞不前的状态，这和中国的“海禁”政策非常类似。但是1720年，德川幕府第八代将军德川吉宗命令“弛禁”，欧洲文化的传播再度兴起。以长崎为窗口，通过荷兰人或者荷兰语书籍所介绍的欧洲学问和知识被称作兰学。另外，西洋传教士所编撰的西洋天文学、地理学和数学相关的汉籍也从中国输入进来。18世纪末到19世纪前半叶，通过兰学者师承相传，欧洲文化知识及医学、动植物学、天文学、地理学、数学等在江户、京都、大阪、名古屋、长崎等都市和地方上得以传播，在学界成为不小的势力。一部分儒学者虽然对兰学展开批判，但是一部分儒学者（比如怀德堂学派的五井兰洲、中井竹山、中井履轩等）学习兰学知识，逐步认可西洋技术的先进性。这些兰学者以及对兰学感兴趣的儒学者，都被西洋实用技术所吸引，而可以深刻理解西洋文化的内在精神，并以此为基础来批判封建时代日本现状的却只是极少数。18世纪末到19世纪二三十年代，幕府开始镇压兰学者，兰学被限定在科学技术范围之内，走上了为幕府权力所用的道路。幕府设立兰书译局，也是出于利用兰学科学技术的目的。到幕末，随着外部压力的增大，儒学者佐久间象山提出的“东洋道德、西洋艺术”论成为当时大部分知识分子的共识。兰学以及洋学也成为江户时代文化构造的一部分。

国学是从18世纪之初开始兴起的思潮，其代表人物有契冲、荷田春满、贺茂真渊、本居宣长、平田笃胤等。他们的思想当然有所差异，但其共同点是通过对《古事记》《万叶集》《源氏物语》等日本历史、古典文学的研究，探究日本文化固有精神的“古道”，并主张回归“古道”。但是，连本居宣长也没有放弃以“有用性”为价值基准的多元文化观。他认为：“儒者应治之事，应以儒治之。非佛者不可度之事，应以佛治之。是皆其时神道之谓也。”①

在日本文化实用主义的多元文化构造下，日本比中国更容易吸收西洋文化的先进成果，同时这也是其走向思想和文化现代化道路的原因之一。面对西洋文化的强烈冲击，多数中国知识分子将中华文化（特别是儒学文化）作为判断文明与野蛮、是与非、善与恶的唯一标准，并将西洋文化看作中华文化的对立物，进而将保护中国传统文化等同于“保国保种”。因此，东西文化的冲突在中国格外激烈，迈向现代化的道路势必会更加困难。另一方面相对于中国的状态，在鸦片战争尤其是“黑船来航”后，日本人认识到西洋科学技术以及社会政治制度的先进性之后，以其“有用性”为判断标准，开始积极摄取、利用西洋文化的成果，文化理想国也从中国转变为欧美各国。同时日本人也以“有用性”为基准对待日本传统文化，对其没有放弃，而是更好地加以保存下来。近代日本的文化构造仍然具有开放的、多元化特征。

简而言之，江户时代独特的政治、经济、社会、文化构造以及其半欧洲、半亚洲模式的特征，是日本比起西欧各国虽然迟缓，但比亚洲各国更早走向现代化道路的历史的、结构性的原因之一。

---

①『增補 本居宣長全集』第6，吉川弘文館，1937年，第129頁。

第二章　日本的朱子学及其现代意义

第一节　日本朱子学的特征

江户时代，日本儒学从附属于禅宗的状态中脱离出来并得以独立，继而迎来了全盛时期。

藤原惺窝(1561—1619)脱离禅宗，还俗并转向儒学，成为日本儒学独立的标志。藤原惺窝主要立足于朱子学，但对陆(象山)王(阳明)学也采取包容的、折衷的态度，同时也并未忽视旧儒学(汉唐训诂学)的作用。从这点来看，将藤原惺窝作为日本朱子学派开山鼻祖的看法并不妥当。

真正意义上的日本朱子学派开山鼻祖是林罗山(1583—1657)。林罗山不仅批判佛教、基督教，还对陆王学展开了批判。他还打破明经道博士独占儒学教学的传统禁锢，在京都开办儒学私塾，招收门人，讲解朱子的《论语集注》。这可以说是儒学教育民间化、公开化的嚆矢。

林罗山从1607年作为儒者受到家康重用直到去世，历仕四代将军。林罗山死后，其子林鹅峰为家塾起名为弘文院，自诩为弘文院学士。到第三代林凤冈时，五代将军德川纲吉在汤岛建立圣堂，任命林凤冈为大学头。之后，林家代代世袭大学头一职，独占掌管幕府文教政策的重要地位。

朱子学在地方教育中也占有优势地位。根据日本学者所做的统计，各藩校 1912 名教授当中，朱子学者占 1388 人，而直接出自林家学塾或昌平坂学问所的多达 541 人。① 到 18 世纪末期，“宽政异学之禁”之后，朱子学开始作为“正学”得到认可。

但是，日本朱子学在幕藩制国家中的地位，也就是说对日本朱子学是否成为幕藩制国家的“体制教学”“正统意识形态”这一问题，日本学者的评价意见纷纭。② 即使不承认朱子学是“幕藩体制正统思想”的学者，也不可否认朱子学具有适应当时体制的一面，提倡“适合和不适合，应当具体对待”。③ 笔者认为，在这些见解当中，衣笠安喜的看法值得探讨。衣笠指出：“林罗山的朱子学思想不足以应对幕藩制社会的现实。但作为幕藩制统治基础的身份制秩序以及身份制道德原理的存在，可以说是必要而且充分的。”④

朱子学派是近世日本儒学中最大的学派。关于日本朱子学的特征、社会功能，以及与日本现代化关系的研究是我们无法回避的课题。

日本朱子学由中国朱子学（以及朝鲜朱子学）衍生而来，并以其为原动力而形成。对于日本人来说，中国朱子学毕竟是外来思想，是植根于和日本有差异的政治、经济、社会、文化环境土壤而产生的思想体系。同时，人们往往是在固有思想基础之上来摄取外来思想，在其摄取过程中必然会产生“误读”。日本人在接收中国和朝鲜的朱子学时也一样，既有选择，又有“变容”，还有“误读”。因此，日本朱子学和中国及朝鲜朱子学

---

① 田村圓澄編：『日本思想史の基礎知識』，有斐閣，1974 年，第 280 頁。

② 丸山真男《日本政治思想史研究》（东京大学出版会，1953 年）、石田一良《德川封建社会和朱子学派的思想》（《东北大学文学部研究年报》第十三号下，1963 年）、三宅正彦《江户时代的思想》（《体系日本史叢書 23 思想史 2》，山川出版社，1976 年）等书中认为，朱子学“占有封建教学正统地位”，“是维护幕藩体制的神学”，“是幕府权力机构的组成部分”。而尾藤正英《日本封建思想史研究》（青木书店，1961 年）、渡边浩《近世日本社会和宋学》（东京大学出版会，1985 年）等主张朱子学不是幕藩体制的正统思想，不符合幕藩制国家的发展。前田勉《近世日本的儒学和兵学》（鹈鹕社，1996 年）认为“兵学是近世国家的支配思想”。

③ 渡边浩：『近世日本社会と宋学』，東京大学出版会，1985 年，第 28 頁。

④ 衣笠安喜：『近世儒学思想史の研究』，法政大学出版局，1976 年，第 9 頁。

相比，既有共同点又有不同点，其不同点也正是日本朱子学的特征。为明确解读日本朱子学的特征，有必要采取比较思想学的视角。

日本朱子学的特征，不是日本特定朱子学者或者学派的特征，而是超越朱子学者的个体差异以及各学派差异而形成的日本朱子学的系列特征。因此，为了弄清楚这一点，应该忽略某朱子学者或者某朱子学派思想中是否具有这一特征，有必要采取把握大方向的方法。

当然，日本朱子学的特征研究对于笔者来说难度很大。好在还有日本学者实证性的个案研究或者是综合考察，可以为笔者的论述提供参考。下文将在日本学者研究的基础之上，通过对中日朱子学进行比较，加上笔者本人的一些思考来尝试论述。

日本朱子学的第一个特征是，忽略了朱子学"理"的"形而上学"或者"超越的"一面。

"理"是朱子学的最高范畴，是内涵丰富的总括性范畴。朱熹的"理"包含很多内容。"理"作为宇宙的终极存在，具有形而上的、超越性的一面。朱熹说过："太极者，其理也"（《周易本义》卷三），"未有天地之先，毕竟也只是理"（《朱子语类》卷一），"先有理后有气"（《孟子或问》卷三）。但是，朱熹认为"理"只有通过"气"才能生成万物，认为"若气不结聚时，理亦无所附着"（《朱子语类》卷一）。理气论成为朱子学宇宙论和存在论的核心。但是朱熹又说"性即理"，在朱熹看来"理"是超越的，同时又是内在的。另外，"理"是道德标准，即"道理"，具有价值的特质。朱熹将"理"理解为"天地人物万善至好底表德"（《朱子语类》卷九十四）。理作为自然和社会万物的法则，也就是"物理"，具有经验的特质。他还说："至于一草一木一昆虫之微，亦各各有理"（《朱子语类》卷十五）。朱熹还提出"理一分殊"。如此一来，"理"成为包含连接宇宙、社会、人类普遍性和总括性的范畴。而体认"理"的方法，一个是从内部"居敬静坐"，另一个是从外部"格物致知"，即"穷理"。

但是研究表明，许多日本朱子学者并未全盘接受朱熹"理"的思想。例如，林罗山在 1614 年闰八月时，通过吉田玄之的引荐初次拜会藤原惺窝并入其门下。他当即向惺窝问起理气之辩，惺窝没有给出明确回答，只是说道："即使今日宋元名僧在场进行说明，也不及书上记录的详实。"①青年林罗山虽然算是了解程朱的理气论，②但是受到中国明代学者王阳明的影响，主张理气不可分，说过："或有理气不可分之论。胜（林罗山）虽知其戾朱子之意，而或强言之。"③林罗山到壮年时仍然非常关注王阳明的理气论。他写道："理气一而二，二而一，此乃宋儒之意。然阳明子曰：'理者气之条理，气者理之运用。'由之思焉，则彼（宋儒——笔者注）有支离之弊，由后学起则右二语，不可舍此（阳明的理气论——笔者注）而取彼也。要之，归乎一而已矣，惟心之谓乎。"④1621 年以后，林罗山才终于回归到朱子的理气论上，此后林罗山的言论中再未出现阳明的理气不可分论。他指明："今崇信程朱，乃以格物为穷理之谓也。"⑤他在《三德抄·理气辩》中指出："天地未开之先，开之后，常将理名为太极。此太极动则生阳，静则生阴。此阴阳之元共一气，一分为二也。……此理气相合，形之主者名为心。"⑥林罗山花了很长时间才认同了"理"形而上的、超越的特质。

林罗山殁后，只有很少一部分儒学者（比如佐藤直方）全盘继承了朱子的理气论，但这也属于例外。⑦ 田尻祐一郎认为，佐藤直方甚至有"过于强调'此一理'超越性，导致'气'之次元，'形'、'有形'的世界淡出直方视野的倾向"⑧。从林罗山以后朱子学派的整体走向来看，可以说分化成

---

① 『日本思想大系 28　藤原惺窩・林羅山』，岩波書店，1980 年，第 418 頁。

② 关于林罗山对"理"的理解，请参照石田一良：「林羅山」，『江戸の思想家たち』（上卷），研究社，1979 年。

③ 『日本思想大系 28　藤原惺窩・林羅山』，第 417 頁。

④ 『羅山林先生文集』卷 2〈卷六十八「随筆」四〉，平安考古学会，1918 年，第 400 頁。

⑤ 『日本思想大系 28　藤原惺窩・林羅山』，第 422 頁。

⑥ 同上，第 161、162 頁。

⑦ 友枝龍太郎：「熊沢蕃山と中国思想」，『日本思想大系 3　熊沢蕃山』，岩波書店，1971 年，第 549 頁。田尻祐一郎：「佐藤直方の『理』をめぐって」，源了圓編：『江戸の思想』，高崎哲学堂設立の会，1989 年，第 164 頁。

⑧ 田尻祐一郎：「二つの『理』——闇斎学派の普遍感覚」，『思想』，1988 年 2 号，第 42 頁。

为两个方向。一个是强调朱子学“理”的价值的、伦理的特征，比起“穷理”，更重视“居敬”。这个方向的代表人物主要有山崎闇斋及崎门学派的部分儒学者(佐藤直方除外)、大塚退野、幕末横井小楠、元田永孚等。山崎闇斋(1618—1682)坚持“学朱子而谬，与朱子共谬也，何遗憾之有”，以忠实于朱熹思想为己任，但也未曾全盘接受朱熹的理气论。高岛元洋在《山崎闇斋》一书中指出，山崎闇斋在《文会笔录》中较多地引用了朱熹《语录》《文集》中的“太极”“理”的相关论述。但是山崎闇斋在讲习时，以名为“四君子汤”的一剂“煎药”为例，说明了“理”和“气”的关系。他说：“白术、人参、茯苓、甘草，此四味药种为本然。水为气质。若药不用水煎，则无煎药之名，理亦不具于气，则无性”，“以为是理，实乃气质也。以为是气质，其内亦具理也。……若分其筋，本然、气质，本为一也。分而言之，则为二也。”[①]在这些论述中，闇斋将“理”和“气”都看成是物质的东西。毫无疑问，山崎闇斋和朱熹一样经常提到“宇宙之间，一理而已”，“太极乃天地万物本然之理”。但是山崎闇斋将“理”看作是形而上的宇宙本源时，正如高桥文博所说：“闇斋思想弱化了理作为朱子形而上学的宇宙根源对存在者的内在和来自存在者的超越的理的‘辩证法的’力动性。理加重了存在者的内在性，超越性有所减弱。”[②]另外，尾藤正英指出山崎闇斋的思想特征是无视“穷理”，强调“持敬”，[③]认为“修养的内面主义的直接性与人的理的内在性强化有关联”。[④] 山崎闇斋认为“理”的超越性已经开始减弱，到其高徒浅见斋时，这种倾向更加明显。浅见絅斋(1652—1711)和佐藤直方(1650—1719)都是山崎闇斋的高徒，也都是杰出的朱子学者，但是两者对“理”的感觉是截然不同的。浅见絅斋说过：“自然于我心上，则知亲而爱，知子而慈。若此不于我心上，则无近无远，

① 高島元洋:『山崎闇斎:日本朱子学と垂加神道』,ぺりかん社,1992 年,第 86—88 頁。

② 高橋文博:「山崎闇斎の思想的方位」,『日本思想史叙説』第 3 集,ぺりかん社,1986 年,第 89 頁。

③ 尾藤正英:『日本封建思想史研究』,青木書店,1961 年,第 65 頁。

④ 高橋文博:「山崎闇斎の思想的方位」。

理与义理亦不得感知"①(《大学笔记》)。朱子和佐藤直方认为,"理"是最根本的、超越的现实存在。而浅见䌹斋则认为,"理"的现实性只有在父母和孩子"自然"成立的感情中才得以证实和存在。这也很好地表现了䌹斋"理"的非超越性。䌹斋的高徒若林强斋(1679—1732)非常遵循䌹斋的模式。

另一方向的朱子学者有贝原益轩、安东省庵、新井白石,还有中井竹山、中井履轩、山片蟠桃等大阪怀德堂学派的人物以及幕末的佐久间象山等。他们强调"理"的经验特征的一面,比起"居敬"更加重视"穷理",对"民生日用之学"以及科学技术表现出浓厚的兴趣。一部分儒学者还否定"理"形而上学的、超越的特征,提倡气本体论。接下来看一下贝原益轩的例子。

贝原益轩认为:"宋儒之说,以无极为太极之本,以无为有之本,以理气将此分开,视为二物。以阴阳则不在道。以阴阳为形而下之器,将天地之性和气质之性分开,视为二物。以性和理为生死。此皆为佛老之遗意,异于吾儒先圣之说。"②在益轩看来,本源的现实性的"太极"只不过是"一气之混沌,阴阳不分之称"。说到宋儒形而下之器的"阴阳",根据益轩的说法,"太极之名,其实有二"。因此,可以说"夫天地之间,集于一气"。③ "理即气之理,一气行于四时。收藏生气,若无变乱,自顺不乖戾。故理应在气之上",④以此论述了气本体论。在贝原益轩看来,"理"已经失去形而上的、超越的特征,只不过是"物理"和"义理"。

大多数日本朱子学者未把重点放在思辨性较强,且是朱子学出发点的理气论上。在对"理"的理解上,忽略了"理"的形而上的、超越的、普遍的、总括的特征,这也绝非偶然。一部分学者将其原因归结为日本民族的思维原型和特征。在这一点上,田原嗣郎认为:"日本的思维原型,不

---

① 田尻祐一郎:「二つの『理』——闇斎学派の普遍感覚」,『思想』,1988 年,2 号。
② 『日本思想大系 34　貝原益軒・室鳩巣』,岩波書店,1977 年,第 13 頁。
③ 同上,第 55、56 頁。
④ 同上,第 54 頁。

可以在现世的延长线上进行思考，也不存在与现世相隔绝的世界。这是最不适合法则性地去思考的世界观。”①他还指出，在日本的思维模式下，“其思考能力连世界的形成本源都没有触及，即天生就欠缺 cosmology（宇宙论）”。② 但是，日本朱子学缺少“理”的形而上的、超越的性格，并不能说都是负面的。尤其是强调“理”的经验性的一面，重视“物之理”的“经验合理主义”的发达，在促进江户时代自然科学（医学、本草学、博物学等）发展的同时，以此为媒介对江户中期以后西洋近代自然科学和技术的受容发挥了重大作用。关于这点后面再做论述。

日本朱子学的第二个特征是，较多的日本朱子学者为适应当时的日本社会现实，专注于对中国朱子学理论和规范的改革。朱子学虽然具有思想层面的普遍性格，但毕竟是植根于中国的思想体系，当中一部分具体理论和规范都是和中国的历史、社会、风土紧密结合在一起的，不能全盘移植到日本。江户时代前期，一部分朱子学者将朱子学移植到日本，试图将其作为政治和社会原理以及日本人的道德规范。但是他们也注意到朱子学原理和规范与日本社会现实之间存在很大差距。因此，他们基于日本的现实情况，对朱子学理论和规范进行变革，使其具有了现实性。林罗山较早就认识到中国和日本的差异，写道：“中华日本之不同，有古今之差，虽言其义理同，其作法并不同”（《儒门思问录》卷一）。林罗山指出朱子学的普遍原理，虽然应该适用于日本的现实，但是为实现其原理的具体作法，却需要根据日本的现实进行变革。但是如第一章所述，中日两国社会现实差异很大，因此仅仅对具体作法进行变革，朱子学是很难适用于日本社会现实的，还需要有更进一步的变革。渡边浩在《近代日本社会和宋学》中，指出了朱子学原理及规范与江户时代日本社会现实之间的重重矛盾、轧轹、冲突（“封建”“士农工商”“华夷”“仁政”“君臣”“修己治人”“姓”“孝”“国家”“家礼”“王礼”），日本儒学者如何对

① 田原嗣郎:「德川思想史研究」，未来社，1967 年，第 17 頁。
② 同上，第 515 頁。

中国儒学进行变革，如何解决这些矛盾进行了实证性的论述。此书非常值得一读。

比如从儒学（以及朱子学）的国际关系，或者世界认识的“华夷”思想来看，中国是“华夏”，日本是“东夷”。虽然是少数，但是确实有一部分日本朱子学者自认为是“东夷”。比如佐藤直方说过：“孔子未生于日本，而生在中国。应从其教，中国为中国，夷狄为夷狄。”①但是佐藤直方的老师山崎闇斋则说过：“中国之名，各国自言，则我为中，四外为夷也。”②主张日本并非夷狄。闇斋高徒浅见絅斋也接受闇斋的思想，提倡自己出生的国家则为“中国”，他国则为夷狄。另外，江户时代中期的朱子学者雨森芳洲以文明这一普遍基准来评定国家的尊卑。他认为：“国之尊卑，依君子小人多寡及风俗善恶。生于中国，未有可夸。又生于夷狄，未有可耻。”③同样，后期水户学中也多有自国中华主义的主张。

江户时代“君臣”关系的规范，如按照朱子学原理展开的话，经常会碰到原理和现实之间的矛盾。在官僚制的中国，臣对君的忠诚，并非是臣单方面的、绝对的义务，而是具有一定附件条件的。《论语》中有“君使臣以礼，臣事君以忠”。根据朱熹的说法，“君臣虽亦是天理，然是义合”（《朱子语类》卷十三），“不合则去”（《孟子集注》万章下）。君臣是由“义”，即“天理所宜”而结成的关系。因此认可孟子所说的“放伐”“革命”，君如果有“失德”“不义”之时，臣则可以断绝君臣关系，并打倒君王进行王朝更替。朱熹曾断言：“惟在下者有汤武之仁，而在上者有桀纣之暴则可。不然，是未免于篡弑之罪也”（《孟子集注》梁惠王下）。但是如第一章所述，江户时代日本的“君臣”关系，即将军和大名、大名和武士之间的关系，是世袭化的主从关系。君臣关系已成为无法割裂的模拟血缘共同体，或者说是命运共同体。崎门朱子学者若林强斋明确认识到中日两国君臣关系的差异，认为：“唐之君臣为人所立之君臣，我国之君臣为

---

① 『増訂 佐藤直方全集』，ぺりかん社，1979年，第553頁。

② 『山崎闇斎全集 第1巻』，ぺりかん社，1978年，第373頁。

③ 塚本哲三編：『名家随筆週』（下巻），有朋堂，1926年，第8頁。

天地自然所生之君臣。"[①]一部分日本朱子学者将"忠"看作是臣对君最真实的情感表达。崎门朱子学者浅见䌹斋主张:"若无贯通真味真实,不爱君之至诚恻怛之心,则不为忠。"[②]一部分日本朱子学者认为"忠"是臣"或善或恶"的"御家犬"一样的、单方面的绝对义务。山崎闇斋引用陈潜堂的话,提出"天下无不是之君父"。这种观点必然会否定"放伐""革命"。当然,也不是说没有肯定"放伐""革命"的朱子学者。比如,林罗山指出:"是非常也。此先儒权譬也。汤武之举,不私天下,唯在救民耳",[③]对其持肯定态度。即使在崎门中,佐藤直方和三宅尚斋也是如此。此两位著有《汤武论》,指出:"汤武圣人也。放伐其权道也。"[④]相对于这些朱子学者,山崎闇斋著《汤武革命论》,开始反对"放伐""革命"。[⑤] 崎门的浅见䌹斋把中国圣人化的汤王、武王定罪为"主杀之逆贼",[⑥]崎门的若林强斋也指出:"即如桀纣之君,若不贯彻奉君之心,则无益。"[⑦]之后的朱子学者,比如后期水户学派,绝大部分都是反对"放伐""革命"的。

儒学原本是融合了伦理说和政治理论的,将政治关系和过程看作是自己给予他人的东西。"修身"也就是将道德修养的愿望作为统治者的前提条件,也就是说"修己以安百姓"(《论语·宪问》)。但是,《大学》进一步主张修身→齐家→治国→平天下的政治模式,朱熹尤其重视《大学》的思想。他说过:"治道必本于正心、修身"(《朱子语类》卷百八)。另外中国科举制为儒学者铺好了走向统治阶级的道路,修身是和治国平天下相联系的政治行为,具有实现的可能性,制度的保障以及实现的场所。而相对于中国的这种情况,多数日本学者指出儒学者在日本没有特权地位,只是可以读读汉文,以此作为技能开设讲习所,教授门生。他们的出

---

① 『続日本随筆大成』12,吉川弘文館,1981 年,第 63 頁。
② 内田周平:「拘幽操合纂」,谷門精舎,1935 年,三、二丁。
③ 『羅山林先生文集』第 1 巻〈巻第三十一「对幕府問」〉,平安考古学会,1918 年,第 343 頁。
④ 『日本思想大系 31 山崎闇斎学派』,岩波書店,1980 年,第 219 頁。
⑤ 『山崎闇斎全集』第 2 巻,ぺりかん社,1978 年,第 283 頁。
⑥ 衣笠安喜:「近世儒学思想史の研究」,法政大学出版局,1976 年,第 107 頁。
⑦ 『続日本随筆大成』12,吉川弘文館,1981 年,第 272 頁。

身不一定是武士，町人、农民以及医生出身也占了很大比例。林罗山、山鹿素行、熊泽蕃山、山崎闇斋、新井白石、室鸠巢、荻生徂徕等，被幕府或者大名委以“治人”之任。虽然也有参与政治的儒学者，但是毕竟只是少数。[①] 日本没有科举制，儒学者没有跻身于统治阶层的保障。日本统治者们不一定会服膺儒学者们，儒学者也未必能参与政治。因此“修己及人”对于日本儒学者来说就失去了现实意义。一部分朱子学者甚至否定了日本的这种从现实中获得道德修养和政治参与的连续性。比如，贝原益轩指出“一日之间，克己复礼，天下之人皆称许其仁，无此事，则必无理”就是很好的体现。[②]

日本的“家”和中国血缘家族(或者是宗族)是有差异的。在中国，无论是拥有父系同一祖先观念的宗族，还是一起考虑家计的生活共同体的家族，都是血缘团体。相对于中国的这种血缘关系家族，日本的“家”是根据模拟血缘关系结成的经营团体。日本“家”的成员不一定拥有血缘关系。由家父长和妻子，非血缘关系成员及其妻子所组成的情况很多。“家”和“家业”“家督”“家名”“家产”等具有密切不可分的关系。中国的家族更加重视血缘的延长和扩大，但是日本的“家”则更加重视“家业”或者“家名”的延续。因此“孝”作为家族伦理的核心，中日两国学者对其内涵有不同的理解。中国的“孝”主要意味着生前敬养，死后丧葬和祭祀，以及“继志述事”。朱熹说过：“保守父母产业，不至破坏乃为孝顺”(《朱子文集》卷九十九)。但是“家业”的保持和继续并非是“孝”的核心，“孝”的核心乃是血缘关系的存续和扩大。和中国的这种情况相比，日本家业的存续和经营则优先于血缘关系的存续，被视为“孝”的中心。[③] 朱子学者贝原益轩指出：“凡尽孝于先祖父母之道，不限于奉养祭礼，知圣学，行

① 渡边浩：『近世日本社会と宋学』，東京大学出版会，1985 年，第 102—110 頁。黒住真：「儒学と近世日本社会」，『岩波講座日本通史』第 13 巻，岩波書店，1994 年，第 269—274 頁。

② 『日本思想大系 34　貝原益軒・室鳩巣』，岩波書店，1977 年，第 46 頁。

③ 渡边浩：『近世日本社会と宋学』，東京大学出版会，1985 年，第 143、144 頁。田尻祐一郎：「宋明学の受容と変容——孝をめぐって」，源了圓、厳紹璗：『日中文化交流史叢書第 3 巻　思想』，大修館書店，1995 年，第 150 頁。

仁义之道，勤于家业，扬其名，显父母先祖之名，为孝行之道。”[①]这段内容大部分都是承袭中国《孝经》首章，但是“勤于家业”这一句是特意加进去的。贝原益轩同时还说过：“凡家之主，……父母先祖所传禄与财，不可丧尽，善保管，方为孝。”[②]这些说法是日本朱子学者根据日本社会现实，将“孝”的内涵做出改变的最好例证。其他一部分日本朱子学者不反对“异姓养子”，也和承认日本“家”的模拟血缘关系有关。

朱熹将“礼”作为“天理之节文，人事之仪则”的同时，尤其重视各种节日之礼的具体实践，并且著有规定了家庭冠婚葬祭等“礼”的《家礼》(《文公家礼》)。但是日本社会固有的礼法秩序和社会风俗同中国差距很大，日本朱子学者如果在日本完全按照《家礼》实施的话，势必会遇到很多问题。比如葬祭仪礼如果按照江户时代风俗举办的话，必须在寺院举行佛式，基本上都是火葬，而且也只能埋葬在寺院的墓地中，法事也必须在寺院进行。一部分朱子学者(比如中井竹山)，主张举行儒葬，禁止火葬。但是当时如果按照朱熹的《家礼》进行儒葬的话，会被看成是和基督教徒一样的异端。朱子学者山崎闇斋的故友野中兼山(曾为土佐山内氏的奉行)，为其母秋田氏举行葬礼，“衣衾棺椁皆依《文公家礼》而行”(1651年)，为此，兼山还前往江户就此事和幕府进行辩解。其不合时宜的行为被人们认为是和基督教徒一样，受到很多质疑。因此，一部分朱子学者主张和“风俗”妥协，按照朱熹的《家礼》，参照当时的“风俗”酌情考虑对葬礼形式稍作改动。山崎闇斋认为：“常思古礼，深悟其意，因时制宜，乃儒者之事”(《大和小学》)。贝原益轩也说过：“依礼法土地之宜，古今之习，风土之点，唐和不同。圣人之法，古之唐土之法，悉用于今之日本则难矣。”[③]贝原益轩所采取的对策，是身心分离。他指出：“心守古道，身之作法，当不违今世之风俗。”[④]根据《家礼》，“神主”必须供奉于祠

① 三浦理編:『益軒十訓』(上卷)，有朋堂，1911年，第7、8頁。
② 三浦理編:『益軒十訓』(下卷)，有朋堂，1911年，第37頁。
③『益軒全集』卷3，益軒全集刊行部，1911年，第644頁。
④ 三浦理編:『益軒十訓』(上卷)，有朋堂，1911年，第223頁。

堂里，崎门的浅见䌹斋和若林强斋则提出将“神主”放在房间一角，认为这才是神灵(死者魂魄)安置之所的变通方法。①

日本朱子学者的第三个特征是，日本朱子学和神道相融合，带有神秘主义色彩。日本朱子学派的人物(室鸠巢等极少数学者除外)，即使是林罗山、山崎闇斋、贝原益轩，以及他们的后学，几乎都相信神儒一致，提倡神儒合一说。他们神儒合一的思想，虽然和“儒主神从”“神主儒从”有所区别，但是都使日本朱子学者披上了神秘主义色彩的面纱。

第二节　日本朱子学的现代意义

如第一章所述，江户时代日本文化的构造是多元的。比起信奉儒学的人，佛教信徒占据压倒性的地位。虽然如此，但是从思想形成的能量及其影响力来看，儒学更占优势。朱子学传来以前，佛教非世俗的信仰主义占据思想界的主流地位。但是随着江户时代朱子学的传播，关于其影响力首先应该指出，正如相良亨所说：“以儒教为手段，江户时代日本人的思考给日本人的精神带来了深刻的烙印，虽然不是全部，但是基本上在人们现实社会当中，产生了赖以生存的伦理自觉。”②从根本上来说，朱子学讲明了人类存在的姿态以及应该遵循的道理，也就是说它是讨论人类的自然欲望如何通过理性得以克服，如何确立追求个人人格的伦理责任感。其理气说只不过是在自身思想体系中，试图为本体论找到依据。朱子学这种世俗的、人伦的特征，指引江户时代的日本人结束战争迈向和平年代，寻求社会和人伦的秩序、安定。毫无疑问，日本朱子学，尤其是林家的朱子学将“理”解释为“上下定分之理”，将上下身份等级差别看作是如同天地一样自然的、固有的东西，给身份制度附加上合理性和正当性，为支撑幕藩体制发挥了保守性作用。但是日本朱子学的“道

① 渡辺浩：『近世日本社会と宋学』，東京大学出版会，1985年，第28頁。田尻祐一郎：「儒学の日本化」，『日本の近世13　儒学・国学・洋学』，中央公論社，1993年。

② 宇野精一編：『講座東洋思想10　東洋思想の日本的展開』，東京大学出版会，1967年，第288頁。

德理性”,促进了各阶层人们对世俗道德规范的追求。日本的武士道、町人道、农民道德等各种职业道德的确立都是在江户时代完成的,这也绝非偶然。日本的武士道,除有维护主从关系,提倡服从以及为主君献身的一面外,还具有确立武士自立心(或者说是“个体”的自立性)的一面。①武士的这种自立心(或者是“个体”的自立性)的确立和福泽谕吉所提倡的“独立自尊”具有连续性。② 另外,石田梅岩的心学以朱子学为媒介,将自己的体验形成思想结晶。“町人道”和西欧新教教义伦理一样,对日本早期资本主义的发展起到了正面的作用。③ 现代日本社会中,为应对功利主义、利己主义、工具理性主义过度发达所带来的种种弊端,重视“失去伦理契机这一问题”,再度提倡“道德理性”,可以说具有一定的意义和价值。沟口雄三曾有以下的提案,他说道:“在现阶段,比起关心儒教和资本主义发展的关系,讨论资本主义发展应该如何摆正伦理,资本家和经营者对21世纪社会的发展应如何回归道义性,重新确立这种道义性时,儒教思想和儒教伦理如何发挥作用更加重要。……自然和人类的协调、人与人之间的道德共存问题,如果没有个人和集团道义的确立,是无法解决的。”④源了圆也提倡:“儒教没有忽视知和伦理的关系,因此必须接受这一问题意识。”⑤

不仅仅是“道德理性”,日本朱子学“经验的合理主义”也对江户时期的日本人产生了重要影响。如果江户时代没有朱子学合理思想传播的话,日本人仍然沉溺于佛教的非世俗的信仰主义中,那么日本是否可以顺利接收以理性主义为特征的西洋近代文明,并比其他亚洲各国更早走向现代化道路就成为了疑问。日本朱子学“理”的经验特征和朱熹的“格物致知”“穷理”思想转化为经验合理主义,成为江户时代日本人接受西

① 笠谷和比古:『士の思想』,日本経済新聞社,1993年,第90—95頁。

② 源了圓:『徳川思想小史』,中央公論社,1973年,第90頁。

③ ベラー:『日本の近代化と宗教倫理』,未来社,1962年。

④ 溝口雄三、中嶋嶺雄編:『儒教ルネッサンスを考える』,大修館書店,1991年,第22頁。

⑤(鼎談)源了圓、テツオ・ナジタ、子安宣邦:「和魂洋才の深層——儒教の知と近代化」,『日本学』第11号,1988年7月。

洋近代科学技术的土壤。关于这一点，包括源了圆《德川合理思想的系谱》在内的诸多研究，曾展开过有力的说明。一部分怀德堂学派学者和幕末的佐久间象山，可以说就是典型例证。

陶德民在《怀德堂朱子学研究》中，对怀德堂学派五井兰洲（1697—1762）的“格物穷理”论有过如下探讨：“兰洲所说的‘格物穷理’论有以下两面性。也就是说，包括自然界在内的客观世界，即将‘天下之物’的理作为研究对象，指出要追求‘真知实见’‘新知’以及‘知识增长’的同时，在研究中尤其需要重视四书六经的学习和天赋的体认。”①以上对五井兰洲思想的全面认识中，为避开把五井兰洲的思想“理解成现代风”的危险，对后者的强调确实非常有必要。② 但是，我们在考察五井兰洲朱子学思想的现代意义时，却不得不强调前者。原因在于，前者表现了日本朱子学变革之后的新要素，日本朱子学“经验的合理主义”和西洋近代科学技术衔接的可能性。五井兰洲追求“新知”，主张“知识增长”，说过“温故而不知新，则无知识增长。故需知新”（《钩深录》）。“新知”是什么？他写道：“古人已云，先师虽已有所传，我始得之处乃亦为新”（《非物篇》）。在这里他将“我”，即人类自身作为认识主体。但是“知”也就是认识的对象和目的是什么？据五井兰洲之言，“上自天地阴阳，下至一草一木之理，知者格物也”（《大学或问讲义》）。他将天下所有事物作为认识对象，认为认识的目的在于“知道”天下所有事物之“理”。那么如何知道天下事物之“理”？五井兰洲设定了“真知”和“实见”的概念，说道：“执着于天下事物，依其实体思其理也。虽悟车不行于水，舟不行于陆之理，舟车之实物，将舟行于陆，车行于水，后实通其理之心，所知味则有别。……此为实物，其理为真知实见，工夫之功也。故穷理之工夫，真知实见天下之

① 陶德民：『懐徳堂朱子学の研究』，大阪大学出版会，1994年，第73頁。

② 田尻祐一郎：「懐徳堂学派：五井蘭洲と中井履軒」，源了圓編：『江戸時代の儒学：「大学」受容の歴史』，思文閣出版，1988年。

理，真与实二字，穷理之神明也。”[①]（《兰洲茗话》）兰州所说的“真知”“实见”，即事物的“实”，表示通过实践来认识事物的“理”。“真知”“实见”的概念体现了五井兰洲“穷理”的实践性。根据“真知实见”所得出的“理”是“经验”的“知”。正是在肯定这种“真知实见”的“经验知”之后，五井兰洲才肯定了西洋自然科学的“实测”方法。他说过：“红毛人用心算之法，以理，目测，用器物量之，非确凿之事，则不言不用。”[②]（《兰洲茗话》）

兰洲的高徒，中井履轩（1732—1817）强化了五井兰洲的“真知实见”路线。中井履轩和五井兰洲一样，强调“格物”“穷理”的实践性格。他写到：“格物，躬往践其地。莅其事，取其劳之谓也。欲知稼穑之理，必执耒耜，亲耕耘。然后得知其理。”[③]（《大学杂讲》）中井履轩对五井兰洲的思想加以发展，通过朱子学思辨的合理主义完全切断了自然和人类的连续性。他主张：“日用事物当行之理，是属事物。而不属人。”[④]（《中庸逢原》）这里所说的“日用事物当行之理”是“物理”，是“事物”的法则性。这和强调“物理”的独立性，具有社会秩序先天性和事物法则性一体化意义的朱熹的“理”不同，可以说强调了其近代意义。中井履轩提及天象运行和变化时，指出天象具有其自身的法则。他认为天象“有时而不齐，亦必有一定之理矣”（《天经或问难题》），“盈虚由不同心之盈缩起也。则亦有定法”。[⑤] 这里的“一定之理”和“定法”，都指的是客观性法则。中井履轩在上述思想立场基础之上，不再以儒学者为业，开始直接接触西洋经验科学的成果。中井履轩的《越俎弄笔》是他在实地观摩过麻田刚立的人体解剖之后，亲笔所写的解剖学著作。他还见过荷兰运来的显微镜，留下了《显微镜记》一书。据说这是日本最早的关于显微镜的文献。五井兰洲和中井履轩将“我”作为“认知”主体的认识，“理”是“事物”客观法则

① 師岡佑行：「近世的合理論の展開——懐徳堂の思想をめぐって」，奈良本辰也編：『近世日本思想史研究』，河出書房新社，1965年，第109頁。

② 同上，第109頁。

③ 同上，第119頁。

④ 同上，第120頁。

⑤ 陶德民：『懐徳堂朱子学の研究』，第201、202頁。

性的认识,对"知"的实践性的认识,可以说都具有近代思想要素。遗憾的是,他们的近代思想要素本身不能完全说是近代思想,原因在于五井兰洲和中井履轩的思想中,缺少"实验"和"对自然主体性的再构成"。丸山真男指出:"将近代的'穷理'从中世区分开来就是这种实验。理性不仅限于对本质的构想,还通过实验对自然进行主体性再建构,同时无限向新领域前进。"①"我"作为"知"(认识)的主体,可以通过"实践"得出"真知"事物客观法则的近代实验科学方法。这一点五井兰洲和中井履轩两位都没有提出来,并且也没有能力提出。近代的实验方法不仅停留在实地见闻和观察上,还通过实验带有目的性,人为地去设定条件。通过观察,把握数据,进而根据理论思维方法提出假设,根据数学公式进行论证,设计实验。将以上一系列行为进行循环操作,在观察对象的过程中可以无限接近和把握事物的法则性和因果关系。

幕末的佐久间象山(1811—1864),正是以朱子学的"格物穷理"观念为媒介,理解并吸取了西洋的科学技术,尤其是其近代实验科学的方法。鸦片战争中中国的战败,给日本人带来很大的打击。尤其是佩里来航之后,日本不仅受到了来自西洋近代文化的挑战,还开始面临民族危机。一部分朱子学者(比如大桥讷庵)著有《辟邪小言》,通过传统的朱子学思想展开对洋学者的批判,指出洋学者的"穷理"只不过是"分析术","洋学者所为,不是穷理之道,应说是亡理之术"。② 相对于大桥讷庵,佐久间象山首先强调了宇宙之"理"的同一性和普遍性,进而打破了自然科学的国境限制,评价西洋近代科学技术体现普遍的"理",使吸取西洋近代科学技术具有了可能性。他指出:"宇宙实无二理。此理之所在,天地亦不能异于此。鬼神亦不能异于此。百世圣人亦不能异于此。近来西洋发明之处,许多学术、要言皆为实理,但足具吾之圣学之资"(《赠小林炳文》)。佐久间象山终究并未舍弃朱子学"格物穷理"的理论,反而以此为媒介,

① 『丸山真男集』第 3 卷,岩波書店,1995 年,第 122 頁。

② 源了圓:『佐久間象山』,PHP 研究所,1990 年,第 170、171 頁。

作出西洋近代科学技术和“吾学”具有同等价值的评价，进而证明了朱子学“格物穷理”思想的普遍性。他说过：“西洋穷理之科，若符合程朱之意，实程朱二先生格致之说，此于东海西海北海，存皆准至说。若从程朱之意，迄西洋学术，皆为吾学中之一端，本无外物。”[①]但是佐久间象山认为“西洋实侧之学”“西洋物理之学”比中国传统学问具有优越性，主张摄取西洋学问以补传统学问之不足。他指出：“汉人之天地说，秦汉以来至周张程朱诸贤，影响之流言较多，而得其实则至少，厌于看。依之，以西洋实侧之学补大学格物之功，则不显”，[②]“到西洋物理之学，阐抉幽深，剖析微密，汉土之士尚不能知，而世用之切者多”。[③] 佐久间象山尤其强调对西洋近代科学方法的学习，他指出：“学习之要，在于习得其方。学而得其方，则糟粕尘埃，皆足以开其知。学而不得其方，则经传史子，反足以蔽其知。泰西之俗长于物理，取之以为资。岂非益也？”[④]（《赠永山生》）佐久间象山指出应该学习的西洋近代科学方法是“详证术”（数学）。[⑤] 他写道：“详证术为万学之基本。”有学者认为，所谓的“详证术”与其说是“当时象山将详证术作为现代科学之基础的数学使用，不如说是包括自然科学一般或者军事技术在内的经验的、可计算的学问方法论而使用”。[⑥] 如此一来，佐久间象山学习荷兰语，自己直接从事大炮、火药、硝子、照相机、电气机械等制造绝非偶然。但是，佐久间象山并未否定儒学，尤其是《周易》方法论的价值。他指出：“亦有方，学于易经，以通幽明之故。学于书，以织纲纪之实。学于诗，以导惰性之正。学于春秋，以立名分之严。学于礼乐，以致中和之极。”[⑦]从东西方法论的评价中来看，佐久间象山依

---

① 『日本思想大系 55　渡辺崋山・高野長英・佐久間象山・横井小楠』，岩波書店，1978 年，第 330 頁。

② 同上，第 347 頁。

③ 同上，第 402 頁。

④ 信濃教育会編：『象山全集』第一卷，1934 年，第 54 頁。

⑤ 『日本思想大系 55　渡辺崋山・高野長英・佐久間象山・横井小楠』，第 414 頁。

⑥ 銭国紅：『アジアにおける近代思想の先駆——佐久間象山と魏源』，信毎書籍出版センター，1993 年，第 152 頁。

⑦ 信濃教育会編：「象山全集」第一卷，1934 年，第 49 頁。

然未突破“东洋道德、西洋艺术”的藩篱，认同了两者的等价性。

另外，崎门学派所提倡的朱子学尊王论也是在日本特殊的历史环境下，发挥了不同于中国的作用。朱熹的尊王论通过“天理君权”论，主张维护封建地主阶级的最高代表皇帝的至上权威，有利于拥护封建统治制度，但阻碍了社会进步。但是如第一章所述，江户时代日本拥有政治权力和宗教权威的二元化构造，也就是说天皇仅仅拥有作为神的子孙的宗教权威，幕府将军则作为掌握最高经济、政治、军事权力者而存在。因此，如果在日本提倡尊王论的话，虽然没有表现出来，但意味着有意愿将权力和权威集中到天皇一人身上。这对幕府体制来说显然是不利的。到了江户时代末期，尊王论和攘夷论相结合，对反对慕藩体制和西洋列强侵略的“尊王攘夷”论的形成发挥了积极的作用。在明治维新以后，尊王论也响应建设中央集权国家的要求，对于拥护天皇制统一国家发挥了重要作用。

第三章　日本的阳明学及其现代意义

第一节　日本阳明学的特征

在日本，阳明学没有中断过，并且没有形成具有明显师承关系的学派，可以说是日本阳明学的第一特征。这一点和中国的阳明学派形成了鲜明的对照。中国明代中期思想家王阳明的出现是中国思想史上值得大书特书的一个事件。中国思想史上，陆（象山）、王（阳明）二人并称，和程（颢）、朱（熹）相对抗，成为中国明清时代互相对立的两大儒家学派。将这两派进行比较的话，程、朱学派是主流。但是明代后期王阳明学说也曾风靡一时，不仅盛行于知识分子当中，还广泛渗透到了民众中。王阳明殁后，又出现了浙中王学（王畿、钱德洪、张元忭、张岱等）、江右王学（邹守益、欧阳德、聂豹、罗洪先等）、泰州学派（王艮、何心隐、罗汝芳、李贽）等，作为阳明的后学代代相传。尤其是以王艮为代表的泰州学派主张“百姓日用即道”，对民众产生了很大影响。

日本阳明学者出现于 17 世纪中期，但实际上日本人在室町时代就已经接触过王阳明。1510 年，禅僧了庵桂梧奉幕府之命作为遣明使赴明。1511 年了庵率领 292 人抵达北京。之后，明武宗皇帝颁布诏书，命其住在育王山广利寺，并赐予金襕袈裟。1513 年，王阳明和其门人徐爱游览四明山之后，前往宁波和了庵会合。同年 5 月了庵归国之际，王阳明作序相赠。王阳明在《送日东正使了庵和尚归国序》中，写有“与之辩空”，“论教异同”，①记录了与了庵谈起儒佛教义之事，但谈话的具体内容未做记录。当时王阳明 42 岁，即“龙场大悟”后的第 5 年，《传习录》还未刊行，也未提出“致良知”一说，尚未形成王阳明完整的思想体系。因此并不能说了庵是最早将阳明学传播到日本的人物。

一般认为中江藤树(1608—1648)是日本阳明学之祖。但 33 岁以前的中江藤树，基本上可以说是朱子学者。33 岁时中江藤树读到了明末钟人杰编的《性理会通》和王阳明的高徒王畿(龙溪，1498—1583)的《语录》，开始了从朱子学到阳明学的转向。他写道：“吾久来受用格套，近来渐觉其非。受用格套之志与求名利之志，虽不可同日而语，失真性活泼之体均也。”②但是他直到 37 岁才入手《阳明全集》。他曾这样描述读后感想：“读此书后，触发印证之事甚多，甚悦。其学弥进。”③从那时起，中江藤树开始为阳明学所倾倒。

藤树的门人中最优秀的是在藤树 34 岁时入门的熊泽蕃山和 37 岁时入门的渊冈山。藤树死后，以这二人为中心，门人分成了两派。以蕃山为中心的被称为事功派，冈山一派被称为存养派或者省察派。前者认为不一定盲目相信师说，应该有独到的见解；后者则忠实地继承了藤树的思想。

但是，熊泽蕃山(1619—1691)也并非一生都忠实于阳明学。熊泽蕃山醉心于阳明学，只限于在冈山藩仕于池田光政时期。当时幕府儒官林罗山和大老酒井忠胜等人，对冈山藩心学隆盛的状况感到不悦。罗山诬陷蕃山是由井正雪事件的黑幕，说：“熊泽乃备前羽林之小臣也，以妖术诬聋盲。……此草贼等，皆为闻熊泽之妖言者。”④酒井忠胜招来光政，告

---

①《王阳明全集》下卷，上海古籍出版社，1992 年，第 1202 页。
②『日本思想大系 29　中江藤樹』，岩波書店，1970 年，第 298 頁。
③ 同上，第 300 頁。
④ 同上，第 482 頁。

诫他“众势力集结，情况恶劣。”[①]其结果导致熊泽蕃山 39 岁时致仕冈山藩。致仕后 30 年的生活对于蕃山来说逆境重重，同时也是其作为思想家的后半生。但是，从蕃山后半生重要的著作《集义和书》《集义外书》来看的话，醉心于阳明学的熊泽蕃山提道：“吾不取朱子，亦不取阳明”，“圣经贤传皆为我心之注”，[②]采取“朱王兼修”[③]或者“朱子学和阳明学的中间立场”，[④]对两者均提出了批判。

熊泽蕃山死后，日本阳明学进入了沉默期，几乎一百年间都未产生过具有很大影响的阳明学者。三轮执斋（1669—1744）被称为日本阳明学中兴之祖，他的主要业绩有 1712 年对《传习录》的标注、刊行，以及 1727 年《四言教讲义》的出版。他“信王固深，尊朱亦不浅”，[⑤]表明了自己的立场。正如大盐中斋所说：“我邦，藤树、蕃山二子，及三轮氏之后，关以西良知之学既绝。故无一人可讲之。”[⑥]三轮执斋以后，日本阳明学的影响几乎不复存在。

18 世纪末到 19 世纪初日本阳明学再次出现复兴的势头。其代表人物有佐藤一斋和大盐中斋。佐藤一斋（1772—1859）34 岁成为林家的塾长，70 岁成为幕府官立学校昌平坂学问所的儒官。他从年轻时就很关注阳明学，在当时的学界、教育界处于中心地位，内心信奉阳明学，表面上却不得不讲授朱子学。因此他经常被称为“阳朱阴王”。但是佐藤一斋的阳明学受谁的影响却不清楚。佐藤一斋和同时代的大盐中斋相比，在思想的敏锐性和独创性以及行动力方面均无法企及。但其思想影响力，比其他阳明学者要大。幕末思想界广泛流行行动主义的阳明学，原因在于中央学界的一斋起到了很大的推动作用。拜入一斋门下的有渡边华

---

① 『日本思想大系 29　中江藤樹』，岩波書店，1970 年，第 482 頁。

② 宮崎道生：『熊沢蕃山の研究』，思文閣出版，1990 年，第 326 頁。

③ 友枝龍太郎：「熊沢蕃山と中国思想」，『日本思想大系 3　熊沢蕃山』，岩波書店，1971 年，第 578 頁。

④ 尾藤正英：『日本封建思想史研究』，青木書店，1961 年，第 256 頁。

⑤ 『体系日本史叢書 23　思想史 2』，山川出版社，1980 年，第 178 頁。

⑥ 『日本思想大系 46　佐藤一斎・大塩中斎』，岩波書店，1980 年，第 561 頁。

山、佐久间象山、大桥讷庵、山田方谷、安积艮斋等青年俊秀，受到其著述影响的有吉田松阴、西乡隆盛等杰出人物。

日本阳明学在特定时期受到少数知识分子的推崇，但是整个江户时期几乎没有对社会产生过持久的思想影响力，也没有形成连续性的学派，对于民众的影响也没有中国那么大。沟口雄三说过："中国阳明学参与民众道德教化，形成民众秩序，掀起肯定欲望的社会秩序等一系列社会思潮。与此相对，日本阳明学只限于知识分子当中，而且只是以确立特定个体自我或者确立变革主体的形式出现，具有不向民众扩散的特征。"①

李氏朝鲜的阳明学自传来之后就受到朱子学派的压制，之后又仅仅作为郑霞谷(1649—1736)的家学而苟延残喘于朝鲜一隅，没有力量同朱子学相对抗。日本阳明学虽然没有受到像朝鲜一样的严酷打击，但是也没有像中国阳明学一样始终处于在野地位，也没有风靡一世。

日本阳明学的第二个特征是具有"非体制性"。中国阳明学自身也孕育着社会批判精神的可能性。中国朱子学和阳明学为了儒学的伦理说以及其规范而寻求本体论依据这一点是一样的。不同的是，朱子学以"理"为本体，更加强调"理"的外部超越的、先验的规范性质，而阳明学以"心"为本体，更加强调"心"的内部的、超越的、感性的主观精神和意志特征。作为伦理哲学的阳明学，强调"心"作为本体的地位以及其主体性，将"良知"提高到判断是非善恶标准的高度，这并非是近代"自我"的确立，仅仅是个人的道德主体性表现。但是同时还具有降低外部礼仪、规范，既成的圣贤先哲思想权威地位的可能性。王阳明"求之于心而非也，虽其言之出于孔子，不敢以为是也"②之说，就是最好的体现。一旦出现革命思想家、激进人物时，他们便会借助主观的"心"或者"良知"，突破礼教规范，转化为异端，激起他们对抗权威。泰州学派颜山农、何心隐、李贽等就走上过离经叛道之路。但是他们仅仅是中国阳明学的一支，并非

① 溝口雄三:『中国の思想』，放送大学教育振興会，1991年，第124、125頁。

②『新釈漢文大系第13巻 伝習録』，明治書院，1963年，第343頁。

是全部。[①] 相对于中国，日本阳明学者从其整体来看，从中江藤树到大盐中斋、吉田松阴，他们的思想多少都带有“非体制”的批判精神。

关于中江藤树的评价，大多数学者认为他和拥护幕藩体制的林罗山、山崎闇斋形成了对比。相良亨认为，藤树“批判（林罗山等）对封建秩序的模式化赋予理念格法主义的儒学以及儒教的武教化，形成了更加个性化的内省的儒教”。[②] 尾藤正英将中江藤树和山崎闇斋进行对比，认为中江藤树“彻底坚持跟随心情本性，对于外部规范采取相对自由的态度”。[③] 玉悬博之进一步明确指出：“如果林罗山的思想是‘体制思想’的话，藤树的‘中期’思想就可以说是‘非体制的思想’（不是反体制思想，而是非体制思想）。”[④]古川治也认为中江藤树“只认可社会规范或者制度的相对价值”，[⑤]木村光德赞同“藤树试图批判幕藩社会体制”[⑥]的观点。

中江藤树以“时、处、位”论和“权道”思想，表明了其非体制精神。如第一章所述，德川幕府的支配者们为维护幕藩体制以及其身份、等级支配制度，制定了诸多仪礼和法度。一部分朱子学者，比如林罗山等，将这些仪礼、法度看作是绝对的，也就是“上下定分之理”的客观表现，将其作为人们所不能违反的行为规范。中江藤树在 32 岁时的著作《论语乡党启蒙翼传》中，已经提到过“时、处、位”论，说明了“心”和“迹”的区别以及“时中”思想。他说过：“凡经济所遇谓之时，时有天地人三境：曰时、曰处、曰位”，也就是说对经世济民之道进行实践化的现实状况称为“时”，将此依照天地人三才进行分解的话，可以看作包含有时、处、位三元素。他还借用《中庸》（“君子之中庸也，君子而时中”）里“时中”这一概念，主

---

① 阳明学还有其他可能性，正如岛田虔次所指出的那样：“陆王学更加彻底地拥护体制，更加彻底地服从于体制。……因为‘心即理’之说，将整个心作为理，可以看作是‘为封建伦理提供一个更为直接的依据。’”岛田虔次：『朱子学と陽明学』，岩波書店，1967 年，第 163、164 頁。

② 相良亨：『近世日本における儒教運動の系譜』，理想社，1975 年，第 7 頁。

③ 尾藤正英：『日本封建思想史研究』，青木書店，1961 年，第 166 頁。

④ 玉懸博之：「中江藤樹の『中期』の思想」，『文化』第 35 卷第 4 号，1972 年。

⑤ 古川治：『中江藤樹の総合的研究』，ぺりかん社，1996 年，第 260 頁。

⑥ 木村光徳：『藤樹学に関する研究』，風間書房，1971 年，第 431 頁。

张根据时处位的境遇以及各自场合不同，应采取适当的行为法则（“天则”或者是“神理”），适应人的行为。他和孟子一样，认为只有圣人才可以完全践行“时中”，并将此称为“圣之时”。根据藤树的说法，学问的目的在于对“圣之时”进行“慎思”“体认”。另外，藤树将圣人的行为和其内在意义，即“心”和外在表现的“迹”进行区分解释。“迹”只不过是在各自具体的场合（时处位）中表明圣人的行为，因此其自身并不拥有永久的、规范的权威。藤树认为，儒者根据“迹”来把握圣人采取行动的本意，即“心”，并将其作为行为规范。他说过：“乡党一篇，夫子画出德光之影迹，以求得后学圣心，以之开示筌蹄。……故唯描画影迹，以寓圣心于其中。学者宜期至善，而袭其迹，得圣心以为师范。”①中江藤树接受了阳明学后，在其33岁的著作《翁问答》中，进一步对“时处位”进行了说明。他指出：“儒书所载礼仪作法，因时、所、人之异，不会尽按其行之。……如与儒书所载礼法，无丝毫不同，皆依其行之，则其所行，与时处位无相应适当恰好之道理，则非行儒道，乃异端也。”②中江藤树认为儒道虽然通行于一般情况，但儒书上的古代礼仪、作法根据状况（时处位）会发生变化，不是必须严格遵守的。因此古代礼仪、作法（具体的外部规范），首先被中江藤树相对化。在具体场合中，成为判断标准的不是既成礼法，而是圣人“心法”。他认为“其所行，与儒书所载礼仪作法不一，其事遇中庸之天理，其心无私，实现圣贤之心法，为行儒道之君子。”③

《翁问答》中在上述“时、处、位”论的基础之上，提出了“权”的思想。中国儒学为说明既定根本原则和经常变化的现实情况之间的关系，提出了“经”和“权”这一组范畴。“经”为根本原则，“权”为根据现实情形需要，在不违反根本行为准则的基础上，加以灵活应对。孔子最初提出“权”的范畴，“可与共学，未可与适道；可与适道，未可与立；可与立，未可与权”（《论语·子罕篇》）。孟子举例说明“经”与“权”的关系，“男女授受

① 『藤樹先生全集』第一冊，岩波書店，1940年，第405、406頁。
② 同上，第三冊，岩波書波，1940年，第249、250頁。
③ 『日本思想大系 29　中江藤樹』，岩波書店，1970年，第144頁。

不亲,礼也。嫂溺,援之以手,权也”(《孟子·离娄上篇》)。后汉赵岐对《孟子》所作的注中,继承了《春秋公羊传》恒公十一年之说,认为“权者,反经而善者也”。程颢反对此汉儒之说,主张“权便是经”。朱熹进而对两者进行折衷,“权只是经所不及者”,“权与经亦当有辨”,“权自是权,固也,然不离经也”,“经是万世常行之道。权是不得已而用之”,“权是最难用底物事,故圣人亦罕言之”,“非圣贤不能行也”(《朱子语类》卷三十七)。孔子以后,汉、唐、宋、元、明、清各代儒学者对“权”的解释,大体上没有超过上述范围。中江藤树和宋儒一样,反对汉儒“反经适道为权”之说,主张:“权为圣人之妙用,神道之惣名也。大有尧舜之禅让,汤武之放伐,小有周公之吐握,孔子之恂恂便便。一言一动之征皆为权之道也。然反经适道为权,乃大过也。”但是中江藤树进一步详细论述了“权”,其论证具有明显的特色。他不赞同宋儒“权为道之变”“权不在常用事物”之说,认为:“儒者之道专以权为主本,不凝滞于物,不泥于迹。知示活泼泼地事,为解惑,不言道,论权也。”①“权外无道,道外无权”,②“权即道,道即权”,③将“权”提高到“道”之“主体”乃至“同体”的地位。也就是说,他强调了“权”的恒常性、普遍性、绝对性。另外,中江藤树不赞同只有“圣人”才开始用“权”的宋儒之说,认为普通人,也就是说“初学者”也应该“以权为目标”。“初学受用和圣人妙用为天地之悬隔,以权为准的,不费工夫则无明明德之道。”④由此,“权”不是“圣贤”之特权。同时,中江藤树认为“不落法不泥迹,权之景象也”。⑤这也为普通人超越与变革礼仪法度的主体性提供了理论依据。不仅仅是古代礼仪作法,对于当时之法度,他也提道:“礼仪法度有本末。明君心以行道,定国中规范,乃为政之根本也。法度条文,政事之枝叶也。”⑥因此,某学者指出,中江藤树“经”

① 『日本思想大系 29　中江藤樹』,岩波書店,1970 年,第 141 頁。
② 同上,第 138 頁。
③ 同上,第 140 頁。
④ 同上,第 138 頁。
⑤ 同上,第139頁。
⑥ 同上,第 69 頁。

和“权”的关系不仅仅是伦理学的“理念伦理”和“状况伦理”的关系，还如玉悬博之所指出的那样，也是“变革法度之理论”，还是“超脱法度之理论”。① 古川治也认为：“中江藤树的‘权’具有从现实社会规范和秩序中‘超脱’出来以及‘变革’的功能。”②总之，可以说中江藤树的“权”思想具有日本阳明学非体制性的特征。但是在藤树晚年的著作当中，具有非体制性的“时、处、位”论，几乎销声匿迹。而且中江藤树并没有将“变革理论”推向变革行动。思想上或政治行动上从“理论”到“行动”的转变，到大盐中斋和吉田松阴时才得以实现。

日本阳明学的第三个特征是未出现向近代自然人性论发展的倾向。众所周知，王阳明将“心”“良知”提高到本体的位置，但是这毕竟不同于朱子学形而上的、超越的“理”，常常和人类感性、情感联系起来。王阳明认为：“所谓汝心，却是那能视听言动的。这个便是性，便是天理。”③“良知只是个是非之心，是非只是个好恶。只好恶就尽了是非，只是非就尽万事万变。”④王阳明的这种“心即理”说，具有感性化的可能性，“伦理非即心理，心理即伦理。伦理之规范徐徐成为心理之需求。‘心即理’之‘理’，从外部天理、规范、秩序变化为内部自然、情感以及欲求。”⑤部分学者认为：“理之天，于是就脱离天行命运之天道，内化为具有人之属性之人，任何意义上均不再是超越的天，而是包含现代意义上人的本然、自然，成为满足万人生存的指标和根据，增加了其中国式的独特性。”⑥“‘心即理’说，不分性、情（情具有转化为本性上的‘欲’的倾向）之心，通过将

① 玉懸博之：「中江藤樹の『中期』の思想」。但是，高桥文博认为“权道论、时处位论和格法主义是可以两立的”。（『近世の心身論——徳川前期儒教の三つの型』，ぺりかん社，1990年，第84頁。）

② 源了圓、厳紹璗編：『日中文化交流史叢書 3　思想』，大修館書店，1995年，第181、182頁。

③『新釈漢文大系第13巻　伝習録』，明治書院，1963年，第189頁。

④ 同上，第499頁。

⑤ 李泽厚：《中国古代思想史论》，人民出版社，1985年，第247页。陈来主张其变化是从理性主义到实存主义的发展。（陈来：《有无之境》，人民出版社，1991年，第18页）。

⑥ 溝口雄三：「天人合一における中国的独自性」（『日本思想大系 46　佐藤一斎・大塩中斎』，第748頁）。

其理解为理,会导致肯定情→欲望(即人欲),主张'人的自然',轻视朱子学极其重视的"敬",如'六经为我心之注脚'蔑视权威,对异端表现出包容态度等倾向。"[①]如此一来,王阳明思想的发展,逐渐接近乃至到达人性,即人类自然的情感、需求、欲望等近代自然人性论。作为王门后学的泰州学派和蕺山学派明显具有这种倾向。比如,颜山农说过:"只是率性而行,纯任自然,便谓之道"(《明儒学案》卷三十二)。何心隐也主张:"性而味,性而色,性而声,性而安逸,性也。"[②]刘宗周(蕺山)的门人陈确主张:"人心本无所谓天理,天理正从人欲中见。人欲恰好处即天理也。"[③]李贽进一步提到"童心""私""利",认为:"夫私首,人之心也。人必有私,而后其心乃见;若无私,则无心矣","穿衣吃饭,即是人伦物理。"[④]但是从中江藤树到大盐中斋、吉田松阴等日本阳明学者并不主张肯定人类的自然欲望和情感。中江藤树明确否定"人欲",认为:"利欲与名之欲虽有清浊,损天性,陷不孝莫大之罪,同名利之欲也。"[⑤]大盐中斋进一步否定"人欲""功名富贵",呼吁:"此欲为人欲之反,乃天欲也","功名富贵,锦覆陷阱也。心虚则能见以避之,不虚则视而不见,踏而死者不少矣。呜呼虚哉虚哉!"[⑥]江户时代的日本,首次肯定"人欲"的正当性和合理性,接近近代人性论的就是日本古学派的儒学者。

第二节　日本阳明学的现代意义

中国阳明学的兴起反映了中国哲学主流的变化。正如某学者所指出的那样,"是从朱子古典理性主义的客观性、必然性、普遍性、外向性的

① 島田虔次:『朱子学と陽明学』,岩波書店,1967年,第164頁。
② 《何心隐集》,中华书局,1960年,第40页。
③ 《陈确集》,中华书局,1979年,第461页。
④ 李贽:《藏书32　德业儒臣后论》。
⑤ 『藤樹先生全集』第三冊,岩波書店,1940年,第260頁。
⑥ 『日本思想大系46　佐藤一斎・大塩中斎』,岩波書店,1980年,第409頁。

立场到主观性、内在性、主体性、内心经验的"[①]转换。王阳明所提倡的"主体性"是"道德的主体性",但其发展并不仅仅是停留在伦理层面。一部分中国的阳明后学(比如说颜山农、何心隐、李贽等)和日本的中江藤树一样,将这种"主体性"提高到了政治层面"变革的主体性"上。如前面所述,中江藤树只不过是提出了"变革的理论",但随着江户时代后期幕藩体制各种矛盾的激化,阳明学者大盐中斋,以及具有阳明学教养的吉田松阴等进一步采取了"变革的行动"。这不仅表明了日本阳明学的行动性,同时还表明了日本阳明学给作为日本现代化发端的明治维新运动带来了很大影响。

关于大盐中斋思想的地位,荻生茂博将"中斋视为日本阳明学的典型之一,它和具有官学地位的朱子学相对立,是作为'异端'而受到压制的民间革新思想"。荻生认为这种"异端"的阳明学"是和中斋的自我意识相通的,同时当代日本也流行这种说法,但这并不是事实。"[②]他还指出,大盐中斋将"自己的学问与'朱王合并'的同时,也将自己放到了中国清朝初年汤潜庵—彭南畇后学的位置"。但是大盐中斋对明清思想史的理解并未击中要害。原因在于清儒汤潜庵是站在"尊奉朱子学并吸取王学长处的立场",彭南畇的家学是"跨越学派藩篱,涉及道教和佛教",都不是"王门亲炙私淑"。"清初思想斗争不是朱子学对阳明学的斗争,而是陆稼书等人的'纯正'朱子学及在朱子学基础上打破门户之见的流派斗争。"[③]但是通过以上说法,大盐中斋具备变革思想,采取反体制的变革行动,而否定其举兵行动的思想依据是阳明学,其理由是不充分的。

大盐中斋在起兵前四年完成的《洗心洞札记》自述中,将自己的思想主旨定义为"一曰太虚,二曰致良知,三曰变化气质,四曰一死生,五曰去

---

① 陈来:《有无之境:王阳明哲学的精神》,人民出版社,1991年,第14页。

② 荻生徂徠:「幕末・明治の陽明学と明清思想史」(『日中文化交流史叢書3　思想』,第436頁)。

③ 荻生茂博:「大塩中斎:反乱者の人間学」,源了圓編:『江戸の儒学:「大学」受容の歴史』,思文閣,1988年,第204頁。

虚伪”。其中心思想为“归太虚”之说。何为太虚?“躯壳外之虚,便是天。心葆含万有,是应悟”,[①]“身外之虚,即吾心之本体也”。[②] 中斋认为,人之“方寸之虚”“便是太虚之虚,而太虚之虚便是方寸之虚也,本无二矣”。[③] 这种“虚”的境界中,无善无恶。即“心之体仅为虚灵,固无恶,不应有善”,[④]“圣人则彻始彻终,只一太虚”,[⑤]“常人则失虚”。[⑥] 这是因为“有欲塞心,则心非虚”,[⑦]“气质阻碍之”。[⑧]因此人的形而上的使命是归太虚。“归太虚则人事能毕。”[⑨]“归太虚”之道是“致良知”和“变化气质”。“欲归心太虚者,宜致良知”,[⑩]“变化气质则与圣人同”。[⑪] 毫无疑问,“太虚”本不是阳明学用语。大盐中斋自己也断言:“吾太虚之说自致良知中来,而非自正蒙中来。”[⑫]但是实际情况比中斋的说法要更加复杂。比如福永光司指出:“中斋所谓太虚,直接继承了张横渠《正蒙·太和篇》等,进一步从思想史角度追溯的话……以唐代禅门虚空哲学为基础,其虚空哲学进一步归结到《庄子·人间世》等老庄虚之哲学的根本上去。”[⑬]但是正如大盐中斋所指出,“虚”是“无善无恶”之说,源于王阳明的“四句教”,也就是说“阳明先生曰:‘无善无恶为心之体’”。[⑭] 另外中斋的“致良知”说也毫无疑问是出自王阳明的。

但是,大盐中斋的“归太虚”说不仅仅是这些。根据王阳明之说,“明明德”和“亲民”,即自身内部改造和社会外部政治实践是相即不离、毫无

---

① 『日本思想大系 46　佐藤一斎・大塩中斎』,岩波書店,1980 年,第 370 頁。
② 同上,第 371 頁。
③ 同上,第 373 頁。
④ 同上,第 377 頁。
⑤ 同上,第 371 頁。
⑥ 同上,第 370 頁。
⑦ 同上。
⑧ 同上,第373頁。
⑨ 同上。
⑩ 同上,第 382 頁。
⑪ 同上,第 373 頁。
⑫ 同上,第 381 頁。
⑬ 同上,第 636、637 頁(福永光司「『洗心洞劄記』補説」)
⑭ 同上,第 377 頁。

二致的关系。大盐中斋也同意此说。他认为："学固正己心，修己身。然唯以正己心，修己身为学，盖非大人之道。"①这是因为"身外之虚皆吾心也。则人物在心中，为其善去其恶亦为吾身之事"，②"人之嘉言善行，即为吾心中之善，而人之醜言恶行亦为吾心中之恶"。③ 他还指出："罹恶人之刑"，"是即去吾心之恶之道"，"遇善人之赏"，"是即存吾心之善之道。"④也就是说，人之恶，世之恶，自己内面之恶，无欺良知而加以正之。以身来消灭世界之恶，实现善，即可以消灭自己心之恶，实现善。由此大盐中斋提出："视民如伤民"实现了"在好恶、苦乐等身体知觉的直觉深度中，和民的一体化"。⑤ 另外，中斋还提倡"当义，则不顾其身福祸生死，果敢而为之"的勇敢、果敢的精神。⑥ 1837 年大饥荒时，大阪町奉行官员和奸商抓住时机中饱私囊，使民众深陷水深火热中时，不顾生死而起兵消灭恶势力是中斋的必然选择。大盐中斋的这种社会改造理论也是通过阳明学得以开展的。王阳明的"四句教"里指出，"为善去恶是格物"。但是在 1519 年讨伐皇族宁王叛乱前，王阳明将"格物"改为"格心"，解释为"是去其心之不正，以归于正"。之后，特别是在 1527 年提出"四句教"之后，"格物"或者"为善去恶"开始兼指"心"和"事"两个方面。也就是说"依此良知，随事随物，为善去恶落实之"。⑦ 但是，王阳明在"心""事"上，要求"格物""为善去恶"，都是将自身个体作为对象的。大盐中斋将"为善去恶"的对象从自己、个人扩大到他人和社会。大盐中斋的这种发展，不是空穴来风，而是有他的思想依据。大盐中斋将王阳明的"万物一体之仁"和"为善去恶是格物"思想相结合，形成了其社会改造理论。关于

① 『日本思想大系 46　佐藤一斎・大塩中斎』，岩波書店，1980 年，第 396 頁。
② 同上。
③ 同上，第 404 頁。
④ 同上，第 404、405 頁。
⑤ 宮城公子：『大塩平八郎』，朝日新聞社，1977 年，第 121 頁。
⑥ 『日本思想大系 46　佐藤一斎・大塩中斎』，第 732 頁。
⑦ 陈来：《有无之境：王阳明哲学的精神》，第 156—159 页。

“万物一体之仁”，程颢说过：“仁者，以天地万物为一体。”[①]张载也说过：“视天下，无一物非我”（《大心篇》）。王阳明进一步说道：“夫圣人之心，以天地万物为一体，其视天下之人，无内外远近，凡有血气，皆其昆弟赤子之亲。莫不欲安全而教养之，以遂其万物一体之念。”[②]他还指出：“夫人者，天地之心，天地万物，本吾一体者也。生民之困苦荼毒，孰非疾痛之切于吾身者乎？……视人犹己，视国犹家。而以天地万物为一体。求天下无治，不可得矣。古之人所以能见善不啻若己出，见恶不啻若己人。视民之饥溺犹己之饥溺，而一夫不获若己推而纳诸沟中者，非故为是，是而蕲天下之信己也。”[③]王阳明的上述说法，很好地表达了他对民众苦难的关心和救济心情之迫切。大盐中斋也抱有和王阳明一样的想法而果断起兵。起兵之时，檄文中写道：“大阪奉行并诸官员忘万物一体之仁。”毫无疑问，大盐中斋正是在王阳明思想基础上，成为“革新思想”者，并采取了变革行动。大盐起兵是在1837年2月19日，当日即被镇压下去，大盐中斋也于四十多天后自杀。但是大盐中斋的起兵轰动了日本各地。随后，各地农民也以大盐中斋门人之名陆续起义。因此，有人评价：“大盐之乱，具有推动幕末尊皇讨幕运动的一面。”[④]从这一点也可以看出日本阳明学的现代意义。

关于“阳明学＝明治维新原动力”论，荻生茂博认为“除明治时期陈天华在《民报》上的报道之外，看不到明确的相关文献。依照愚见，大正四年(1915)，桑原天泉的《明治维新与阳明学》(《王阳明研究——学说、修养、教化》，三宅雪岭序，帝国堂，1917年所收)是较早的例子，另一个例子是昭和四十年(1965)，安冈正笃的《明治维新与阳明学》。安冈和蒋介石交友密切，其著作被翻译出来，为台湾‘阳明学＝明治维新原动力’学

① 《二程遗书》卷第二上，上海古籍出版社，1992年，第17页。
② 『新釈漢文大系第13巻　伝習録』，明治書院，1963年，第258頁。
③ 源了圓、嚴紹璗編：『日中文化交流史叢書3　思想』，大修館書店，1995年，第360、361頁。
④ 河原宏：《江户精神史》，鹈鹕社，1992年，106页。

说起到了推动作用。”①仅仅将明治维新的原动力归结于“阳明学”这一认识，具有片面性以及过度夸大阳明学作用之嫌。在明治维新这一转换期中，大多数仁人志士受到阳明学影响，即使多次面临生死威胁，依然义无反顾地投身到维新运动当中。

吉田松阴(1830—1859)并不是一心只修阳明学的学者，他也说过自己并非阳明学派。他还学习山鹿流的兵学和朱子学，但阳明学无疑是他的思想支撑之一。藤田省三认为：“他无视‘学’和‘思想’的体系性及构造性，这么说或许有些无礼……表现出过于主观的读书态度。”②松阴在20岁时读过王阳明的文章。21岁游历九州时，在平户逗留过五十多日。其间，师从佐藤一斋门人、阳明学者叶山佐内。松阴读了王阳明的《年谱节略》《传习录》和佐藤一斋的《爱日楼文集》《大学古本旁释》，抄写了其中一部分内容。1859年10月松阴被判处死刑，在同年一月写给门人入江杉藏的信中提道：“吾曾读王阳明《传习录》，颇觉有味。顷得李氏(李贽——引用者注)《焚书》，亦阳明派，言言当心。向借日孜(品川弥二郎——引用者注)以《洗心洞札记》。大盐亦阳明派，取观为可。然吾非专修阳明学。但其学真，往往与吾真会耳。”③阳明学的“真”和吉田松阴的“吾之真”的相同之处是什么？首先，松阴相信王阳明的“心即理”说，将“心”作为最高标准，不盲信经典和权威人物，主张宣扬个人的主体性。吉田松阴认为“天”“理”“人”为一体。他说道：“天非言苍茫之天。天即理。真知性而真尽心时，此外无复有天下之理。故天下之理，悉为吾之物”(《讲孟余话》卷四)。④

另外，松阴提道：“陆象山主张‘六经皆我注脚’，此见极妙。”⑤不以经典之是非为是非，以己“心”为标准。他主张不拘泥于既成制度和规范，

---

① 源了圓、嚴紹璗编：『日中文化交流史叢書第3卷 思想』，第436頁。
② 『日本思想大系54　吉田松陰』，岩波書店，1978年，第606頁。
③ 『吉田松陰全集』第4卷，岩波書店，1934年，第193頁。
④ 吉田松陰：『講孟余話』，岩波書店，1936年，第193頁。
⑤ 『日本思想大系54　吉田松陰』，岩波書店，1978年，第364頁。

认为抨击当时的统治权力绝非罪恶。松阴还指出："草茅韦布之士，妄自论议朝政，诽谤官吏，越分逾职之罪，固不可恕。然寻其心之时，或忧国家，或明道义，非应深咎。"①他还主张根据时势变化，进行制度变革。指出："虽云已变，千差万别，自始无定体。又非一言所能尽，且以古往之死例，制将来之万变，莫非迂腐拘泥之至哉？"②

吉田松阴重视实践的精神，很大程度上受到王阳明"知行合一"说的影响。他提道："知而废行，非真知；行而废知非实行。故知行合二为一，而先后亦相济。"③为了实现自己的主张，他提倡将生死置之度外的精神。他在《自警诗》中有如下说法："士苟得正而毙，何必明哲保身。不能见几而作，犹当杀身成仁。"④吉田松阴的这种生死观，受到李贽《焚书》很大影响。他写过："吾去冬以来，大发明死之一字。李氏《焚书》之功多。其说甚永，约而云之，'不应好死，亦不应恶死。道尽而心安，此即死所'，'世有身生而心死者，有身亡而魂存者。心死则生无益，魂存则亡无损'……有死而不朽之觉悟，何时均可死。有生而立大业之望，何时均可生。吾之所见唯言将生死置之度外。"⑤

吉田松阴的门人高杉晋作（1839—1867）也钟爱阳明学。他的日记《憯御日记》封面上"致良知洞主人"的居号，表明了他对"致良知"之学阳明学的志向。从日记可以得知，他花了 4 天时间读熊泽蕃山的《集义和书》，还读过阳明的《传习录》《阳明文录》《王阳明文萃》以及大盐中斋的《儒门空虚聚语》等阳明学相关书籍。高杉晋作对王阳明的尊崇，在此前的《书传习录后》这一诗歌中也有所体现："王学振兴圣学新，古今杂说遂沉湮。唯能信得良知字，即是义皇以上人。"⑥沟口雄三指出："对他来讲，阳明学是要求每个人内心都要有绝对理念，并将现有体制引向解体，是

---

① 吉田松陰：『講孟余話』，岩波書店，1936 年，第 137 頁。
② 同上，第 220 頁。
③ 同上，第 131 頁。
④『吉田松陰全集』第 4 卷，岩波書店，1934 年，第 335 頁。
⑤『日本思想大系 54　吉田松陰』，岩波書店，1978 年，第 363、364 頁。
⑥ 大橋健二：『日本陽明学 奇蹟の系譜』，叢文社，1995 年，第 331、332 頁。

变革之学。这是久坂、西乡、松阴的内心相通之处。”①

明治维新重要的指导人物西乡隆盛(1827—1877),也是醉心于阳明学之人。1850—1851年间,西乡和大久保利通在萨摩藩阳明学者伊东潜龙处听过《传习录》的讲义。之后,西乡从佐藤一斋《言志四录》中手抄了101条作为座右铭。另外,西乡还喜欢读大盐中斋的《洗心洞札记》。从西乡的《南洲遗训》中也可以看出其受到阳明学思想的影响。他指出:“知与能为天然固有之物,‘无知之知,不虑而知。无能之能,不学而能’(王阳明语——笔者注),是何物也,不在其惟心之所为耶?”②这里所说的“知”,是“良知”,是“心”。西乡还继承了伊藤一斋“吾心即天”的思想,说过:“不以人对,以天对。与天相对,尽己责而勿咎人,寻己诚之不足。”③不理人,也就是说不被他人的毁誉所左右,可行己心之“是”。他写道:“行道者,举天下毁无不满。天下誉亦不自满。缘自信厚之故也。”④西乡隆盛正是这样,在阳明学基础之上,确立了“个人的自我”或者是“变革的主张”。

从以上例证中可以看出,一部分幕末仁人志士接受阳明学,并积极投身到日本现代化之发端的明治维新运动中去。

另外一部分学者,将自由主义精神和阳明学相结合,讨论了阳明学的近代以及当代意义。武田清子指出,自由主义的本质是在“重视个人内面独立性和自由”的同时,还排斥专制政治,不让握有政治经济等权力者独享物质的、社会的特权,守护“社会正义”。冷战结束后的今天,无时无刻都需要以“自由”“社会正义”为基础的自由主义精神。武田指出,明治思想家们(比如福泽谕吉、中江兆民、末广铁肠等)作为具有日本传统教养的日本人,理解了自由主义的真意和其普遍要素。比如她说过:“向土佐奥宫慥斋学习阳明学,坚信阳明学是良知(良心)之学,兆民尊重知

---

① 溝口雄三:『李卓吾』,集英社,1985年。

② 『西鄉南洲遺訓』,岩波文庫,1970年,第22頁。

③ 同上,第13頁。

④ 同上,第15頁。

行合一的活用之学并将日本传统文化推广到了自由主义。"[①]武田关于自由主义精神和阳明学相结合的理解，对日本阳明学的再评价及其近代以至当代意义的讨论，具有很大的启示作用。

---

① 武田清子:『日本人とリベラリズム』(『朝日新聞』1994 年 9 月 25 日)。

第四章　日本的古学派及其现代意义

第一节　日本古学派的特征

通常情况下，山鹿素行(1622—1685)、伊藤仁斋(1627—1705)、荻生徂徕(1666—1728)三人被看作是日本古学派的代表人物。他们之间并没有明确的师承关系，甚至荻生徂徕还曾对伊藤仁斋展开过激烈的批判，但是他们的思想却有一些共同点。所谓的共同点，在于提倡回归中国儒学古典，和以朱子学为代表的后世儒学相对立，把朱子学和阳明学看成是和佛、老相近，虽为儒实为释，主张要直接从中国儒学古典中获取"圣人之道"的真实性。他们被称为"古学派"是后来的事，来源于他们提倡回归古典。只是，他们的复古要求不仅仅是单纯地回归中国传统孔孟之学(原始儒学)，还主张通过古典权威来批判朱子学和阳明学，并在古典基础之上构建不同于日本朱子学和阳明学的新世界观和伦理观。作为实践伦理，他们还从古典中寻求对现实社会生活有用的智慧。中国已故学者朱谦之在其著作《日本的古学及阳明学》中指出，日本古学派的复古主张，实际上是以回归经世之学、实用之学为目标的。①

为解读日本古学派的特征，有必要采取比较思想的方法。比较日本朱子学和阳明学的同时，还应该考虑比较中国和朝鲜儒学。但是，比较研究必须注意比较对象是否具有可比性。如果比较对象选择不恰当的话，就有可能落入随意性较强的窠臼，比较的结论自然也不会准确。

日本学者中关于日本古学和中国清代考证学，尤其是伊藤仁斋和中国清代学者戴震的讨论比较多。② 比如，吉川幸次郎说过："当时（和仁斋同时代）的中国，宋儒批判尚未兴起。兴起已经是 18 世纪后半叶，即进入乾隆时代之后。他们和仁斋一样从宋儒批判出发，通过古语的研究来解释古典原意，被命名为'汉学'，成为之后中国学界的主流。其代表人物，同时是创始人的戴震（1723—1777）生于仁斋死后十八年。……戴震的主要著作《孟子字义疏证》，连书名都和一百多年前仁斋所著的《语孟字义》相近……并且二者的思想也惊人地相似。……另外作为文献批判的功绩，戴震明确指出广泛流传的《书经》版本中，将近半数篇幅都是后世的伪作。戴震读者和小他九岁的阎若璩（1636—1704）所作的《尚书古文疏证》之后问世。"③阿部吉雄指出："仁斋著有《论语古义》《孟子字义》《语孟字义》等，从文献实证角度指出朱子学说的谬误。并且相对于朱子理的哲学，提倡气的哲学，试图彻底推翻朱子的人类观。仁斋学问上的业绩要领先于中国，和清朝戴震提出此说相比，早了八十年。"④冈田武彦主张："日本古学派比戴震学说兴起得要早。其先驱人物山鹿素行比戴震要早 101 年，伊藤仁斋早 95 年，其子东涯早 53 年，荻生徂徕早 77 年，太宰春台早 43 年。……因此可以得知在戴震出现以前，日本已经开始

① 朱谦之：《日本的古学及阳明学》，上海人民出版社，1962 年，第 27 页。

② 青木晦蔵：「伊藤仁斎と戴東原」，『斯文』第八編　二・四・八号，1926 年。第九編　一・二号，1927 年。高橋正和：「孟子字義疎証と語孟字義」，『別府大学国語国文学』一号。岡田武彦：「戴震と日本古学派の思想」，『江戸期の儒学』，木耳社，1982 年。

③『日本思想大系 33　伊藤仁斎・伊藤東涯』，岩波書店，1980 年，第 578、579 頁。

④ 阿部吉雄：「日本儒学の特質」，『講座　東洋思想 10　東洋思想の日本的展開』，東京大学出版会，1967 年，第 268 頁。

提倡复古学，唯气论以及其基础上的理学批判论开始得到推广。”①

上述说法有一定的依据。但是，日本古学派先于中国出现的结论，有必要再做探讨。原因在于，在中国开创“从宋儒批判出发，通过古语来研究古典原意”的并不是戴震。在“乾隆时代”以前就有很多中国学者开始提倡“通过文献实证来指出朱子学说的谬误。同时相对于朱子的理的哲学，提出了气的哲学，试图彻底推翻朱子学的人类观”。

通常情况下中国学者认为作为清代儒学主流的考证学，进入清朝乾隆、嘉庆时代之后迎来了鼎盛期，戴震就是当时的代表人物之一。但是初期考证学在明末清初已经形成。初期考证学具有两种倾向：一个是以“经世致用”为目的的考证学，另一个是为考证而考证的考证学。前者以顾炎武（1613—1682）、黄宗羲（1610—1695）、王夫之（1619—1692）为代表，后者以阎若璩、胡渭（1633—1714）、毛奇龄（1623—1716）为代表。②以顾、黄、王为代表的明末清初的部分学者面对明朝灭亡的惨局，开始深刻反省中国沦落至此的原因。思考的结果是宋明性理学和心学为无用之学，继而将目光投向了社会事物和社会现象。他们反对心、性、理等空论，提倡“经世致用”，即对治世有用的学问、重民思想、个性解放、民族主义等。这些都成为顾、黄、王学问的第一要义。但是同时他们还提倡考证学的方法，批判宋明理学、心学中专断的经书解释，主张通过语音、字义来正确理解古典，阐释古典的根本道理和历史上的史实。从这个意义上来讲，顾、黄、王既是思想家，又是文献学学者。但是由于清朝的思想迫害政策，顾、黄、王为代表的初期考证学的“经世致用”思想并未得到充分发挥。只是乾隆、嘉庆时期考证学派之一的皖派继承了“经世致用”的倾向，戴震就是皖派的代表人物。戴震在文献学研究上，拥有比顾、黄、王更高的水平，正如所谓的“后儒以理杀人”那样，在人类论上也展开了比顾、黄更激烈的宋学批判。但是他的宋学批判并不能代表乾嘉时期考

① 岡田武彦：『江戸期の儒学』，木耳社，1982年，第103頁。
② 章学诚：《文史通义》内篇二《朱陆篇》。章太炎：《检论》卷四《清儒》。梁启超：《中国近三百年学术史》六《清代经学之建设：顾亭林·阎百诗》。

证学者的思想。[①] 而且，他也不具有和顾、黄、王一样的社会思想和民族思想。比顾、黄、王稍晚些的阎若璩、胡渭、毛奇龄等学者也在文献学研究层面取得了巨大成就（比如阎的《尚书古文疏证》、胡的《易图明辨》、毛的《四书改错》），他们的主张是为考证而考证。乾嘉时期考证学派之一的吴派以惠栋、王鸣盛为中心，继承了阎、胡、毛的倾向，在清政府的支持下得以发展。只是他们仅仅是单纯的文献学者，不是批判宋儒理论的思想家。因此，将乾嘉时期的考证学者作为日本古学派的比较对象，是不太恰当的。还是将同为思想家的日本古学派和清代初期的顾炎武、黄宗羲、王夫之进行比较更加妥当。因为日本古学派和顾、黄、王的思想、方法非常相似。他们的共同点，第一是对宋儒理论的批判，第二是从语言出发对古典进行解释的方法。日本学者未将顾、黄、王作为日本古学派的比较对象，大概是因为日本学界对顾、黄、王的研究尚不充分吧。村濑祐也指出："王夫之以及颜元的学说，尤其是在哲学层面的研究，成体系的研究著作自不必说，连各自的论文——或许因为我孤闻寡陋——用十个指头就可以数得过来。"[②]

顾炎武和伊藤仁斋、荻生徂徕一样，推崇"六经"、《论语》、《孟子》，将这些古典作为依据来反对后世儒学。"理学，经学也"是顾炎武的名言。他在《与施愚山书》中指出："古之所谓理学，经学也。……今之所谓理学，禅学也。不取之五经，而但资之语录，校诸帖括之文而尤易也。又曰，《论语》，圣人之语录也。舍圣人之语录，而从事于后儒，此之谓不知本矣"（《亭林文集》卷三）。顾炎武虽未标榜宋学批判，但是他的思想和日本古学者之间的宋学批判具有很多共同点。顾炎武和伊藤仁斋一样，相对于朱子学的理本论，主张气一元论，认为："盈天地之间，气也"（《日知录》卷一《游魂为变》条）。关于道和器的关系，说道："非器则道无所寓"（《日知录》卷一《形而下者谓之器》条）。在天道、理、心、性等范畴上

---

① 侯外庐：《中国早期启蒙思想史》，人民出版社，1958 年，第 463 页。

② 村瀬裕也：『戴震の哲学』，日中出版，1984 年，第 424、425 頁。

也和仁斋一样，通过对它们的重新解释来建立新的哲学体系。比如，关于天道和性，他在《日知录》卷七《夫子之言性与天道》条里提道："不知夫子之文章，无非夫子之言性与天道。……《春秋》之义，尊天王，攘戎翟，诛乱臣贼子。皆性也，皆天道也。……今人但以《系辞》为夫子言性与天道之书。愚尝三复其文，……所以教人学易者，无不在言行之间矣。"顾炎武认为，人事、言行、文章即性与天道，是"道"的外化。对于顾炎武、仁斋、徂徕来说，道同样存在于人之外。另外，王夫之的宋学批判不仅比顾、黄，而且比日本古学者还要全面和彻底。王夫之将"诚"作为他思想体系的最高范畴，提道："说到一个'诚'字，是极顶字，……尽天地只是个诚，尽圣贤学问只是个思诚"(《读四书大全说》)。"诚者，神之实体，气之实用，在天为道，命于人为性"(《诚明篇注》)。宋儒周敦颐将"诚"解释为"寂然不动者"，而王夫之解释为："夫诚者实有者也。前者所始，后有所终也。实有者，天下之公有也，有目所共见，有耳所共闻也"(《尚书引义・说命上》)。这里所说的"诚"(即"实有")不是主观精神，而是客观存在。不仅指特定的、具体的有形物，还接近于将宇宙间无数客体的一般属性("客观实在性")抽象化后的"物质实体"这一概念。王夫之提出"实有"这一概念，比顾炎武以及仁斋主张元气为本体的气本论向前迈进了一步。

同时，从文献学研究角度来看，顾炎武在自身的文献学研究上主张以"三代六经……多后人所不能通，以其不能通而辄以今世之音改之，于是乎有改经之病。……古人之音亡而文亦亡"(《亭林文集》卷四《答李子德书》)和古典之古音→古字义→古制度→"古圣贤之教"的顺序对古典进行再探讨。顾炎武认为"古人之音"和后代"今世之音"并非是连续的，以"今世之音"来读古典的话，对古典的理解就会谬误百出。他在《音学五书》和《答李子德书》中指出，朱熹以及宋儒的谬误很多。在从语言出发来解释古典这一方法上，顾炎武和仁斋、徂徕有类似之处。不同点在于，顾炎武不仅从"字义"出发解释文献学研究，还从"发音"上来解释。后世的"汉学"大师戴震和王念孙父子都继承了顾炎武的方法。另外，顾炎武也提到了“本证”“旁证”等考证法，说过：“本证者，《诗》自相证也。旁证者，采之他书也”（《音韵》卷中《古诗无叶音》）。顾炎武之外，黄宗羲在为阎若璩《尚书古文疏证》所作序中，和仁斋一样也指出了《大禹谟》篇的“人心”“道心”之语正是“古文”诸篇是伪书的证据。这是中日思想家不谋而合之处，不能说谁是先驱。顾炎武、黄宗羲也的确没有和仁斋的《语孟字义》一样，围绕宋学重要范畴的天道、天命、道、理、德、仁义礼智、心、性、情等对宋儒展开全面批判的著作。但是，也不能因此就说顾、黄不具备和仁斋学相类似的学问和方法。而且，《语孟字义》的体裁并非是仁斋的独创，它和戴震的《孟子字义疏证》一样都是仿照陈淳（北溪）的《性理字义》而成。① 到 17 世纪后期，中日两国的宋学都遇到了思想瓶颈，从两国儒学内在发展的必然性出发，顾、黄、王及日本古学派应运而生。②

仅从文献学研究水平进行比较的话，清代初期的阎若璩等足以和日本古学者相比肩。阎若璩的《尚书古文疏证》和仁斋的《语孟字义》“书”一项中，都论证了《古文尚书》中有伪作。对两者进行比较的话，阎的论证更加严密而充分。吉川幸次郎也认为：“仁斋的考证含有过分解读的部分，另外资料上也不是很齐全。如稍后会提到，比他晚一百年左右，在中国出现了和他方向一致的清朝汉学派人物。而这些人都会引用到的《说文解字》，至少仁斋没有机会看到过原稿。他所依据的《字书》仅限于明人的《字义》，这也是非常遗憾的。而成为讨论焦点的孙奭的《孟子正义》，在今天看来也是不值得信赖的书。”③子安宣邦也指出：“仁斋原封不动地引用了《集注》的语句、文章。……对‘务，专力也。本，犹根也’的解释也完全依照《集注》而成。这是仁斋古义学的特征，当然也可以从这点

① 岡田武彦：『戴震と日本古学派の思想』，『江戸期の儒学』，木耳社，1982 年，第 82、91 頁。

② 余英时：《戴东原和伊藤仁斋》，《食货》四卷九期。黄俊杰：《儒学传统和文化创新》，台北：东大图书，1983 年，第 94—102 页。

③『日本思想大系 33　伊藤仁斎・伊藤東涯』，岩波書店，1980 年，第 575 頁。

看出他学问的注释学的质量。”①

在这里通过探讨“仁斋的考证含有过分解读的部分”的原因，可以看出，这和伊藤仁斋学问方法的“血脉”“意味”论等相关。伊藤仁斋说过：“盖意味本自血脉中来，故学者先当理会血脉。……不理会血脉而能得意味者，未之有也。然论先后，则血脉为先；论难易，则意味为难。”②仁斋认为：“血脉者，谓圣贤道统之旨。若孟子所谓仁义之说，是也；意味者，即圣贤书中意味，是也。”③那么如何把握孔门宗旨，即“圣贤道统之旨”的“血脉”呢？仁斋是通过熟读《论语》《孟子》二书获得的体验来把握的。也就是说“学者取二书，沉潜反复，优游厌饶，不绝于口，爱不释手……然后能识孔孟血脉，众言淆乱而不惑。”④不从字义或者文义出发，只通过熟读而获得的对孔门学问主旨的“理会”未免会带有主观性。而且伊藤仁斋对“意味”的理解，正如子安宣邦所指出的那样，“并不仅仅是字义、文义等语言或者文章的意味”，“而是人们通过深刻体会并体认出来的语言之含蓄。”⑤因此对“意味”的把握，并不是对字义、文义的客观研究，而是对带有很强主观性的“语言”之“含蓄”的“理会”。仁斋主张：“学者当先理会血脉。”也就是说对“意味”的把握受到主观性较强的“血脉之理会”的制约。这大概是“仁斋的考证包含过分解读部分”的原因之一吧。进一步来讲，把从这种“血脉”到“意味”的学问方法，同从考证学的“语言”到“原意”的方法进行比较，会发现两者具有很大差距，而且顺序是相反的。仁斋认为《大学》不是“孔氏之遗书”。另外，证明《古文尚书》中有很多伪作的正是基于对“孔孟血脉”的把握，并非是“通过古语研究而展开古典原意研究”的考证学成果。三宅正彦也指出过伊藤仁斋“血脉优越”的问题所在。三宅正彦有如下所述：“这里的问题是，把《孟子》＝经书作

① 子安宣邦：『伊藤仁斎研究』，『大阪大学文学部紀要』第 26 巻，1986 年，第 57 頁。

② 『近世儒家文集集成 1　古学先生詩文集』，ぺりかん社，1985 年，第 107 頁。

③ 『日本思想大系 33　伊藤仁斎・伊藤東涯』，岩波書店，1980 年，第 148 頁。

④ 同上，第 99 頁。

⑤ 子安宣邦：『伊藤仁斎研究』，1986 年，第 59 頁。

为论据，来否定《大学》的《楚书》＝史书引用的考证方法。‘以经解经’的正证法和‘以子解经’‘以史解经’的旁证法，在儒学上也都被看作是正统的考证方法。”[①]但是，仁斋极力反对“以子解经”“以史解经”，试图“以经解经”“以经解子”“以经解史”。比如，《论语·述而》“夫子为卫君乎章”中，记录有关于伯夷、叔齐的问答。朱子在《论语集注》中根据《史记》的《伯夷叔齐列传》，考证了伯夷、叔齐的事迹。但是仁斋在《论语古义》(林本)中认为“夷齐之事未详。孟子曰：‘非其君不事，非其友不友。不立于恶人之朝，不言恶人言’。史所记载，逊兄弟国之事，不足考信。故特依孟子为断。”主张排除《史记》，只依《孟子》为典。孔孟血脉超过价值领域，在事实领域上确立了其卓越性。[②] 伊藤仁斋认为“孔子之血脉否定了诸子、史书所举证的事实，提出了新的事实”。[③] 通过如上所述可以看出，“仁斋学问上的业绩是领先于中国的”，此种说法有些欠妥。

在和政治的关系层面上，日本的古学者和清代初期的顾炎武、黄宗羲、王夫之极其类似，但是，和乾嘉时期的考证学者有所不同。这里所说的“和政治的关系”，并非指是否出仕，而是指这种学问是否以“经世济民”为目的，是否包含社会政治论或者经世论的内容。

顾炎武在《与人书二十五》中写道：“君子之为学，以明道也，以救民也”(《亭林文集》卷四)。他批评降服于清朝的知识分子是民族的罪人，表明了其强烈的民族思想。他不仅反对清朝的统治，还反对一般意义上的君主专制，主张“众治”。在这一层面上，黄宗羲的思想比顾炎武的要更加彻底。他还指出秦汉以来的历代法制都是为满足皇帝家族的“利欲之私”而制定的。黄宗羲对封建专制君主和封建法制的批判，表明了他的民主思想。同时，他还要求扩大学校权力，主张将其变更为与现代议会相类似的机构。王夫之主张“平天下者，均天下而已矣”的平均思想，强调“夷夏之防”，反对清朝统治。总而言之他们的主要思想内容是对统

---

① 诸桥辙次：《经学研究序说》，第317—350页。

② 三宅正彦：『京都町衆伊藤仁斎の思想形成』，思文閣，1987年，第330、340頁。

③ 同上，第330、340頁。

治体制的反抗。

日本古学者的思想中缺少类似于顾、黄、王的反抗思想。他们主张学问“经世致用”，也就是仅仅主张参与政治。比如山鹿素行的“君主论”和顾、黄有所差别，肯定君主统一天下的作用，同时还强烈要求必须守护君主的“分”。他的《谪居童问》“治平”部分及晚年著作《治平要录》都是关于政治论的。伊藤仁斋作为处士、町人渡过了一生，但是他认为学问的终极目标应该归结到“经济”，即“经世济民”上。荻生徂徕和素行、仁斋不同，参与了幕政。如果说徂徕的《辨道》《辨名》《论语征》是政治哲学的话，那么《徂徕先生答问书》《太平策》《政谈》则是他的经世论。比如《政谈》就是徂徕晚年应八代将军德川吉宗的要求所执笔的。

但是，除去少部分学者（比如戴震），中国清代乾嘉时期大多数有名的考证学者都曾出仕并身居高位，而他们的学问却只是埋头对古籍一字一句进行正误判断。毫无疑问，他们的思想中不会孕育出诸如顾、黄、王等的社会思想和民族思想，甚至缺少类似于日本古学者的经世论，而完全避开了政治问题。从这点来看，比起乾嘉时期的考证学者，日本古学者与清代初期考证学的先驱人物顾炎武、黄宗羲、王夫之更加类似。

简而言之，从学问的内容、方法或者学问和政治的关系来看，17 世纪后期中日两国几乎同时出现了用文献学的方法来批判宋儒的倾向。

第二节 日本古学派的现代意义

松本三之介在《近代思想的萌芽》一文中，指出了研究日本近代思想萌芽的“接近方法”主要有三个类型。“第一，是从对封建社会的思想批判中寻找近代思想萌芽的方法”，“第二，是以近代思想的一般性特质为前提，从德川时代的日本思想中探寻新思想萌芽的方法”，“第三，是相对于西洋近代思想，重视日本近代思想的特质。在西洋近代思想的接受上也主要通过接受方日本传统思想状况的接受过程来探讨近代日本思想萌芽的方法。”[①]在考察江户时代思想的近代意义时，以第二个方法为例来看一下丸山真男的《日本政治思想史研究》。该书以“思维方法的内在分析”为视角，将江户时代儒学思想的发展看作是占据支配地位的朱子学派儒学思想，尤其是其静态的、关照的思想特色以及规范主义的思考方法逐步被克服的过程。具体而言，这个过程是自然被规范化，规范被自然化的朱子学道德合理主义的体系，经过仁斋、素行，最终到徂徕时，规范和自然、政治和道德、公领域和私领域的连续构成被阻断。进而主体的“作为之伦理” 代替“自然之伦理”而出现，并导致思想解体的过程。在这一过程当中，古学派学者尤其是徂徕成长为具有近代精神特质的人物。50年代以来，曾围绕《日本政治思想史研究》展开了各种批判。[②] 子安宣邦断言：“《日本政治思想史研究》中的徂徕像是‘思想史’的虚构。”[③]《日本政治思想史研究》第一章和第二章的具体论点，的确具有很多值得商榷的地方，应该接受大多数学者的批判。但是该书中提到的关于江户时代思想近代意义的研究方法，也就是“以近代思想的一般性特质为前提，从德川时代的日本思想中探寻新思想萌芽的方法”，在当今也是非常有意义的。

对“情”“欲”“私”的宽容以及肯定，是日本古学者山鹿素行、伊藤仁斋、荻生徂徕等共同的思想倾向，可以说是和近代思想，尤其是和近代人道主义相通的。中国对“情欲”的肯定是由王阳明的后学所实现的，日本阳明学者没有提出肯定“情欲”的思想，在日本对“情欲”的肯定，是由日本古学者完成的。

---

① 松本三之介:『近世日本の思想像』,研文出版,1984年,第113—115頁。

② 尾藤正英:『日本封建思想史研究』,青木書店,1961年。今中寛司:『徂徠学の基礎的研究』,吉川弘文館,1966年。守本順一郎:『東洋政治思想史研究』,未来社,1967年。田原嗣郎:『徳川思想史研究』,未来社,1967年。平石直昭:「戦中・戦後徂徠論批判」,『社会科学研究』39巻1号。渡辺浩:『近世日本社会と宋学』,東京大学出版会,1985年。小島康敬:『徂徠と反徂徠』,ぺりかん社,1987年。子安宣邦:『「事件」としての徂徠学』,青木社,1990年。前田勉:『近世日本の儒学と兵学』,ぺりかん社,1996年。

③ 子安宣邦:『事件としての徂徠学』,青木社,1990年,第15頁。

在中国，无论是宋代的张载、二程、朱熹，还是明代的王阳明，他们的理论虽具有各种差异和对立之处，但是都主张“存天理，灭人欲”。朱熹说过：“圣贤千言万语，只是教人明天理，灭人欲”(《语类》卷十二)。王阳明也说：“学者学圣人，不过是去人欲而存天理耳”(《传习录》上)。有时，他们将“人欲”置换为“人心”“私欲”“人欲之私”，将“天理”和“人欲”，“道心”和“人心”，“公”和“私”对立起来。他们认为“人欲”的范围非常广，甚至连对美食的渴望，也被当作“人欲”。朱熹说过：“人要吃饭，是为天理；人要美食，是为人欲”(《语类》卷十三)。毫无疑问，朱熹和王阳明之间并非没有天理和人欲概念上的变化，但是两者都认为应该从道德上否定人欲这一概念。

日本古学派学者，不赞同朱熹和王阳明的这种主张。山鹿素行认为，对于人类来讲，“人欲”是自然的或者是必然的存在。他说过：“凡欲为情之发动也。人生来未曾不有此情欲。……性心元为活物，欲无欲，终不可得。”[①]他还批判朱熹所谓的“灭人欲”其实是将“无欲”看作是“本”乃至理想，同时还指出：“以无欲论之时，槁木死灰之谓也。人不应丝毫无欲。日用事物，语默动静，这个是情之欲。不应谓之无欲。”[②]他进一步说道：“去人欲则不为人，同瓦石。况瓦石皆明天理也。”[③]不仅如此，山鹿素行还主张“欲”“欲心”为“知识”或者是“善行”的原动力，是成为“圣人”的依据。他认为：“人之知超万物，其欲心利心又逾万物，故好色者求天下之美人，好声者求天下之美声，是不尽美之至极，则无恶，是乃人性之本，知识秀于万物之因也。……美人为色之至善，八音调为声之至善，忠孝为仕君父之至善，仁意为人道之至善……”[④]“欲心”追求“美之至极”“至善”(也包括“人道之至善”)，所以“有此欲心，亦应至圣人”。但是无限制允许这种“情欲”发动的话，就会破坏社会秩序。因此必须控制“情

① 『山鹿語類』第4，国書刊行会，1911年，第99頁。

② 同上，第417頁。

③ 『山鹿素行全集』第六卷，目黒書店，1944年，第319頁。

④ 同上，第255、256頁。

欲”之“惑”或者是“过之不及”。关于这一点，他写道：“人之情欲必过溢而不知足。圣人立教而节制之，又不得已之自然也。”①山鹿素行经常将“圣人之教”具体化为“礼乐”，而人们根据“礼乐”这种外部规范来控制“情欲”。也就是说“定人之礼，以通人情制其过不及”。② 山鹿素行肯定“情欲”的自然性以及必然性，不加以任何区分地肯定了“利”。他解释为：“利者宜也，通也，顺也，吉也。欲者情也，愿也。人皆以利欲混合来。……欲者情之有所欲也，利者情之有所利也……有财利，有名利，有声色饮食之欲，凡情欲之好便利，天下之人皆然。”③山鹿素行经常将“利”解释为“便利”，认为“天下之人”也就是有“情欲”的人都是“好便利”之人。他还指出“人心皆有好利恶害之二心，是云好恶之心。依此心而立教，述圣人之极。……如无此利害之心，则为死灰槁木而不为人。”④他不赞同程颢的“凡有一毫自便之心，即是利”的主张，批判“其语意太过高”。这和“佛教”的“清净平等”一样。只是求“利”之时，对他人等闲视则为“私”，应当引以为戒。他认为：“放己之欲，喻身之利。曰私，曰己，曰我，皆是不及他，不顾人……”，主张“圣人之教，唯戒措人自制”，“圣人之学，在节欲正利”。⑤

正如田原嗣郎所指出的那样，山鹿素行认为，“欲仅在天地秩序框架内得以存在”。⑥ 但是，他把“情欲”看作是人与生俱来的自然、人性，明显具有近代人道主义的意义。田原嗣郎以朱熹也说过“饮食男女之欲，出于其正，即道心矣”为依据，指出“素行似乎没有和朱子学相对立的必要”，“那种情况是因对朱子学的误解而出现的”。⑦ 但是朱熹的“饮食男女之欲”和”人要吃饭，是为天理；人要美食，是为人欲”中的“饮食”是一

---

① 『山鹿語類』第 4，第 26 頁。
② 『山鹿素行全集』第六卷，第 267 頁。
③ 『山鹿語類』第 4，第 25 頁。
④ 『山鹿素行全集』第六卷，第 254 頁。
⑤ 『山鹿語類』第 4，第 25 頁。
⑥ 田原嗣郎：『德川思想史研究』，未来社，1967 年，第 23 頁。
⑦ 同上，第 61 頁。

个意思。既指人类生存所需的最基本条件和要求(或者是个人生理的、本能的欲望),又是"天理",又是"道心"。朱熹认为"人欲"是对"美味"的"要求",应该加以否定。相对于朱熹,山鹿素行将和"追求美味"一样的"不尽美之至极,则无恶",看成是"人性之本"也就是人的自然性。这也正是山鹿素行思想中和朱熹相对立的地方,也是素行对"情欲"的认识具有近代性的表现。

伊藤仁斋进一步系统地说明了肯定"情欲"的道德实践论。何为"情"?根据伊藤仁斋的说法,"情者,性之欲也",[①]即《乐记》中所谓的"感于物而动,性之欲也"。"情"为"受到某种对象的刺激而产生的自然反应的结果和自然发生的感情"。[②] 具体来说"目之欲色,耳之欲声,口之欲味,四肢为欲安逸,是为情","父必欲其子得为善,子必欲其父之寿考,是为情"[③]。另外,"情"不仅仅是被动的反应,还是能动的希求。希求的对象为"美色""好音""美味""安逸""子之善""父之寿考"等。这些和山鹿素行所说的"美之至极""至善"大体是同义的。这些"情","常言人情,言人欲,或言天下之同情"。朱熹认为这种"追求美味"的希求应该被看作是"人欲"并加以否定。但是仁斋不赞同朱熹的这种看法,他认为"无一毫人欲之私,又非具形骸有人情者所能为"。[④] 这种"情""人情""情欲"不仅仅是个人的情感,还是"天下之同情","人情,圣人不废"。[⑤] 这是超越时代和民族的、普遍的"共同感觉","夫人情无古今无华夷,一也"。[⑥] 他反对将"天理"和"人欲"分开的看法,"人情者,天下古今所同。五常百行,皆由是而出。岂外人情而别有所谓天理者哉?"[⑦]仁斋思想体系的最

---

① 『日本思想大系 33　伊藤仁斎・伊藤東涯』,岩波書店,1980 年,第 56 頁。

② 丸谷晃一:「伊藤仁斎「情」的道徳実践論の構造」,『思想』1992 年 10 期。本章关于伊藤仁斋的"情"论的叙述,从丸谷论文中受益匪浅。

③ 『日本思想大系 33　伊藤仁斎・伊藤東涯』,第 56、57 頁。

④ 『日本古典文学大系第 97　近世思想家文集』,岩波書店,1966 年,第 96 頁。

⑤ 『日本名家四書註釈全書』第 3 巻,鳳出版,1973 年,第 160、161 頁。

⑥ 『日本思想大系 33　伊藤仁斎・伊藤東涯』,第 97 頁。

⑦ 『日本名家四書註釈全書』第 3 巻,第 197 頁。

高范畴是“道”。他提道，“圣人每以道之字为言，而及理之字者甚罕也”。[①] 仁斋认为道绝非是虚空之物。“人情之至即道也”，“若夫外人情离恩爱而求道者，实异端之所尚，而非天下之达道也”。[②] 山鹿素行从人类自然性、必然性角度肯定了“情欲”，伊藤仁斋从普遍性视角全面肯定了包括“欲”在内的“情”，将其提高到了“道”的高度。当然朱熹也并不是主张“无情”。他说过：“性之所感于物而动，则谓之情。是三者人人皆有之，不以圣凡为无有也”（《答徐景光》）。但是朱熹肯定包含“欲”“人欲”在内的“情”，并未将“情”“人情”提高到作为他思想体系最高范畴的“天理”“人欲”的高度。

但是，伊藤仁斋的“情”论，并不是无限制地纵容感情的“欲望自然主义”。他主张对“情”的发展加以一定限制，反对“纵情”。因为“情”，“苟中其节之时，则为天下之达者。非中其节之时，则为一人之私情”。[③] 那么用什么办法可以避免陷入“私情”而对“情”加以控制？如何根据情况将“情”控制在适当的标准？仁斋认为这不是依据整齐划一的、固定的理，而要以“思虑”为依据。也就是说对于“心”来说，是通过“思虑”来“主宰”“情”。他说过：“心有主宰。……心因思虑而能动……当喜怒哀乐，而能喜怒哀乐者为心也。”[④]这是主观的标准。另外“孔子之教”或者《论语》中有“仁”“义”等客观规范。在这种主观标准和客观标准的基础上，为掌握控制“情”的方法，必须要“修养”。伊藤仁斋也正是从以上意思出发，提出了“苟有礼义裁之，情即是道，欲即是义，何恶之有？”[⑤]

当然孔子也重视情感的适度表露。他提道：“唯仁者能好人，能恶人”（《论语·里仁》）。孟子、荀子、《大学》、《中庸》也并非主张“无情”。只是汉代的董仲舒和唐代的李翱将“情”视为“恶”。程颢、程颐、朱熹也

---

① 『日本思想大系 33　伊藤仁斎・伊藤東涯』，岩波書店，1980 年，第 32 頁。
② 『日本名家四書註釈全書』第 3 巻，鳳出版，1973 年，第 197 頁。
③ 同上，第 161 頁。
④ 『日本名家四書註釈全書』第 9 巻，鳳出版，1973 年，第 55 頁。
⑤ 『日本古典文学大系第 97　近世思想家文集』，岩波書店，1966 年，第 98 頁。

并非主张“无情”，说过“以情从理”或者“节情”。这些关于“情”的主张和山鹿素行、伊藤仁斋的想法之间差距并不大。但是和山鹿素行、伊藤仁斋等一样，将“情”与“欲”“利”结合起来，对“情欲”和利加以全面肯定的，在中国已是清代戴震以后的事了。因此，山鹿素行和伊藤仁斋对“情欲”的“宽容”和“肯定”，与其说是“复古”，不如说是向近代人道主义前进了一步。

荻生徂徕以伊藤仁斋的批判者而自居，但他对“情欲”的看法几乎沿袭了伊藤仁斋的道路。比如徂徕关于“心、情之分”，和仁斋的《语孟字义》一样，说道：“大抵心、情之分以其所思虑者为心，以不涉思虑者为情。……凡人之性皆有所欲。而涉思虑则或能忍性。不涉思虑，则任其性所欲”（《辨名》）。除此之外，在关于“性”和“情”的关系上，如何“约情而适中”，徂徕同意仁斋之说。① 荻生徂徕也主张：“以礼乐来检验人情。”他提到：“好华美为人之常情。故若无制度，世间则次第恣身外之骄奢。”②荻生徂徕不仅认可一般情况下人之“情欲”所应该正视的现实存在，如松本三之介所指出的那样，“素行和仁斋对‘情’‘欲’的理解到徂徕时，变成对人类个性的理解”。③ 荻生徂徕认为：“人之性万品，刚柔轻重，迟疾动静，不可得而变矣”（《辨名》）。④ “凡人之所生，其器量才智，人人格外者，一样之人天地间无之事。故古语亦有‘人心不同如面’。”⑤“如曰‘天下同情’，皆以所欲而言之。性各有所殊，故曰‘万物有情’，如曰‘物不齐，乃物之情也’，皆以性之所殊而言之。”⑥另外徂徕认为人的个性即“气质”是不会改变的。他认为“言变化气质乃宋儒之妄说，将不可成之事责于人，无理之至也”。⑦ 如此一来徂徕认可了人的多样性、个别性、特

① 『日本古典文学大系 97　近世思想家文集』，第 136—144 頁。
② 同上，第 314 頁。
③ 松本三之介：『日本政治思想史概論』，勁草書房，1975 年，第 25 頁。
④ 『日本思想大系 36　荻生徂徠』，岩波書店，1973 年，第 137 頁。
⑤ 同上，第 375 頁。
⑥ 同上，第 142 頁。
⑦ 『日本倫理彙編』第六冊，第 175、176 頁。

殊性、独占区域等“私”的世界的正当性。

徂徕的“公私”观也独具特色。其特色是相对于中国传统“公私”观而言的。关于中国和日本的“公私”观的差异，沟口雄三有如下所述。“公”的意味在甲骨文、金文世界里，“缺乏民之私的共同性这一色彩很强”①。从战国时代到汉代，许慎在《说文解字》中的解释，即“公，平分也。从八从厶。八犹背也。韩非曰：背厶为公”，具有了公平、公正、均分、反利己等伦理性和原理性。作为其相反概念的私也具有了私曲、奸私、私邪等反伦理的意味而得以通用。到了宋代，公私开始作为“天理之公”“人欲之私”（朱熹《中庸章句》序）等伦理和反伦理的相反概念而出现。但是相对于中国“公”“私”概念的伦理性和原理性，日本的“公”和“私”都是领域性的概念。也就是说，将公共作为公然的领域，私作为隐然的领域。“公和私既不是对立关系也不是相互排斥的关系。也就是说公和私不是对等的关系。位于公的下位，从属于公而又允许其领域存在的就是私。”②“只要遵守公共场合的秩序，私领域就不受干扰并得以保存下去。”③荻生徂徕的“公私”观受到中国儒家将“均”“平”作为“公”的影响，认为：“《大学》曰：‘平天下’，《中庸》曰：‘天下国家可均也’，《论语》曰：‘不患寡而患不均’。又曰：‘公则说’。是均、平皆公也。”④但他不赞同中国战国时代之后将“私”解释为私曲、奸私、私邪的伦理认识，尤其不赞同宋儒“天理之公，人欲之私”的看法。他说过：“以宋儒的‘天理之公，人欲之私’而立说，则求之太深，近无恩。”⑤荻生徂徕在日本传统领域性的原理之上，对“公”“私”作出了解释。他认为：“公者，私之反也。众之共同处，谓之为公”，“是公私各司其所。”⑥其中，“所”指的是场所和领域。在日本传统的“公私”观的领域性原理基础之上，人们在“公”场所和领域

---

① 溝口雄三：『一語の辞典　公私』，三省堂，1996 年，第 35 頁。
② 同上，第 40 頁。
③ 同上，第 44 頁。
④『日本思想大系 36　荻生徂徠』，岩波書店，1973 年，第 105 頁。
⑤ 同上。
⑥ 同上。

中，只要遵守公共场合的秩序，“以私密的、个人的、内部的事情为属性的私”领域就可以不受干扰并得以保存下去。而且这里的“私”并非是反伦理的概念。因此，徂徕认为，“君子之道，有与众共焉者，有独专焉者”，“虽君子岂无私哉！”[①]荻生徂徕在《论语征》中说道：“盖君子者在上有德，其心在安民，故为公也。小人者细民之称，其心在营己，故为私也。”[②]根据徂徕的以上说法，在“治天下国家”领域中，作为治者的“君子”应当“贵公”。而在日常生活领域中，作为被统治者的“细民”＝“小人”，没有必要把“公”放到优先位置。即使是“君子”，如果被放到“治天下国家”领域之外的话，拥有“利”“欲”“私”也是无可非议的。他认为：“虽君子岂不欲利乎？虽小人岂不悦义乎？所务异也。”[③]和前人相比，荻生徂徕更加明确地、严格地把“公领域”和“私领域”区分开来，确立了“公”的优越性。田原嗣郎认为：“徂徕的‘私’的世界和‘公’的世界不是同一个世界，存在着自律性。而且只要不危害‘公’的话，‘私’就是被认可的。”在徂徕的世界当中，“对‘私’的认可是消极的”，但是认同其自律性这一点，“就是徂徕思想中‘私’的意义所在”[④]。总之，徂徕的“公私”观，也可以说是位于日本“公私”观的延长线上，可以说是最极致的表现。部分日本学者认为日本传统的“公私”观及徂徕的“公私”观，给启蒙思想家福泽谕吉的“公私”观带来了一定影响。[⑤]

日本古学派儒学者承认“情欲”“私”等的正当性，并认为应该将其控制在一定程度内的思想，在当今世界也有其现实意义。人们无限制地追求个人的“利”“欲”“私”，已经带来了自然环境破坏、人际关系疏离、道德水准下降、精神支柱丧失等一系列问题。但是地球自身的资源极其有限，其衍生物也是有限的，这就不允许毫无节制地纵容私欲。人类如果

① 『日本思想大系 36　荻生徂徠』，岩波書店，1973 年。
② 『日本名家四書註釈全書』第 4 巻，鳳出版，1973 年，第 34 頁。
③ 同上，第 86 頁。
④ 田原嗣郎「日本の『公・私』」，溝口雄三編：『中国の公と私』，研文出版，1995 年，第 112—115 頁。
⑤ 溝口雄三：『一語の辞典 公私』，三省堂，1996 年，第 41—44 頁。

无限制地满足欲望的话，欲望和欲望就会发生冲突，进而导致纷争，最后陷入混乱状态。不仅如此，人类及其生活环境本身，也会面临灭绝的危险。因此，越来越多的人们开始思考“仅仅依靠满足欲望就会获得幸福吗？”“应该如何处理欲望和秩序的关系？”“所谓美好的世界是什么样子？”“人类的将来应该何去何从？”[①]因此，如何调节和调和欲望已经成为全人类的课题，而江户时代的有识之士关于“情欲”的思考和智慧或许会给我们带来一些启示吧！

---

① 谷川道雄、溝口雄三、渡辺浩、岸本美緒:「欲望・規範・秩序をめぐる研究史再考」,『中国——社会と文化』第10号,1995年。

第五章　安藤昌益的思想和现代

第一节　安藤昌益的儒学批判

安藤昌益(1703? —1762)是杰出的反封建思想家以及日本反封建思想的先驱人物。在德川封建社会的鼎盛时期,他不仅反对“不耕贪食”的封建经济剥削制度和“立大小之序”的封建政治压迫,还反对“上下、贵贱、贫富”等差别是与生俱来的、必然的这样的儒学、佛教、神道、老庄思想等封建意识形态,认为人人都应该“直耕自食”,“无上下、大小、贵贱之分”,人人都应该回归到平等的“自然世”。

他对儒学的批判尤其激烈。不仅在日本,甚至可以说是“东亚世界中早于鲁迅的最大的儒教批判者”,①具有很大的独创性。他的儒学批判,在日本思想史以及东亚思想史上都谱写了光辉的序章并受到很高的评价。但是在考察安藤昌益和儒学的关系时,我们应该看到他对儒学展开过史无前例的全面批判,同时还应该认识到昌益的儒学批判具有单一性、片面性的倾向。我们在注意到昌益对儒学展开激烈批判的同时,还

---

① 農文協編:『安藤昌益　日本・中国共同研究』,農山漁村文化協会,1993 年,第 160 頁。下面叙述中将本书简称为『日中共同研究』。

不可忽视他有意识或无意识地继承了儒学的概念、范畴、思想和思考模式这一侧面。我们应该充分肯定他的儒学批判对日本封建社会以及意识形态给予了沉重打击。松本三之介认为，“如果从封建社会的批判思想中，探索近代思想的萌芽”这一角度来看，昌益的儒学批判具有近代意义。但是，一方面还应该看到，他的反儒学思想和日本近代思想发展史没有直接关联。上述观点，可能会受到一些批判，比如“知识分子如果不对过去的思想家的历史制约和局限性逐一进行批判的话，就会认为有失颜面，统治者们担心如果不对其进行批判的话，民众就会犯错。他们认为昌益的思想中虽然有这样那样的缺点，但是仍然会给出他是出众思想家的标准答案”。① 但是笔者目前还是会坚持自己不成熟的“标准答案”和“公式化的见解”。原因在于从客观的、科学的态度来考察安藤昌益的反儒学思想，不仅可以给出公正的评价，而且，中日两国学者所面临的社会情况以及具有的问题意识和昌益研究史各自都有所不同。在这种差异基础上，“将什么拿到台面上去探讨，将什么作为研究课题暂时搁置”②自然就会有所差异。比如，响应中国“文革”中“评法批儒”(摒弃儒学，提倡法家思想)运动的呼声，曾出现过对昌益赞美有加的论文《日本历史上杰出的思想家安藤昌益》，这一情况在中国学界也很特殊。正是在这种情况下，有必要对安藤昌益的反儒学思想进行全面评价。当然，笔者丝毫没有给出“标准答案”或者是遵守“公式化的见解”的意图。

安藤昌益对儒学的批判，可以说是全面的攻击。首先其批判的矛头不仅指向了孔子、孟子、程子、朱子等儒学者(曾子除外)，还指向了儒者所尊崇的伏羲、神农、黄帝、尧、舜、禹、商汤王、周文王、武王、周公等。安藤昌益概括性地指出，这些“圣人”具有“五逆十失”。

“五逆”指的是违背自然，纵容私欲而为王；违反天地万物生成活动(直耕)的自然之道，把众人直耕变为不耕贪食；违背原本无差别的平等

① 農文協編：『日中共同研究』，農山漁村文化脇会，1993 年，第 24 頁。
② 同上。

人类社会，制定反自然的五伦之法；一男娶多女；挖掘地下金矿进行再铸造并开始流通，使本来无欲清心、自然正道的人们起了贪心，被私欲所迷惑的五种罪科。

“十失”指的是制作无用的乐器，使人们沉迷其中，耽溺于玩乐；制作棋子，使人们耽误劳作，开始沉迷于赌博；开始实施牺牲制度，让人们开始养育牛羊，食用肉食；将天下分为多个小国，将诸侯臣下分配到各国，不耕贪食者开始增多，成为天下大乱的原因；设立武士阶级，使其为官，私欲横流并开始贿赂的勾当，成为战乱原因；使用武力抵挡民众反抗，并施行镇压；兴办手工业，大势建造城郭、房屋，各行各业手工业者开始制造华而不实的器物，从事农业的人口开始减少，结果导致战乱；商业兴起，买卖昌盛；制作纺织坊，制作华而不实的衣裳，让人们耽溺于华美衣着；将伪造文字、书籍、言说者奉承为贤者，置于高人一等的位置等十种误导。

他认为这些“圣人”为了“一己私欲和一世荣华”，实施“五逆十失”，其结果导致“自然之人世成为畜生之世”，“成为乱世”，“成为欲盗之世”。①

在这些批判当中，安藤昌益从人人平等、男女平等的观点出发，批判这些“圣人”们“凭借私欲而为王”，“上为大，众为小，立大小之序”的政治统治和“一男多女”的一夫多妻制。而且从每个人都应该自耕自食（“直耕”）的观点出发，批判“圣人”通过“不耕贪食”的经济剥削，“圣人”为维护政治统治和经济剥削制定的“刑”（罚则、法律）和“五伦之法”（道德）。安藤昌益的批判直击封建经济剥削和政治统治制度以及其意识形态的要害，上述三个批判观点也可以说具有很大的独创性。昌益“不仅主张人人平等，还主张社会和社会，民族和民族之间的平等”。② 评价他为“世

① 安藤昌益研究会编：『安藤昌益全集』，農山漁村文化協会，1982—1987 年，第 8 卷，第 333—339 頁。原文是采用汉字和片假名记录的，引用时改为汉字和平假名记录。另外，在引用全集中的内容时，会将『安藤昌益全集』第 8 卷，第 160 頁，简称为「全・8・第 160 頁」。

② 『日中共同研究』，第 92 頁。

界史上共产主义的先驱人物”，[①]也是将“人类劳动”“大众”作为“思想、学问主题的首位思想家”，[②]“坚定的无神论者”，[③]这是无可置疑的。但是“圣人”的“五逆十失”论，反映了安藤昌益彻底的反封建精神，同时还反映了他反文化、反商品经济以及非社会、非道德的倾向。

安藤昌益正是以上述是否实行“直耕”，是否主张人人平等，是否有必要实施法律和道德规范这三个标准来评价孔子及其弟子曾子（曾参）的。安藤昌益以是否“直耕”为基准，说道：“孔丘虽为师却不耕盗道，曾子虽为弟子却直耕不盗。”[④]因此，他认为：“以道直耕，而全转真者，出伏羲之世以来，万万世之圣贤，其中曾子一人真无盗罪，乃正人也。”[⑤]安藤昌益指出，孔子不及曾子的原因在于孔子“妄好古圣贤之私法，己又为作私法者”。[⑥] 也就是说孔子推崇历代帝王所制定的政治制度、法律以及道德规范。自己也“作《书经》”，“削周《诗》”，“序《易》”，“序夏礼，叙殷礼”，“缀《礼记》”，“作《春秋》”，“篇《孝经》”，制造出了诸多违背“直耕”之“真道”的“私法”。根据安藤昌益的判断标准，可以说“孔子的儒学心术、行条俱为制法也”，“曾子之学自为天道也”。[⑦]

安藤昌益将批判矛头指向了所有儒家典籍，从“五经”（《诗经》《书经》《周礼》《易经》《春秋》）到宋代学者极其推崇的“四书”（《论语》《孟子》《大学》《中庸》），以及《孝经》《左传》，传说中的《河图》《洛书》等。其中对《易经》的批判力度最大，因为安藤昌益认为，《易经》是“汉土圣学的起源”。他的著作当中对《易经》及其思想的批判随处可见。而批判力度最大的是《易经・系辞上传》中“易有太极，是生两仪”以及“天尊地卑，乾坤定矣”的“天尊地卑”思想。无论是《自然真营道》还是《统道真传》的儒学

---

① 『日中共同研究』，第 89 頁。
② 同上。
③ 同上，第 96 頁。
④ 全・8・第 225 頁。
⑤ 同上。
⑥ 同上，第 226 頁。
⑦ 全・4・第 142、143 頁。

批判，都起源于此。安藤昌益认为，《易经》以及之后百家的“易”说主张“太极”的存在是错误的，认为太极“动则阳仪，为天体；静则阴仪，为地体，天地为二，附上尊下卑之位”。[①] 即安藤昌益认为，《易》对天地加以区别，作出社会“尊卑”的评价，是统治阶级制定不平等社会秩序和不平等思想的根源。

安藤昌益首先根据气一元论思想来批判《易》的世界观。他认为“转定”（天地）原本是“无始无终，进退退进之一气”，[②]“无上无下，无尊无贱，无二而进退一体”[③]的。即从其本质上来看，天地为“一气”，需有“二别”。即使这样，《易经》还为“一气”之“天地”赋予了“上下尊贱”之“二别”，将其对立的世界观强加到人类社会上，制造出人的“上下二别，贵贱二别，男女有别，善赏恶罪”，[④]“法世”发挥了将不平等社会秩序及伦理规范加以正当化的作用，成为一切社会恶的根源。

安藤昌益还根据独特的“互性”思想，批判了《易经》“二别”的思考模式及“天尊地卑”的观念。“互性”是对立的，而且是相互依存的关系。他还认为“转定”（天地）位于“互性”关系中，即“转”（天）为动，“定”（地）为静，是相对立的存在。但实际上是对立而又相互依存的关系。如果没有转，则没有定。同样没有定，则没有转。而且“转之性为定，定之性为转”。[⑤] 这种“转定”“互性”观明显具有辩证法的意味。安藤昌益正是以气一元论的辩证法的“转定”观，为他的“万万人而一人”“男女一人，善恶一物，邪正一事”[⑥]的社会观、伦理观而确立了宇宙论的基础。

安藤昌益对儒学以“三德、五常、五伦、四民”为内容的伦理观、社会观展开了批判。他认为“智仁勇三德，是私作之妄造”，[⑦]而且在安藤昌益

① 全・8・第91頁。
② 全・13・第188頁。
③ 全・8・第91頁。
④ 全・3・第58頁。
⑤ 全・1・第267頁。
⑥ 全・3・第58頁。
⑦ 全・8・第108頁。

看来，儒学的“五常”，“仁为罪人之根，礼为乱之根，善为杀人之根，智为盗之根”，[①]“信为灾乱之根，转下之怨敌也”。[②] 而且“圣人”正是宣扬“五常”，才堕落为“转下、妄欲、盗争无止境”[③]的状态。安藤昌益从正面进行对决，提出“自然五常”的新概念，这也正是“发生、成育、实收、枯藏、革就”的“每岁、自然直耕”。[④]

安藤昌益认为“五伦”，即“君臣、父子、夫妇、兄弟、朋友”也是“圣人立教门而私作”的结果，尤其认为将“君臣”放到“五伦”之首，正是“圣人”将自己置于众人之上的“私作”。安藤昌益主张“自然五伦”，也就是“自然五伦，祖父母、父母、吾、子、孙，夫妇视为一人，共五人也”[⑤]（将夫妇、亲子、孙、兄弟姐妹、表兄弟堂兄弟作为“自然五伦”，将夫妇置于“五伦”之首）。他将家族血缘关系作为人伦关系的唯一内容，完全抹杀了人伦关系的社会性。

安藤昌益批判“士农工商”的“四民”等级制为“圣人之大罪、大失”。[⑥] 他揭露了“士”作为封建剥削阶级的本质属性。他指出，君主拥有武士，是为镇压反对经济剥削者，同时还镇压违反命令的政敌。武士不耕贪食，导致“耕者不足，招来乱世”的结局。[⑦] 工（工匠）是为满足“圣人”奢侈的消费生活而出现的。“大工、工辈”的出现，导致“无益消费，成为争斗之源”。[⑧] “圣人”制造金钱，将从事商业的人称为“商”，破坏了“自然人”“直耕直织”的生活，导致“人们所作所为皆为利往”。[⑨] 安藤昌益认为只有“农”是最值得尊重的，原因在于他们是“应转定而无私者”，是“直耕、

---

① 全・8・第129頁。
② 同上，第130頁。
③ 同上，第132頁。
④ 同上，第132頁。
⑤ 同上，第134頁。
⑥ 同上，第135頁。
⑦ 同上，第137頁。
⑧ 同上，第138頁。
⑨ 同上，第141頁。

直织、安食、安衣、无欲、无乱的自然之转子”。① 虽然如此，“圣人”的“四民”等级制将“农”置于“士”之下，这实际上是“自己将养父置于蹈下”之恶逆。安藤昌益对武士封建剥削阶级属性的揭露以及对农民的赞扬，旗帜鲜明地表明了他作为农民阶级的立场。

但是，我们在上述安藤昌益儒学批判中，具有单一性、片面性以及独断的倾向，可以看出这对批判的说服力和社会影响力有所影响。

比如，他对“世世圣人”及其之后的儒学者以及儒家典籍的批判，都和“不耕贪食”“私欲而为上”“制私法”“不知自然之道”一样，是从相同的论据出发，不免有单纯的同义重复之嫌。

另外，他对《易经》中“二别”思考模式的批判，主张“转定一体，日月一神，男女一人”，强调矛盾对立面的统一性。借助于此，批判了“天尊地卑”思想以及建立在此基础上的社会不平等观念。这种批判的确是正确且非常必要的，但是似乎忽视了矛盾对立面的斗争性。安藤昌益将此运用于社会伦理观，形成了与“无差别”相近的思想。比如，他提出“自然五常”即“自然直耕”，“自然五伦”即“祖父母、父母、吾、子、孙各夫妇”，“此五人而一人，一人而五人”。这也否定了人类的社会性以及作为社会存在的人类关系的差异。因此，反映人际关系差异的伦理观念也就失去了存在的意义。这表明了安藤昌益非社会、非伦理的思想倾向。但是作为社会存在的人类，其人际关系除血缘家庭关系之外，还有社会关系以及社会关系的差异性。而且差异的存在也正是矛盾所在，并且矛盾双方具有统一性和斗争性。

另外，安藤昌益对“五常”的批判，表明了他对儒学的某种曲解，以及有偏向某一方面之嫌。他对“仁”的批判，就是典型的例证。安藤昌益提出：“仁为罪之根也。”其理由在于“施仁与人，则蒙其仁者，荷其恩惠而招致罪恶。施仁者陷人于罪，则又为罪。故仁为罪之源”。② 他又指出圣人

① 全·8·第137頁。
② 全·3·第202頁。

"自己不耕而得众人直耕之全谷"[①]，只是口头上说"仁"，是违反天道的存在。安藤昌益之所以这样批判，是因为在他看来，儒家所谓的"仁"是"圣人位居高位体恤下民，施仁而夺仁"。[②] 但是，安藤昌益对儒家"仁"的概括，明显具有片面性。他将"仁"单纯地理解为"仁政"。但是"仁"所包含的内容非常广泛，除了适应特定时代之外，还具有普遍意义。其本质和普遍意味，是"爱人"，并且是在自己和他人的关系中展开的。"仁政"只不过是在统治阶级实施政治行为过程所体现的"仁"的思想。安藤昌益揭露了封建统治者实行"仁政"的虚伪性，这的确是远见卓识。但是，他将人与人之间的"施仁"(爱)与"蒙仁"(被爱)的普遍关系理解为"罪"，将人类生活单纯理解为"夜交昼耕，产米谷而食之，然生子"，[③]反映了他思想中非社会的、反文化的倾向。

简而言之，安藤昌益的儒学批判(《易经》批判除外)欠缺对批判对象自身内在理论的分析批判，但是，可以说他对儒学意识形态的性质以及其社会功能的认识是非常充分的。在这种倾向下，他对儒学的全面而且激烈的批判势必会缺少必要的理论说服力和对现实社会的具体影响力。

第二节　安藤昌益思想中的儒学影响

安藤昌益对儒学展开了全面而激烈的批判，但是，安藤昌益的思想作为日本思想史的重要一环，不可能不从先行思想中自觉或者不自觉地继承一些东西。其中当然包括对儒学的继承。

首先，他使用了较多的儒学概念和范畴。比如"太极"("转定为一神气太极之进退")、"气"("五行为一气之进退"[④])、"五行"、"道"("道为转

---

① 全・3・第199頁。
② 同上，第198頁。
③ 全・8・第147頁。
④ 全・4・第256頁。

定之气，人之情，感发于性，非率性者”[①])、“性”、“情”、“中”(中，真之名也[②])、“和”(“和者，气退之名也”[③])、“中庸”(“自然中庸”[④])、“用”(“权为用也”[⑤])等。安藤昌益在使用这些概念和范畴时，经常会给出新的定义，使其具有与原来儒学概念不同的意思。比如，他说过“太极即五行自然之异号”。[⑥] 也就是说“太极”不是《易经》中所说的天地产生之根源，而是一元气的自我运动的表现形式“五行”之别称。安藤昌益在使用他创造的新概念、新范畴(“转”“定”“互性”“活真”“直耕”“自感”等)以及变化了的儒学概念和范畴的过程中，构筑了他的思想体系。

多数学者指出，安藤昌益思想体系中的宇宙论继承了儒学的气一元论思想，这是确凿的事实。安藤昌益说：“道为无始无终，感自然真之一气，自进退，自成转定，转含日、月、星、宿、辰，是一气之进退，进退之凝成也。故此一气满转，无非一气之生成，无一气之不满。故自然、转定、人、物中，唯一气满也。”[⑦]他认为宇宙中天地、人、物都是通过一元气无始无终的运动而生成的。但是，安藤昌益气本论的具体构造和之前儒学的气本体论思想具有很多差异。他对气在运动中所形成的万物的“通、横、逆”三种运动方式进行解释，除强调“五谷”具有“精气”，“自然、转定、日月、星辰、万民之妙体”[⑧]以外，最大的差异是，在这之前的气本体论是“气有阴阳”，阳气表示天上升浮散的特性，阴气表示地下降沉积的特性，主体行动和被动，主和从，尊和卑的价值差异。比如，中国思想史上将物质的“气”作为宇宙本体世界观的张载说过：“太虚之气，阴阳一物也。然而有两体，健顺而已。亦不可谓天无意，阳之意健，不尔何以发散和一？阳

---

① 全・4・第112頁。
② 同上，第118頁。
③ 同上，第119頁。
④ 同上，第121頁。
⑤ 同上，第114頁。
⑥ 全・3・第141頁。
⑦ 同上，第346頁。
⑧ 全・10・第79頁。

之性常顺，然而地体重浊，不能随则不能顺，少不顺即有变矣”(《易说·系辞下》)。他认为阳气是性“健”的、能动的，阴气是性“顺”的、被动的，因此构成了天尊地卑的秩序。但是，安藤昌益提出，“阴阳者，即一气进退之异号，而非有二气二物之别也”，①反对张载及以后儒者的“阳健、阴顺”“天尊地卑”的宇宙秩序论和以此为基础的不平等社会秩序论。

除此之外，安藤昌益重农轻商的社会观，和儒学的传统农本主义以及江户时代十七世纪末的“武士归农”论(以熊泽藩山为代表)也有继承关系。但是不同的是，在商品经济日益腐蚀并瓦解着日本的封建农业经济时，熊泽蕃山等站在封建武士阶级的立场，反对商品经济及其代表者——工商阶层，试图维护封建武士剥削农民的制度。而安藤昌益则站在农民阶级立场上，反对商品经济的同时还反对武士阶级的封建剥削，要求回归小农自给自足的自然经济。

安藤昌益的伦理观具有非伦理的倾向，但是，他继承了儒学以人欲为恶的思想。他指出“奢和欲一恶合为一欲，为万恶之根”。② 他还继承了儒学的“以修身为本”的思想，不反对修身→齐家→治国→平天下的方程式。他说过：“若一身尚不能修，何以治国家、治平转下？”③但是，安藤昌益所谓的“修身”和儒学者的个人道德修养有所不同，指的是“直耕”，即以一己之力来维持生活的农业生产劳动。他还说过：“直耕止于转定，身则常修也。”④

另外，他认为非凡的人物(“圣人”或者“正人”)决定社会历史发展过程的历史观也明显继承了儒学的唯心主义历史观。儒学者认为出现了“先王”“圣人”的尧舜等人物，明确了“庶物”，“察人伦”，“依仁义而行”后才得以从近乎鸟兽的生活中摆脱出来，进入“礼仪”文明社会。安藤昌益不同意此观点，认为如上所述，正是伏羲之后的诸“圣人”的出现导致从

---

① 全·3·第315頁。
② 全·8·第334頁。
③ 全·1·第101頁。
④ 全·4·第107頁。

美丽的“自然世”堕落为恶贯满盈的“法世”。但是在非凡人物(“先王”或者“圣人”或者“正人”)决定历史发展这一点上,他和儒学者是一样的。在安藤昌益看来,人类将来势必会从“法世”回归到“自然世”中去,这也要求必须等待“正人”出现。他提道:“若上有达活真妙道之正人,改之,则今日亦成直耕、一般,活真之世。”①

从思维方法来看,安藤昌益继承了追求儒学传统“天人合一”的思维模式和形式整合性倾向。中国和日本的儒学者几乎都认为人类和自然有差异,同时还具有不可分的、密切的联系,承认人类和自然界的统一。比如孟子说过:“尽其心者,知其心也。知其性,则知天矣”(《孟子・尽心上》)。汉代董仲舒提倡“天人合一”(《春秋繁露・阴阳义》)。宋代张载最初明确说明了“天人合一”,认为人的本性和天地本性是一样的。董仲舒还提出“人副天数”,主张人体小关节有365个,和一年中的天数是一致的。董仲舒及之后儒者的五行说,都试图将自然、社会及人类相关的所有事物与统一为一体的宇宙论范式进行匹配。比如,五方、五形、五色、五味、五声、五脏、五常、五德等和五行相关,认为这些分别都是五行的性质。这种天人合一的、形式统一的宇宙论范式包含对经验知识的组织和概括,但整体上不是实证和归纳的产物,而是思辨和演绎的结果。安藤昌益也认为“天道”和“人道”都是“合一”的。他批判孟子“不知天道、人道、合一之妙序”。但是在安藤昌益看来,“天道”和“人道”的共同本质是“直耕”。他认为:“转之万物生生,为转之直耕。人食之而生生。故人之直耕为转之直耕也。故直耕者为转子也”,②以“天人合一”说论证了农民阶级是最值得尊重的“天子”。安藤昌益也从五行(后改为“四行”)出发,尝试演绎性地建构形式统一的,贯穿自然、社会和人类的宇宙论范式。比如,稿本《自然真营道》“大序”中的四行、四隅、四方、四时、四类、四体、四肢、四脏腑以及八气、八节、八转、八门(颜面)等。

---

① 全・1・第273頁。
② 全・8・第126頁。

第三节 安藤昌益思想的现代意义

安藤昌益的哲学思想,具有朴素的唯物论和辩证法性质。他所主张的"万万人为一人"和"男女一人"的平等社会观具有鲜明的农民民主主义色彩。他对历代剥削阶级"不耕贪食"本质的揭露以及对作为剥削阶级意识形态属性的"儒、佛、神、老庄"展开的全面激烈的批判,在日本乃至东亚前近代思想史上都是极其罕见的。这些思想对危机四伏的日本封建社会予以沉重一击,同时还具有为日本近代思想的形成提供契机和养分的可能性。但是这种可能性并未转化为现实,并没有对日本近代思想的形成和发展带来直接的影响,却被埋没和"被遗忘"了一百多年。

安藤昌益的思想为何被遗忘?关于这一点研究者们众说纷纭。其代表性看法有,第一,过于领先于时代,除了一部分支持者和弟子之外,并未带来广泛的影响。[①] 第二,安藤昌益的思想本身具有一定的局限性。[②] 依笔者愚见,昌益被忘却的最大原因应该归结于其学说未满足当时日本社会现代化的时代需求。比如,安藤昌益"天人合一"的思维方法,具有强调自然和人类相互调和的倾向。从当代生态环境保护的观念来看,具有很重要的价值。但是,在安藤昌益所生活的18、19世纪,有必要强调"天人相分",并将自然作为对象而加以改造的必要。也正是因为这样,安藤昌益朴素的唯物论和辩证法思想才可以走向近代科学之路,成为接受近代科学的基础。而且在安藤昌益之前,日本已经出现了儒学者伊藤仁斋的"天道"和"人道",贝原益轩的"在物之理"和"在心之理",太宰春台的"物理"和"道理"相区分的思想。日本近代哲学之父西周将"物理"和"心理"进行区分的主张,也正处于上述儒学者的思想延长线上。另外,正如部分学者所指出的一样,安藤昌益所描述的理想社会的"自然世"构想也无法满足商品经济发展的时代要求以及农民对土地的

① 『日中共同研究』,第211、230頁。
② 同上,第211頁。

要求。简而言之,安藤昌益的思想具有鲜明的反封建特征以及当代意义。但由于游离于当时的日本思想史的主流之外,并未对日本近代思想的形成及发展带来直接影响。在某种特定历史区间,他成为孤独的、“被遗忘的”思想家也是无法逃避的历史宿命。

但是,对于特定思想家和其思想的历史评价与其思想的当代意义的重新发现,是具有联系但又有所不同的问题。所谓的历史评价,必须将思想家及其思想放到该思想家所生活的时代中去考虑。但对其思想的当代意义的重新发现,也需要将其思想放到当代中去鉴定是否具有值得借鉴的地方,或者说是否可以打破时代的窠臼而具有普遍意义。对两者的评价不一定是一致的,原因在于两者的时代背景不一样。

关于安藤昌益思想的当代意义,正如多数学者所指出的那样,安藤昌益是日本最早的生态学思想家。① 江户时代的最初一百年是经济发展的时代。在这一百多年间,人口从最开始的 1000 万激增到 3000 万。昌益就生活在这个经济发展矛盾显露的年代。比如,1670 年东回航路开发以后,对商品作物的需求日益增加,大豆栽培成为当务之需,因此大规模烧畑被开发出来。烧畑开发后数年之内土地肥力开始下降,人们开始放弃种植。荒废的烧畑上蕨菜和葛开始大量生长,从而导致以此为食物的野猪大量繁殖。农作物受到野猪和天气两重危害,遭受了巨大损失。昌益所生活的八户地方于 1749 年遭遇了大饥荒,减产 1 万 5 千石,三千多人被饿死。另外,随着矿产的急速开发,自然遭到破坏,公害病频发。当时,日本的主要输出品是金、银、铜等矿产。人们为了营利,在全国范围内都开始开发矿山。犀川流过昌益故乡二井田村,受其上流大葛金山留下来的“废水”(矿毒水)的影响,不仅田畑土地肥力开始下降,“金掘病”“奇废病”即“矿中毒”也时有发生。安藤昌益目睹由于过度开发和生态环境破坏带来的惨状,这对其生态学思想的形成产生了很大影响。因此,安藤昌益提到“误食鸟兽虫鱼之肉当即就会得怪病而死”,“金、银、钱

① 『日中共同研究』,第 31、43、77、87、188 頁。

均为无益之事”,“采伐后再植上小树苗,则树木可以不绝”。[①] 但是,当时生态环境的破坏和自然环境的破坏,仅仅发生在个别地区,并没有达到威胁人类生存的境地。在那个时代,人们还处于热衷于经济发展的阶段。安藤昌益先进的生态学思想,被无视、被遗忘也是不得已之事。“但是,随着现代化=发展,现代化资本主义发展过程中各种矛盾井喷式出现的时候,才得以从被遗忘的角落再次捡起。受到近代世界发展困扰的人们复权、追忆、重新想起。”[②]安藤昌益的生态学思想再度受到评价正是随着生态环境和自然环境的破坏,人类和地球的命运濒临临界点的时候。另外,正如安永寿延所指出的那样,安藤昌益生态学思想的特点是,“自然破坏是由人们的私欲所带来的对自然的掠夺”,“昌益的生态学思想和社会思想是一个整体,是从对人类存在本身的认识和批判同一根部生长出来的枝干”。[③]

从安藤昌益的人类平等思想和反战和平思想中也可以找到其当代意义。他不仅主张人与人之间的平等,还主张社会与社会,民族与民族之间的平等。在女性差别、职业差别、阶级差别、民族差别等仍然存在的今天,我们应该从安藤昌益的人类平等思想中汲取养分。关于这一点,多数学者已经做过讨论,此处暂且略去。接下来对安藤昌益的反战和平思想稍作论述。

村濑祐也认为:“远东思想史上——不,甚至是世界思想史上——具有理论的和平论嚆矢之称的毫无疑问是《墨子》非攻篇的思想。”[④]另外,《老子》《庄子》《孟子》以及日本的伊藤仁斋也具有反战和平思想。和他们相比,安藤昌益的反战和平思想应该受到关注的点在于,他对战争根本原因的积极探索和远见卓识。安藤昌益认为,真正的和平状态是“天下为天下人之天下,非养人,非被养,非治,安食安衣,非被治,各各直耕、

---

① 『日中共同研究』,第 180—184 頁。
② 同上,第 168 頁。
③ 同上,第 44、45 頁。
④ 同上,第 212 頁。

直织，与天地共四时之行。无事、平安、常中”，[①]也就是人们之间不是剥削—被剥削，统治—被统治的关系，而是万人平等地从事生产劳动，平等共享劳动成果。这种和平状态被打破，并诱发战争，正是以剥削—被剥削，统治—被统治关系的导入为契机的。“人伦，或治或被治，或养或被养，伏羲出世始为王，立上下盗转道以来，为乱世。似治实乱，乱实似治。掠民贪食……为妄惑之世。”[②]军术、军备等也是为了维护剥削—被剥削，统治—被统治的关系而存在的。“军学为治天下国家所云。为治天下国家，必为兵乱、战死。故治则言军学，乱亦言军学，治乱均军学，则治乱俱乱。”[③]进一步说，利己的“妄欲”膨胀，不仅带来国内的战乱，也是导致国际关系走向极端侵略战争的根本原因。“是法世之人，造船、互强渡他国，始合战，夺国与被夺，为利欲，国国相争，是法世盗乱、妄欲之为也。”[④]安藤昌益提出要将实现真正的和平与废止利己的“妄欲”和剥削—被剥削，统治—被统治的人际关系相结合。不管是现在，还是将来，这都可以说是发挥了先驱性提示作用的、需要继承发展的历史课题。

---

① 全·4·第123頁。
② 同上，第122頁。
③ 全·8·第287頁。
④ 全·6·第54頁。

第六章　明治启蒙思想与作为媒介的儒学

第一节　福泽谕吉的“天”与“实学”

明治启蒙思潮与西方近代启蒙思想运动的不同之处，在于前者是外发的，而后者是内生的。西方启蒙思想运动不仅是西方资本主义工业文明发展在精神上的必然反映，而且在思想上是文艺复兴和宗教改革运动的直接继承者，甚至可由此而溯源至古希腊的文化传统。而明治启蒙思潮从两个角度来看都可以说是外发的。首先从其起源来看，明治启蒙思想不是日本社会历史自然进程的产物，而是在欧美列强外来侵略威胁下，为摆脱民族危机不得不向西方学习的结果。其次，从其内涵看，明治启蒙思想以移植外来欧美近代思想为内容，而不是日本思想史自身发展的延续。明治启蒙思想的外发性格，决定了它与江户时代儒学的非连续性。两者的差异不仅是东西方空间性的差异，而且存在时间性的差异（传统的农业社会思想与近代的工业社会思想之差异）。然而往往被人忽视的是，明治启蒙思想的外发性格又决定了它与江户时代儒学的连续性。原因有如下三点：首先，明治启蒙学者虽然有学习“洋学”以及考察或留学欧美各国的经验，但是早年都曾受过儒学熏陶培养。西周、中村正直等人甚至曾经还担任过儒学教师或幕府御用儒者。他们以旧思想为基础去接受新思想，也就是说，在理解、接受与固有文化传统截然不同的崭新外来思想时，无可避免地会受到固有思想与思维方式的显在或潜在的影响。明治初期，西方近代思想是由包含明治启蒙学者的儒学思想在内的固有思想经过折射而被接受的。其次，明治启蒙学者在宣传西洋近代思想时，使用陌生的概念和逻辑来加以推进，这个过程不仅困难重重，还会遭遇人们心理上的抵触。因此，他们为了新思想能够顺利普及，不得不利用和改造一些旧的概念与命题。再次，用日语（尤其是日语中的汉字）来译介西方近代思想，无论是新创的用语或改造的旧词，都不能不与这些汉字概念固有的内涵相联系，并受其约束与限定。

更应予以关注的是，如本书第二、三、四章所述，江户时代的日本儒学本身已具备近代思想的萌芽，这就意味着江户时期的儒学思想和明治启蒙思想的交汇点已然存在。

固然，由于日本启蒙学者的社会地位、变革意识、知识结构各有所异，因而在他们的思想中，传统儒学与西方近代思想的联结方式或地位各有特点，对其连续性的认识亦存在自觉与非自觉之分，传统儒学思想在他们的思想体系中所发挥的作用（优点或缺点）亦有差异。但是，在启蒙思想与儒学思想的连续性这一点上，他们是有共性的。若从其联结方式来看，明治时期的启蒙学者可分为四种类型：批判型、批判地转化型、折衷型、超越意图型，福泽谕吉、西周、西村茂树、中村正直分别是其典型。

在日本启蒙学者中，对儒学展开最激烈批判之人是福泽谕吉（1834—1901）。福泽终生坚持对儒学的批判，直至晚年还发表了《儒教主义之害在于其腐败》等论文。福泽曾说："我辈修习西洋文明之学问，非以折中汉学说附会之。欲从根底颠覆古来学说，更开文明之门，……毕生心事唯在此耳。"①然而，这样一位主观上如此坚定的儒学批判者，在提倡西

① 『福沢諭吉全集』第 6 巻，岩波書店，1959 年，第 261 頁。

方近代思想时也无意识地继承了儒学的某些思想与概念。从这一意义上说，在福泽谕吉的思想中，传统儒学与近代思想的联结方式是批判型的。

福泽谕吉在激烈批判儒学名分思想的同时，还继承了儒学“天”的概念，以“天”作为他宣扬“天赋人权”论正当性的依据。

福泽谕吉在《劝学篇》中指出：“‘天不生人上之人，也不生人下之人。’这就是说天生的人一律平等，不是生来就有贵贱上下之别的。人类作为万物之灵，本应依凭身心的活动，取得天地间一切物资，以满足衣食住的需要，大家自由自在、互不妨害地安乐度日。”[①]这段众所周知的名言，确如许多学者指出，[②]其来源是美国的《独立宣言》和福泽曾读过的美国教育学者威兰德的《道德科学概论》。然而，若详细比较福泽谕吉的天赋人权论和作为其依据的西方启蒙思想的天赋人权论，便可发现两者间有明显的不同。

首先，西方启蒙学者认为人的自然权利和自然法的终极渊源与正当性的依据是“上帝”(God)或“造物主”(Creator)，而福泽谕吉则认为其终极渊源和正当性的依据是“天”。例如近代自然法思想的创始人荷兰学者格劳修斯认为，自然法应归源于上帝(God)的意志和上帝(God)的启示，美国《独立宣言》说：“人人生而平等，他们都从他们的‘造物主’(Creator)那边被赋予了某些不可转让的权利(例如生命权、自由权和追求幸福的权利)。”而福泽谕吉在《西洋事情初编》(1866)中首次翻译《独立宣言》的上述段落时，却把“造物主”(Creator)译为“天”，即译成“天之生人，亿兆皆同一辙，附与之以不可动之通义。”[③]在翻译钱巴兹的《政治经济学》有关“造物主”(Creator)的段落时，又译为“人之生也，由天与之以气力，附之以性质，由

① 福沢諭吉：『学問のすすめ』，岩波文庫，1970年，第11頁。

② 木村毅：『文明開化』(至文堂，1954年)；伊藤正雄：『福沢諭吉論考』(吉川弘文館，1969年)；木村珠代：『福沢諭吉における天の思想』(『お茶の水女子大学人文科学紀要』第29巻2期)；田所光男：『福沢諭吉における近代化と儒教伝統』(『比較文学研究』45期，1984年4月)；松本三之介：『天賦人権論と天の概念』(『近世日本の思想像』，研文出版，1984年)。

③『福沢諭吉選集』第1巻，岩波書店，1980年，第139頁。

于此气力与质，……得以全身而终朝露之命。”①正是在这些文章的基础上，产生了福泽谕吉“天不生人上之人，也不生人下之人”的名言。在《劝学篇》中，福泽谕吉还说“人之生乃天之使然，非由人力”。② 即人们生而具有平等、自由等自然权利的终极依据在于“天”。

福泽谕吉虽偶尔使用“造物”或“造物主”一词，却将《独立宣言》中的Creator译为“天”而没有直译为“造物主”，其原因有二。一是在当时的日本，基督教并不盛行，日本人很难理解“造物主”终极者、超越者的性质，却可以理解传统儒学中“天”的终极性质。二是儒学的“天”，与西方启蒙学者所说的“上帝”(God)或“造物主”(Creator)，具有十分近似的人的创造者性质。例如《诗经·大雅·荡》的“天生烝民”便表现了“天”的创造者性质。因此，福泽谕吉将“上帝”(God)或“造物主”(Creator)译为“天”，不仅是把“天”作为God或Creator译语的方便之举，而且反映了他对儒学“天”观念的继承。

西方启蒙思想家虽承认“上帝”或“造物主”是宇宙的创造者与始因，是人的自然权利和自然法的终极渊源，但“上帝”(God)与“造物主”(Creator)的作用仅止于此。他们据此认为上帝在创造了宇宙并给予它第一推动力之后，宇宙运动便依据其固有法则而进行。同样，人类的行为规范无须乞求上帝的旨意，只要依据自己的自然法本能即可。即人类的自然权利和自然法的直接根源在于人性本身，尤其在于人类的理性。格劳修斯说：“人性是自然法之母。”③孟德斯鸠则认为自然法是根本理性的体现。也就是说，人类的理性不只限于对权利的发现、认识，还有能够构造、改变规范与权利的内容。人性—理性—自然法这样的形式，正是西方启蒙思想家以抽象人性论的形式所表现的理论。

然而，福泽谕吉的天赋人权论却没有人类理性的位置，有的只是“天理”。在谈及人性时，其意义也不像西方启蒙思想家所说的自然人性，而

① 『福沢諭吉選集』第1卷，岩波書店，1980年，第166頁。

② 福沢諭吉：『学問のすすめ』，岩波文庫，1970年，第22頁。

③ 转引自罗国杰、宋希仁：《西方伦理思想史》下卷，第30页。

是“天性”。福泽谕吉虽有时以“本心”与“人之性”来表述先验的人性，但他更多的是用“天性”来表述先验的人性。例如，他说：“人的天性本来是趋向于文明的，所以只要不伤害天性就可以了。”①福泽谕吉所谓的“天性”显然与西方启蒙学者所说的自然人性不同，因为他认为这种“天性”是作为终极者的“天”或“造物主”所赋予的。例如，他认为：“人的天性自然趋向于文明，这决非偶然，或可谓造物主的深意。”②西方启蒙学者的人性论认为人性源于人的自身欲求，而福泽谕吉则认为人性是外在的终极者“天”（或“造物主”）的赋予或体现。福泽谕吉的人性论显然在思维方式上（而不是在内涵上）仍与朱子学“性即理”的主张保持着连续性。

与他的“天性”论相关，福泽谕吉并不像西方启蒙思想家那样把人的自然权利和自然法的直接根源归诸人的理性，而是求诸“天理”（或“天之道理”）。他说：“其身份是，基于天之道理顺从人之常情，个人和国家都应是自由和不受拘束的。”③他认为人们应遵从的行为准则的根本是“天理”，“无论一人、一国，依据天之道理就可不羁自由”。从以上观之，福泽谕吉在探求天赋人权的直接来源时，有时甚至并不以“天性”为媒介，而是直接求诸“天”或“天理”。因此，“天”或“天理”既是福泽谕吉天赋人权的终极渊源，又是它的直接来源。天（天理）→天性→天赋人权，这便是福泽谕吉由“天”演绎而来的理论。它显然有别于西方启蒙思想家以“上帝”（God）与“造物主”（Creator）为终极渊源，以自然人性（尤是理性）为直接来源的自然权利论与自然法思想。

有学者认为：“其他启蒙学者或多或少都受到儒学先天的道德性影响，显露出与儒学‘天’观念之间的连续性。而福泽谕吉以人类个体的天性诸能力为驱使，抱持理性并以自然推动人类自立的理论，则可以看出与儒学‘天’观念诀别的意义。”④然而，若详细探究则可看出，福泽谕吉所

① 福沢諭吉：『文明論之概略』，岩波文庫，1969 年，第 31、33 頁。

② 同上。

③ 福沢諭吉：『学問のすすめ』，岩波文庫，1970 年，第 14 頁。

④ ひろたまさき（広田昌希）：『福沢諭吉研究』，東京大学出版会，1976 年，第 118、119 頁。

谓的“天”,仍保留着许多传统儒学的性质。在中国和日本的传统儒学中,作为超越者的“天”具有多重含义,[①]且因时代与学派而异。中国殷周时代和汉代的董仲舒,把“天”视为有意志的最高主宰,将命令称为“天命”。律令制时代的日本人和江户时代初期的《本佐录》《东照宫遗训》中也有类似的看法。如同前述,《诗经》的“天生烝民”,将“天”视为最高创造者。在中国以程颐、朱熹为代表的“理学”时代,如“天者理也”之说,认为天即是理。天理是万事万物的“所以然之故”(终极根源),又是万事万物的“所当然之则”(普遍法则与规范)。日本的朱子学者亦如是观。“天”有时还具有人知无可预测、人力无可如何的神秘特征。福泽谕吉的天赋人权论,虽否认“天”为最高主宰并否定了“天命”,认为人的贫富贵贱之别“并非由天而定的约束”。[②] 但是,如前述他仍承认“天”或“天理”所具的“所当然之则”的性质,认为个人与国家的平等、自由等权利均是“基于天之道理”。此外,福泽谕吉虽曾认为:“人类的智慧已经战胜自然,逐渐冲进自然领域,揭开造化的奥秘,控制它的活动,而使其就范,为人类服务。既然人能制天,又能使天为人服务,又何必恐惧而崇拜它呢?”[③]但在晚年,他又说:“云天,又云天道、天工、天意等,所谓天,并非我们仰而可见的青空与太阳,只是把行于宇宙,无量无边,无始无终,至大至细,至强至信,到底不可以人智而测的不可思议,托之于天字。”[④]福泽谕吉又曾回忆说:“自幼年时,遇人力无可如何时,即习惯说此为天、天道。”[⑤]福泽谕吉依然认为“天”具有“不可思议”的神秘性,这应该与以前

① 冯友兰认为,“天”具有五种意义(即物质之天、主宰之天、运命之天、自然之天、义理之天)。傅伟勋认为,“天”具有六种意义(即天地之天、天然之天、皇天之天、天命之天、天道之天、天理之天)。参照傅伟勋:《儒学思想的时代课题及解决之道》,《儒家伦理与经济发展》,台北允晨文化实业有限公司,1989 年,第 19 页。松本三之介认为,江户时代的“天”概念为,作为人格的天、作为规范的天、作为不可抗拒事实之力的天。(参照前述『天賦人権論と天の概念』)。平石直昭在『一語の辞典 天』(三省堂,1996 年)中也论述了中国与日本“天”概念的多样性。

② 福沢諭吉:『学問のすすめ』,岩波文庫,1970 年,第 12 頁。

③ 福沢諭吉:『文明論之概略』,岩波文庫,1969 年,第 152 頁。

④『福沢諭吉全集』第 6 巻,岩波書店,1959 年,第 207 頁。

⑤ 同上,第 208 頁。

的习惯有所关联吧。[①]

福泽谕吉还批评儒学是“不切人世实际的学问”[②]，提倡以西方科学为内容的“实学”。

众所周知，丸山真男在《福泽谕吉实学的转变》一文中，强调了福泽“实学”与江户时期“实学”的非连续性，对福泽并非江户时代“实学”的“继承者”，而是革命者的观点进行了论证。丸山真男认为：“福泽‘实学’真正的革命性转变，实际上并非在于学问与生活的结合以及学问的实用性主张本身，问题的核心点在于学问与生活以怎样的方式相结合。”“福泽对‘实学’的发展，若从学问的核心领域推移方面来说，实际表现为从以伦理为核心到以物理为核心的转变。”[③]对于丸山的这篇论文，源了圆评价其为“在战后混乱时期开辟了新时代，充满气魄并且非常杰出的论文”，[④]与此同时也指出了其中的问题。总结来说(存在两点问题)，“(1)完成《劝学篇》时的福泽，是否自觉地拥有如丸山所说明的思想；(2)近世实学在丸山的论文中被一并概括为‘以伦理为核心的实学’，被这样规定是存在问题的”。[⑤] 针对问题(2)，源了圆在其著作《近世初期实学思想的研究》与《实学思想的系谱》中认为，德川时代的实学不能一言以蔽之为“以伦理为核心的实学”，因为尽管如藤原惺窝、中江藤树、伊藤仁斋等学者的“道德的实践的实学”、“人类的真实追求的实学”确为“以伦理为核心的实学”。然而他指出，除此之外还有荻生徂徕“实证的实学”，怀德堂学派“合理的实学”，海保青陵、渡边华山、高野长英等学者的“经世

---

① 荻原隆指出，“明治启蒙思想中天赋人权论的自然观，若将其置于一直以来儒学的自然观与进化论的‘科学主义’自然观之间的地位，从天赋人权的‘天’，具有规范的和物理的双重性质来考虑的话，或可妥当地理解”(『中村敬宇と明治啓蒙思想』，早稲田大学出版部，1984 年，第 9 頁)。这样的观点，正符合对福泽谕吉的“天赋人权”论的评价。

② 福沢諭吉:『学問のすすめ』，岩波文庫，1970 年，第 12 頁。

③『丸山真男集』第 3 巻，岩波書店，1995 年，第 113、115 頁。

④ 源了圓:『近世初期実学思想の研究』，創文社，1980 年，第 550 頁。

⑤ 同上。

济民的实学”，幕末佐久间象山洋儒兼修的实学，吉田松阴政治改革的实学。①

针对问题(1)，源了圆的著作中虽说“在此不必再问”，笔者对此却想要简单体悟其中的含义。福泽谕吉首次使用“实学”的概念，是在 1866 年刊行的《西洋事情初编》中。他在谈及 13 至 15 世纪的欧洲文化状况时说：“此后直至 15 世纪，世间学者皆好诗歌喜小说而习实学者少……世人皆醉心于亚里士多德的学问，提倡附会奇异的神说，对有用的实学则毫无志趣，直至 17 世纪，形势依然。”②这里的“实学”，是与诗歌、小说以及以亚里士多德为代表的古希腊哲学和神学等相对的“有用”的学问，是指西方以实验、实证为特征的自然科学。此后福泽在 1872 年刊行的《劝学篇》第一章中，又再次提到了如下所述的“实学”：“所谓学问，并不限于能识难字，能读难懂的古文，能咏和歌和做诗等不切人世实际的学问。这类学问虽然也能给人们以精神安慰，并且也有些许益处，但并不像古来世上儒学家和日本国学家们所说的那样可贵。自古以来，少有汉学家善理家产；善咏和歌而又精于买卖的商人也不多。因此，有些具有心机的商贾农人，看到子弟全力向学，却担心家业中落，这种做父亲的心情是可以理解的，这就是此类学问远离实际、不切合日常需要的明证。所以我们应当把不切实际的学问视为次要，而专心致力于接近世间一般日用的实学。”③《劝学篇》中的“实学”，是与古文、和歌、诗等文学相对的“接近世间一般日用”的学问，也就是为培养“善理家产”“精于买卖”之人的学问。具体来说的话，“学习伊吕波四十七个字母，练习写信记账，学会打算盘和使用天秤等等。更进一步，还有很多要学习的学科”。④ 所谓“更进一步学习的学问”，福泽列举了地理学、究理学、历史、经济学、修身

① 源了圓：『近世初期実学思想の研究』，創文社，1980 年，第 63—67 頁。源了圓：『実学思想の系譜』，講談社，1986 年，第 38—48、196—198、229—238 頁。

② 『福沢諭吉全集』第 1 巻，岩波書店，1959 年，第 302 頁。

③ 福沢諭吉：『学問のすすめ』，岩波文庫，1970 年，第 12、13 頁。

④ 同上。

学等，尤其强调究理学的学习。因此，福泽在《劝学篇》中，主要以“学问的实用性”“学问与日常生活的结合”来提倡实学。这种实学，与江户时代的儒学仍存在连续性。这一时期的福泽，还没有自觉地以物理学为核心的学问领域来阐释“实学”理论。

据丸山真男对“有形”的数理学或物理学解释所说：“严格来说，近世的数学的物理学，指的是牛顿的力学体系。”①然而福泽谕吉在相当长的时间内，对此应该没有明确的认识。《劝学篇》中确实提到了“究理学”，“究理学是考察天地万物的性质并探究其作用的学问”，②其学科范围相当广大。该时期福泽的“穷理学”或“究理学”，指的是西方的物理学、化学、天文学、地质学、气象学等自然科学。例如，福泽在1868年发表的《训梦穷理图解》中，除西方物理学外，还介绍了气象学、地理学、天文学的知识。他在此后发表的《启蒙学习之文》中说：“所谓穷理，非穷无形之理，为无实之议论。唯有知万物性质及其作用之意……一一见其作用而穷其原因之学问也”，③在介绍西方物理学知识之后，又说“前述之外，另有化学、天文学等学科皆属穷理学，不再另行解释。”④福泽在1881年写成的《时事小言》中，以“物理学”的概念来代替“穷理学”或“究理学”，其范围，比丸山所说的“数学的物理学”更为广大。福泽说：“其器械学、化学皆研究物理之原则，知千古不易天然之规律而施之于人事者也。”⑤福泽谕吉在80年代所说的“物理学”，不单是“数学的物理学”，还具有广义的“物理”的“学”的意义。因此，福泽的“穷理学”“究理学”“物理学”，与本章第二章所述江户时代的儒学者，如贝原益轩、五井兰洲、中井履轩、佐久间象山等人的“穷理认识”具有明显的继承性。

晚年的福泽谕吉，其“实学”也未必是“以物理为核心的实学”。福泽

① 『丸山真男集』第3巻，岩波書店，1995年，第115頁。
② 福沢諭吉：『学問のすすめ』，岩波文庫，1970年，第13頁。
③ 『福沢諭吉全集』第3巻，岩波書店，1995年，第19頁。
④ 同上，第20頁。
⑤ 『福沢諭吉全集』第1巻，岩波書店，1959年，第109頁。

在明治二十六年、二十七年(1893、1894)写成的《福翁百话》中说:“我辈所倡之实学,非为片面之古学与汉学,年少时刻苦学习,此后方可成业,于学习中获得知识见闻,为生计而实地施行,以安身立命为人生目的,即实学之本色。无奈,尚不足以满足凡俗之情,亦不得不次第止之。何则,明唯事物之真理原则,说其应用之法,实为文明之实学。”①这里“实学”的研究对象,可以很明显地看出来,不只是“物”的理论原则,还包含“事”的理论原则。其“实学”的目的,是为(独立的)生计,以安身立命为人生目的。这种目的仍然主要是从伦理学的视角得来的。另外,“实学”的实践、实用的意义,在福泽谕吉的“实学”思想中,提倡“实地施行知识见闻”(即实践),“说应用之法”(即实用),表现出与江户时代儒学者所唱“实学”之间的继承性。因此福泽谕吉的“实学”,并非只是“以物理为核心”,而是包含了“物理”与“伦理”双层内涵的实学。

第二节 西周的“物理”与“心理”

西周(1829—1897)被称为“日本近代哲学之父”。他在摄取与介绍西方近代思想的同时,还试图建立自己独特的哲学体系。他为此而做的尝试,主要是以“理学”为媒介,通过吸收西方近代实证主义,对传统“理学”进行批判与改造来完成的。从这一意义上说,在西周的启蒙哲学中,传统儒学与近代思想的联结方式是批判的转化型。

早年的西周,曾是诚笃的程朱理学者。在18岁读了荻生徂徕的《论语征》之后,对徂徕学心生敬服。西周自幼年至青年期所接受的儒学知识(既有朱子学,又有古学)以及由此而铸就的思维方式,在他接受西方近代哲学和试图创立自己的哲学体系时,自会产生影响。②

1862年留学荷兰之前,西周虽认识到西方学问思想的先进性,但他

① 『福沢諭吉全集』第6巻,岩波書店,1959年,第259頁。

② 参照蓮沼啓介:『西周における哲学の成立』(有斐閣,1987年)。小泉仰:『西周と欧美思想との出合い』(三嶺書房,1989年)。

是以儒学的概念与思想去理解西方近代哲学的。1861年,西周曾为津田真道著述的《性理论》作跋文,其中说:“西土之学,传之既百年余,至格物舍密地理器械等诸科,间有窥其室者,独至吾希哲学一科,则未见其人矣。遂使世人谓,西人论气则备,论理则未矣,特自吾友天外如来始,今此论颇著其机轴……”①在这里,西周将“希哲学”视为与“格物”(物理)、“舍密”(化学)、地理、机械等学科并列的一个学科,其不同仅在于“格物”等科是论“气”的,而“希哲学”则是论“理”的。又在1862年5月15日给朋友松冈邻的信中说道:“小生顷来窥西洋之性理之学及经济学之一端,实为可惊公平正大之论,而觉其与从来所学汉说颇有端之所异之处……唯ヒロソヒ之学(指哲学),说性命之理轶于程朱,以公顺自然之道为本,建经济之大本,胜于所谓之王政。”②

西周虽认为西方“ヒロソヒ之学”优于程朱理学,但也认为其像宋学一样是讲“性命之理”的。在此后所写的《和兰纪行》中,西周也把“ヒロソヒ之学”(Philosophy)看成是“性理之学”“诲人之则”。③ 此时的西周对西方近代哲学的内容尚无确切的理解,而是依据类比推理,从对传统儒学内涵的理解去推论西方近代哲学之内容。

西周留学荷兰期间,随维塞林学习“性法”(自然法)、“万国公法”、“国法”、“经济学”、“政表学”(政治学)。当时他接受的最具影响的学说,是J·S·穆勒的思想。他在1865年2月归国后写成的《开题门》一文中,以实证主义哲学为基准,对东西方哲学进行了优劣价值判断。《开题门》开篇即写道:“东土谓之儒,西洲谓之斐卤苏比(Philosophy的音译),皆明天道而立人极,其实一也。”④他认为,儒学与西方哲学都同样是通过探求自然界的规律(即“天道”),追溯道德根源以确立人间道德规范(即“人极”)的道德形而上学。这种认识,表现了程朱理学对西周的影响及

① 『西周全集』第1卷,宗高書房,1966年,第13頁。
② 同上,第8頁。
③ 『西周全集』第3卷,宗高書房,1966年,第339頁。
④ 『西周全集』第1卷,宗高書房,1966年,第19頁。

他对程朱理学思想课题的继承。不过，西周已能具体论证东西方哲学的优劣。他指出，中日两国儒学的不足之处首先在于“文运未旺，日新惟乏”，又指出宋儒与康德、黑格尔等人的“罗觑奈伷士谟”（rationalism，即合理主义）相同，都有“取理于胸臆”的弊病。而西方近代哲学的优越即在于“至晚近，孛士氏非士谟（positivism，即实证主义），据证确实，辩论明晳，将大有补乎后学，是我亚细亚之所未见。”①然而，作为判断基准的西方近代实证主义对于当时的西周来说，似乎只是提供了一种不同于程朱理学诉诸直观以认识自然界规律的经验论方法。他当时的终极目的，还是为了探求道德的先验本源。他写道：“验诸实物，体诸实知，征的然之证，钩确乎之因，以达天常不易之故。积功之夥，累世之久，不患不至。性命之源，道德之本，粲然视诸掌中。”②在这里，物理与伦理，存在的法则与价值的规范之间依然没有明确的界线，而是微妙的相互交错。

西周的《开题门》接受了孔德的学科分类思想。他首先将“百学”分为“气科”和“理科”，又将“理科”分为“明可知之理”的“观门”和“审可行之理”的“行门”。属于“观门”的有“论学术相关涉之理”的“原学”、“论思辩论议之法”的“原思”（即逻辑学）、“攻心性之理”的“原性”（即心理学）和“尽心知性以观天地之故而通万有之情”的“原天”（即宇宙观）。他说，“原学”与“原思”的说法是“取诸子思之言”，原性”和“原天”则“取诸孟子”。属于“行门”的则有“论修已之要道”的“行原”（即伦理学）和“论治人之要”的“政原”（即政治学）。③ 西周在进行科学分类时，尽可能地运用诸如理、气、心性、修已、治人等儒学概念来译解与诠释西方近代哲学与社会科学。采取的是类似于佛教初传中土时借用道家词汇和概念译解佛经的“格义”方法。不过，这些概念的内涵与关系却已发生了变化。例如，关于他说“理”与“气”的关系，不再像传统理学那样是不即不离、以理为本的关系，而是两者被截断为“气”与“本”。他说：“因气科之成功，而

① 『西周全集』第1巻，宗高書房，1966年，第19、20頁。

② 同上，第20頁。

③ 同上，第23頁。

开理科之蕴奥"，"初究气科而后及理科"。[①] 这一认识既是孔德实证哲学的影响，又是对日本儒学气本论的继承。

西周真正对传统理学进行批判性的转化，始于《百一新论》。《百一新论》出版于 1874 年，然而有人推测，西周早在幕末的 1867 年就已起笔。该书对传统理学展开系统的批判与改造，反映了西周早期的启蒙哲学思想。

《百一新论》的儒学批判，其基本点有二：一是儒学不别"物理"与"心理"，二是儒学混同"法"与"教"。

西周在《百一新论》中认为，"理其实有二"，"今以区别示之，一曰物理，一曰心理"。"物理为天然自然之理，语其大则寰宇之大、星辰之远，语其小则一滴水一撮土，由禽兽至人类之生物，草木等植物，皆备此性而莫能外此理"。而"心理非如斯广者，唯行于人类上之理，若非人类，则不得理会此理，若为人类，亦可不遵奉此理。"在西周看来，"物理"是自然界的规律，"心理"则是只适用于人类社会的规范，而且两者是"互相毫无关涉"的。[②]

西周指出"物理"的特征是"先验的"（先天），"一定而不可动"，"人类之力无可如何"，"丝毫不可违背"，"因物理恒为一定无二者，故每事有必然之度，以数目可测之"。[③] 这些观点，反映了西周对自然规律的客观独立性、必然性和可知性的近代性理解。

西周又指出"心理"的特征是"后天的"，"与先天之物理为一定而不可动者相异，就一事来说，亦有千差万别"，"可以违背"，"心理非行一定无二，反之恒有两极者，一曰善，其反则称恶，一曰正，一曰不正，有此两极外，其间尚有多少程度之差，如由至善至恶到所谓重善重恶、少善少恶那样，其间有千差万别之度，颇不可以测器而测。"[④]

---

① 『西周全集』第 1 卷，宗高書房，1966 年，第 23 頁。

② 同上，第 277 頁。

③ 同上，第 278—281 頁。

④ 同上。

如上所述，西周在《百一新论》中提出了理的两种范畴——“物理”与“心理”，不止于此，他以“物理”与“伦理”具有连续性对程朱理学进行了批判。程朱理学主张，“事君尽忠、事亲尽孝之道理，降雨之道理，以及日照之道理，皆云道理、理之当然、自然之理，其间似殆无差别”，“因而动辄造成莫大错误。例如，在汉土有视日蚀为当时人君之政不正，故天垂象而戒者。在日本，亦讲伊势神风，以为日莲凭祈请之力兴飓风而颠覆蒙古军舰……其道理为两者无合点之故。”①

有日本学者指出，关于西周在《百一新论》中区别“物理”与“心理”的思想，与以前一些日本儒学者提出的问题有关联。渡边和靖认为，“其受到徂徕学的影响是事实”，②小泉仰认为：“西周的物理属太宰春台的物理范畴，融入了根据西方近代自然科学而发现的自然法则。”③源了圆认为，西周这一问题的立论“与贝原益轩提出的问题有关联”，并指出：“贝原益轩提出‘在物之理’与‘在心之理’的概念，认为前者只主张‘义外之说’的思考方式，后者只主张‘遗物之学’的思考方式，而两者兼具方为真正的儒学立场。这一见解本身，作为对儒学的理解是出色的，然而物之理与心之理有何不同，并何以至此，在此却无任何说明。”④西周确实在贝原益轩、荻生徂徕、太宰春台等日本儒学者的思想基础上立论，却不仅停留在如徂徕学对朱子学穷理学说的消极否定上，而且还将西方近代科学的内容融入其中，发展了贝原益轩、太宰春台的思想，以构筑新“理学”来取代旧“理学”。西周对“物理”与“心理”的思考，在《百学连环》《尚白札记》《理字说》中加以继承和发展。

另外，西周的《百一新论》不只停留于对“物理”与“心理”的区分，还在于对与“物理”“心理”相关各学科学术的精微探究上，试图建立新的统一学问。这一新的统一学问开始以“哲学”为名。他说：“通过参考这样

---

① 『西周全集』第1卷，宗高書房，1966年，第276、277頁。

② 渡辺和靖：『明治思想史』，ぺりかん社，1978年，第82頁。

③ 小泉仰：『西周と欧美思想との出合い』，三嶺書房，1989年，第97頁。

④ 源了圓：『徳川合理思想の系譜』，中央公論社，1977年，第356、357頁。

的事物(物理——引用者注),征于心理,论明天道、人道,兼立教之方法的ヒロソヒー,译为'哲学',西洋自古已论之","哲学之论,兼论物理、心理,虽言兼论,绝非混同而言。"①西周对学问统一的志向,能够感受到其学问与儒学的连续性。正如植手通有所指出的:"重视统一体系的确立与根本原理的把握,并且以匡正个人实践行为、安定社会秩序为确立统一体系的思考点,正是西周的学问观与朱子学共通之处。"②

西周在《百一新论》中还对儒学的"政教一致"与"法教混杂"进行了批判,他认为"法乃治人之道具,教乃治身之道具,二者有别",将政治、法律从道德中分离出来,这为近代政治学和法律的确立开辟了道路,并进而有可能起到确立政治秩序过程中人的主体性思想的作用。西周区别"法"与"教"的思想,不仅有西方近代思想的成分,而且继承了徂徕学的观点。从下述西周的言论中即可窥其一端:"在 18 世纪末,英国之马金特斯乃有名公法、性法之法学家,此人始发明教与法及其本源之不同。"③西周又指出:"在本邦,徂徕云'道,先王之道也','先王之道,礼乐也','秦以后之天下以法而治,故须读《韩非子》',这条著名的阐释,以及作明律之国字解、作律学等,似颇知教与法之差别。"④然而,西周对儒学"政教一致"与"法教混杂"的批判,却绝无否定儒学"教"的意义的意思。西周分辨"法"与"教"的现实目的,则是为了说明孔孟的"德礼之治"已不适用于当代政治,主张应"讲明晚近西洋各国之制度方法,施于现业"。他认为孔子是"表面之商卖"的"政事学者",而其"内职"却是道德学者。作为"政治学者"的孔子是不成功的,作为道德学者的孔子,"本为世间罕见之聪明人,故论心说性,其见解出众人之上,于今世亦可见不可动摇处"。⑤他在 1870 年写的《复某氏书》中说:"若孔孟之说,由人人当行之道,无可

---

① 『西周全集』第 1 卷,宗高書房,1966 年,第 289 頁。

② 植手通有:『明治啓蒙思想の形成とその脆弱性』,『日本の名著 34　西周・加藤弘之』,中央公論社,1962 年,第 63 頁。

③ 『西周全集』第 1 卷,宗高書房,1966 年,第 262 頁。

④ 同上,第 275 頁。

⑤ 同上,第 243 頁。

诽讥，唯其形气家所涉之理，往往出于妄想……”①

西周虽接受了西方近代实证主义并对儒学展开了系统批判，但在改造“理学”为近代哲学而对儒学进行批判的同时，又继承了儒学的概念、思想与思维方式。从其意义来说，西周确实是“在新旧交替时代，能够连接两个时代链条之环的哲学家”。② 然而，西周继承的儒学概念、思想与思维方式，并不都是儒学合理的因素，而且从儒学思想生发而来的近代思想萌芽亦是如此。例如，对于天为何物，西周在《百一新论》中说道：“所谓天，本非主人使用仆役般一一指挥，一一赏罚，唯赋与人心以同一之性，有此性则此实理不息。”③其天的认识残存了“天理”（赋予人类“天地之性”或“本然之性”的“理”，朱子学“性即理”的“理”）的特征。1874年，西周在《教门论》中说：“盖天指其位之辞，只云至高。……其主宰，以帝云之，因嫌人间之帝而以上帝云之，因其功德之不测不可思议而以神云之。故天理即神理，吾人之性灵形态悉为神所赋予，其诏敕诰命于吾人之心里所铭记，一念之微亦垂示教诫，唯遵奉诏敕诰命，不但现世，享永远万斯之幸福，苟违此诏敕诰命，不但来世，现世亦受斯苦恼受此谪罚。”④天的主宰者性质、天的不可预知性表明，西周的天认识中残留着神秘主义的元素。与之相关联，西周的“天赋人权”或“性法”与福泽谕吉的“天赋人权”相同，以追求“天理”为终极目的，具有一定局限性。根据西周的《百一新论》，人类同一的“性”、同一的“好恶”，是“人类存在自主自立之权之根源”，是“人类存在所有权之根源”，“同样也是法之根源”。另外，“仁道之根源”与“所谓教之根源”，是“东西皆有的同一之性。”⑤在此意义上，“天赋人权”或“性法”的观念，是个人权利的人类性、普遍性的基础，因此不能被忽视。西周进而认为：“所谓法与教，皆为心理上之物”，

① 『西周全集』第1卷，宗高書房，1966年，第304頁。

② 源了圓：『徳川合理思想の系譜』，中央公論社，1977年，第368頁。

③ 『西周全集』第1卷，宗高書房，1966年，第286頁。

④ 同上，第506頁。

⑤ 同上，第282、283頁。

"心理"是"本为据于天理者","所谓天,……唯赋与人心以同一之性",① 因而具有儒学的"天理"与"同一之性"的先验性特质。

西周对儒学批判性的转变与继承,接受西洋近代实证主义哲学思想与继承儒学思想(朱子学、徂徕学),实际上是错综复杂的。并且,在西周启蒙哲学的形成过程中,对儒学合理因子与非合理因子的继承是同在的。

第三节　西村茂树的折衷主义"日本道德论"

日本学界对西村茂树的评价,说法众多而褒贬不一。有人说他是"转换期日本的大思想家",②有学者称之为"保守的国家主义思想家",③也有学者认为"单纯地把西村看成是守旧派,是不恰当的",④还有学者进一步说"(西村的思想)一方面具有执着于传统的保守特征,另一方面也具有批判的近代性思考方式",⑤又有学者认为"他看似矛盾的各种理论是基于一种想法而得来的……从其结论来看……是幕末经世学家的思想",⑥也有学者认为"他的理论因时代变化而改变,相互之间矛盾相悖,而其想法来源的样式却是始终一致的"。"状况主义的思考方法应该是其此后一以贯之的思想状态"。⑦ 笔者在通读西村茂树的著作集《泊翁丛书》后,认为上述论断皆有其依据,但又均不能反映西村茂树一生的全貌及其思想本质。笔者所看到的是一个曾积极支持革新的启蒙学者,面对西方工业文明所带来之弊病而感到困惑,以及由此困惑而产生的折衷主义与蜕变。经过种种困惑与曲折蜕变,西村茂树终于从折衷而倒退为保

① 『西周全集』第1巻,宗高書房,1966年,第284頁。
② 古川哲史:『泊翁西村茂樹:転換期の日本の大思想家』,文化総合出版,1976年。
③ 山田洸:『近代日本道徳思想史研究』,未来社,1972年,第220頁。
④ 高橋昌郎:『西村茂樹』,吉川弘文館,1987年,第9頁。
⑤ 家永三郎:『日本近代思想史研究』,東京大学出版会,1956年,第133頁。
⑥ 本山幸彦:『明治思想の形成』,福村出版,1969年,第124頁。
⑦ 小島康敬:『西村茂樹における国家と道徳・宗教』,源了圓編:『国家と宗教』,思文閣出版,1992年,第472、473頁。

守的儒学道德倡导者和国家主义者。

在成为折衷主义者之前，西村茂树曾十分热忱地支持社会变革。西村茂树(1828—1902)生于佐仓藩的一个武士家庭。少年时期，他与其他武士出身的年轻人一样，接受传统的儒学教育。然而面临日趋严重的民族危机，西村茂树开始学习西洋炮术与兵学。他遵从其师佐久间象山之训，以炮术为末，洋学为本，努力修习洋学，并开始学习兰书。

1853 年 6 月，美国东印度舰队司令佩里率军舰 4 艘驶入江户湾浦贺海面，西村茂树深受此事冲击。他这样描绘当时的情景："黑烟熏天天广灼，海城鞺鞳波上跃。百廿斤炮卅丈檀，帆影压岸势欲攫。"面对危机，西村茂树曾向幕府老中阿部正弘上呈《海防策》，并向藩主堀田正笃建议开展与外国的贸易，打破锁国局面，主动出海开展"出贸易"。同年 10 月，西村茂树进而申请只身出海到欧洲进行考察，最后虽未获准，但在处于锁国时代的日本，这确实是破天荒的大胆举动，比佐久间象山策动吉田松阴偷渡出国考察外情还要早一年。

1858 年，佐仓藩主堀田正睦(即堀田正笃)因主张签署安政条约而被迫引退，34 岁的西村茂树亦辞去贸易取调御用挂之职，投到手塚律藏门下，学习兰学和英学。在为其译述的《数限通论》所写的序文中，西村茂树说："当路之人因此书以悉宇内之物产，知工商之通法，然后从国势，本人情，以立富强之策，则所至驾英仏轶峨米，亦未可知也。"①

西村茂树在倒幕维新运动期间，虽未直接参与讨幕政治运动，但在明治政权建立后不久的 1868 年 4 月便上书新政府重臣岩仓具视，陈述他的富国强兵策。其中，尤为值得注意的是他对"亚细亚洲学术之弊"的批判。他说："亚细亚洲之学术，唯以治一国为主，而不知广及宇内，故其论狭隘而流于固陋。君臣之分过严，贵贱之等差甚。硁硁于小节细义，不知立惊天动地之伟功。区区在一国内，人人互责其过失，讦其阴私，故人之才智日蹙，闻见日隘，或为迂阔，或为矫激，毕生所见，不能出于门墙

① 关于西村茂树的经历，参考前述高橋昌郎：『西村茂樹』，吉川弘文館，1987 年。

之外。此乃亚细亚学术之弊。又亚细亚人之百姓,好古而恶新,改国政则言复古,论道理则言尚古,造兵器亦言模拟古制,立制度亦依古律,凡天地之气运逐年开者,然古之胜今者绝无之。亚细亚人之性,崇虚文而不论实用……神后、丰公、秦皇、汉武之业小则不足为则,必以古代英雄历山王、恺撒、彼得、拿破仑之功业为师时,方可企及俄米之大,英佛之强。"①由此看来,西村茂树主张求新崇实,以西方为师。西村不仅批判了包括儒学、佛教、神道等学说在内的"亚细亚洲学术"的狭隘、固陋与亚洲人尚古、崇虚文的特点,还想要改革"君臣贵贱"的政治制度。其改革模板是俄国的彼得与法国的拿破仑,西村茂树与当时一般的儒学者相异,其思想既非保守,亦非折衷。

而最鲜明地表现西村茂树革新精神的,是他参加"明六社"时期的近代思想启蒙活动。

1873 年 7 月,日本驻美代理公使森有礼归国,欲组织一团体开展日本文化改革运动。最早与森有礼协商此事的便是西村茂树。西村茂树支持森有礼的构想,并积极奔走,促使其得以快速实现。在西村茂树的劝说下,福泽谕吉、中村正直、加藤弘之、津田真道、西周、箕作秋坪等人参加了"明六社"。1874—1876 年间,《明六杂志》共刊登了 11 篇西村茂树的文章。在《文明开化解》中,他说,世界中最开化之民,是"欧罗巴之民与由欧罗巴分出之民"。② 在《自主自由解》中,他指出:"凡欧罗巴诸国中,人民得自由以英国为第一","故由政体上言之时,君民同治与共和政治为民得自由之政体,人君独裁与贵族专权为民不可得自由之政体。"③在《政府与人民异利害论》中,他还说"民权"是"人民固有之至宝"。正因为西村茂树具有这样的思想,所以他积极支持了板垣退助等人的"民选议院论"。

在赞成与反对"民选议院论"的大论战中,不仅保守派和政府的御用

---

① 『泊翁叢書』,第 1 輯,日本弘道会,1909 年,第 369、370 頁。
② 『泊翁叢書』,第 2 輯,日本弘道会,1909 年,第 15 頁。
③ 同上,第 17—19 頁。

学者反对“民选议院论”，就连一部分启蒙学者如加藤弘之，也认为民智未开，实行民选议院为时尚早。而西村茂树于1874年3月上书左院，坚决支持“民选议院论”。他说：“世之论者多曰，数氏之言盖有所激而发，其言恐不合正理，故难用之。愚谓不然，凡非常之功因激而成者多。然有激而善者，激而不善者，华盛顿、富兰克林等叛英吉利而成激而善者。”①

由此看来，从青年时代直至“明六社”时期的西村茂树，立于时代思想潮流之先，评价其为保守派是不恰当的。“非常之功因激而成者多”，最典型地反映了这一时期他的变革进取精神。

不过，西村茂树并未像福泽谕吉与西周那样，对儒学展开深入的批判。他在参加“明六社”活动的同时，又发起组织了汉学者团体“洋洋社”。他的许多言论也表现出传统儒学的深重影响，其中最根本的是他的道德本位主义。西村茂树将文明的最高与最终基准置于道德之上。他的文明理想是培养造就“至善至美之民”。他认为，文明“根本在于提高人民一身之品位”，“人民开知识，修行谊，此二原质结合者乃是推进文明(civilization)最上之良机器。”②他仍坚持儒学传统的道德治国思想，提倡“修身治国非二途论”。而西村茂树所继承的儒学的道德本位主义正是他此后困惑与蜕变的种因。

西村茂树青年时代所憧憬的西方工业文明，不过是玫瑰色的梦。明治维新后涌入日本的西方资本主义工业文明（市场经济、大工业生产、政治制度、教育以及与其相适应的思想、价值观），依照西村茂树的道德本位主义观点看来，非但没有提高“人民一身之品位”，使之趋于“至善至美”，反而使他频发“道德颓败”的慨叹。他首先指责一些为政者的品行失坠，“维新以来，学问之风一变，孔孟之道既衰，西国理学未入，其状宛如日既没而月未升。由是，世之趋于功利之徒，以孔孟之道为迂阔，不务

---

①『泊翁叢書』，第1輯，日本弘道会，1909年，第376頁。

②『泊翁叢書』，第2輯，日本弘道会，1909年，第3頁。

修身诚意之学，有其身在众人之上而其品行在众人之下者，岂非至可慨叹。”[①]他进而指出整个日本社会的道德风气也在日益败坏：“王政维新以来，百事皆举，日进开化之域，独至道德一事，似比之封建时代让一步……夫与外国之交际日升则民之知识日进，知识日进则轻薄狡猾之风日行。”[②]西村茂树进而具体描绘道德衰退的社会状态：“官吏贪贿赂，以谄谀为事，贵族富民长于奢侈，耽于淫佚，商贾以欺骗为事，农民怠惰而田野荒芜，工人作粗恶之器物，书生放荡而不修学业，妇人淫奔，盗贼横行国中，此乃道德衰废社会之状态。”[③]他认为造成这种状况的主要原因有二。一是当局者主张全面西化而无视传统。他说：“维新以来，良政虽多，失政亦不少。其失政条目虽颇多，基本唯一个。所谓一个为何？政府当局者眩于西洋之富强，醉于文明，彻头彻尾尽模仿西洋，丝毫不顾本邦之国势人情良法美风，悉为旧弊而破毁之。”[④]二是明治政府的教育方针只重智育而不顾德育。“方今学校之设虽曰多，其所教育率在开知一偏，至修德之事，不之讲者甚众。”[⑤]

西村茂树的上述议论，究其根本，不能不被视为出自儒学道德本位主义的不解时势的偏见。因为西村茂树并不了解，向近代社会的进步往往要求支付道德衰落的代价，近代化未必和道德上“更符合理想”的东西相一致。从历史上看，以商品经济为特征的资本主义工业文明，是最重视金钱、最贪婪、最商业化、最斤斤计较的文明。在这样的工业社会中，人际关系往往被简化为冰冷的金钱往来，人际往来的行为被视为交易，社会成员之间存在着复杂而无止境的竞争。工业文明不是带来“至善至美”的天使，而是降临人世的战神。人伦危机和由此带来的困惑是近代化过程的必然产物。不唯如此，资本主义工业文明的“经济发展至上主

① 『泊翁叢書』，第 2 輯，日本弘道会，1909 年，第 7 頁。
② 『泊翁叢書』，第 2 輯，日本弘道会，1909 年，第 65、66 頁。
③ 西村茂樹：『日本道徳論』，岩波文庫，1935 年，第 19 頁。
④ 『泊翁叢書』，第 1 輯，日本弘道会，1909 年，第 501、502 頁。
⑤ 『泊翁叢書』，第 2 輯，日本弘道会，1909 年，第 65 頁。

义”，还会造成生态环境破坏与能源、资源危机。而且当时的日本尚缺乏使近代伦理观、价值观真正植根的土壤。因而在近代化初期，新旧行为规范杂糅，个人与群体的行为无所适从，以致造成道德秩序与社会秩序混乱，实系难免。然而，道德秩序的混乱并不意味着文明的倒退，道德在衡量文明的众多要素中仅居其一。正确解决道德问题的道路恐是在批判与继承传统伦理、价值观的基础上，进行文化与伦理价值的创新，建立适合日本国情的、适应工业文明的新的伦理观与价值观。只慨叹道德衰颓与世风日下，徒劳无益。

西村茂树未能正确认识现代化过程中社会进步与道德衰退的关系，将道德失坠看成是人为的失误，因而他仍从儒学的道德本位主义出发探究应对之策。他甚至认为，面对西方列强，“道德坠地时，国之危亡指日可待”，“故于今日之势，不可不以合全国民力而保本国之独立，并耀国威于他国为必须至急之务。若问何以可达如此希望？余答之，除提高国民之智德勇即道德，别无他法。”①他还认为“教育之道在修德、开智、摄生三者，其中修德为开智之基础，东西诸儒之言由之可知”。② 1876 年以后，西村茂树几乎已不再提及革新、自由或民权，甚至与此前言论大相径庭地断言“维新变革，利少害多”，③他开始热心于推行道德运动。

西村茂树欲建立怎样的“日本道德学”呢？早在 1876 年，他就提出了“混合融化东西之教，树立适合时势之新道德学”④的主张，在 1886 年发表的代表作《日本道德论》中，西村茂树进而明确指出：“今日以儒道为本邦道德之基础，有言以哲学为胜者。此言颇有其理，如儒道乃余甚尊之所，但在今日亦不能专以儒道立本邦道德之基础。”⑤这是因为儒道具有五点不足之处。首先，儒学与“西国诸学尤其生器心性等学”相比，在

① 西村茂樹：『日本道德論』，岩波文庫，1935 年，第 12 頁。
② 『泊翁叢書』，第 2 輯，日本弘道会，1909 年，第 77 頁。
③ 『泊翁叢書』，第 1 輯，日本弘道会，1909 年，第 502 頁。
④ 家永三郎：『日本近代思想史研究』，東京大学出版会，1956 年，第 92 頁。
⑤ 西村茂樹：『日本道德論』，岩波文庫，1935 年，第 28 頁。

理论精密方面处于劣势；第二点是儒学“有安于退守而缺乏进取之弊”；第三点是“儒道对尊属有利而对卑属不利”；第四点是“儒道乃男尊女卑之教”；第五点是“儒道有是古非今而欲模仿唐虞三代之趋向”。[①]而西方“哲学虽比三教（儒教、佛教、邪耶教）有极胜之所，专以之为本帮道德之基础亦难免有所缺失”。[②]因为西洋哲学“重‘知’论而轻‘行’论”，“无治心之术”，“哲学家皆求出古人之上，故好攻击古言而立异说”，“学派众多而道德原理不同”。[③]西村茂树主张“采二教（儒教、哲学）之精粹而弃其粗杂”，由此而合成“天地真理”，以此为“日本道德之基础”。[④]他具体列举的日本国民道德规范是勤勉、节俭、刚毅、忍耐、信义、“富进取之气”、“盛爱国之心”、“奉戴万世一统之天皇”。[⑤]但这八条规范，却并不像他自我标榜的那样理想，很难说是融合了传统价值（儒学）与新价值（西洋哲学）的近代道德规范。因为真正的融合需建立在对传统鞭辟入里地批判、分析和选择以及对新价值的本质性认识之基础上。而西村茂树对作为近代价值体系核心的个人之自由、平等、权利等并未予以肯定，对传统规范也未予以新解释，故只能说它是儒学传统伦理与若干新观念（例如“富进取之气”“盛爱国之心”）的拼合与折衷。

而西村茂树的这种拼合与折衷，恰恰是他这一时期基本精神面貌的体现。他在1888年写成的《中论》一文中说道：“中乃天地万物之常则，人间万事之准度。”[⑥]他还引用古希腊哲学家亚里士多德的话说：“天下之至善在于中。”[⑦]西村茂树认为，亚里士多德所说的“中”就是儒学的“中庸之德”，“见左右两偏，须定其中央”，[⑧]“步于道路者顾左右而认两端，不偏

---

① 西村茂樹：『日本道徳論』，岩波文庫，1935年，第28、29頁。

② 同上，第31頁。

③ 同上，第31—33頁。

④ 同上，第34頁。

⑤ 西村茂樹：『日本道徳論』，岩波文庫，1935年，第89、90頁。

⑥『泊翁叢書』，第2輯，日本弘道会，1909年，第171頁。

⑦ 同上，第166頁。

⑧『泊翁叢書』，第1輯，日本弘道会，1909年，第476頁。

任何一方，须步其中央”，“论道理时顾左右而认两端，不偏任何一方，须定论据于中央”。① 另外，西村茂树将“中”直接作为“折衷”来解释。他对“折衷”的定义是：“所谓折衷法，即有东西两端之论，均各具一理时采其中，定为真理。”②西村茂树对作为儒学理想的“中庸之德”的理解是庸俗的误解。其实“中庸之德”并非机会主义、折衷与“乡愿”，而是要在一个复杂的时空网络中，在诸种可供选择的可能性中，取得最佳的、最符合“时间、地点、位置”的选择，即应保守时则保守，应激进时则激进，应守中道则守中道。然而“中”，某些情况下具有“时中”的含义。如西村茂树所说的“见左右两偏，须定其中央”，在道路上“步于中央”“定论据于中央”，皆没有折衷“中”与“中庸”的意义。西村茂树的“中道”，仅是庸俗的“折衷”，不过是他趋向保守的代名词。在《中论》中，对于幕末维新以来具有革新意义的攘夷论、排佛论、文明开化论、民权论、排儒论、女权论，都被西村茂树斥为“偏倚之论”。③ 而文明开化论和民权论均是他曾予以鼓吹的。

在这一时期，西村茂树经常发表一些“自相矛盾”的议论。例如，他曾主张道德为本，但又指出“民财不富，道德亦不能充分实行”。④ 在1889年写成的《文明开化之辨》中又说：“富强与文明有前后之差别，不可同时并行，应以富强为先文明待其后。”⑤另外关于“殖产”和“教育”，西村则主张：“政府若以百分用力于民事，应七十分用于殖产，三十分用于教育。”⑥他也承认只靠道德不能治理好国家，“唯以仁爱，而无治术治法，亦不能治”。⑦ 在《中论》中，他指斥民权论为“偏倚之论”，而又在其他文章中说：“西洋之富强由于民权之伸张，人民之力非依赖政府所得……欲如

---

①『泊翁叢書』，第2輯，日本弘道会，1909年，第167頁。
② 西村茂樹：「日本道德論」，岩波文庫，1935年，第37頁。
③『泊翁叢書』，第2輯，日本弘道会，1909年，第169頁。
④ 同上，第314頁。
⑤ 同上，第405頁。
⑥ 同上，第320頁。
⑦『泊翁叢書』，第1輯，日本弘道会，1909年，第535頁。

西国得富强,不可不改卑屈柔顺之风。"①这些自相矛盾的议论既表现了西村茂树的理智认识与感情搅扰之乖离,也反映了他欲追求西方工业文明带来的物质成果,又留恋建立于封建农业经济基础之上的温情脉脉的"良法美风"。然而,这两者是不可兼得的。西方工业文明所造成的物质丰裕与精神贫困、人际疏离,在日本近代化的初期已初萌其端。这种矛盾的社会现象,使曾将"欧罗巴文明"(即西方工业文明)理想化的西村茂树感到困惑。为摆脱这一困惑,西村茂树所寻求的道路是"中道",而"中道"却使他由革新向保守退化。

19 世纪 90 年代以后,西村茂树逐渐蜕变为名副其实的保守主义者。他虽仍然标榜"中道",认为"若无保守则古代之美事不久而皆灭尽,若无改进则不能脱陋习而进文明之域。故决不可以一方为是,以一方为非",②但值得注意的是以下的论述。他对于保守与改进,如此说道:"其最应考究者,在于其配合分量如何?"③他的答案是:"如政事,如学问,如实业,若皆以保守为体,以改进为用,则庶几无误。"④传统儒学中"体"与"用"的关系,或指形体、形质、实体与功能、作用、属性的关系,或指本体与现象的关系,或指根本原则与具体方法的关系。然而这皆与西村茂树的理解存在差异。把西村茂树所说的"体""用"关系理解成本末主次关系,或可稍近其意,即他主张以"保守"为本、为主,以"改进"为末、为次,这无异是西村茂树的保守主义宣言。

与 19 世纪 80 年代写作《日本道德论》时相比,90 年代以后西村茂树的许多认识确实出现了明显的倒退。他在《日本道德论》中曾说:"如学术、政治、法律,乃西人费许多考索研究而成者,比东洋之学术、政治、法律,其居于优等,理所宜然。"⑤而 90 年代的西村茂树则认为:"本邦近代

---

① 『泊翁叢書』,第 1 輯,日本弘道会,1909 年,第 538、539 頁。
② 『泊翁叢書』,第 2 輯,日本弘道会,1909 年,第 1136 頁。
③ 同上,第 1137 頁。
④ 同上,第 1138 頁。
⑤ 西村茂樹:『日本道德論』,岩波文庫,1935 年,第 15 頁。

之封建胜于西洋，其治教亦大有可观者，……如其法律(并不是全体)，今日犹采而用之，足以医现在之错误者亦不少。”[①]一般认为西村茂树不仅肯定日本的封建制度，甚而追怀赞美封建社会的一些弊端，说“封建制、切腹、复仇、带刀四者，为邦人养勇武之气之助者也。然今皆废绝，可惜之至也。”[②]而对自己曾予以支持的新事物，如立宪政治、政党政治，他则流露出不满，说“如本邦，国体人情大异欧洲，政党政治未可讴歌。”[③]西村晚年的保守和怀旧与青年时代的进取、求新相比，简直判若云泥。

关于道德教育，西村茂树主张“儒教一方则道德可行”。在 1899 年的一次讲演中，他说：“洋学于知识上虽需要，但至于修身领会道德，且行之于身，非求诸儒教则决不可及。吾劝诸君，只行儒教一方。”[④]对于《日本道德论》中赞同的穆勒以“幸福论”为中心的功利主义思想，西村进行了激烈的批判，并断言“以幸福为目的而行道德，其初念已误，后来必生大毒害。”[⑤]

然而，晚年西村茂树的道德论，也并非仅是儒学旧套而全无新装。所谓“新装”即是他热心倡导的以“尊王爱国”为口号的国民道德论。在 19 世纪 90 年代后，西村几乎已不再讲个人的“修身”，而偏重提倡国家道德和国民道德。在 1891 年写成的《尊王爱国论》中，他说：“见今日之形势，讲国民之道德最为紧要。论国民之道德以爱国为第一，其中或见至焦眉急迫之点……而以尊王爱国并称，则为本邦所独有而西洋诸国所没有。”[⑥]在 1898 年写成的《续国家道德论》中，他进而主张“国之教育在国家主义之外无他主义”，并以“亡国主义”批判“世界主义”“博爱主义”“平等主义”。[⑦] 他还说：“德育条目是忠、孝、尊王、爱国、信义、诚实、学习、节

---

① 『泊翁叢書』，第 2 輯，日本弘道会，1909 年，第 529 頁。
② 『泊翁叢書』，第 1 輯，日本弘道会，1909 年，第 107 頁。
③ 同上，第 716 頁。
④ 高橋昌郎：「西村茂樹」，吉川弘文館，1987 年，第 217 頁。
⑤ 『泊翁叢書』，第 2 輯，日本弘道会，1909 年，第 632 頁。
⑥ 同上，第 651、652 頁。
⑦ 『泊翁叢書』，第 1 輯，日本弘道会，1909 年，第 278 頁。

俭，一切无不以自国之安全坚固为本。”[①]从以上观之，西村茂树晚年所说的国民道德论，不过是给传统儒学的忠孝道德披上“国家主义”的外衣，用以培养天皇制专制国家的忠实臣民。从这样的国家主义出发，西村茂树把世界主义丑化描述为“外面如菩萨，内心如夜叉”。[②] 晚年的西村茂树确如一些学者所指出的，已成为“保守的国家主义思想家”了。

处于社会变革时期的西村茂树，其思想历程相当曲折。他以“折衷”协调传统儒学与西方近代思想，因始终束缚于儒学道德本位主义，最终由启蒙学者退化为保守派的儒者。

第四节　中村正直的“敬天爱人说”与“古今东西一致道德说”

在明治启蒙思想家中，社会影响力能与福泽谕吉相匹敌的，只有中村正直(1832—1891)。然而，福泽与中村的历史命运却迥然相异。福泽谕吉依然被现代人所尊重，而中村正直却早被人们淡忘，除了少数历史学者，很少有人再提及他的名字。

何以至此？这不仅因为中村正直除译作和短篇论文外，没有福泽谕吉如《劝学篇》和《文明论概略》那样的系统论著，或许还与两者回应西方文明冲击模式(或是传统儒学与近代西方思想连接方式)的不同有关。

福泽谕吉强调当时东西方文明在历史发展阶段上的差异(“半开化”与“文明”的差异)，主张批判已落后的传统文明，全面吸纳进步的西方文明。这种回应西方文明的方式，不仅在当时，即使在当今的日本，仍具有影响力。与之相对，中村正直虽也承认西方文明的先进性，但认为传统的东方文明在本质上与西方现代文明不乏一致之处，欲寻求两者在价值与伦理上的共同项，试图由此建立超越时代与地域差异的世界性普遍价

---

① 『泊翁叢書』，第 2 輯，日本弘道会，1909 年，第 1039 頁。
② 同上，第 1041 頁。

值与伦理。①

这种超越意图的回应模式，虽与西村茂树的折衷主义不同，但由于他对东、西方文明的认识，都未以涉及本质的分析与批判为前提，而仅以类比的方法认定两者的近似共同项，在当时并未导致东、西方思想达到真正的相互"融合"，在文化多元主义已成共识的今日，更暴露了它的空想性质。这样，中村正直逐渐被人们遗忘，便不难理解了。下文将简单回顾中村正直对这种世界的、普遍的价值的探究过程。

中村正直在担任幕府"御用儒者"时期，便坚信世界上存在着既超越又内在的普遍精神与价值。② 他有时称之为"道"或"理"，有时称之为"圣贤之神"或"圣贤之教"。例如他曾说"道"是"天下公共之物，而事物自然之理也。出于天而具于心，其大无外，其小无内"。③ 因此所谓"圣人之立教，本合众异而为大同"，④中村正直主张对儒学诸学派（汉儒、宋儒、朱陆学派之争）应采取"求同弃异"的态度，展现出"求同"的思维倾向。

由于中村正直从求同的思维倾向出发，对传入日本的西方文明表现出一种宽容而开放的姿态。他认为"通天地人谓之儒"，⑤而天覆地载非中国一国，且"洋夷亦人"，⑥故"察外国政化风俗，学其语言学术，可谓不悖儒职，愚考是又儒者分内之事"。⑦ 然而，作为幕府"御用儒学者"的中村正直，仍坚信"儒道"的普遍性，认为洋学只是"技艺"，说："夫洋学者，吾道所不能外也。非显然为敌如老与佛者也。"⑧

1866 年 10 月，中村正直前往伦敦，开始了一年多的留英生活。他认

① 关于福泽谕吉与中村正直对西欧思想回应方式的差异问题，我受到了石田雄：「中村敬宇と福沢諭吉：西欧思想への対応における二つの型」（收入于『近代日本の政治文化と言語象徴』，東京大学出版会，1983 年）的启发。

② 关于中村正直的经历，参照高橋昌郎：『中村敬宇』，吉川弘文館，1988 年。

③『広原道』，『敬宇文集』卷一四，吉川弘文館，1903 年。

④『送葛士幹序』，『敬宇文集』卷一四，吉川弘文館，1903 年。

⑤『明治文学全集 3　明治啓蒙思想集』，筑摩書房，1983 年，第 279 頁。

⑥『洋学論』，『敬宇文稿』，東京静嘉堂文庫・稿本卷一。

⑦『明治文学全集 3　明治啓蒙思想集』，筑摩書房，1983 年，第 279 頁。

⑧『洋学論』，『敬宇文稿』，東京静嘉堂文庫・稿本卷一。

识到英国之所以富强，在于“自由之权，公平之法，上帝之道，期与天下公享而共用焉”。① 他首先指出人民的“自主之权”（民主）与“自主之志向”（自由）乃是国家独立的前提，“国所以有自主之权，由于人民有自主之权。人民有自主之权，由于其自主之志向。”②他翻译的《西国立志篇》和《自由之理》等著作，对当时的日本人影响巨大。而且，中村正直发现了决定西方文明本质与特征的“上帝之道”。中村正直在1874年12月受洗，成为基督教徒。

然而，中村正直如何处理基督教信仰与之前一直信奉的东方“圣贤之道”之间的关系呢？依着求同思维的惯性，他试图寻求超越“上帝之道”与“圣贤之道”的普遍精神原理。其方法是探求两者的共同项。他寻到的答案是“敬天爱人”。1868年，中村正直写成了《敬天爱人说》一文。

在《圣经·马可福音》十二章中，耶稣归纳了一条最重要的诫命：“尽心、尽精神、尽思、尽力，你要爱你的主”，“要爱人如己”，以教导人们铭记诫命。这段话体现了基督教的根本精神。其中既提示了它对于超越者“主”的态度，又表达了最根本的伦理道德要求。中村正直对于这种基督教的基本精神是怎样理解的呢？他认为基督教所说的“神”“造物主”就是儒学中作为超越者的“天”“皇天”或“上帝”，只不过名称不同。他说：“曰天、曰上帝、曰神（原注：谓真一神，不可混为鬼神之神）、曰造化之主宰，名异而义一。”③他的《敬天爱人说》，旁征博引《尚书》《诗经》等儒学经典，孔子、孟子、张载、朱熹、薛瑄、贝原益轩等中、日儒者有关“敬天”“事天”“爱人”“爱民”的言论，论证与基督教的根本精神相同，儒学的根本精神也是“敬天”与“爱人”。他说“天者生我者，乃吾父也。人者与吾同为天所生者，乃吾兄弟也。天其可不敬乎？人其可不爱乎？”④这一陈述虽仍使用儒家的语言，但已明显地渗透着基督教的爱主与爱人的精神。

---

① 『英史紀略序』，『敬宇文集』卷五，吉川弘文館，1903年。

② 中村正直訳：『西国立志編』，講談社，1984年，第51頁。

③ 『請質所聞』，東京静嘉堂文庫・稿本。

④ 『敬天愛人説』，『敬宇文集』卷三，吉川弘文館，1903年。

中村正直主张的“敬天爱人”果真可以成为超越东西文明差异的普遍性精神原理么？中村正直似乎仅注目于儒学与基督教表层陈述的雷同，却忽视了其深层精神的差异。实际上，儒学的“敬天”与基督教的唯一神信仰相异。其差异首先在于，儒学的“天”和基督教的“神”虽同为超越者，也都具有至上主宰者的性质。但儒学的天，以后逐渐失去人的形象与性格，与之相对，基督教的神却始终是人格化的神，保有人的性格与特征。其次，从超越者与人类的关系看，基督教的神虽是人格化的，却同时是隐匿不见、人类不能认识与理解、完全外在的异己绝对实体。人类依靠理性无从认知神，而只能无限信仰神。人与神虽可交往，其融合却是不可想象的。与基督教不同，在儒学中可以实现“天人合一”，超越世界与现实世界并非泾渭分明，而是存有内在的超越之道。如《孟子・尽心》中所说：“尽其心者，知其性也。知其性则知天矣。存其心，养其性，所以事天也。”中村正直所忽视的这一差异实在是至关重要，因为它涉及东西文明根本特质的差异。另外，近代性的民主主义、法治主义、科学是否诞生的问题，也与这一差异有关。中村正直所谓的“敬天”只是概括地表现了儒学与基督教都有超越性的宗教精神，却很难说是超越了两者间内倾与外倾差异的普遍性精神原理。

此外，关于“爱人”，确实同为儒学与基督教的最高伦理道德要求，均具人道主义性质，如孔子说：“己所不欲，勿施于人。”《圣经・马太福音》第七章说：“无论何事，你们愿意人怎样待你们，你们也要怎样待人。”但两者之间也有重大区别。基督教提倡投入全部身心的爱，这种爱要施与所有的人，要爱他人，爱邻人，甚至爱敌人。《圣经・路加福音》第六章说：“爱敌人，恨你们的要待他们好，咒诅你们的要为他祝福，凌辱你们的要为他祷告。”基督教中，神对所有人的爱是每一个人爱他人的基础和根据。与之不同，儒学提倡的“爱人”是一种由己、由家庭向外逐层推展的有“差等”的爱。儒学“仁”的本质是“爱人”(《论语・颜渊》)。但这种爱，正如孟子所说：“老吾老以及人之老，幼吾幼以及人之幼，天下可运于掌”(《孟子・梁惠王上》)。至于对敌人，则不像基督教所主张的那样施之以爱，而是待之以公正，即所谓“以直报怨，以德报德”(《论语·宪问》)。而且儒学比基督教更加强调以改良社会秩序作为达到“爱人”的途径，“爱人”不仅限于个人伦理道德层面，还要延伸至社会、政治层面。这就是所谓的“仁政”。中村正直视为普遍性伦理的“爱人”说，仅仅表现了儒学与基督教都具有的人道主义精神，却未考及两者间的差异，亦难称实现了对两者的超越。

中村正直寻求世界性普遍价值的尝试并不成功，其原因是，他囿于求同思维的束缚，未能站在更高的视点上以分析与批判的态度关注儒学与基督教的区别。这种未加深层次分析批判的低层次类比求同，无助于东西文明的互相理解，也不会由此而寻到传统与现代或“东”与“西”的真正结合点。

中村正直进而以其求同思维探究全人类共通的道德律条。他说：“观欧美诸国之情状，其风俗礼仪虽非无相异者，至于纲常伦理之大节目，则东西古今无不同。”①他的认识以抽象人性论为依据。他说：“道德人人所具，与生命共由天所赋予者也，由人所具良知良能发出之善行也……故不问古今，东西南北无间，生民所具所行道德，大抵通而为一，大同小异者也。”②他沿着惯用的“弃小异，就大同”，“认物之同处，概括而言”③的求同思维方式，认为“古今东西一致”的道德律条是“自由”。他在1889年发表的《古今东西一致道德之说》中说道：“此自由者，实修身即自治之根本也。福祥之本源在此，家国之基础在此。此乃古今东西道德一致之大者也。”④

与西方文明中的“自由”(liberty)观念相一致的东方思想又系何物？中村正直说：“西洋之自由之正义，于中国言之，即道心(天理)为主而得

① 『明治文学全集 3　明治啓蒙思想集』，筑摩書房，1983年，第322頁。
② 同上，第327頁。
③ 同上，第327頁。
④ 同上，第331頁。

自由也，不为人心（人欲）之奴隶也。”[①]具体而言，就是“择善之自由”“心之自主”和“刚毅定静”。[②] 然而中村正直诠释的“自由”，能否真的能够超越“古今东西”而被视为“一致道德”呢？

前近代的中国确乎有“自由”一词。例如在杜甫的诗中就曾出现过四次。[③] 不过这只是表达一种自由自在、心情舒畅的感觉。西方的“自由”概念，因时代不同、思想家不同，其内容纷繁复杂。但一般来说，由外在的自由（权力约束下的自由）与内在的自由（伦理的自由）两种要素构成。并且，后者作为前者的前提与条件，应首先促其实现。中村正直所说的“道心（天理）为主而得自由也，不为人心（人欲）之奴隶也”中的“自由”，可勉强地当作内在的自由（伦理的自由），却欠缺作为前提、条件的外在的自由。因此，中村正直对“古今东西一致道德”的探求并不成功。

尽管在福泽谕吉、西周、西村茂树、中村正直的启蒙思想中，儒学与西方近代思想的连接方式有所不同，但我们不难发现，儒学的某些概念、范畴、思想和思维方式，在他们理解、受容、阐释西方近代思想时，都发挥了某种媒介功能。

儒学的概念与范畴之所以能够发挥这样的媒介功能，是因为其概念与范畴的非确指性。一般来说，儒学的概念与范畴，不似西方哲学的概念与范畴那样必须对其内涵与外延进行明确的界定后才可用于论证。某些儒学概念与范畴的非确指性，为其再解释提供了很大的自由度，以至可以充实具有不同时代性与民族性的异质文明的新内涵，从而发挥东西两大文明（或传统与现代）的媒介作用。例如，福泽谕吉以儒学的“实学”概念为中介，通过对其充实新内涵，用以提倡西方的现代文明。

明治启蒙思想家在理解、接受和诠释西方近代思想时，多次以儒学的一些思想或思维方式作为“支援意识”并发挥媒介的作用。根据波兰尼（Michael Polanyi）的知识论，人的意识可区分为明显自知的“集中意

---

① 『明治文学全集 3　明治啓蒙思想集』，筑摩書房，1983 年，第 331 頁。

② 同上，330 頁。

③ 林毓生：《中国传统的创造性转化》，三联书店，1988 年，第 287 页。

识”(total awareness)和无法明说、在与具体事例时常接触以后经由潜移默化而得到的“支援意识”(subsidiary awareness)。明治启蒙学者在研读儒家典籍或先贤的著作时所直接得到的知识,成为他们的“集中意识”的一部分。然而当他们所要理解与研究的问题在表面上与过去所研读的儒家典籍或先贤著作并无直接关系时,当初从反复研读的儒家典籍与著作中所得到的“集中意识”便会转化为“支援意识”,影响他们要理解与研究的新问题的发展方向。例如,西周在最初接触到孔德的科学分类思想后,便将“百学”分为“理科”与“气科”,这不能不说是宋明理学的理气观发挥了“支援意识”的作用。中村正直在对“自由”作界定时,也是以儒家表现道德自主性的“道心为主”“不为人心之奴隶”作为“支援意识”的。

明治启蒙思想家对儒学概念、范畴的改造与转化,并以儒学的思想或思维方式作为“支援意识”,是儒学在日本近代思想形成过程中发挥媒介功能的主要形式。然而这种媒介功能是有正负两面的。其正面功能在于,以儒学为媒介而被理解、诠释的西方近代思想已转化为日本式的近代思想,它更容易为日本人所理解、接受,更适应日本的社会与知识现状,从而扩大与加速了它的传播。而且有可能从中寻到传统思想与近代思想的接榫部。另一方面其负面功能是,以儒学为媒介来理解、阐释西方近代思想,有可能造成对西方近代思想的片面理解甚至误读。例如,福泽渝吉的“天赋人权”与西周的“性法”论均以儒学的“天”(或天理)作为“人权”的终极根源,由“天”赋予的“天性”或“同一性”是人权的直接根源。这使人们对人权的主动性追求变得极其微弱。然而在前近代到近代的转换期,如何处理儒学传统与西方近代思想的连续性、非连续性这一课题,明治启蒙思想家对此毫无先例可以参照,因而其思想、文化重构并不彻底并屡遭挫折。但他们对不同方向的探索,毕竟为此后日本近代思想及文化建设提供了不同的模式。

第七章　自由民权思想与作为桥梁的儒学

第一节　中江兆民的“理义”与“自由”

明治启蒙思想曾抽象地提倡平等、自由和民权，自由民权思想则进而响亮地鼓吹“人民主权”，并对人民“权利”的现实形态进行具体追求（如思想、信仰、言论、集会、结社的自由权，男女同权，住宅不可侵犯等），在政治与国家形态上则表现为主张开设国会、确立立宪政体、国民参与政治。一部分激进的自由民权思想家还要求政府承认人民的“抵抗权”和“革命权”。

支撑自由民权思想的理论依据，是以西方近代自由主义、民主主义为中心的政治思想与法制思想，即以边沁、穆勒、斯宾塞为代表的英国式自由主义和以卢梭为代表的法国式民主主义。他们的著作翻译版，如中村正直的《自由之理》（穆勒《自由论》的翻译版本，1872 年），服部德的《民约论》（卢梭《社会契约论》的翻译版本，1877 年），中江兆民的《民约译解》（卢梭《社会契约论》的抄译与解读，1882 年），尾崎行雄的《权理提纲》（斯宾塞《社会静学》的抄译版，1877 年），岛田三郎的《立法论纲》（边沁《道德与立法原理导论》的翻译版本，1878 年）等，受到当时自由民权思想家以及很多人的推崇。然而，无论是这些著作的翻译版本，还是自由民权思想家所倡导的民主自由思想，与西方的自由民主思想相比，都与其理论原型存在差异，或多或少地融入了儒家观念，成为变异态的东方型民主主义。一些儒学的概念、思想和思维方式，或成为通向东方型民主主义的桥梁，或转化为这种东方型民主主义的有机组成部分。本章即以最具代表性的自由民权思想家中江兆民和植木枝盛为例，来考察儒家思想与日本自由民权思想有何关联，以及如何形成民主主义的“东洋”特色。

中江兆民(1847—1901)有“东洋卢梭”之称。他既是日本自由民权运动最具代表性的理论家、社会活动家，还是一名无神论者。然而，在其思想历程中，传统与现代之间并未发生彻底断裂。他并不把儒家思想与西方近代思想视为绝不相容的对立物。他在不断学习西方自由民主思想的同时，还继承了传统的东方儒学思想(尤其是《孟子》)，并将儒学思想与近代思想结合起来。

中江兆民在1847年11月1日出生于土佐藩(今高知县)下级藩士之家。15岁时于藩校文武馆开馆之际入学。在文武馆(后改称致道馆)中悉心学习汉文，并熟读经书、诸子百家、《史记》、《文选》等。1865年，18岁的中江兆民因才学受到老师细川润次郎的推荐，作为藩留学生被派遣至长崎学习洋学，师从平井义十郎，学习法语。在神户、大阪开港之际，成为法国公使的翻译。明治维新后，他于1870年在大学南校(东京大学的前身)担任法语教师。1871年经大久保利通、板垣退助与后藤象二郎的推荐，作为司法省留学生被派往法国留学。留法期间，他大量研读西方哲学、历史、文学著作，尤其是通过学习当时激进政治思想家阿克拉斯的思想，开始关注卢梭的社会契约论。这既培养了他自由平等的精神，也使其建立共和制的志向高涨。同时，他也尝试将《孟子》等中国古典译为法语。归国后，他在东京自宅开设了佛兰西学舍(后改称佛学舍)。

1875年2月，中江兆民被任命为东京外国语学校校长。同年5月，他在就任未满三个月的情况下，辞去校长一职。辞职的理由是，他认为“教育之根本在于德性涵养”，“维持我国民道德，提高人格，最适当的是孔孟之教，故以‘孔孟之书’，为此学校课程之一。”[①]为此与主张全面欧化的文部省当局发生冲突。此后，他出任元老院权少书记官，但因不满明治政府对言论的镇压而再次辞职。中江兆民从此选择作为在野的学者，一生再未出任任何官职。他在法学塾中，除讲授法语、历史、地理外，还讲授法国启蒙思想家伏尔泰、孟德斯鸠、卢梭的著作，并开始翻译卢梭的《民约论》(《社会契约论》)。其翻译手抄本广泛流传于民权派人士之间。当时就读法学塾的青年多达 2000 余人，以致“法学塾为民权论之源泉，为一种政治俱乐部，且为侦吏注目之焦点”。[②]

他在主持法学塾、进行青少年教育的同时，还师从名儒高谷龙州和冈松瓮谷学习汉文写作、钻研古典。中江兆民对东方古典与欧洲近代文化皆具有丰厚学识与深刻理解，这为他此后将传统的东方儒学与西方近代思想相结合打下了基础。

1881 年，中江兆民参加了自由民权运动的政党组织自由党的活动，并出任《东洋自由新闻》主编，从此便直接投身于在野的政治活动。期间，他翻译了《非开化论》《维氏美学》《理学沿革史》等，出版了《三醉人经纶问答》《平民的觉醒》《国会论》等著作，先后主办了《政理丛谈》《东云新闻》《日刊政论》《立宪自由新闻》《自由平等经纶》《北门新报》《百零一》等刊物，将全部精力投入到理论宣传活动中。1887 年，因参与自由民权运动，与 570 多位民权派人士一起被逐出东京。1890 年，他在第一次众议院议员总选举中当选为大阪第四区候补议员。翌年，愤激于立宪自由党与政府妥协，断然辞去议员之职。1901 年，被确诊患喉癌，并从医生处得知最多还可活一年半。在病痛折磨下，他以“若疲惫则休息、睡眠，若醒来则写作”的毅力，完成了《一年有半》和《续一年有半：无神无灵魂》。同

① 『幸德秋水全集』第 8 卷，明治文献，1972 年，第 98 頁。
② 同上，第 35 頁。

年12月13日，中江兆民病逝，结束了他作为民主主义者和无神论者的一生。

"东洋卢梭"的誉称，至为恰当地反映了中江兆民思想的真实面貌，既表现了他是日本最早与最热情的卢梭思想宣扬者，又反映了他所介绍的卢梭思想具有东方的特色，已有别于西方的卢梭思想原型。例如，中江兆民在翻译卢梭的《社会契约论》时，并非直译，不仅有所敷衍和补充，还在重要处附加注解。如果把中江兆民的《民约译解》(汉文)和介绍卢梭思想的相关文章，与卢梭的原著相比照的话，我们便不难发现儒学的概念、思想与思维方式在形成其"东洋"特色中所发挥的功能。

中江兆民在自由民权运动中的重大理论贡献是大力宣扬了卢梭的人民主权思想，他所提倡的人民主权论具有浓重的儒家道德主义色彩。

中江兆民同许多儒学思想家一样，是个理想主义者。他曾说："甚而迂阔地坚守理想，是小生自傲之处。"①又如岛田虔次所指出的，"理义"是中江兆民常用的概念之一，是理解其思想的关键词。② 中江兆民常用"理义"来表达他的理想。他认为"理义之心是文明的原质"，③具有近代文明的原理与理念的意义。另外，关于"理义物质之别"，④他认为与"物质之美"相对的是"理义之善"，也就是人类具有普遍意义的道德性的"善"。依据他的话来说"人是有理义的动物"，"理义"是人之所以为人的缘由，是"外物不能战胜的"。⑤ 然而，"理义"这一概念以及对其道德性的理解，并非中江兆民的创造，而是源于《孟子》。《孟子·告子上》便有"理义之悦我心，犹刍豢之悦我口"。不过，对于作为其理想之"理义"的内涵，中江兆民重新予以规定与扩充，说"民权是至理也，自由平等是大义也。反

---

①『幸德秋水全集』第8卷，明治文献，1972年，第50頁。

② 島田虔次：「兆民の愛用語について」，收入于木下顺二他編：『中江兆民の世界』，筑摩書房，1979年，第229頁。

③『近代日本思想大系3　中江兆民』，筑摩書房，1974年，第4頁。

④ 同上，第140頁。

⑤ 同上。

于此等理义者,终不能不受罚”。[①] 中江兆民以民权、自由、平等等为“理义”之内涵,便赋予了它有别于《孟子》的近代意义,同时又使民权、自由等近代性概念含有传统的伦理色彩。

中江兆民在这里所说的“民权”,便是卢梭《社会契约论》中所主张的人民主权。人民主权学说是卢梭社会契约论的精华与根本特点。中江兆民接受了这一思想,认为“以政权为全国人民之公有物而非有司之私有”。[②] 如何实现人民主权?卢梭在《社会契约论》第二卷第一章中说:“人民主权不外是公意的运用”,[③]而“公意”则是人民主权的体现。中江兆民在《民约译解》中,将“公意”译为“公志”,又将“公志”解释为“众人之所同然”。[④] 这一释义也与《孟子·告子上》有关。《孟子》中说:“心之所同然者何也?谓理也,义也。”中江兆民又将卢梭所说的“公意”多次解释为近似于儒家重民思想的常用概念“人情”(或曰“民情”)。例如,在《民约译解》的序文中,他说:“盖政也者,与时推移,不逆于人情,斯为美矣。”[⑤]并在探索欧美各国通过国会成功地实行民权政治的缘由时说:“岂亦因人情,而裁成者非邪?”[⑥]其基本精神都是儒家式的“政在得民”思想。其实如同后述,卢梭的所谓“公意”与“众人之所同然”或“人情”(或“民情”),远非同义。中江兆民以“心之所同然”和“人情”阐释卢梭的“公意”,既反映了中江兆民思想的儒家因素,又表现了其“人民主权”思想的“东洋”特色。或许正因为中江兆民如同上述地以《孟子》等儒家经典(尤其是《孟子》)的概念、思想去理解与诠释卢梭的《社会契约论》和人民主权思想。所以他在引用“民权是至理也,自由平等是大义也”之后,写道:

---

① 『近代日本思想大系 3　中江兆民』,筑摩書房,1974 年,第 125 頁。

② 同上,第 186 頁。

③ 平岡昇、根岸国孝訳:『社会契約論』,角川文庫,1965 年,第 41 頁。

④ 『中江兆民全集』第一巻,岩波書店,1983 年,第 107、173 頁。

⑤ 島田虔次:「『民約訳解』原文,読み下し文、ならびに注解」,收入于桑原武夫編:『中江兆民の研究』,岩波書店,1966 年,第 180、216 頁。

⑥ 同上。

“此理在汉土孟轲、柳宗元亦早觑破之，非欧美之专有也。”①从这一论述来看，中江兆民对卢梭的理解及其民主主义思想的核心，就是儒学（尤其是《孟子》）的民本主义。

类似上述以儒家的概念、思想来理解与诠释卢梭思想的例证，在中江兆民的著作中多有出现。例如，中江兆民是从儒家的道德政治理想出发，认识政治的本质、目的与途径的。他在《原政》（1878 年）一文中说：“政之所为归趣，果安在哉？在乎使民至无用于政而已矣。何以言之？诗曰：‘民之秉夷，好是懿德，民既有秉夷之心，则可以使移于善也。既移于善则可以使安于德也。民之安于德，法令不设可也……又何依依乎用政之为？此固为圣人之所期，曰使民移于善如之何？曰教之以道义，教之以道义者，三代之法也，诱之以工艺者，西土之术也。”②中江兆民认为卢梭的主张不同于边沁等功利主义的政治论（所谓的“西土之术”），是以人类根本的善性和道德资质为依据，通过对民众的“道义”教化来实现理想的政治。他说：“佛人蘆骚，著书，颇讥西土政术，其意盖欲昌教化而抑艺术也。”③在这里，中江兆民把卢梭也描绘成类似于儒学的德治主义者了。

卢梭《社会契约论》的要旨之一，便是讨论政治与“正义”“功利”的关系问题。该书第一卷的开篇便说：“我要探讨在社会秩序之中，从人类的实际情况与法律的可能情况着眼，是否存在某种合法的而又确切的政权规则。在这一研究中，我将努力把权利所许可的和利益要求的结合在一起，以便使正义与功利不致有所分歧。”④中江兆民在《民约译解》中，则把卢梭所论的“正义”和“功利”的关系，完全译解为儒家式的“义”与“利”命题。其译文如下：“政果不可得正邪？义与利果不可得合邪？顾人不能尽君子，亦不能尽小人，则置官设制，亦必有道矣。余固冀有得乎斯道。

① 『近代日本思想大系 3　中江兆民』，筑摩書房，1974 年，第 125 頁。
② 同上，第 179 頁。
③ 同上，第 180 頁。
④ 平岡昇、根岸国孝訳：『社会契約論』，角川文庫，1965 年，第 12 頁。

夫然后政之与民相适而义之与利相合其可庶几也。”①

从这段译文来看，中江兆民是从《论语·颜渊》的“政者，正也”和《孟子·梁惠王上》的“王亦曰仁义而已矣，何必曰利”这两个儒家重要命题出发，理解与诠释卢梭思想的。在《民约译解》中，中江兆民甚至将与“正义”“功利”完全无关的“个别意志”与“公意”的关系问题，也作为儒家式的义利问题进行理解。卢梭在《社会契约论》中曾指出：“个别意志由于它的本性就总是倾向于偏私，而公意则总是倾向于平等。”②中江兆民则将“个别意志”译为“私利”，将“公意”译为“公利”，其译文为：“私利之为物，常赴偏颇。而公利之为物，常赴周偏，其质本不相容也。”③在这里，中江兆民不仅转换了论题，还添加了卢梭根本未曾论及的“其质本不相容”，以及“私利”与“公利”互不相容的儒家观念，从而对他在《民约译解》开篇提出的义利问题做出了回答。中江兆民始终不赞同明治启蒙思想家福泽谕吉、西周等人宣扬的西方功利主义。在题为《论公利私利》的论文中，他提出“利者由义而生，犹曰义之效”。④ 在《民约译解》中，中江兆民还直接批评边沁的功利主义，推崇卢梭的重义轻利思想。他说：“勉杂母（即边沁）论用，而娄骚（即卢梭）论体；勉杂母论末，而娄骚论本。勉杂母单论利，而娄骚并论义。其有不合，固宜。”⑤在这里，中江兆民评论卢梭与边沁所用的“体用”“本末”“义利”标准亦均为儒学的概念范畴。

既然“个别意志”与“公意”所趋有别，那么如何形成“公意”呢？针对这一问题，卢梭在《社会契约论》中，曾区别“公意”与“众意”。他说：“公意只着眼于公共的利益，而众意则着眼于私人的利益，众意只是个别意志的总和。但是，除掉这些个别意志间正负相抵消的部分外，则剩下的

① 島田虔次：「『民約訳解』原文、読み下し文、ならびに注解」，收入于桑原武夫編：『中江兆民の研究』，岩波書店，1966年，第184、220頁。

② 平岡昇、根岸国孝訳：『社会契約論』，角川文庫，1965年，第42頁。

③ 『中江兆民全集』1，岩波書店，1983年，第108、174頁。

④ 『中江兆民全集』11，岩波書店，1984年，第24頁。

⑤ 島田虔次：「『民約訳解』原文、読み下し文、ならびに注解」，第202、231頁。

总和仍然是公意。”[①]然而，对于“个别意志”“众意”与“公意”的关系，中江兆民是以儒家“执两取中”的中庸思维方式去解译的。他把“公意”译为“众志”，把“众意”译为“众人之志”（之前翻译“公利”“公志”，此处“公意”的翻译变化成了“众志”），其译文是：“所谓众志者，必于众人之志中得之，何以言之？盖众人皆挟其私焉，以临议。所云众人之志也，而此中必有在两端。最急者与最缓者、最激者与最和者之谓也。此二者势不相容矣，二者不相容，则中者必将出其间。是乃众志之所存也。”[②]卢梭的原意是，从作为个别意志总和的“众意”中，除掉个别意志相抵消的部分，即是“公意”。中江兆民则认为在“众人之志”之间，存在着极端对立互不相容的两端，在此之间取其中者便是“众志”（即“公意”）。这种理解显然有违卢梭原意，实系儒家中庸式的阐释。

中江兆民在自由民权运动中的另一重大理论贡献是介绍与宣扬了卢梭有关“自由”的思想。中江兆民对卢梭只是简单提及的“道德的自由”格外重视。这也表现了儒家思想对中江兆民的影响与中江兆民自由思想的“东洋”特色[③]。

卢梭在《社会契约论》中，提出了“自然的自由”“社会的自由”和“道德的自由”三种自由的观念。所谓“自然的自由”是指人类在处于“自然状态”时，“自然人以其个人力量为界限的自由”，不管是否存在法律，只以人类的本性为基础全人类皆有的自由。然而这种“自然的自由”在人们通过结成契约，从自然状态进入到社会状态后便丧失了。也就是说“社会的自由”，受到“公意”的约束，即是通常意义上近代国家通过法律对公、私权利予以保障的自由。对于“道德的自由”，卢梭在《社会契约论》中只有寥寥数语：“唯有道德的自由才使人类真正成为自己的主人；

① 平岡昇、根岸国孝訳：『社会契約論』，角川文庫，1965 年，第 46 頁。

② 『中江兆民全集』1，岩波書店，1983 年，第 112、179 頁。

③ 关于中江兆民的自由思想与儒学之间的关系，相关的论文与著作如下所述。藤野雅己：「中江兆民の思想形成と儒教的要素」（『上智史学』19 号，1974 年 10 月）。松本三之介：「中江兆民における伝統と近代」（『歴史と社会』第 2 号，1983 年 5 月）。米原謙：『日本近代思想と中江兆民』（新評論，1986 年）。

因为仅只有嗜欲的冲动便是奴隶状态”,[①]此后再也不曾论及。

中江兆民在《民约译解》中,将卢梭的三种自由观念分别译为“天命的自由”“人义的自由”“心的自由”。尤其为了说明“心的自由”与其他两种自由的关系,附加了很长的解释。此外,在《东洋自由新闻》创刊号(1881 年 3 月 8 日)的社论中,中江兆民又对“社会的自由”与“道德的自由”予以更为详尽的阐释。把“社会的自由”称为“行为之自由”,指出一身之自由、思想之自由、言论之自由、集会之自由、出版之自由、结社之自由、民事之自由、从政之自由为其具体条目。[②] 中江兆民对自由思想的宣传显然已超越明治启蒙学者中村正直。他将中村正直所忽视的“外在的自由”(如思想、言论、出版、集会、结社、参政自由等)作为自由民权运动的现实课题,体现了他鲜明的民主主义立场。不过,较之外在的“行为的自由”,中江兆民更为重视“道德的自由”。在这篇社论中,中江兆民将“道德的自由”称作“心神之自由”,并进而解释说:“心神之自由,是谓我精神心思绝不受他物之束缚,完全发达而得无余力。古人所谓配义与道之浩然之一气,即此物也。内省而不疚,自反而缩,亦此物也。乃俯仰天地而无愧怍,外之政府教门所不能箝制,内之五欲六恶所不能妨碍,活泼泼转辘辘,凡其所得驰骛者驰骛之,而愈进无少挠者也。”[③]中江兆民把“心神之自由”既说成是一种外部不受“政府教门”的“箝制”,内部不受“五欲六恶”的“妨碍”,不被束缚的精神状态,又说成是“完全发达而得无余力”、“愈进无少挠者”的精神动力。他认为,“心神之自由”是所有“外在之自由”的根本。“心神之自由乃吾本有之根基。由第二位行为之自由始,其他百般自由之类,皆由此出。凡人生之行为、福祉、学艺,皆由此出。盖吾人最当留心涵养者,莫尚此物。”[④]

如松本三之介与米原谦所指出,中江兆民的自由论既有缘起于西方

---

① 平岡昇、根岸国孝訳:『社会契約論』,角川文庫,1965 年,第 35、36 頁。

② 『近代日本思想大系 3　中江兆民』,筑摩書房,1974 年,第 182 頁。

③ 同上。

④ 同上。

共和主义与自由主义的一面,也存在与《孟子》心性论相关联的一面。例如,他将"心神之自由"说成是"配义与道之浩然之一气",显然来自《孟子·公孙丑上》,该篇还讲要"善养吾浩然之气",提倡一种向内的"存养"论。中江兆民继承了这种"存养"论。在谈及"心神之自由"时主张"吾人最当留心涵养者,莫尚此物"。

中江兆民在其他论文中也曾多次提及自由精神的培养、涵养或锻炼。他说:"自由诚天赋也。然不培养之,则自由决非自能畅达者。"①"吾侪炼自由之精神,养远大之略与深远之识,敌国亦良师也。"②《孟子》的"存养"论是建立于先验的"性善"论基础上的。中江兆民也认为"心神之自由"是先验的存在。其"心神之自由"论与《孟子》的"心性"论,在道德性、先验性等方面确有共通点。总而言之,中江兆民以先验的、内在的立场将卢梭"道德的自由"理解为带有德性的自由精神,这种理解使之与孟子的"心性论"之间架起了一座互通的桥梁。然而不同的是,中江兆民认为"心神之自由"(即自由精神)的确立与发展,不仅依赖于道德主义的向内的"培养",还有赖于知识主义的外在学识的充实。例如,他在论及从"恩赐的民权"向"恢复的民权"之转换时,便谈到应"以道德的元气与学术的滋液养之",③主张"道德的"与"学术的"两者均不可或缺。然而,不容置疑的是,带有儒家"存心养性"论色彩的"心神之自由"已成为中江兆民自由论的有机构成部分,从而形成了其自由论的"东洋"特色。

通常,当摄取外来的新概念、新思想时,为使其内部化,必须以某些传统为媒介,为桥梁。对于中江兆民来说,其媒介和桥梁主要是儒学的某些因素。④ 中江兆民吸收了卢梭思想的基本内核,并以儒学的概念、思想与思维方式加以理解与诠释,积极地推动其与传统的内部关联,使之

---

① 『近代日本思想大系 3 中江兆民』,筑摩書房,1974 年,第 188 頁。

② 同上,第 192 頁。

③ 同上,第 44 頁。

④ 中江兆民也受到了佛教与老庄思想的影响。关于这一问题,可参考小島祐馬:「中江兆民」(收入于『政論雜筆』、みすず書房,1974 年);上山春平:「兆民の哲学思想」(收入于桑原武夫編:『中江兆民の研究』,岩波書店,1966 年);米原謙:『日本近代思想と中江兆民』等。

正当化、普遍化，形成了有别于卢梭思想的东方型民主主义。在日本自由民权运动中产生巨大影响力的，并非卢梭等思想家的西方近代民主主义思想原型，而恰恰是融入了儒家思想的（中江兆民等思想家的）东方型民主主义。由此而引发我们思考的是：某些儒学思想因素，阻碍了对卢梭民主主义思想的接受，这种说法是否是曲解？某些儒家思想是否必然与近代思想不能相容？已成为东方型民主主义结构体之不可分割要素的某些儒家思想，对于现代化进程可否发挥正面的功能？

自然，卢梭的思想在近代欧洲的思想家中具有最强的道德性特征。中江兆民的道德主义，与卢梭思想的道德性特征巧妙地吻合。他以其儒学修养为基础，利用儒学的道德主义架设桥梁，对卢梭道德主义思想的主体进行了摄取。中江兆民的道德主义，成为其批判明治政府及其权力基础的理论武器。明治启蒙思想家曾热情介绍与宣扬边沁、穆勒等人的功利主义与快乐主义。固然，在明治维新时期，提倡近代功利主义有利于打破封建经济以及传统的“重义轻利”观念的束缚，为资本主义经济发展开辟道路。但在明治政府日趋专制，特权大资产阶级与大地主欲独占明治维新变革带来的权力与利益时，功利主义与快乐主义又成为他们追求特权利益和耽于声色的合理依据。如同中江兆民所揭露的，特权阶级利用功利主义与乐观主义的理论，实际上是“假公以欺人而自欺”。① 功利主义与快乐主义同时也给当时的日本社会带来许多弊病。中江兆民对此说道：“人人皆希望其资力以上之娱乐，千方百计欲得之。于是乎官吏以接受礼品及贿赂而肥己。经营工商业者，则钻营奔走，投靠背景，互相勾结，以求牟取暴利。一旦参朝政而得贵官，即流于骄奢淫逸，大煽都会淫靡之风，以垂天下游冶之模范……”②中江兆民提倡人民主权，将作为人民主权体现的“公意”译为“公利”，以道德主义的义利观来论述“私利”与“公利”之关系，便发挥了批判明治政府的“有司专制”和大资产阶

① 『中江兆民全集』11，岩波書店，1984年，第25頁。
② 『近代日本思想大系3　中江兆民』，筑摩書房，1974年，第142頁。

级、大地主的无视“公利”而追求“私利”（特权利益）的积极作用，从而反映了广大农民和中小工商业者要求共享现代化变革成果的愿望与要求。

中江兆民有关“心神之自由”的儒学性质的思考，充实了卢梭的近代自由观。作为近代的自由人，外在的“行为之自由”是不可或缺的要素。然而，人自身的欲望也常常使人的自由受到限制，甚至使人成为欲望的奴隶。只有确立了人的道德自主性，确立了道德意志的自由，才能成为真正的自由人。卢梭似乎对此已有体察，然而却未对这一重大课题展开充分的思考。如米原谦所指出的那样，中江兆民与同时代的法国共和主义者，如巴尔尼、费恩、贝隆对此皆有提及，然而“道德的自由”，在当时大体上是一般的观念。① 重视“心神之自由”，主张“培养”类似于“浩然之气”的自由精神，“自反而缩”以使“内之五欲六恶所不能妨碍”，就是以东方的儒家语言来表现他对树立人的道德自主性的追求。中江兆民论述的“心神之自由”，与包括卢梭在内的西方近代思想家的自由观不只是融合相通的关系，他还从儒学的角度与论述对这种自由观进行了补充，构成了东方型民主主义的自由观。

第二节　植木枝盛的“民为国本”与“尊人说”

植木枝盛（1857—1892）是与中江兆民齐名的自由民权运动思想家。与中江兆民主要从事翻译、著述、编辑等理论活动不同，植木枝盛则更为活跃地投入到自由民权运动第一线的政治活动中。他既是自由民权运动的重要政治组织立志社、爱国社、国会期成同盟、自由党的指导者，又是其思想库和主要的宣传者。1877 年 3 月，他在故乡高知加入立志社。参与了关于国会开设建议书的起草。在立志社创办的《海南新志》及其后续刊物《土阳新闻》发行之际，植木枝盛成为了刊物负责人。1879 年爱国社在大阪举行代表大会，他又负责草拟了《就要求成立国会告全国人

① 米原謙:『日本近代思想と中江兆民』，新評論，1986 年，第 130、131 頁。

民书》。1880 年 3 月,他编辑的《爱国志林》(爱国社的机关刊物,后改称《爱国新志》)开始发行。同月在重组国会期成同盟时,植木枝盛以审查委员的资格,参与了《要求设立国会的请愿书》的起草工作。同年 12 月,国会期成同盟欲改组为自由党,自由党的名称和《自由党盟约草案》都是由植木枝盛提出并起草的,他同时还担任了会议组织工作。

1881 年,国会期成同盟为与明治政府的制宪准备活动相对抗,要提出自己的宪法草案,植木枝盛成为宪法草案起草委员之一。他提出的宪法草案,在当时众多的"私拟宪法案"中,最为激进与民主。同年十月,作为正式政党的自由党成立后,植木枝盛又负责其机关报《自由新闻》的社论撰写,并从 1882 年 10 月开始担任编辑。植木枝盛不仅文章极具感染力,而且还是一位出色的演说家。他仅在 1877 年,就出席了 34 次讲演会。其讲演会曾一度出现听众多达 1000 人、2000 人的盛况。他的宣传活动,南至熊本,北达富山、盛冈,几乎遍及全国。

1884 年,自由民权运动遭受挫折,自由党解散。1885 年 3 月,植木枝盛暂回故乡高知,仍担任《土阳新闻》的补助员,并以之为阵地,继续进行其言论活动。1888 年 4 月,植木枝盛离开高知,复出参加政治活动。并在 1890 年的第一次众议院选举中当选为候补议员。然而他在复出之后,几乎没有提出新思想,讨论政治时亦较少发表独特意见,但在此时他却积极提倡女性论。1892 年 1 月 23 日,植木枝盛因旧病复发去世,年仅 36 岁。他在短短的一生中,发表文章 400 余篇,讲演 500 余次。就其主要业绩看,植木枝盛不愧为自由民权运动的最有影响力且极富热情的思想家与宣传家。①

纵观植木枝盛的思想历程,他曾抨击儒家所维护的父家长制家族制度和男尊女卑伦理观,指出"此亦可称为专制思想之分派"。② 并且大声疾呼:"儒教轻贱妇女如此之甚……噫世之妇女,君等何故不怒之,君等

---

① 关于植木枝盛的生平,参照家永三郎:『植木枝盛研究』(岩波書店,1960 年),米原謙:『植木枝盛』(中央公論社,1992 年)。

② 『植木枝盛集』第 5 卷,岩波書店,1990 年,第 37 頁。

何故不破碎彼儒门经典记载之怪语。确以此非汝之仇敌。”①从此来看植木枝盛的思想确实存在批判儒学的一面。但从其自由民权思想的形成过程与内容考察，植木枝盛也同中江兆民一样，儒学与他的民主主义思想并未彻底断裂，儒学的“民本”思想是他走向民主主义的桥梁，带有主观唯心主义色彩的儒家“心学”则是其人类至上主义哲学的重要依据。

植木枝盛的自由民权思想，其理论来源是多元的。其一是他在青少年时代接受的儒学思想。植木枝盛于 11 岁至 15 岁时在藩校“文武馆”(后改称为致道馆)学习四书五经、《孝经》、《蒙求》、《十八史略》等。1875 年至 1877 年，他第二次游学东京。在此两年间，他经常旁听由启蒙学者组织的“明六社”的讲演会和庆应义塾的“三田讲演会”，在努力学习翻译著作的同时，参加了“奥宫庄子会”，阅读了大量汉籍。奥宫庄子会的组织者奥宫慥斋是著名阳明学者佐藤一斋的弟子。植木跟随奥宫慥斋阅读了佐藤一斋的《言志四录》，此后其读书倾向就发生了极大的变化，开始阅读阳明学的相关书籍，如《传习录》《藤树先生年谱》《大盐平八郎言行录》《洗心洞诗文》《慥斋丛书》等。这对其思想的形成(尤其是人类至上主义哲学的形成)产生了重要影响。虽然植木阅读了许多朱子学、老庄、佛教的书籍，但依然倾向于阳明学(心学)的思想主张。1879 年以后，他因对石田梅岩等人的“心学”感兴趣，阅读了《心学文集》《鸠翁道话》《道二翁道话》《心学道之话》等“心学”著作。

其二是受到了福泽谕吉等人的近代启蒙思想的影响。植木枝盛于 1873 年和 1875 年曾两次前往东京游学。其间，阅读了福泽谕吉的《英国议事院谈》，加藤弘之的《立宪政体论》《真政大意》等著作。他不仅旁听了明六社的例会、三田演说会，还曾多次登门拜访西村茂树、津田真道、西周、杉亨二等启蒙学者。他的早期论文，如《开化进步》《开化二基》《开化二基续》等，以“野蛮”“未开化”“半开化”“文明”，依据这种“人智”发展阶段论来说明社会发展的规则，体现了福泽谕吉等明治启蒙学者对其思

---

① 『植木枝盛集』第 2 卷，岩波書店，1990 年，第 243 頁。

想的影响。

其三是他通过学习翻译著作，接受了西方的近代民主思想。植木枝盛虽没有外国留学的经验，也不懂外文，但他尽力搜罗各种翻译著作，从中汲取法国和英国的民主主义理论，对欧美诸国的政治制度、法律、历史、地理等皆有充分了解。依据其《阅读书目记》记载，从 1873 年 9 月至 1874 年末，他阅读了以下所列的翻译著作：《性法略》（神田孝平译）、《合众国收税法》（立嘉度译）、《宪法类编》（明法寮编）、《合众国宪法》（林正明译述）、《佛兰西法律书》（箕作麟祥口译）、《和兰政典》（神田孝平译）、《泰西国法论》（津田真一郎译）、《英国刑典》（铃木唯一、后藤谦吉共译）、《国法汎论》（加藤弘之译）、《英国商法》（福地源一郎记述）、《万国公法》（西周助译）、《洋律约例》（大筑拙藏译）、《万国新史》（箕作麟祥）、《泰西史鉴》（西村茂树重译）、《致富新书》（平田一郎校正）、《泰西新论》（林正明著）、《政治略原》（何礼之译）、《经济原论》（绪方正译）、《西国立志编》（中村正直译）等。① 1874 年到 1875 年期间，植木枝盛密切关注基督教，阅读了中国刊行的汉文基督教书籍《天道溯原》（丁韪良著）、《耶稣教或问》（施敦力著）。

然而，植木枝盛未盲从他所接受的这些思想，而是结合日本的社会现实需要，以自主的批判精神分解、重构这些思想，来建立他的民主主义思想体系。

植木枝盛的自由民权政治思想的基点是"民为国本"观念。对此，他在早期的论文《开化二基》（1875 年 3 月）中，认为"开化有二，一曰国家之开化，一曰人心之开化"，然而"人民为本国家为末"。② 该文篇幅较短，因此并没有对"民为国本"的思想展开充分论述。他在 1879 年出版的代表作《民权自由论》中，用相当多的笔触论述了"民为国本"与自由民权之间的关系。他说道："大学本立道而生，总物事为本乃大事也。……若民为

① 『植木枝盛集』第 8 卷，岩波書店，1991 年，第 250—253 頁。

② 『植木枝盛集』第 3 卷，岩波書店，1990 年，第 5 頁。

国本，则国盛、民之元气振。”为何民为国本？从国家结构论上说，“所谓国乃是人民集合而成者”。从发生论上说，国家“决非由政府而成，亦非凭君而立”。其历史证据是“自古以来，纵使没有国王，有民也能形成国。但有主无民而有国的地方却不存在，也根本没有无民而自始便称王者”。其理论依据则是“《尚书》云‘民惟邦本’，《帝范》亦有‘民者邦之先’，且《孟子》亦云‘民为贵，社稷次之，君为轻’”。而正因为“民是本，国因民而成”，所以“国无论何时均应凭民、重民、尊民”。①

植木枝盛的“民为国本”观念虽如同上述显然来自儒家的民本思想。但他在以“民为国本”为基础论述自由民权的同时，还批判了中国古代的专制独裁政治，如“隋文帝说普天之下皆朕臣妾”，《诗经》的“普天之下，莫非王土，率土之滨，莫非王臣”。② 当时日本的一些“卑屈论者”主张“以政府为天”，对此，植木枝盛指出：“盖如此以政府为天者，所谓知有政府不知有人民者也。若进一步言之，则为政府之奴隶者也，亦可怜哉”，“故吾侪只希望日本人民脱却以政府为天之陋习，大加自省，真诚谋求可得国会之实之道路。”③

植木枝盛的“民为国本”论虽未使用“主权在民”“人民主权”的概念，但他在1882年3月至5月，发表于《高知新闻》题为《国家主权论》的连载文章中指出，“唯有主权属于国家全体，才是名副其实的国家主权”，主权既不属于君主，也不属于国会。从植木枝盛的上述言论中可以得知：“凡独立国家之主权皆必属其国家之全体，独立社会中之独立分子，即作为组织其国之根本元素者，皆必掌握主权之一分。”④主权属于国家全体，每一个国民均掌握主权之一分，这可以说已近似地表达了“主权在民”“人民主权”的思想。植木枝盛便是这样以“民为国本”观念为桥梁，通过批判古代的民本思想与以之相辅相成的君主专制主义，抽离出民本思想

---

① 『植木枝盛集』第1卷，岩波書店，1990年，第15—17頁。
② 同上，第15頁。
③ 『植木枝盛集』第3卷，岩波書店，1990年，第185、186、192頁。
④ 『植木枝盛集』第4卷，岩波書店，1990年，第67、70頁。

的精髓，从而形成了近代民主思想。从“民为国本”这一基点出发，国家应如何“重民、尊民”？植木枝盛认为至少应做到以下两点：一是维护“作为国本之人民的自主自由”；二是制定“作为国之大纲的宪法”[①]。

植木枝盛于1880年发表的《民权自由论二篇甲号》，大量引用美国宪法、1791年的法国宪法、荷兰宪法、1831年的比利时宪法、1850年的普鲁士建国法等，对“人民的自主自由”权利内容作出了详细阐述[②]。他把人民的自由权利分为下列几项：

一、私人方面的自由权

1. 保全生命的自由权

2. 人生的自由权（包含思想、言论、出版、旅行、集会、结社、宗教的自由权，[身体行动的自由权]）

3. 财产的自由权

二、公权方面

1. 参政权

2. 向政府请愿权

3. 对政府诉讼权

4. 向政府建议权

5. 充任官吏权

6. 受政府保护权

从“民为国本”这一基点出发，植木枝盛还认为，作为“国之大纲”（或“根本律法”）的宪法也应由组成国家的人民来制定。他说：“国若为万人相合而成者，若不确定相合而立的宪法亦难治。”[③]在1880—1881年间，民间盛行起草宪法草案，当时大约提出了40余部宪法草案。1881年8月，植木枝盛也草拟了一份宪法草案。其中最值得注意的是，草案中明确提出了人民的抵抗权和革命权思想。在他起草的宪法草案初稿中，曾

① 『植木枝盛集』第1卷，岩波書店，1990年，第21、22頁。

② 同上，第133—159頁。

③ 同上，第20頁。

有这样一条："政府以威力肆意残害人民时，人民得以武力抵抗之。"[①]虽然在《明治文化全集·正史编下》收录的公开发行版最终稿中，这条被修改，但其宪法草案中还有下列表达人民抵抗权与革命权的条目，如"第六十四条 日本人民有权抵抗一切非法行为"，"第七十条 政府违反国家宪法时，日本人民有权不服从政府"，"第七十一条 政府官吏压制人民时，日本人民有权排斥他"，"第七十二条 政府恣意破坏宪法，摧残人民的自由权利，违背建国的宗旨时，日本人民有权推翻现政府另建新政府"。[②] 植木枝盛提倡的人民抵抗权与革命权理论，体现出其思想既是建立在自由民权运动内在的革命性倾向之上，与自由党中一部分成员的见解具有共通之处，也可看出植木枝盛的主张贯彻了最具革命性的理论。

植木枝盛虽曾接受福泽谕吉等人的启蒙思想的影响，但又超越了他们。其超越之处，不只在于他提出了人民的抵抗权与革命权，还在于他批判了福泽谕吉的国权论，并指出加强民权应先于加强国权。在自由民权运动期间，福泽谕吉已主张官民调和论，认为"在国内主张民权是为了对外国张大国权"，以"国权"为目的，"民权"只是实现"国权"的手段。植木枝盛则针锋相对地指出："国本为民所集聚者，欲张国权，若不首先扩张民权，国权亦不得真正扩充。"[③]他还做过十分形象的比喻，"国家是由若干小铁环组成的铁链，每个国民则为小铁环。若有一两个小铁环不坚实，则整个铁链也不会牢固。"[④]但在自由民权时期，启蒙思想家加藤弘之却提倡放弃"天赋人权论"。他在 1881 年宣布不再出版自己的著作《新政大意》与《国体新论》，并在 1882 年，依据社会进化论，对天赋人权论给予批判，出版了《人权新说》，在该书中，他认为"优胜劣汰"这一法则不仅支配生物界而且支配人类社会，而所谓"权利"，"只不过是为了限制优胜

---

① 『植木枝盛集』第 6 巻，岩波書店，1991 年，第 85 頁。

② 同上，第 105、106 頁。

③ 『植木枝盛集』第 1 巻，岩波書店，1990 年，第 26 頁。

④ 同上。

劣汰，为求得社会及个人之安全，而由专制者始设之物。”[①]针对《人权新说》，植木枝盛于 1882 年 11 月完成《天赋人权辨》，并于翌年 1 月公开发行，他认为：“吾侪所谓天赋人权之物，非关乎国家法律之有无，直接征之于天而倡之者。”[②]这里所说的“天”，如松泽弘阳、米原谦所指出的那样，并非是作为西方自然权利思想之源泉的“神”（或“上帝”“God”“Creator”），而是带有儒学性质的“天”。[③]

植木枝盛的自由民权政治思想中的“民”，主要是指“贫民”。他提倡的“民权”，便包括这些贫民应享有的权利。他说：“虽为贫民，而尽其国民义务，则当予以参政的权利。”[④]然而，植木枝盛主张“贫民”应与富贵者同享权利的论证，却是儒家式的。其依据之一是，认为从“天爵”来看的话，“贫民”与富贵者是平等的。他在 1885 年出版的《贫民论》第十章《论关于贫民之天爵与人爵事》中写道：“人中所谓天爵人爵者。所谓人爵，乃是由政府授予位爵、官职、勋等、赏牌等，全为有政府后所成之事；所谓天爵，乃是其人之智识、道德、勋功等，非为政府因光荣而与之，而由自然天地之间赋予之，不拘于政府之有无。……以人爵论之，平民缠于其身而不被赋予，若论天爵，水吞百姓、太政大臣孰优未可知也。”[⑤]而有关“天爵”与“人爵”的思想，显然来自《孟子·告子上》“有天爵者，仁义忠信，乐善不倦。公卿大夫，此人爵也”的有关论述。另有一依据是，“实际维持政府资财之重要部分，常出自贫民者也”。[⑥] 这种“民养政府”论，也与儒家的“民养君”论有关。

通过以上论述与分析，我们似乎可用下式来概括植木枝盛的自由民权政治思想的基本构成与内在逻辑，即民为国本→重民、尊民→民权→

---

① 『明治文化全集』自由民権篇，日本評論社，1959 年，第 375 頁。

② 『植木枝盛集』第 1 巻，岩波書店，1990 年，第 172 頁。

③ 松沢弘陽：「天賦人権論争覚書」，收入于『近代日本の国家と思想』，三省堂，1979 年。米原謙：『植木枝盛』，中央公論社，1992 年，第 146 頁。

④ 『植木枝盛集』第 4 巻，岩波書店，1990 年，第 147 頁。

⑤ 同上，第 143 頁。

⑥ 同上，第 146 頁。

国权。其中有关“民为国本”的思想系来自儒家的民本论，而有关“人民主权”和个人权利的规定则来自西方近代民主思想，它们共同构成了植木枝盛的东方型民主主义。

一些中国学者指出，儒家的重民思想（或民本思想）“与君主专制主义是不矛盾的，它可以是君主专制主义的一种补充”。[①] 有些当代新儒家学者也认为“民本思想与君主思想反而是互相依存的”。[②] 他们认为民本思想是“一种非常宝贵的思想”，然而，由于缺乏对人民之主体地位的承认与权利的规定，未能发展为“一种激进的民主理论”。然而，任何系统都不是一成不变的。旧系统的变化与新系统的产生，既与该系统中诸要素的更替和诸要素的再解构有关，也与该系统同环境的相互联系中不断地自我调整有关。因此，任何思想体系都是可以解析与重构的。并非如同某些论者所主张的那样，只强调儒家思想是一个有机联系的整体，而不谈这一有机联系整体亦可以解构与重组。从他们的视角来看，只要儒学思想这个整体系统不发生根本变化，在近代化进程中也就只能发挥消极反动的作用。并且，在他们看来，对传统文化、思想体系采取“批判地继承”的态度与方法是无用的。因此，“继承、发扬传统，最有力的手段恰恰就是反传统”，“要对它们的整体进行根本的改造，彻底的重建”。[③] 然而构成某些系统的某些要素，其性质与功能也不是恒定不变的。因而某一思想或观念，在不同的思想体系或结构中，可能会有完全不同的功能。即某种思想、观念作为一个构成因子，在此一思想体系中，与其他思想因子相结合，可能发挥负面功能。但对这一思想体系加以解构，使上述某种思想与观念，再与其他思想因子相结合，构成彼一思想体系时，则它又可能发挥正面功能。

笔者以为，儒家的“民惟邦本”“民为国本”的民本论，在不同思想体系中所发挥的功能可能不同。当这种民本论缺乏人民主权观念和公民

① 刘泽华：《中国传统政治思想反思》，三联书店，1987年，第118页。
② 刘述先：《儒家思想与现代化》，中国广播电视出版社，1992年，第19页。
③《文化：中国与世界》第1辑，三联书店，1987年，第8—35页。

权利规定时，它与有关专制王权的实体性与现实性的思想相组合便构成了君主专制主义，它只不过是君主专制的实体性与现实性的一种补充。但是，在植木枝盛批判了儒家的君主专制主义，并将从传统的君民关系理论体系中解构出的"民为国本"思想与西方传来的人民主权观念和公民权利规定重组时，便形成了他的民主主义性质的自由民权政治思想。"民为国本"思想成为植木枝盛自由民权政治思想的基点或出发点，无疑发挥的是正面功能。从传统的民本论中未能直接发展出西方现代式的民主思想与制度，这是确凿无误的历史事实。但这并不证明在传统的儒家思想中绝对不存在可以通过扬弃而适应或运用于现代民主社会的精神资源，也不能说明儒学的某些思想与观念，只能起到不利的作用。植木枝盛自由民权政治思想中的"民为国本"论似乎可以作为这种认识的一个肯定性例证。

另外，作为植木枝盛自由民权政治思想基点的儒学民本论，通过与西方近代的人民主权思想与权利规定相结合，重构成东方型民主主义，是因为儒家的重民思想与西方近代民主思想确有相似(或有关联)之处，即对"民情""民意" 或"公意"的重视。固然，如同前引的诸多论者所述，儒家的民本思想与现代民主思想之间，具有根本性的差异。儒家的民本思想，没有人民主权思想与公民权利的规定，即是一例。《孟子》虽讲"民为贵，社稷次之，君为轻"，"得其民，斯得天下矣"，以为民心之向背即"民情"如何，能影响君主权力的存失，表达了他重视"民情""民意"的重民思想。但是，全体人民并非主权者，"民情" 也不能直接参与政权的予夺，最终的决定权仍在于超越者"天"的同意，即取决于"天命"。"天视自我民视，天听自我民听"(《孟子·万章上》)，"民情"不过是"天意"的指示器，最后还是"顺天者存，逆天者亡"(《孟子·离娄上》)。因而，许多学者指出，从"重民"或民本思想中不能直接引出现代民主思想，这无疑是正确的。但是，西方近代民主主义的人民主权学说，也蕴涵着对于"民情""民意"的重视，例如在卢梭《社会契约论》的第二卷第一章中便认为，人民主权"不外是公意的运用"。中江兆民在翻译卢梭的《社会契约论》时，将卢梭所说的“公意”译为“公志”，又引用《孟子·告子上》，将“公志”解释为“众人之所同然”。有时，中江兆民还以“人情”“民情”去解释“公意”，甚至说“民权”“自由”“平等”等“理义”，“此理在汉土孟轲、柳宗元亦早觑破之，非欧美之专有也”。植木枝盛和中江兆民的自由民权思想都表明，正因为儒家的民本思想和西方近代民主思想均有重视“民情”“民意”“公意”的一面，儒家的民本思想才有可能成为通向近代民主主义的桥梁，并融入其中成为其不可分割的一部分。也就是说，如果从儒家的重民理论中抛弃超越者“天”，进而通过设定政治机构与程序来反映“民情”“公意”，以及保证“民情”“公意”的执行，并根据“民情”“公意”决定政府权力之予夺，便可实现人民主权，即是民主。从这一意义上说，对于“民情”或“公意”的重视，可谓儒家重民思想与近代民主理论的结合点。植木枝盛和中江兆民的自由民权政治思想，便是其典型例证。

植木枝盛从“民为国本”这一基点出发的自由民权政治思想，亦有其哲学依据。家永三郎将其哲学称为“人类至上主义”。① 植木枝盛的人类至上主义哲学的主要论据则来自中、日两国儒学的“心学”一派。②

植木枝盛早在1876年10月写成的《思想论》一文中，即已十分重视“思想”的力量，他说：“天赋我以思想之力，许我以其自由。故吾人思想无制限隔域。一身一家之事固无须论，一国亦不足，一洲亦不足，我太阳系亦不足，各恒星亦不足，至各星团，全部造化之所在，皆我思想之管下也。我思想此至广极大之上之领主也，抑亦尊哉。”③不过，这时的植木枝盛还多少受到基督教的影响，尚未否定神（即“上帝”）的存在。他说，人是“位于上帝与禽兽之中而生活于天地间之一种动物。”④而且，如同上述，他还认为“思想之力”是“天”赋予的。

---

① 家永三郎：『植木枝盛研究』，岩波書店，1960年，第393頁。

② 关于植木枝盛的人类至上主义哲学与佛教、基督教之间的关系，可参照家永三郎、米原谦两位学者如上所述的作品。

③『植木枝盛集』第3卷，岩波書店，1990年，第53頁。

④ 同上，第44頁。

在1878年8月写成的未定稿《尊人说》中，植木枝盛已否认神的存在，认为只有人才是天地宇宙间至高无上的存在。他引用法国大革命时期流行的说法："人即神也。宇宙之间，人类之外，无至尊之神，人类之至尊无须藉他力。"而且，他还否认了"天"的至尊地位。他说："夫寰宇之里，何为最大乎？曰人为最大也。乾坤之间，哪为最重乎？曰人为最重。"他批评儒学的"三才"论把天、地、人并列起来是错误的，认为："天虽巨，不若人心之大也。地虽厚，不若人身之重也。自古学者既将人参于天地，以称之为三才。然其实人则可特上一等，何得比列于天地？"他认为天地"虽大且广，亦万物中一物耳"。在文中，他列举了《尚书·泰誓》、《孟子》、《孝经》及张载、陆象山、薛瑄、欧阳起鸣等人的论述，以证明己说之非虚。例如，他引证了中国元代儒者欧阳起鸣的大段文章，其中便说："夫天地万物至大者，身尤大也。"①他于1877年12月开始写作题为《无天杂录》的札记，直至晚年仍在继续写作。在书中，他写道："吾无天，以我为天。夫吾，天地之纪元，万物之根本。天地有吾而后有天地，万物有吾而后有万物。大矣哉惟人，大矣哉惟人。"②

植木枝盛认为，人之所以至大至重，是因为在天地万物中，只有人具有自主的、能动的创造能力。他说："人乃自由之动物，无一不可为。"③在《尊人说》中，他列举了作为人类物质文明产物的蒸汽机、火车、轮船、电报，作为人类精神文明产物的科学知识（如天文学、化学、医学、机械学等），乃至基督教、伊斯兰教、佛教、儒学等。他指出，"事事物物皆古今人类作为造就，创始之，发明之，非自古如是者也"，"人也，实造天地世界也。人也，实作邦国文明也。"④在植木枝盛看来，人是科学认知的主体与政治的主体。但实际上，中国儒学的陆（象山）王（阳明）"心学"和日本的阳明学，早就提出过人为天地万物之中心的思想，例如，王阳明即说："人

① 「植木枝盛集」第3卷，岩波書店，1990年，第119—121頁。

② 「植木枝盛集」第9卷，岩波書店，1991年，第256、296頁。

③ 同上，第13頁。

④ 「植木枝盛集」第3卷，岩波書店，1990年，第122頁。

者，天地万物之心也。”

在天地万物中，为何唯独人具有创造“天地世界”和“邦国文明”的主体能动力呢？植木枝盛认为这是由于人的“心”即主观精神的作用。他曾说：“莫有尊于人心者。最大、最广、最强者，人之心也。”①他在《尊人说》中还指出：“若彼之为万般事物之发明，起文明开化之进步，皆莫不关于心思。”②他认为物质文明和社会的产生与进步，都是由于人的主观精神的能动性作用，完全没有认识到人类实践能动性的决定性意义。接着他便在文中广征博引中国儒学者张载、程颐、朱熹、陆象山、游定夫、方孝孺、王阳明、刘宗周、孙奇逢和日本阳明学者佐藤一斋有关“心”定位天地、化育万物和“心”为主宰的论述，以强调自我主观意识“心”的作用。如他引朱熹“心之虚灵，无有限量，如六合之外，思之则至千万里之远。千百世之上，千百世之下，才发念，便到那里”，以证明他所谓的“身以形质自有所限域，心以虚灵更无所境界。”他又引用王阳明的“虚灵不昧，众理具而万事出，心外无理，心外无事”和佐藤一斋的“此心灵昭不昧，众理具，万事出，……吾心即天”，以证明他所谓的“心之力无所不至”。他还引用陆象山的“心之灵，自有其仁，自有其智，自有其勇”，以证明“智仁勇”等道德“毕竟皆存于心内”，将人视为道德自主自律的主体，并认为人类具有普遍的、先验的道德意识。③

如上所述，植木枝盛如同中日两国儒学的“心学”派，通过确立“心”的本体与主宰地位，来高扬人的主体性和至上性。植木枝盛这种以“心”的绝对化来确保人类主体性的思想倾向，一直持续到他的晚年。在1890年4月出版的自叙传《植木枝盛君略传》中，他写道：“氏乃殊感心之大之人，而最尊其心，重其心，遂勉力于养之也。……又彼爱诵二曲李氏之‘形骸有少有壮，有老有死，而此一点灵原，无少无壮，无老无死，塞天地贯古今，无须臾之或息。会得天地我立，万化我出。千圣皆比肩，古今一

① 『植木枝盛集』第9卷，岩波書店，1991年，第57頁。

② 『植木枝盛集』第3卷，岩波書店，1990年，第123頁。

③ 同上，第124頁。

旦暮’。”进而说:“予甚爱此语,形骸于我,全然无奈。灵原于我,其小大、壮老、夭寿,皆可自由而得之。所惧非形骸,而为灵原。若开拓此灵原,释迦抑或达摩、孔子抑或孟子、柏拉图抑或亚里士多德,拿破仑抑或华盛顿,高祖抑或太阁,皆如沙所生出。天地抑或日月,海岳抑或风云,皆附着于乃公之指头,勿从自家之所画。”①

植木枝盛正是以这种主观唯心论的人类至上主义哲学(对人的主体性、主体创造能力,尤其是人的主观精神的无限能力的强调)来强调人应享有独立自由的权利,并成为政治之主体,将这种人类至上主义作为自由民权政治思想的哲学依据。他在《尊人说》中说:“天下虽大,人之天下也,人非天下之人。世界虽广,亦人之天下也。人,独立也。人人,其人之人,非他人之人也。必当自由,毫无受压抑强迫之道理。”“何谓君主政府? 只寻常人耳。君主政府之所言所为,理即理也,否则否也。其所言曲则邪也,其所言直则正也,其所为害仁伤民则贼也,其所为不害仁伤民则非贼也。岂得以悉将君主之命为合道理者,定之为唯唯诺诺一以从之? 岂得以敌君主反政府者直定之为贼、为恶人耶?”同时植木枝盛又认为,愈是使人们享有自由之权利,愈能使人们发挥其主体创造能力。他说:“能自主独立,不羁自在,愈发出显露其天赋之才性,俾至极十分完美、极崇高和平处。上进其地步,期以达真善美正良之点。以图得了文明开化、利用厚生、幸福安全。”②

植木枝盛的人类至上主义哲学主要以中日两国儒学的“心学”一派为依据,殊非偶然。植木枝盛欲强调人的至上性与主体性,但当时他所接触的近代西方学者的著作,未能向他提供可以高扬人的至上性和主体性的、具有充分说服力的哲学理论。于是,他便求助于自青年时代便熟悉的中日两国儒学的“心学”,而“心学”中恰恰具有积极肯定人的中心地位和人的精神能动作用的一面。这样,中日两国儒学的“心学”便作为一

① 『植木枝盛集』第 10 卷,岩波書店,1991 年,第 81、82 頁。

② 『植木枝盛集』第 3 卷,岩波書店,1990 年,第 130—133 頁。

个思想因子被吸收进来，重组入植木枝盛的自由民权思想体系之中。不过仍留有未待解决的问题，即在植木枝盛的思想体系中，人不仅是道德的主体，而且是科学认知的主体与政治主体。而儒学的“心学”的道德主体为什么可以转化为科学认知主体与政治主体？怎样才能转化为科学认知主体与政治主体？即能否实现儒家“心性之学”的现代转型？对于这些问题，植木枝盛却未能在理论上给予圆满的解释与回答。

然而，植木枝盛过于强调人的自主创造能力，甚至称“自我之即时的绝对化”（或“异常的自我夸大”）、“依枝盛自己所言植木枝盛之神化”。例如，他自称“植木大明神、植木大权现、植木大菩萨、植木大自在天神、植木天帝、植木如意如来”。还放言：“世界若无植木，则天地必晦冥。”“欲知天下事，来问植木枝盛。”“欲平治天下，可借植木一臂之力。”“天下若食植木枝盛之粪，富且荣。”①这样便把哲学上被神化的自我与政治上作为国家主体的人民对立起来，形成了其思想的内在矛盾。

尽管植木枝盛的自由民权思想体系存在上述理论弱点与内在矛盾，但从社会功能上看，我们亦不得不承认它是在当时的自由民权运动中发挥着实际指导作用的思想力量。而他的自由民权思想体系，在政治思想的层面，是以儒家色彩的“民为国本”为出发点的，而于哲学思想方面，又吸收了中、日儒学“心学”一派高扬人的主体性的积极面。这些儒家思想的因子，在被重组入植木枝盛的自由民权思想的整体结构时，发挥的也是正面功能。诚然，在植木枝盛的思想体系中，传统与现代的相互融合尚不能说完满成熟，但他运用传统的精神资源以构成适合日本现实状况的民主主义思想的尝试，对今日而言仍具有参考价值。

---

① 『植木枝盛集』第 9 卷，岩波書店，1991 年，第 352、346 頁。

第八章　初期社会主义与作为动力的儒学

第一节　幸德秋水的"志士仁人"意识

"予如何成为社会主义者?"幸德秋水(1871—1911)写道:"境遇与读书,二也。境遇者,生于土佐而自幼醉心自由平等说,维新后见一家亲戚家运衰败而不堪同情,自身无学费而深感遗憾与运命不公。读书则《孟子》、欧洲革命史、兆民先生之《三醉人经纶问答》、亨利·乔治之《社会问题》及《进步与贫穷》,是予热心民主主义且对社会问题有浓厚兴趣之因缘。而能明确断言'予是社会主义者',乃是六七年前初次阅读谢弗莱之《社会主义神髓》时。"[①]这篇名为《予如何成为社会主义者》的短文,刊载于1904年1月17日发行的《平民新闻》周刊第10号上,概述了幸德秋水成长为社会主义者的历程、环境与思想契机。其中提及了《孟子》对他的思想影响。有时他更断言"小生乃由儒教走上社会主义"。[②]

少年时代,幸德秋水就已受到儒学的教育。9岁时,他就学于儒学者木户明的修明舍,从《孝经》开始,通过阅读"四书五经"等汉籍养成了儒

① 『近代日本思想大系13　幸德秋水集』,筑摩書房,1975年,第184頁。
② 『幸德秋水全集』第9卷,明治文献,1969年,第578頁。

学的思考方式。在修明舍中，他虽最年少，但因成绩优秀而被视为“神童”。11岁时，他进入高知中学中村分校读书。但在1885年，校舍罹风灾被毁。翌年，16岁的幸德秋水离家赴高知，再次就学于木户明主办的游焉义塾。木户明不仅是个儒学者，还是坚定的“勤王”志士。尽管幸德秋水在接触自由民权派的林有造、板垣退助等人后，其政治见解与木户明渐生分岐，认为“先生眼中只有一个中国古代历史存在”，“似绝不知世间为何物”，[①]但木户明的“志士”风范与“勤王”意识，对幸德秋水产生了长期的影响。

幸德秋水终生敬仰的老师是自由民权思想家中江兆民。他在18岁时，经亲友推荐前往大阪成为中江兆民的学徒。幸德秋水在中江兆民的家中学习，在人格塑造方面从中江兆民处受到了决定性的影响，这种影响主要表现为两方面。其一是自由民权思想，尤其是中江兆民《三醉人经纶问答》中的主权在民（变恩赐的民权为进取的“民权”）思想；其二是以《孟子》为代表的儒家思想。据其回忆，当时“先生日课予以汉籍，另随师读英书，且命多作文，每曰，昔者东坡极力学习孟子之文，以至为孟子以外之一家，始得不朽”。[②] 经过一年多的刻苦学习，幸德秋水的汉学素养明显提高，中江兆民不无自豪地称赞他说：“我家幸有读书儿。”[③]当时他的社会理想是“有德义之民主社会”。强调德义，显然来自儒家的道德主义，而力求民主则来自西方民主主义和日本的自由民权思想。

1893年后，幸德秋水曾先后就职于倾向“民党”的《自由新闻》《中央新闻》，主要从事英文新闻的翻译工作，也发表过一些新闻记事与政论。然而他与中江兆民一样，对民党（例如自由党）的反叛感到失望。1898年2月，经中江兆民介绍，幸德秋水成为《万朝报》的论说委员后，便积极地开始评论国内国外的政治、社会问题。他以“热心于民主主义”者的身份，对藩阀政府的专制与民党的背叛进行抨击，反对“贵族世袭政治”，主

① 『幸德秋水全集』第9卷，明治文献，1969年，第27頁。
② 『近代日本思想大系13　幸德秋水集』，筑摩書房，1975年，第19頁。
③ 『幸德秋水全集』第9卷，第74頁。

张在野党组织健全化。他在强调“监视督励”对发展国民政治极具重要性的同时，开始关注社会问题。并在《剑相知录》一文中，第一次就社会问题进行发言。他指出：“青年之腐败，因为无理想。壮士之堕落，因为无主义”，“二十世纪之问题，非政治问题，乃社会问题也。二十世纪之战场，非武力战场，乃经济战场也。将来经营日本之青年，不可不先由社会的及经济的方面，培养真正平等、博爱、和平之新主义、新理想。”①不过，当时的幸德秋水不仅不赞同社会主义，而且对于欧美的“社会党”“虚无党”也持否定态度。

1899 年后，幸德秋水开始对社会主义理论产生兴趣，他阅读了美国社会运动家亨利·乔治的《社会问题》《进步与贫困》，奥地利社会科学家谢弗莱的《社会主义神髓》等著作，并于 11 月 18 日在《万朝报》上发表了名为《社会腐败的原因与政治》的评论。以此评论为契机，他在片山潜等人的邀请下加入了“社会主义研究会”。1901 年 4 月 9 日，幸德秋水在《万朝报》的社论中公开声言“吾乃社会主义者也”。若认真分析幸德秋水在 1899 年至 1901 年间所写的几篇颇具代表性的论文《社会腐败之原因及其救治》《现今之政治社会和社会主义》《革命即将到来》《废止金钱》《胃腑之问题》等，便可窥知他是如何转向社会主义的，以及儒家思想于这一转变过程中发挥了怎样的作用。

儒家思想的特色在于它的道德本位主义。它的社会认识与社会批判的基准，主要是道德的，而不是历史的。其理想社会为道德社会。虽不能说幸德秋水是儒家式的道德本位主义者，但他是从对社会道德的关注即追求“有德义”之社会理想出发，从伦理道德的角度进行社会批判，并以社会主义为前途的。他从儒家“为政以德”的认识出发，强调执政者的道德典范意义。认为在明治维新后，全体国民之腐败堕落，主要是由于“元老、藩阀政府、政党、议会、投机家”的“奸谲、诈欺、游堕、奸淫、杀

① 关于幸德秋水的思想形成，参照大原慧：「日本の社会主義（その二）—幸徳秋水の思想形成」、(『東京経大学会志』，第 67 号)、「幸徳の儒教倫理と『非戦論』」(『現代と思想』，1970 年 10 月)，以及「剣相知録」。收入于『幸徳秋水全集』第 1 卷，明治文献，1970 年，第 281—283 頁。

人”等罪恶行为。[①] 不过，与儒家学者或西村茂树的道德本位主义不同的是，幸德秋水认为这一切又可在“金钱有无限万能之力”的“社会现时制度组织之罪恶”中寻到其根源。[②] 他指出，金钱原不过是“交换之媒介、价格之标准”，而“今日金钱之所以有无限万能之力，实由于个人可以自由使用之以为生产资本”，“因此人心腐败，风俗颓废，自由破坏，平等搅乱，社会国家衰亡”，而要“绝灭金钱无限万能之力，欲救社会之堕落”，则应像“欧洲最新的社会主义”所主张的那样，“宜速更革今日之经济制度，移生产资本为社会共同之有，名之为社会主义的‘改造’”。[③]

大部分儒家学者讨论经济问题时，常常如“不患贫而患不均，不患寡而患不安”(《论语・季氏》)所说，重心不在于如何提高生产力和增加社会财富，而把注意力集中于社会财富的分配问题。当然，《论语》在此所说这里的“均”，并非完全消除贫富等差，而是不可使贫富差距太大，以免打破社会均衡，导致社会动乱不安，防止出现影响道德社会建立的事态发生。幸德秋水也是从这种“均平”观念出发，十分关注日本资本主义工业化所带来的贫富极度分化问题，并以为社会主义才是解决这一问题的正确道路。

他说：“欧洲殖产革命之余波滔滔侵入我国，生产之费极廉，生产之额剧增，而其功果唯堆积一部，社会一般甚难浴其余泽，而见贫富益悬隔，恐慌益频繁，投机益盛行，分配益不正。”[④]然而，他与儒家学者之主张不同的是，他不只停留在以国家行政手段调节经济利益的均衡，而认为要解决这些问题，“欲使其功果遍及社会全体，不可不更依进步之新主义，改造殖产经济之组织”。[⑤] 以后他更明确地指出：“为取得分配之公平，不可不根本改造现时之自由竞争制度，确立社会主义制度。”[⑥]

---

① 「幸徳の儒教倫理と『非戦論』」，『現代と思想』，1970 年 10 月。
② 『近代日本思想大系 13　幸徳秋水集』，筑摩書房，1975 年，第 86 頁。
③ 同上，第 86、87 頁。
④ 同上，第 82 頁。
⑤ 同上。
⑥ 同上，第 72 頁。

幸德秋水还认为解决社会财富分配不公问题是解决社会道德问题的前提，并且为了建立“有德义”的社会，才选择了社会主义。他依据孔子“先富后教”和孟子“若民，则无恒产，固无恒心”的主张，指出“人生果不食而能有德义人道乎？人生之第一义是胃腑问题”。①

而当时日本社会的堕落，正在于没有“正当而完全地解决国民之胃腑问题”。“衣美衣食美食者，常为消费者而非生产者。……越正直越贫穷，越奸曲越富有。”这种状态甚至还不如封建时代，“封建之世，虽无个人进步而有万人安心，虽无个人自由而有万人统一。胃腑问题正当且比较完全解决，故有武士道，有名誉，有德教，有信用”。之所以如此，“是个人主义制度之余弊也，由自由竞争所生之害毒所致也。”

幸德秋水承认“个人竞争乃社会进步之源”，但他反对“人唯忙杀于生活竞争，以至何物亦不能思，何事亦不能为”。因而他主张：“由竞争而生之弊害，不可不依调和而救之？由差别而生之害毒，不可不依平等而拯之。个人主义愦乱之世界，不可不依社会主义而矫之。”②他期待以社会主义为手段来改造当时的日本社会，实现其“有德义”的社会理想。

从以上所述，我们不难看出，幸德秋水不只以西方的(或自由民权运动)“自由、平等、博爱”主张，也以儒家的“德义”“均平”等为价值判断基准和终极社会理想，从儒家思想与自由民权的立场出发，在对日本现代化进程中所出现的社会弊病进行批判并为其寻求新出路的过程中，逐渐接受社会主义并走上社会主义的道路，“小生乃由儒教走上社会主义”的断言，确为幸德秋水社会主义思想形成历程的真实写照。

伴随着日本早期社会主义思想运动的发展，以及国外传入社会主义相关著作的增加，幸德秋水对社会主义的理解也逐渐深化。1901 年幸德秋水出版了他的第一部著作《二十世纪的怪物——帝国主义》。在这本书中，他将社会主义运动与反帝国主义斗争相结合，指出：“所谓帝国主

① 『近代日本思想大系 13　幸德秋水集』，筑摩書房，1975 年，第 87 頁。

② 同上，第 88、89 頁。

义，即意味大帝国之建设。大帝国之建设即意味领属版图大扩张。”“帝国主义是以所谓爱国心为经，所谓军国主义为纬。”“科学的社会主义即可灭亡野蛮的军国主义。”①

幸德秋水虽未能像列宁那样从资本主义发展的规律性来剖析帝国主义的本质，但他的《二十世纪的怪物——帝国主义》比英国经济学者J·A·霍布森的《帝国主义论》早1年，比列宁的《帝国主义是资本主义的最高阶段》早15年，对帝国主义的揭露实属世界最早之人。然而，值得注意的是，他把反对帝国主义的艰巨斗争，仅寄希望于“作为社会改革之健儿，以国家之良医而自任的‘大奋起’”。②

1903年7月，幸德秋水又出版了第二部著作《社会主义神髓》，该书是日本早期社会主义的代表作之一。幸德秋水主要参考了美国社会主义者理查德·伊利的《社会主义和社会改革》，马克思与恩格斯的《共产党宣言》和《社会主义从空想到科学的发展》，尤其是在马、恩理论的强烈影响下而最终写成。该书大体上采纳了马克思主义的唯物史观，指出了社会主义的产生与其取代资本主义的历史必然性，并认为这是“世界产业历史进化发达的必然之势”。同时，他依据伊利的著作提出了社会主义应予体现的“四个基本原则”。但是，关于实现社会主义的具体途径，幸德秋水却是以社会进化论的观点去认识的。他认为“社会的状态经常代谢不已，犹如生物的组织进化不已一般”。“革命是必然，而不是人为，可以利导，而不可以制造，革命的发生，人力无可如何。”③那么追求社会主义的人们能够做些什么呢？对于这一问题，幸德秋水以“舆论”与“普选制”为社会革命的全部予以回答，他说：“如果社会主义能成为世界的舆论，人民的大多数成为社会党员，他们都按照普选制获得参政权，社会党议员在各国议会中取得多数地位……”，那么“社会主义大革命将能堂堂正正地、和平而有秩序地埋葬资本主义制度。马克思所谓‘新时代诞

---

①『近代日本思想大系13　幸德秋水集』，筑摩書房，1975年，第65、36、78頁。
② 同上，第78頁。
③ 同上，第167頁。

生'之宣言方可实现,犹如水到而渠成。"①

然而值得注意的是,幸德秋水依然将实现社会主义的重任寄托于少数的"志士仁人"。他呼吁道:"起来,世界上热爱人类和平、尊重人类幸福、渴望人类进步的志士仁人!起来,致力于社会主义的宣传和实现吧!"②

幸德秋水将反帝国主义的运动与社会主义的实现寄希望于"志士仁人",殊非偶然。"志士仁人"意识,实为贯穿其一生的精神力量。"志士仁人"乃是他的人格理想。而这些均源自儒家思想以及他的导师木户明和中江兆民等人的人格典范。

在儒家思想中,"志士"如孔子所说,指那些"志于道"(《论语·述而》)之人。在孔子、孟子眼中,"士"为知识分子,"道"是追求的普遍价值与真理。应以追求和承担某种基本精神价值为己任。儒家以"仁"为基本精神价值,如孔子的弟子曾参所说"仁以为已任"(《论语·泰伯》)。因而在儒家看来,"志士"即是"仁人",二者同义。"志士仁人"实是儒家对中国知识分子的理想要求。它要求"士"(知识分子),能够超越个人乃至所属阶级的生活条件与利害的限制,以比较全面的视野洞察历史发展的动向与需要,追求"道"这一基本精神价值与政治、社会、文化秩序。

而在社会实际生活中,某种理想的"道",与权力和财富等现实的"势"未必总是一致无忤的,而且经常存在相当的距离。在"道"与"势"互相对立时,则要求"志士仁人"能把"道"置于"势"之上,"乐其道而忘人之势"(《孟子·尽心上》),必须坚持对于"道"的思想信念,绝不可"枉道以从势"(《孟子·滕文公下》)。为追求并实现"道","志士仁人"绝不可向权力与财富低头。如孟子所说:"得志,与民由之。不得志,独行其道。富贵不能淫,贫贱不能移,威武不能屈"(《孟子·滕文公下》)。不止于此,为了"道",要有一种"死的觉悟",即如孔子所说"志士仁人,无求生以

---

①『近代日本思想大系 13　幸德秋水集』,筑摩書房,1975 年,第 168、169 頁。

② 同上,第 171 頁。

害仁，有杀生以成仁”（《论语·卫灵公》），又如孟子所说“以身殉道”（《孟子·尽心上》）。这就要求“志士仁人”要具备坚持真理与正义的品格和社会批判、抗议猜神，在权力威压与财富诱惑面前，要有节操、守持，进而有一种不惜牺牲小我的献身品德。

为使“志士仁人”的以“道”自任精神能有内在的保障，儒家又提倡“志士仁人”的内心修养，即“修己以安人，修己以安百姓”。自“修身”始，才可“齐家治国平天下”，才可建立理想的政治、社会、文化秩序。

日本的武士道精神，尤其是江户时代的武士道，虽曾受到儒家思想的影响，完成了由镰仓、室町时代“死的觉悟”的武士道向江户时代“道的觉悟”的武士道之过渡。但江户时代的武士道却比较缺乏孔孟原始儒家提倡的“志士仁人”意识所蕴涵的社会批判与抗议精神。因而，幸德秋水的“志士仁人”意识，与其说源自日本的武士道，莫如说直接源自中国的儒学，特别是《孟子》。这从幸德秋水以下有关“志士仁人”的论述中可见一斑。

幸德秋水认为，“志士”应是“怀正志道之士”，即追求理想的精神价值与政治、社会、文化秩序，“洁己清操之人”。① 他以为其导师中江兆民便是如此。他称誉中江兆民“为使理想成现实，敢以社会为敌而激斗”。“不忌直言，不惮敢为。有操守，有血性，有慷慨之节。”“先生虽多感多血，而能以德性自陶溶之，故得以保其身，全其道。”“其文章亦是于冷嘲冷骂之间，自藏至诚至忠之痛泪，苍凉而沉郁，宛然为明治之少陵其人。”②

幸德秋水以为“志士仁人”应以“治国平天下为志业”，具有“重义务尽义务之念”。他说：“不望报偿，为完成其对社会之责任义务，一身一家之幸福可抛，财产生命可掷，如此方可出大君子，大改革者也。”③因而他不赞同福泽谕吉的《修身要领》只强调“个人之独立自尊”，指出“个人主义难免有利己主义之一面”，忽视“为社会尽力之公义”，十分惋惜于福泽

---

①『近代日本思想大系 13　幸德秋水集』，筑摩書房，1975 年，第 23 頁。
② 同上，第 22、23 頁。
③ 同上，第 120 頁。

谕吉未讲“为全社会人民而杀身成仁的高尚道义”。不过，他又赞赏福泽谕吉始终与明治藩阀政府保持一定距离，终生当平民的人格情操，说他“长为无爵一平民，有富贵不能淫之道德，持威武不能屈之操守，至死而不渝”，颂其为“平凡的巨人”。①

幸德秋水也要求“志士仁人”重视个人的道德修养。他说：“欲我政治善良，先于政治之外，使我社会国民有德义、有信仰、有理想、有制裁、有信用，而后方能之。慨于今日之事的志士仁人，实应于政治以外，发现其战场。”②

幸德秋水认为无论是“尊王攘夷”“开国进取”还是“民权自由”，“我日本自明治维新以来所以成就振古未曾有之进步者，皆因我国民持远大崇高之主义理想，随其指导，勇猛精进不退转”。③ 他在批判“民党各派”被“金权政治”收买而反叛民权运动并与藩阀政府同流合污这一现实的同时，指出自由党也曾有“光辉的历史”，而那正是因为“几多志士仁人绞五脏之热泪与鲜血，为汝自由党之粮食、殿堂、历史”，这些“志士仁人”“见鼎镬如饴，荡尽几万财产而不悔，损伤几百生命而不悔”，他称赞这些“溅其热泪鲜血之志士仁人”，以表述其“追昔抚今之情”。④

如前所述，幸德秋水在《二十世纪的怪物——帝国主义》一书中，呼吁“志士仁人宜大奋起”。在《社会主义神髓》中，鼓励“志士仁人，起来，致力于社会主义的宣传和实现吧！”在《光》的终刊号（1916 年）中，有一栏名为“社会主义者的座右铭”，搜集并列举了日本著名社会主义者（山川均、堺利彦、大杉荣、幸德秋水、荒畑寒村、西川光二郎）的座右铭。幸德秋水的座右铭是“出于《论语》之语……即吾平生爱诵，以座右铭充之”。其第四条就是孔子所说的“志士仁人，无求生以害仁，有杀身以成仁”。⑤

---

①『近代日本思想大系 13　幸德秋水集』，筑摩書房，1975 年，第 125、127 頁。

② 同上，第 116 頁。

③ 同上，第 116 頁。

④ 同上，第 127—129 頁。

⑤ 林尚男：『評伝　堺利彦』，オリジン出版センター，1987 年，第 136 頁。

幸德秋水在1911年因受所谓“大逆事件”牵连而被判处死刑。处刑前，他在《狱中手记·死刑之前》淡然地论述了自己的生死观：“人之死不成其为问题，问题在于何时如何而死”，“人生应以社会价值为名，其不在于长寿，在于其人格与事业如何感化影响及至四围、后代，余至今仍信之。”“人生难于死得其所。正行、重成抑或主税，虽短命且于生理上为不自然之死，余以为能死得其所者，彼等与其悲于其死，莫如贺之。”①“余未必为急于求死者……亦无贪生苟活之心。无论病死、横死、受刑而死，应死之时一来，以十分安心与满足就之。”②1911年1月24日清晨，在东京监狱的绞刑台上，幸德秋水在12名死刑者中被第一个执行死刑。“他走上绞刑架时，从容而举止丝毫不乱。”③幸德秋水的一生，可谓他的“志士仁人”人格理想的圆满体现与完成。

然而，幸德秋水“志士仁人”意识的另一面则是对民众认识的失误。这大约也受到《孟子》的影响。《孟子·梁惠王上》中认为：“无恒产而有恒心者，惟士为能。若民，则无恒产，固无恒心。”他同《孟子》一样，把“士”与“民”分裂开来，认为只有“士”才能在任何情况下都坚持道德理想与操守，而“民”却不能如此。他在《无理想之国民》(1900年5月)一文中，便笼统而不加分析地把日本国民都视为“无理想之国民”，说“举今天下，无永远之理想，唯有眼前之肉欲。无高尚之主义，唯有卑陋之利益。不见是非，唯见利害。不见道义，唯见金钱。”④在另一篇文章《目的与手段》(1900年6月)中，他说日本国民是“无责任之国民也，意志薄弱之国民也，轻躁浮薄之国民也，欺人自欺之国民也”。⑤ 他在《社会主义神髓》(1903年)中也指出，“高尚的品性与伟大的事业，决非生于社会贫富之两端，常生于中间一阶级者也”。“人物生于富贵之家者不多，同时出于极

---

①『近代日本思想大系13　幸德秋水集』，筑摩書房，1975年，第358、359頁。
② 同上，第363頁。
③ 塩田庄兵衛：『幸德秋水』，新日本出版社，1993年，第180頁。
④『近代日本思想大系13　幸德秋水集』，筑摩書房，1975年，第116頁。
⑤ 同上，第119頁。

贫者之中亦甚稀少。”“彼等虽有资财，而彼等不至困倦，而其有知能之余裕，奋心气之机会多也。”“此等中等民族举社会，其为社会主义目的之所在。”[①]由此来看，“中间阶级”（中等民族），无非就是“志士仁人”的同义词。幸德秋水使其担负反对帝国主义与实现社会主义的重任，殊非偶然。

然而，在幸德秋水革命生涯的晚期，他由社会主义转向了无政府主义，由议会政策转向了“直接行动”论，这与其无视“民众”的“志士仁人”意识亦有关联。幸德秋水在1905年11月前往美国之前，因为俄国民粹派与其“志士仁人”意识存有相似之处，且受当时俄国革命的影响，对俄国民粹派系统的社会革命党和无政府主义逐渐产生兴趣。同年，他发表名为《露国革命的祖母》一文，介绍“露国革命的头领普列斯柯夫斯卡雅之事”与“革命社会党”的“以暴制暴”，称赞“露国有‘祖母’，社会主义之前途实多望哉。……露国革命之祖母万岁！”[②]到达美国后，幸德秋水又直接接触了社会革命党人费里奇夫人，并寄宿于其家中，使其进一步接触并了解俄国的“革命社会党”。归国后，他开始自称为“无政府共产主义者”，倡导“直接行动”。1908年，在幸德秋水的影响下，且因当时大众斗争希望的丧失，“直接行动派”倾向于组织如俄国革命的“战斗团”，其“直接行动”，也由本来的大罢工转向“暗杀元首”的个人恐怖主义。

总之，纵观幸德秋水的思想历程，儒学的“德义”“均平”理想和“仁人志士”的意识都与其思想变化有着密切联系。

第二节　堺利彦的“行道”理想

明治时期，堺利彦(1870—1933)不仅与幸德秋水并肩致力于社会改造运动及社会主义运动，其起到的作用也绝不亚于幸德秋水。并且在“大逆事件”后，堺利彦又积极参与和领导了大正、昭和时期的社会主义运动。

---

① 『近代日本思想大系13　幸德秋水集』，筑摩書房，1975年，第162、163頁。
② 同上，第253頁。

堺利彦是如何走上社会主义道路的？在这个过程中，儒学思想起到了怎样的作用？关于这些问题，堺利彦在 1904 年 1 月 3 日发表的名为《予如何成为社会主义者》的文章中有如下解释："予少年时，首先进入予头脑之大思想，乃是来自《论语》《孟子》的儒教，其次即是来自法兰西革命史的自由民权说。然而，宪法公布，帝国议会召开，自由民权却未实现，仁义道德亦未实行。孔孟思想抑或法国思想无任何作用。于是，来自日本历史的忠君爱国思想、耶稣教思想、进化论思想、功利主义思想纷拥而入，或相互调和，或相互冲突，在头脑中交相混杂常使予生不安之念。于此不安间，略闻社会主义之新声，故如渴者求饮而直赴之。予最初阅读之书乃伊利氏之《近代德法社会主义》，通过此书，予渐次明了法国革命结果之真面目，亦初次了解社会主义随之而起之理由。予于此得一道之光明，予依此照遍思想之光明，整顿头脑中混杂之思想，遂无影、无暗，亦无纠缠，一理贯彻，始得安心。予之社会主义，其根底毕竟为自由民权说，毕竟为儒教。"①由此看来，堺利彦的思想历程与幸德秋水颇有相似之处，也是从儒家思想和自由民权思想这两个基点出发，走上社会主义思想之途的。

论述自由民权思想或民主主义思想，与堺利彦社会主义思想之间关系的著作与论文，已有若干。② 然而，关于堺利彦的儒学思想与社会主义思想之间的关系，尚无详尽的研究。

堺利彦出生于丰前的小笠原藩（现福冈县京都郡丰津町）的下级藩士家庭，堺得司之三子。就读的小学是裁锦小学，后改称丰津小学。中学原就读于藩校育德馆，后入丰津中学后，"热心学习"，"以汉文为文章规范，论语、孟子等"。尤其是"教授论语的岛田先生"，其授业内容与方法，使堺利彦"稍感愉快"。③ 当时，他"从《论语》《孟子》得到的感化"，是

① 『堺利彦全集』第 3 卷，法律文化社，1970 年，第 17 頁。

② 林尚男：『評伝 堺利彦』，オリジン出版センター，1987 年。川口武彦：『堺利彦の生涯』，社会主義協会出版局，1993 年。荻野富士夫：『初期社会主義思想論』，不二出版，1993 年。

③ 『堺利彦全集』第 6 卷，法律文化社，1970 年，第 53 頁。

“修身、齐家、治国、平天下”这样的认识。他认为“修身、齐家，是道德意义的，而治国平天下，则是士人的目的”。① 因而在1886年中学毕业时，堺利彦便意气昂然地希望自己将来能成为政治家，并“学习子路之率直与正直”。②

在接受儒学教育的同时，堺利彦也受到了自由民权思想的影响。然而他接受的自由民权思想，并非理论性的，充其量只是少年之间争论国会应是一院制还是两院制的程度。“治国平天下”的志向与对自由民权运动的支持相结合，使少年的堺利彦立志成为一名国会议员。在其自传中，他写道：“我从儒学教育而来的政治家志愿与自由民权运动是一致的，想要成为一名国会议员。”③当时堺利彦的政治家志向，与其说是欲进行社会改造，不如说是以个人的“立身出世”为目的。从《堺利彦传》来看，他“从少年时代即梦想着‘立身出世’”。直到30岁，“依然以‘立身出世’为信条而丝毫没有改变”。④

堺利彦少年时代受儒学教育的影响，使其立志成为政治家或产生“立身出世”主义的思想，其影响不止于当时，而是贯穿了他的一生。“修身”与“治国平天下”，其实是堺利彦对“道德”与“政治”关系的认识。儒家思想认为，道德与政治具有连续性，政治关系与政治过程是由己及人再到社会的过程。即“修身”是“治国平天下”的基础，“治国平天下”乃是“修身”之目的。例如，孔子说：“为政以德”（《论语·为政》），“修己以安百姓”（《论语·宪问》），“不能正其身，如正人何”（《论语·子路》）。归根结底，如何成就美好的政治理想，若政治理想的提倡者，不以自身示范其政治理想，人们虽可信其一时而不能信其政治理想。因此，堺利彦主张社会政治理想与人格修养的统一。他在《直言》第16号（1905年）的“来自平民社”一栏，就人格问题进行了如下论述：“有理想，立主义，若不以

---

① 『堺利彦全集』第6卷，法律文化社，1970年，第60頁。
② 同上。
③ 同上，第61頁。
④ 同上，第163頁。

身体现之，则理想无光，主义无力。”[①]在《光》的终刊号(1916 年)关于“社会主义者的座右铭”一栏中，堺利彦的座右铭是从江户时代晚期的儒学者佐藤一斋所著《言志录》中摘录的数章。其大意为“凡不理到人服，则君子必反”，[②]皆是有关人格修养的内容。并且，从同时代的人对堺利彦的评价，也可看出他的人格特征。例如，《新社会》1919 年五月号中刊载了与堺利彦共事的编辑杉浦长治所写的文章——《堺氏一面》。文章写道：“主笔(堺利彦——笔者注)圆满的人格并非是先天的，而是长期磨炼的结果。因此，吃过苦之人做事之周到以及不见异思迁确为事实，但同时有过于生硬之感。”[③]

不过，仅从其个人的“立身出世”来看，青年时期的堺利彦并非一帆风顺，用他自己的话来说“‘登龙门’失脚”，“‘立身出世’甚哀。”[④]1886 年 2 月，堺利彦虽以最优异的成绩毕业于丰津中学，却未能考上有名的东京第一高等学校。1887 年，再度参加考试虽被第一高等学校录取，又因热衷政治与文学活动而荒废了学业。1889 年，由于未交学费而被开除。此后，他辗转于福冈、大阪、东京，任小学教员或新闻记者，过着“动荡而贫苦”的生活。

1899 年，在《福冈日日新闻》担任记者的堺利彦，于失意中偶然再读《论语》，成为其人生的一个转折点。他在自传中写道：“那时，我偶然再读《论语》，感到与过去在学校阅读时完全不同的激动。……在学校时读《论语》，认为自己只不过是‘全然无事者’，不过是‘得一两句而喜之’，或至多是‘知好之’，而此次重读《论语》，却切实体验到‘不知手之舞之，足之蹈之’，……此晚学的儒教，似乎是‘病毒减轻，病后更得健康’。”[⑤]

当时的堺利彦从《论语》中得到怎样的精神激励与转变呢？对于这

---

① 林尚男：『評伝 堺利彦』，オリジン出版センター，1987 年，第 111 頁。

② 同上，第 134 頁。

③ 同上，第 261 頁。

④ 『堺利彦全集』第 6 卷，法律文化社，1970 年，第 164 頁。

⑤ 同上，第 138、139 頁。

一点，堺利彦并未明说，然而可以从其“立身出世”到“行道”的理想转变推测出一二。他在自传的“上卷总结”中回忆说：“儒教的‘立身’是所谓‘立身出世’主义，然而与此同时，还有‘行道’的理想。这或许又是一种英雄主义，但与‘功名富贵，唾手可得’大不相同。何况，若干次唾手而功名富贵不可得时，‘行道’之精神便会待机而动。……要保持自由民权思想，贯彻儒教精神，具有正直心，于是产生‘野心’。所谓‘野心’，即不再希望做政治家，不满足于做单纯的文学者，也不满足于仅做记者，必须做些其他什么事，至少要超出‘立身出世’之上的事。”①此处所说的“‘立身出世’之上的事”，是指“行道”，也就是进行社会改造。堺利彦思想的这一转变，以其自身的行动而言，是“从个人的立身出世思想到中产阶级为本位的社会改良主义的转移”。②

堺利彦贯彻的“行道”理想，实际上与幸德秋水的“志士仁人”意识具有共通之处，因“志士仁人”有“志在于道”之故。由孔子、孟子的思想发展而来的“志士仁人”意识或“行道”理想，并非是阻碍幸德秋水与堺利彦等人变革思想形成的因素，反而是他们的变革思想形成与发展的内部原动力。“志士仁人”意识或“行道”理想赋予他们“明道救世”的社会正义感与责任感，使他们追求理想的精神价值与理想的社会、政治、文化秩序。他们信仰的“道”的内容，或其选定的“救世”方法与途径，因时代的变化而修正、改变，然而，他们的“明道救世”理想，却未曾发生改变。对这种理想的追求，使他们舍弃不合适的方法、途径，努力寻求新思想与新道路，使他们始终屹立于时代前列。

幸德秋水与堺利彦皆是从儒学的信奉者发展为自由运动的左派，进而成为初期社会主义者的。他们的不断转变，实际上因“志士仁人”意识或“行道”理想内在的动力影响所致。同时，幸德秋水与堺利彦同为一介书生，而后参加到劳动运动中，他们超越了生活条件与阶级地位的制约，

---

①『堺利彦全集』第6卷，法律文化社，1970年，第164、165頁。

② 同上，第165頁。

接受了社会主义，实际上是他们追求“明道救世”的理想所致。例如，幸德秋水将社会主义作为“真理、正义、人道之所在”，“人生的目的”，“古来圣贤的理想”来接受。[①] 堺利彦遭遇各种镇压与挫折，至死仍坚持着社会主义的理想。

然而，堺利彦是从社会改良主义转变为社会主义者的。在《万朝报》担任记者的四年间，他主要是以社会改良主义者的身份进行言论活动的，也就是说从 1889 年 7 月入社，直到日俄战争前，与幸德秋水联名发表《退社之辞》为止。堺利彦在《万朝报》社结识了幸德秋水、内村鉴三等人，并于 1902 年参加了社会改造组织“理想团”，此时他并不是一名社会主义者。他所从事的改良工作，主要是文学改良、文言一致、风俗改良、社会改良等。相较于“理想团”其他团员，如幸德秋水等人，堺利彦并不十分激进。

1902 年 8 月，他发表了名为《予作为理想团员做了什么》的文章。他说：“予作为一个人，欲在狭小范围内，多少做些善事美事。”“于此范围内，如孔子发愤忘食，乐以忘忧，大体如此。”[②]他的根本态度是，遵从“毋意，毋必，毋固，毋我”（《论语·子罕》），认为“陷入所谓‘意必固我’之私者，决非大人君子之事。不必思事必成功，而思自然之机运际会足矣”。[③]这样的言论与行动，实际上体现出堺利彦对政治活动的温和态度。

堺利彦的温和态度，不仅来源于“毋意，毋必，毋固，毋我”的思想，也来源于《中庸》与《时中》。在《中庸》与《时中》中，不只是机会主义、折衷、乡愿，还蕴含着复杂的时间与空间的交错，具有多种选择，而其中最好的、最合理的、最适合的选择是“时、处、位”。这种温和的态度贯穿于堺利彦的政治生涯。与幸德秋水、大杉荣等人相比，堺利彦是更重视依据现实情况的判断，通过调节运动的强度以做出适当应对的社会活动家。例如，在 1907 年日本社会党第二次大会上，幸德秋水的“直接行动论”与

① 『近代日本思想大系 13　幸德秋水集』，筑摩書房，1975 年，第 171 頁。

② 『堺利彦全集』第 1 卷，法律文化社，1970 年，第 122 頁。

③ 同上。

田添铁二的“议会政策论”相对立，堺利彦提出“党员随意运动”案，使大会能够继续进行。“大逆事件”以后，堺利彦不赞成无政府主义者大杉荣、荒畑寒村等人的“不待时机而作”的主张，主张不动而静待时机，以“假装为猫”的态度，带领“卖文社”度过了“黑暗时代”。他虽未将幸德秋水、大杉荣、荒畑寒村等人作为直接批判对象，却批判“采用极端激进的运动方法而遭受迫害的革命家”，是“具有唯心论的、理想主义的、或精神主义倾向的。”①

堺利彦是在何时成为社会主义者的，很难探究其具体时间。依据堺利彦《予的半生》所说，1901 年 7 月加入“理想团”就已“欲宣告为社会主义者”。然而，考察其 1901 年 7 月之前的理论学说，几乎没有提及社会主义的文章。笔者认为，堺利彦成为真正的社会主义者，是在 1902 年 6 月左右。当时堺利彦虽未以社会主义者自任，但在其学说中已开始赞成资本主义终将走向灭亡而社会主义将继之而起的理论。堺利彦从社会改良主义者转变为社会主义者，其中原因颇多，但最为重要的，是他对劳动者悲惨生活的了解与同情。

在 1902 年 6 月发表的《矿工之悲惨生活》一文中，堺利彦开始谈及资本主义社会的灭亡。文中对于矿工频繁死伤，而“无情冷酷之矿主”“尽管有矿业条件规定，却不执行相应之救恤”等状况，堺利彦表示“为矿工一掬同情之泪，同时对矿主不可不吐一片义愤之气”。他进而把批判的触角指向当时的日本社会，说：“我等之社会，使资本家与工人如此对立，看到资本家随心所欲地虐待工人，不是可以抛弃如此之社会么？”②

在此应该注意的是，堺利彦对资本家与资本主义的批判，是从儒学原始的人道主义出发的，这亦是他进行批判的思想武器。在《矿工之悲惨生活》之后发表的《人命与财产之轻重》一文中，他首先指出：“在依资本主义及其财产制度而构成之今日社会，人命轻于财产之实例甚多。”接

① 林尚男：『評伝　堺利彦』，オリジン出版センター，1987 年，第 205 頁。

② 『堺利彦全集』第 1 巻，法律文化社，1970 年，第 184—186 頁。

下来他以孔子为例，说："昔日孔子之马棚失火时，孔子问伤人乎而不问马。直以高价马安否问之而后思及人命之损伤，人情使然，而孔子戒此欲，特以问人而不问马。若今日工场失火，其场主首先将以何问之？其必先问种种高价机器安否。……若孔子见此情况，定会对其头顶施以痛棒。"随后，他大声疾呼："吾人欲维持如此之社会组织至何时？以同胞为奴隶，以人力为机械，较之人命更重财产之社会组织吾人欲维持至何时？何不破坏此财产制度，何不迅速灭绝此资本主义？"①

在同年10月发表的《关于"劳资调和"》一文中，堺利彦开始明确地提出社会主义理论，他公开声言取代资本主义的"新主义、新理想，即社会主义。其实际运动即指罢工等运动"。"何为所谓社会主义之根本？资本之共有也。""劳资调和终非真正之救济法，真正之救济法，不外完全废除当今之资本制度而灭绝竞争。"②此时的堺利彦已堪称社会主义者了。

堺利彦在概括自己成长为社会主义者的思想历程时说："从个人的立身出世思想发展到中产阶级本位的社会改良主义，更由此而一转为社会主义者"，而在这一转变过程中，儒学的"行道"理想与原始的人道主义等思想，确实对其产生了积极的效果。另外，儒学的道德政治思想与"时中"思想也贯穿堺利彦的一生。

堺利彦还是日本反战论和国际主义的先驱。二十世纪初，日俄矛盾日渐尖锐。不仅是政、官、财界，连东京大学一些教授，教会的一些指导者，甚至普通民众，都支持"对俄强硬论""举国圣战论"，大众传媒方面，支持反战论的只有幸德秋水、内村鉴三、堺利彦等人主办的《万朝报》，片山潜等人的《社会主义》，和属于基督教系统的《六合杂志》。

堺利彦是"反战论"的主将之一。不过值得注意的是，堺利彦最初是以《孟子》的"王霸"论为思想武器来批判帝国主义及其战争的。《孟子》

---

① 『堺利彦全集』第1卷，法律文化社，1970年，第186、187頁。
② 同上，第220頁。

中说“以力服人者”与“以力假仁者”为“霸道”；“以德服人者”为“王道”（《孟子·公孙丑上》）。在《孟子》中，亦有“仁者无敌”（《孟子·梁惠王上》）的说法。

堺利彦在1903年1月发表了名为《读孟子》的文章，在文章中，他首先指出：“帝国主义这不可一世之物……在友好的名义下，行欺诈、哄骗、嫉妒、猜忌诸恶德，在和平的名义下，施恐吓、威胁、窃取、豪夺等暴行。正义被视为幻想而遭政治家排斥，同情被视为愚痴而遭外交家讥笑。天下之事，唯有恐吓性的军备扩张和欺诈性的外交政略。今日，吾人于书斋中读孟子，被其粲然光明所照耀，俾得怀希望与安心之感。”他在对帝国主义战争政策进行批判的同时，称赞孟子对齐宣王的批判，孟子说齐宣王“欲辟土地，朝秦楚，莅中国而抚四夷”实是“缘木求鱼”。堺利彦则说：“齐宣王之所欲，即今帝国主义者之所欲。宣王所为，乃今帝国主义者之所为。”对于“春秋战国”与“今之国际竞争”，他认为“当时列国竞霸之状可言全然相似”，“孟子在当时述唐虞三代之德，贱霸道，贵王道，斥攻伐，说仁政，正足以为今日之戒”。堺利彦主张日本应有“小国的觉悟”，“日本实为夹于世界诸强国之间一小国。……日本国民，不可无小国之觉悟。……日本若以其武力自夸，徒以攻伐为事，是为‘所以养人者害人’，决非王道之仁政。”①

1903年10月，对俄主战论在日本国内愈发高涨，对俄开战已到了不可避免的形势。就连曾经支持“反战”论的《万朝报》社长黑岩周六，也不得不转变一直支持的反战立场而支持“开战”论。幸德秋水和堺利彦遂毅然决定退出《万朝报》社。在1903年10月12日，《万朝报》的第一个版面刊登了两人共同署名的《退社之辞》。该文从社会主义的立场出发对战争的本质予以批判，文中写道：“予等平生由社会主义之见地，视国际战争为贵族、军人等之私斗，而国民多数则为供其牺牲者。”②他们在退出

---

① 『堺利彦全集』第1卷，法律文化社，1970年，第243—247頁。

② 同上，第288頁。

《万朝报》后，联合创办了《平民新闻》，依然坚持社会主义与和平主义的主张。第一次世界大战期间，堺利彦发表了《国家与阶级战》，坚守反战的立场，并与其他社会主义者合作组织了反战运动组织。1931 年 9 月 18 日，满洲事变发生之际，堺利彦担任全国劳农大众党的对支出兵反对斗争委员长，将全部精力投入到反战运动中。在此需要特别指出的是，堺利彦留下的最后信息。1931 年 12 月 2 日，堺利彦突发脑出血，在其发病的 3 日—4 日期间，他开口说“拿只笔给我”，然而他坐起拿笔，因病痛折磨在半张纸上仅仅书写了“僕は”，而后，他向妻子儿女口述道：“我闻诸君绝对反对帝国主义战争之声音，死亦光荣。”这就是堺利彦留给世界最后的信息，他至死仍坚持着反战论。

堺利彦不仅反对帝国主义的战争，还是一名国际主义者。他最初依据《论语》“四海之内，皆兄弟也”的思想表明其反对人种差别的态度，主张日本应平等对待近邻诸国的后进或弱小民族。明治维新之后，尤其是福泽谕吉发表《脱亚论》，以及甲午中日战争后，在日本人中，轻蔑中国、朝鲜等近邻诸国国民的风潮愈演愈烈。针对于此，堺利彦在 1903 年 7 月发表的《人种之反感》一文中，首次表明其反对人种差别的立场。该文中，他首先批判帝国主义列强对黄色人种的岐视，他指出欧美帝国主义“对待东洋诸国，有自称优等白人种族以岐视劣等黄人种族之意。于商业、政治之外，常怀令人不忘的人种反感之情”。进而，他批判一部分日本人，“试观如今日本人之所为，一方面愤慨于白人之轻侮，另一方面又嘲笑中国人，欺辱朝鲜人，这岂非‘己所不欲’常施于人么?”

堺利彦由此对日本人提出期望：“日本国民探切敬爱近邻诸国人民，与之共唱人种同胞之大义，同欧美白人平等处理世界事务。若此，东洋文明始可真正发扬伟大之光辉。吾人相信，此实为日本人种之天赋也。”堺利彦还认为日本人理应如此，因为“或云四海兄弟，或云博爱人道。因胜利而骄傲自满之欧美白人难以真正理解此语。吾人相信，曾受欺辱与苦难之日本人种，始能真正理解”。[1] 国际主义思想实际上贯穿于堺利彦的一生。例如，幸德秋水、堺利彦共同起草的《平民社同人》的“宣言”(1903 年 11 月)中说：“吾人为使人类尽博爱之道，俱导和平主义，故不问人种区别、政体异同，期望全世界撤去军备，禁绝战争。”[2]这种反对人种差别的思想，其核心是“四海兄弟”的思想，在今后与未来仍不失其生命力与普遍性价值。

上述内容，主要论述了儒学思想在堺利彦的社会主义、反战论以及国际主义思想的形成过程中所起到的积极作用。然而，笔者在论述过程中，并未进行儒学批判，而儒学对堺利彦思想的影响未必没有不利之处。

堺利彦、幸德秋水从儒学出发而走上社会主义的道路，笔者认为儒家思想的某些观念与社会主义思想确实存在连续性。儒学思想虽诞生于中国的封建农业社会。但在原始儒学(孔子、孟子时期的儒学)中，仍保留有以原始土地公共所有制为基础的原始平等思想、原始人道主义乃至原始共产主义思想，这种思想与社会主义、共产主义思想也可能形成“否定之否定”的连续性，成为其发展的起点。例如，幸德秋水在《社会主义神髓》中，曾说社会主义是“古来圣贤之理想”。他虽未明言此“理想”究系何物，笔者推测很可能是指《礼记・礼运》的“大同”思想。《礼记・礼运》说：“孔子曰：‘大道之行也，与三代之英，丘未之逮也，而有志焉。大道之行也，天下为公。选贤与能，讲信修睦。故人不独亲其亲，不独子其子，使老有所终，壮有所用，幼有所长，矜寡孤独废疾者皆有所养。男有分，女有归。货恶其弃于地也，不必藏于己，力恶其不出于身也，不必为己。是故谋闭而不兴，盗窃乱贼而不作，故外户而不闭，是谓大同。”

因而这种“大同”思想，既是从小生产者的立场出发对早已逝去的原始共产社会的朦胧回顾，也是对未来社会的憧憬。然而只能说这是空想性质的农业社会主义。但是，从生产资料的公共所有制与实行社会产品

---

① 「堺利彦全集」第 1 卷，法律文化社，1970 年，第 279、280 頁。

② 「堺利彦全集」第 6 卷，法律文化社，1970 年，第 184 頁。

的公平分配来看,“大同”的理想与近代社会主义、共产主义思想确实具有共通之处。因此,马克思与恩格斯将“大同”理想称为“中国的社会主义”。幸德秋水与堺利彦从儒学的立场走上社会主义的道路,殊非偶然。

第九章　儒学与日本近代的经济与政治

第一节　涩泽荣一的“论语算盘说”与日本的资本主义精神

涩泽荣一(1840—1931)被称为“日本近代资本主义的最高指导者”,为何世人会这样称呼他?不唯由于涩泽荣一在实业方面对日本近代产业与近代经济制度的形成、建立具有指导性作用,还由于他在精神层面提倡“论语算盘说”(“道德经济合一说”“义利两全说”),培育了一种日本特色的资本主义精神。本节通过考察“论语算盘说”的提出背景、内容及其社会功能,尝试说明经过近代性再解释的儒学伦理,是近代资本主义建立与发展的推动力。

日本近代资本主义的形成与发展,有许多异于欧美诸国的特征。其中有许多琐细的原因,在此,笔者想就主要的原因进行探究。

首先,日本近代资本主义的形成并非日本社会内部历史发展进程的自然结局,而是为避免被西方列强倾轧的命运不得不走上资本主义的道路。诚然,1859 年(安政六年)“开国”以前,日本国内市场的商品流通与货币经济已达到相当发达的程度,产业资本亦有一定程度的发展。生产形态从整体上来看,批发式预贷及批发式家庭手工业占据重要地位,但到幕末还出现了分布于各个工业领域(比如,纺织业、酿酒业、制糖业、铸造业等)的制造业(工厂手工业)。开国后,日本的产业资本仍极其幼弱,远未达至使日本自然进入近代资本主义的程度。在被迫"开国"后,尤其是在明治维新之后,日本为了摆脱半殖民地化危机,唯一的出路便是学习欧美诸国的技术与制度,自上而下地扶植近代资本主义产业与经济的形成。明治政府提出了"富国强兵""殖产兴业""文明开化"三大口号,其中"富国强兵"是核心与目的,"殖产兴业"(即自上而下地扶植近代资本主义产业的生成与发展)不过是实现"富国强兵"的手段。发展近代资本主义的产业与经济,实现国家富强,对当时的日本国民来说是与民族生命攸关的至上课题。这就决定了日本近代资本主义的形成与发展和国家存亡的必然联系,也决定了日本近代资本主义形成与发展的政府主导型。

其次,日本是在资本原始积累尚不充分的情况下移植近代资本主义产业与经济制度的,因而日本不能像欧美国家那样,先进行资本原始积累,而后实行产业革命,而是早期产业革命与资本原始积累同时并行。除了明治政府通过强制推行地税改革、整理俸禄、发行公债和对外侵略掠夺等途径,充当资本原始积累的主导者外,还需创造有利于国内民间资本转化为近代产业资本的社会与文化环境。

再次,在移植近代资本主义产业及其经济制度的同时,还必须造就近代资本主义产业经济的主体——近代企业家。在新兴企业家中,既有如三井与住友这样江户时代以来的特权大商人,还有从幕末具有资本主义性质的家庭手工业者或手工工场主的天然后身,还有很多从武士阶级、农民的一部分转化而来的商人。这一时期,从官界下野投身实业界的人也有很多。在维新的变革时期,寻求一切手段来进行财富积累,成长为近代性的企业家的人逐渐增多,尤其是士族出身者居多。若从明治时期全部的企业经营者来看,士族出身的企业家占据全体的48%。因而,他们有必要转换意识。也就是说,在造就近代企业家的同时,还应培植他们必须具备的资本主义精神。

正如马克斯·韦伯所指出的，在西欧诸国与美国，新教伦理是资本主义精神的源泉，为产生近代资本主义这一崭新的社会事象作出了巨大贡献。资本主义精神是先于资本主义秩序而建立的，是近代资本主义兴起的原动力。而在日本，与欧美诸国不同的是，近代企业家的形成却要与其资本主义精神的培植结伴而行。

那么，“资本主义的精神”到底是什么呢？简单来说，是在资本主义兴起的过程中，从人们内心深处推动其行动的心理起动力或精神，即经常所说的“资本主义精神”。“资本主义精神”，不只是单纯的营利，即不仅是追求利润，还必须考虑伦理性的义务。这绝不是通常所说的单纯的金钱欲和贪欲。另外，营造出适应合理经营体的经济性人际关系的社会精神，即经济合理主义也可以看作是“资本主义精神”。在江户时期的日本，也具有与这种“资本主义精神”相类似的思想与伦理。例如，在17世纪的日本，有一名近世禅宗史上如狼一样的人物——铃木正三(1579—1655)，他积极肯定追求营利，提倡正直、清贫、劳动等宗教伦理性的思想。在其代表作《万民德用》中，提倡武士、农民、工匠、商人等的职业道德，即“日用”之说，以勉励其在各自的职业领域事业精进，并教导说此亦是实现佛道。在“商人之用”中，铃木正三公然劝导追求营利，说:“买卖之人应先增得利之心用以修行。”他提倡远离私利私欲乃正直的道德之说，认为“所谓用心，非为其他，身命依天道，应一心学正直之道”，并大力倡导“为得国中之自由之役人，乃顺应天道而得利”。① 这种商业伦理确实与新教伦理具有共通之处。

铃木正三之后，石田梅岩(1685—1744)也提倡商人之道。石田梅岩的学问受到了朱子学的影响，却绝不只是儒学，还融入了神道、佛教甚至老庄思想。他主张武士有武士之道，商人有商人之道，与蔑视逐利的武士风潮相对，商人的利相当于武士的禄，断言“得买卖之利乃商人之道

① 中村元:『近世日本の批判的精神』，春秋社，1981年，第96、97頁。

也”。[①] 石田梅岩在主张正直乃商人之道的同时，还说：“我物乃我物，他人之物乃他人之物，借贷物，返借物，非我所有不取一毛，此即为正直。”[②]主张尊重所有关系与契约关系，认为这是商业社会的基础。而且，通过实践俭约可以恢复与生俱来的正直之德，由此提出回归正直，自然会崇尚俭约的“俭约哲学”思想。

石田梅岩还以儒学的“仁”来解释俭约是经济合理主义。他的理论，不只是商人应遵循的处世哲学，还融入了“正直”“俭约”等道德原理，这一点也类似于新教伦理。此外，怀德堂学派的中井甃庵、中井竹山也同铃木正三和石田梅岩一样肯定“利”的概念，并对其予以积极的评价。中井甃庵说：“行当行之事，自然无所图，智者亦以其为宜。皆行其技，谋其事，则自然之利，隐于技之中。勤而生，怠而消。”[③]中井竹山亦写道：“商人之利，乃士之知行，农之作德，皆为义而非利也。”[④]然而，提倡以上那种思想的毕竟还是少数派。在江户时期，儒学的“重义轻利”“贵农贱商”思想在日本社会尤其是在占据统治地位的武士之间仍是主流思想。

那么儒学是如何认识人类的利益追求的呢？将终极的价值目标置于社会公正、和谐与人们的精神需求上，还是置于社会经济进步与个人的物质欲求上？两者是二者择一的关系，还是可以互相调和？这是任何一种文明都必须予以解答的伦理学基本问题。就儒学来说，表现为“义利之辩”。一般而言，儒学的伦理观是极易被引向“重义轻利”方向的，固然，从人的现实生活层次出发，并不否定人们对财富、利益和地位的追求。孔子曾说：“富与贵，是人之所欲也”，“贫与贱，是人之所恶也”（《论语・里仁》），他甚至还说：“富而可求也，虽执鞭之士，吾亦为之”（《论语・述而》，“执鞭之士”是古代君王出门之际替君王开道的人，即具有卑

---

① 『石田梅岩全集』上卷，社团法人石門心学会，1956 年，第 78 頁。

② 同上，第 217 頁。

③ 中井甃庵：「とはずかたり」，收入于『日本随筆大成』第三期第六卷，吉川弘文館，1977 年，第 83 頁。

④ 中井竹山：「蒙養篇」，收入于『懷徳堂遺書』，松村文会堂，1911 年。

贱的职业之意）。然而，从人生的终极价值层面看，孔子是重义轻利的。如他说："君子喻于义，小人喻于利"（《论语·里仁》）。尤其当"义"与"利"发生冲突时，孔子的价值天平便倾向于"义"，一定要先义后利，所以他才说："富与贵，是人之所欲也，不以其道得之，不处也"（《论语·里仁》）。"义然后取"（《论语·宪问》）。"不义而富且贵，于我如浮云"（《论语·述而》）。孟子则有些走极端，声言："何必曰利？亦有仁义而已矣"（《孟子·梁惠王上》）。汉代董仲舒也主张："正其谊不谋其利"（《汉书·董仲舒传》）。宋代理学家亦极重义利分别。如程颐便讲"圣人以义为利，义安处便为利"，"凡有利心，便不可"。虽有宋代的陈亮、叶适和清代的颜元讲兼重义利，但从大势看，中国儒学的主流是日益倾向于重义轻利的。

江户时代的日本，儒家重义轻利的思想与"士农工商"等级制度相结合，使贱商意识与官尊民卑意识更加严重。德川幕府认为商业是低贱的行为，严禁武士经营商行。在武士阶级中，儒学思想的引入为武士道德提供了理论性基础并作为士道而确立下来的同时，儒学的"义利之辨"也为其贱商意识提供了理论基础，并逐渐固定下来。

明治维新后，日本虽进入资本主义时代，但社会上仍然存在贱商意识和"官尊民卑"意识。涩泽荣一回忆明治初年的情况说："官尊民卑之风尤甚，秀才悉以就官途为终生目的，书生亦悉数有志于官途，几无谈实业者，若开口则讨论国家政治。如此更勿论事业教育等事。四民平等之大御代，商工业者依然被蔑为素町人，在官员等人面前抬不起头。"①要推动日本近代资本主义的发展，培育近代性的企业家，必须批判"官尊民卑"与贱商意识，宣扬资本主义精神。

明治时代初期，日本的启蒙思想家们曾提倡从西方传入的边沁和穆勒的功利主义。例如，福泽谕吉曾说"私利是公益之基"，西周也说"公益乃私利之总合"。依据西方传入的功利主义思想，对儒学的"重义轻利"思想予以批判，肯定工商业对利润的追求。但是，在当时它又往往被歪

① 『青淵回顧録』上卷，青淵回顧録刊行会，1927 年，第 378 頁。

曲地理解为赤裸裸的利己主义和拜金主义，成为一些工商业者不择手段获取财富的护身符，反倒加剧了社会上的贱商意识。

福泽谕吉也曾批判官尊民卑和贱商意识。如他在 1873 年写成的《帐合之法》中说："商卖亦学问也，工业亦学问也。若论另一方面，依天之定则劳身心而得其报者皆商卖也。役人为政而得月给亦商卖，古之武士勤军役得禄亦商卖，然人皆知贵武士、官员之商卖，而贱买卖制作物品之商卖。此何故？毕竟不知贵商卖而以为学问也。"①福泽谕吉的雄辩固然道出了无争的事实，但是对于长期接受儒学"重义轻利"思想且以具有社会使命感而自负的武士及其子孙来说，却是毫无理论根据的学说。武士与官员的俸禄与月薪决定了他们不会考虑从事买卖，对他们来说，从事商业买卖、谋取利润并非其人生的终极目的。因此他们对福泽谕吉的主张从心底是抵触的。而促使一些原为武士的士族转事工商业既是造就近代性企业家的时代需求，也是解决士族出路这一现实社会问题的良好途径。

明治时代，亦有人提倡以基督教伦理作为资本主义的经营理念，②但由于彼时基督教的影响尚小，对于日本资本主义精神的形成贡献较少。

在这种状况下，较少抵触且有效用的做法，或许应是利用士族原有的儒学知识，并对其重加解释，以寻找传统伦理观与近代资本主义精神的结合点。被誉为"日本近代资本主义经济的最高指导者"的涩泽荣一便是如此行事的。

涩泽荣一出生于一个兼营农耕、养蚕、蓝玉制造又从事商业买卖的家庭，其父是一名山货商人，③除此之外还从事抵押以及村民的钱款借贷业务。涩泽荣一自 7 岁起即受业于邻村儒学者尾高惇忠，学习《小学》、《蒙求》、四书五经、《史记》与《十八史略》等。1863 年，24 岁时曾参加尊王攘夷运动。1864 年，出仕一桥庆喜，成为一桥家的家臣。1867 年，涩

---

① 『福沢諭吉全集』第 3 卷，岩波書店，1959 年，第 335 頁。

② 土屋喬雄：『続日本経営理念史』，日本経済新聞社，1967 年，第 157—397 頁。

③ 关于涩泽荣一的生平，参照土屋喬雄：『渋沢栄一』，吉川弘文館，1989 年。

泽荣一陪同德川庆喜的弟弟民部大辅德川昭武同赴法国，一行人到达巴黎出席万国博览会后又到欧洲其他国家考察，不仅目睹了西方诸国资本主义的发达，还认识到其富强在于合理的经济机构与对工商业的尊重。大约一年的欧洲考察使涩泽荣一收获巨大。

1869年归国后，涩泽荣一并非情愿地任职于明治政府大藏省，担任租税正。此后逐渐升迁，于1871年担任大藏权大丞，同时被任命为通商司的迹始末。但他的财政改革建言都未予采用，因此1873年他与大藏大辅井上馨一同辞去了官职。三年半的官场经历，使他永远断绝了为官之志。离开官场回归民间的涩泽荣一，此后约六十年间一直为发展日本的实业而孜孜不倦地作出贡献。他投身实业界的第一步是设立第一国立银行。此后，他参与创立和运营了如日本铁道会社、大阪纺织会社、东阳汽船会社等500多家近代企业与事业。直到1916年退出实业界后，他又投身于社会公益事业与慈善事业。

涩泽荣一被称为“日本近代资本主义的最高指导者”，不仅因为他创立了上述多家近代性的企业，还由于他利用传统的精神资源，对其进行再解释的同时，将之与西方传来的近代性思想融合为“道德经济合一说”（“论语算盘说”“义利两全说”）并大力倡导，从而形成了日本的资本主义精神。早在1873年他辞职投身实业时，即向劝阻他的友人表示：“决心一生以《论语》的教训为标准来从事商业活动。”①从那以后，涩泽荣一“平生尊信孔子之教训的同时，以论语作为处世之金科玉条，常置于座右不离”。② 直到晚年，他常将《论语》怀揣于口袋中，据说曾多次把变得陈旧的换成新的反复阅读。涩泽荣一以其雄辩在许多演说、讲演、座谈中提倡“打破官尊民卑的思维”，主张“道德经济合一”“合本主义”等学说，并著述《青渊百话》《论语加算盘》《论语讲义》《经济与道德》《实验论语处世谈》《雨夜谭》等书。根据《东洋杂志》的问卷调查（1981年），《论语加算

① 渋沢栄一：『論語と算盤』，国書刊行会，1984年，第4—12頁。

② 同上。

盘》是现在企业骨干们爱读的热门书籍。

马克斯·韦伯所指谓的新教伦理蕴含的"资本主义精神"认为:"不停歇地、有条理地从事一项世俗职业是获得禁欲精神的最高手段,同时也是再生和信仰纯真的最可靠、最明确的证据。"①因此一个人必须勤奋工作。这是回应"上帝召唤的神圣天职",如此才可证实"上帝的恩宠"。所以他一般并不反对追求财富,而以为"把追求财富本身作为目的是极应谴责的。但是若作为一项职业劳动的果实而获得它,那便是象征着上帝的赐福。"②即所谓"你可以为上帝劳动而致富,但不能为肉体的罪孽而致富"。③ 然而,拥有财富不过是为上帝看管它,"合理地、从实用角度出发以满足个人的社会需要",这才是"上帝所意愿的"。④ 从而具有自律、禁欲要素,并表现了一种合理的精神。勤、俭、诚实、有信用便被视为美德。

在当时的日本固然不可能有新教的"天职"观念,但涩泽荣一力图从不同的角度论证从事工商业和追求财富的超越意义和庄严价值,使之近似于新教伦理中的"天职"。

首先,涩泽荣一指出,发展工商业即"实业",是使国家臻于富强的必由之路和基础。他说:"欲强国必富国,欲富国必隆盛商工业。"⑤他还说:"国家之基础在于商工业。政府之官吏凡庸无妨。商人必为贤才。商人贤,则可保国家之繁荣。古来日本人尊武士,认为做政府官吏为无上光荣,做商人为耻辱,此乃本末倒置。我国现在之急务,是努力使一般人心拂去谬见,并提高商人品位,驱使人才投向商业界,务使商业社会位于社会最上流,以达至商人即德义之标本,德义之标本即商人之域。"⑥其中不仅批判了官尊民卑和贱商意识,而且从"商工乃富国之本"的角度,说明

① マックス・ヴェーバー著、大塚久雄訳:『プロテスタンティズムの倫理と資本主義の精神』,岩波書店,1989年,第344、345頁。

② 同上,第344頁。

③ 同上,第310頁。

④ 同上,第342頁。

⑤『渋沢栄一全集』第2巻,平凡社,1930年,第3頁。

⑥ 土屋喬雄:『続日本経営理念史』,日本経済新聞社,1967年,第59、60頁。

了发展近代资本主义工商业的意义与价值。而在当时的日本，富国强兵不仅是日本民族的至上课题，而且“国家”自身对当时的日本人来说具有某种超越意义。因为日本自古即有“神国日本”的观念，尤其至江户时代后期，由于国学和后期水户学之“国体”论的传播，“神国”思想的影响更形普及。日本＝“皇国”＝“神国”的观念已逐渐沉潜为日本人的深层意识。涩泽荣一提倡以“富国”为目的而兴“实业”，不仅含有世俗意义，也颇具超越精神。

其次，涩泽荣一还对《论语》的“博施于民而能济众”给予再解释，以说明谋求财富的超越性。《论语》中有如下段落：“子贡曰：‘如有博施于民而能济众，何如？可谓仁乎？’子曰：‘何事于仁！必也圣乎广，尧舜其犹病诸！’”对于这一段，涩泽荣一解释说：“孔夫子认为，博施于民而能济众，是仁以上之仁，亦可称为圣。……如欲博施于民而能济众，首先需要金钱。如何想施民济众，若无财富，终究不能实现其愿望。欲布周文王之政，必要的也是财富。”[①]依照涩泽荣一的解释，财富实乃“博施于民而能济众”即“为圣”的物质前提。而“为圣”即成就圣贤人格，在深受儒家思想影响的人们看来，则是既具人伦意义而又具超越价值的追求。

涩泽荣一更以儒家的“天命观”直接赋予其工商业活动以超越精神。例如，他在谈及美国著名资本家卡内基时，曾感慨道：“对于卡内基氏尤为感动的是，自己虽拥有十几亿美元财富，却不以为意。他认为，其所以获得财富，乃是于世上履行应尽责任之结果。倾注全力于事业经营，完全由于天帝之使命。基于其使命而蓄积之财富，应如何使用？或许应为国家社会。不能达到以上所说，就决不能称其立于此世尽到本分，不能称其持有所谓崇高之观念。”[②]此处，涩泽荣一似乎已对卡内基所体现的新教伦理之资本主义精神具有某种程度的感悟，其中所说的“天帝之使命”已近似于“天职”观念。然而基督教在当时的日本尚未流行，因此涩

① 『渋沢栄一全集』第2卷，平凡社，1930年，第162頁。

② 『渋沢栄一全集』第1卷，平凡社，1930年，第245、246頁。

泽荣一便理所必至地以儒家的"天命"为其工商业活动寻求世俗以上的价值。他曾说:"开拓实业界,乃余所受天之使命。"①

固然,涩泽荣一赋予工商业的超越价值与新教伦理的"天职"观念是不无相异的。在欧美近代资本主义生成期,西方资本家所具的"天职"观念,表现了极其强烈的追求前往"天国"的宗教动机。他们勤奋工作,节俭自奉,追求财富与现世成就,是欲以此证明自己在尽"天职"方面已"才德兼备",足以成为上帝的"选民",其终极关怀仍在彼世。与之相对,涩泽荣一以"富国""为圣""天命"而赋予其实业活动的超越精神,却并非出自追求彼世的宗教终极关怀。但两者在坚信自己的事业具有超越意义与庄严价值从而促进了近代资本主义生成方面却是具有共通点的。

涩泽荣一认为,发展实业与追求财富具有超越意义与庄严价值,所以在他看来"义"与"利"、道德与经济便不是相互对立而互不兼容的。他终生主张"道德经济合一"即"义利两全"说。他说:"打算盘是利,《论语》是道德。"②因而他的"义利合一"说又可称为"论语加算盘"说。

涩泽荣一的"道德经济合一"说,是从两个层面上讲的,一是从理论层面上,一是从工商业的经营行为上。

首先,从理论层面上讲,涩泽荣一认为:"抛弃利益的道德,不是真正的道德。而完全的财富、正当的殖利必须伴随道德。"③他以《大学》的三纲八目为证,认为中国的原始儒家"以格物致知为明德的根源。而古之格物致知即今日之物质性学问。……以此例可推知,生产殖利本可含蓄于道德之中。"④而且在"尧舜禹汤文武时,算盘与道德决无矛盾",⑤只是由于出现社会分工之后,"实行之人未必为仁义道德教师,仁义道德教师未必为实行之人,此间无任何联络,实行之人不置仁义道德念头,仁义道

① 『渋沢栄一全集』第 1 卷,平凡社,1930 年,第 504 頁。
② 『渋沢栄一全集』第 2 卷,平凡社,1930 年,第 583 頁。
③ 『渋沢栄一全集』第 1 卷,平凡社,1930 年,第 507 頁。
④ 同上,第 507、508 頁。
⑤ 『渋沢栄一全集』第 2 卷,平凡社,1930 年,第 166 頁。

德教师不考虑现实生活，双方因自身生计以随意之事教之，遂如今日仁义道德与算盘之间生沟壑，互相违背以至世间将其视为两者。”[①]而这一倾向在宋朝以后更形严重，周敦颐、张载、二程等儒者，“相比于日常实际之处世法，以说性论理为重，道德论完全成为如同思索游戏的伦理哲学，以至与人间日常之处世不存任何关联。此弊至朱子更达其极顶，偏专理论胜于实际之活用。”[②]这种风气传入日本之后，也使一般人认为“在封建时代，武士道与殖产功利之道相背驰”。[③] 涩泽荣一关于义利乖离思想之形成的历史陈述以及对于中国儒家“义利之辩”的概括未必准确，而笔者略占篇幅介绍这些并非准确的认识，是因为涩泽荣一正是在这些认识的基础上，阐述其“义利两全”说的。

涩泽荣一在解释《论语》的“子罕言利，与命与仁”时，不赞同《大学》的“不以利为利，以义为利”的说法，认为“利就是利”。[④] 不过他又指出：“我所言之利是指谓符合无私之真理之利。”[⑤]具体地说就是“超越私利私欲观念，出于为国家社会尽力之诚意而得之利，可谓真利”。[⑥] 简言之，在涩泽荣一看来，“公益”即国家社会利益才是利，那么什么是“义”呢？涩泽荣一引用中国唐代韩愈(退之)的《原道》说：“博爱之谓仁，行而宜之谓义。”他认为：“仁为道德之大本，若人与人相交相接，治国家平天下皆以仁为本，从事实业亦必以仁为本。”[⑦]在工商业活动中实行“仁道”即是“义”。那么如何实行工商业的“仁”道和“义”呢？他说：“当然应谋求本公司之利益，同时亦应由此而谋求国家利益即公益。”[⑧]这样在涩泽荣一的理论构架中，“公益”即国家社会的利益，既是“利”，又是“义”，以“公

---

① 『渋沢栄一全集』第1卷，平凡社，1930年。
② 同上，第167頁。
③ 『渋沢栄一全集』第1卷，平凡社，1930年，第222頁。
④ 『渋沢栄一全集』第2卷，平凡社，1930年，第582頁。
⑤ 同上，第582、583頁。
⑥ 同上，第583頁。
⑦ 同上，第33頁。
⑧ 同上。

益”将“义”与“利”统一起来。

这便是涩泽荣一的“义利两全说”的主要理论内涵。从其“义利两全说”出发，他对《论语》的“君子喻于义，小人喻于利”进行了再解释。他说：“我经营事业时不喻于利而喻于义，于国家有必要的事业，其利益如何是第二位的，于义上讲应兴办的事业则兴办之，拥有其股份，且为使其获利而努力经营其事业。”①涩泽荣一也不否认获取“私利”即个人利益的正当性，但他认为个人利益只不过是追求“公益”的结果，他说：“谋求社会利益，使国家富强，终究会为个人带来利益。”②涩泽荣一的“义利两全说”既不同于深受儒家思想影响而“耻不言利”的武士阶级的陈旧论调，也有异于日本启蒙学者所宣扬的“公益乃私利之总合”的西方功利主义。它更为符合以“富国强兵”为口号而自上而下地发展近代资本主义的日本社会的时代需求，也容易为江户时代武士阶级的后身——士族所接受。

其次，从工商业的经营行为上讲，涩泽荣一的“道德经济合一说”与“义利两全说”认为，必须以正当的手段即严格遵循商业道德而获取利润。涩泽荣一在解释《论语》的“富与贵，是人之所欲也，不以其道得之，不处也”时说：“富贵是万人所欲者，但君子决不以不正当的手段获得富贵。”③在这里，《论语》所说的“道”，被他解释为“正当的手段”。他进一步阐述说：“所谓实业，无疑以谋求利殖为本旨。若商工业无增殖之效，商工业即无存在意义。……故真正的利益，若不基于仁义道德则决不可永续。”④他又引用《论语》的“放于利而行，多怨”并解释说：“仅以自己的利益为目的而行动，则会受到世间怨恨。但又以他人利益为目的而行动，则会流于宋襄之仁，自取灭亡。若首先考虑其行动果然合乎道理，并采取合乎道理的处置，则断然可行。”⑤而以上所说的“仁义道德”与“道理”，

---

① 『渋沢栄一全集』第 2 卷，平凡社，1930 年，第 196 頁。
② 『渋沢栄一全集』第 1 卷，平凡社，1930 年，第 509 頁。
③ 『渋沢栄一全集』第 2 卷，平凡社，1930 年，第 161 頁。
④ 渋沢栄一講述：『経済と道徳』，渋沢翁頌徳会，1938 年，第 1 頁。
⑤ 『渋沢栄一全集』第 2 卷，平凡社，1930 年，第 186 頁。

似乎是指商业道德。

涩泽荣一所提倡的商业道德首先是“信”。他说：“一个人的资产是有限的，与其依靠有限的资本，更重要的是活用无限的资本。何为活用无限资本的资格？此即信用。”①他还举例证明轻视信用的弊端：“尤在海外贸易上，闻此弊害颇多。例如，输出印度、南洋等国的商品粗制滥造，且有不坚守约定之事。当时从同地输入欧洲为战争之用的商品，虽频繁需要本邦商品，却如今日欧洲渐次供给，输出激减。其原因一半为生产费不低廉，并依势抬高商品价格，一半责任则必须考虑道德上的缺陷。……赴英国出席其工商业者会上时，一人批评‘日本人不守信用’……令人不禁慨叹。”②

涩泽荣一亦承认“竞争是学习或进步之母”，③但认为竞争有善意与恶意之分。“妨碍他人获得利益的竞争，此所谓恶意竞争。而提高产品质量，不侵犯他人利益范围则是善意竞争。”④避免恶意竞争的方法便是互相尊重商业道德与公认的规则，他还举例说：“伴随时代进步全部的事物也必须遵循规则，若只以自己方便行事，就如同通过火车站的检票口，入口很狭窄，若都想自己先通过，反而谁也不能通过，以至共陷困难。”⑤因而他反对使用“商战”这一说法，认为：“商卖非商战。战争必有胜败，一方若战胜而得益，另一方则肯定受损。若不分胜败，两方俱受损害。而商卖则是在交易中无一人受损，任何一方均得利而悦。”⑥他反对违背商业道德的投机、垄断、欺诈、贿赂等行为。他对岩崎弥太郎以压低运价为手段挤垮其他轮船公司而垄断航运业的行为极为厌恶，说：“将来在改革进步上得一有力的同业者，可以此论为基础互相竞争以促进步。”⑦

① 渋沢栄一講述:『経済と道徳』,渋沢翁頌徳会,1938 年,第 36 頁。
② 同上,第 152、153 頁。
③ 渋沢栄一:『論語と算盤』,国書刊行会,1984 年,第 181 頁。
④ 同上,第 183 頁。
⑤ 同上,第 87 頁。
⑥『渋沢栄一全集』第 2 巻,平凡社,1930 年,第 178 頁。
⑦ 土屋喬雄:『渋沢栄一』,吉川弘文館,1989 年,第 216、217 頁。

1881 年,他与益田孝等人一起投资 30 万日元创立东京风帆船会社,向三菱汽船发出挑战。

在财富的运用上,涩泽荣一主张“能集能散”。“所谓能散,即正当支出善用财富”。[1] 具体来说便是“富豪若为国家事业、社会事业或其他符合正道的事业而活用财产时,其资产便会发挥极有价值的作用。但如使用于自己的享乐或其他无益之事时,则不仅毫无价值,反倒危害社会。”[2] 在其《家训》中则更加明确地说:“勤俭乃创业之良图,守成之基础,常守之,不可骄怠。”[3]概而言之,涩泽荣一主张“用出色的手段谋求收入,而以善良的方法使用之”,[4]既体现了道德精神,也表现了理性态度。

马克斯·韦伯所指谓的新教伦理所体现的“资本主义精神”,自认为具有合乎伦理道德的明确生活准则,并能够以合理主义精神运用资本与实行经营。然而作为其生活准则的“入世禁欲主义”,是由于“上帝”的绝对命令。严守勤俭、诚实、规则,合理运用财富等均是“上帝”指定的生活方式,并被视为美德。涩泽荣一的“道德经济合一论”所确立的生活准则与所褒扬的信用、勤俭、正当支出,确实与新教伦理若合符节。但与新教伦理不同的是,这一切均是出自“公益”(国家、社会的利益)的现世需要和“为仁”的既超越又内在的人伦道德追求,其理论根据则出自儒家经典。不过,这两者在推动近代资本主义的形成与发展,维护资本主义的正常秩序方面所发挥的社会功能,却并无差异。

众所周知,在资本原始积累期,或是在资本主义的经济、政治、法律制度不甚成熟的地方,都曾“盛行不择手段地通过赚钱谋取私利或道德失坠的现象”。[5] 这种现象无益于资本主义正常秩序的确立与运转。因为“近代资本主义扩张的动力首先并不是用于资本主义活动的资本额的

① 渋沢栄一講述:『経済と道徳』,渋沢翁頌徳会,1938 年,第 9 頁。

② 同上,第 34 頁。

③『渋沢栄一全集』第 1 巻,平凡社,1930 年,第 467 頁。

④ 渋沢栄一:『論語と算盤』,国書刊行会,1984 年,第 99 頁。

⑤ マックス・ヴェーバー著、大塚久雄訳:『プロテスタンティズムの倫理と資本主義の精神』,岩波書店,1989 年,第 53、54 頁。

来源问题，更重要的是资本主义精神的发展问题。”[①]其实，真正对近代资本主义形成与发展有所贡献的“新型企业家”，“是那些既有高度发达的伦理素质又有远见卓识的、能忍耐自制的人”，[②]即具有资本主义精神的人。因为只有他们才能生产自己的资本和货币供给，才能维持资本主义有秩序的正常运作。不受任何道德规范约束地谋取或挥霍财富无益于近代资本主义的生成与运转。因而在近代资本主义的形成与发展时期，不仅会出现与国家权力的结盟，也会出现与宗教力量或道德力量的结盟。在西欧与北美，同近代资本主义的生成与发展结盟的宗教力量是新教伦理。而在日本，与近代资本主义的生成发展结盟的则是涩泽荣一的“道德经济合一说”这样的经过重释的儒家伦理。直至资本主义经济、政治和法律制度臻于成熟时，“资本主义精神”才是纯粹适应的结果与谋利的生活态度，才无需宗教或道德力量的特别支持。涩泽荣一的“道德经济合一说”，既是日本近代资本主义形成与发展期的时代需求，又确实发挥了促进近代资本主义形成与发展的社会功能。

之所以这样说，还因为从历史事实来看，涩泽荣一的“道德经济合一说”在当时的日本并非偶见的例外，如金原明善（1832—1923）、佐久间贞一（1846—1898）、矢野恒太（1865—1951）、小菅丹治（1882—1961）等企业家都曾提出过相似的理论。[③] 也正是在“道德经济合一说”的影响下，在明治时代有不少出身于武士阶级的人，抛弃“官尊民卑”与贱商意识，成长为“士魂商才”型的企业家。如贸易会社森村组的村井保固、第四银行的八木明直、第百银行的经理原六郎等皆是此类人物。[④] 时至今日，日本的企业家们仍对涩泽荣一的“道德经济合一说”推崇备至。

诚然，涩泽荣一的“道德经济合一说”和“论语算盘说”是经过重释的

---

① マックス・ヴェーバー著、大塚久雄訳:『プロテスタンティズムの倫理と資本主義の精神』，岩波書店，1989 年，第 77 頁。

② 同上，第 77、78 頁。

③ 土屋喬雄:『続日本経営理念史』，日本経済新聞社，1967 年，第 73—153 頁。

④ 坂田吉雄:『士魂商才』，未来社，1964 年，第 71—118 頁。

儒家伦理。而且他的重释,无论从严格的文字训诂角度看,还是从思维的程序展现与逻辑证明看,都未必十分严密,颇有些自由解经味道。涩泽荣一本人也公开声称:"《论语》的章句中,因时代的关系也有于今日之世不能原封不动加以应用的内容。"他还说:"学者只研究《论语》中某些章句之末而远离实行。我决不说空理空论全部依实际而行,因此仅就有益处之事说之。"[①]正如新教的路德派以及加尔文派重视《圣经》的真精神而不拘于文字训诂,开自由解释《圣经》的风气从而形成新教伦理的资本主义精神一样,涩泽荣一也是以解释学的方法对《论语》加以近代重释,从而提出了有利于日本近代资本主义形成与发展的"论语算盘说""道德经济合一说"。

综上所述,笔者认为涩泽荣一的"论语算盘说"与"道德经济合一说",无论从内容方面还是从社会作用方面,都与马克斯·韦伯的新教伦理有类似之处。

第二节　近代天皇制国家与儒学的政治化、社会化

近代日本的天皇制政权具有近代性与前近代性的二重性。正因如此,加之其权威主义的性质,自然不会将以个人自我意识与个人权利为核心的西方个人主义、民主主义和自由主义作为其正统意识形态。它除了以西方的社会达尔文主义(社会进化论)、国家主义等思想对抗自由民权思想,同时还极力复活与利用儒学、佛教(尤其是儒学的"忠孝"思想),使其泛化为日本近代天皇制的正统思想体系。儒学的泛化即其政治化、社会化的程度,较之封建的德川时代亦有过之而无不及。

在日本的近代天皇制下,儒学的政治化(即儒家思想与政治相结合并被政治权力所利用)是通过天皇颁布《教学大旨》《军人敕谕》《教育敕语》等将其明定为正统思想,并将其精神法律化来实现的。

---

① 『渋沢栄一全集』第 2 卷,平凡社,1930 年,第 30 頁。

近代天皇制政权的领导层因认识到儒学的教化力量，决定复活儒学并对其加以利用，这经历了相当一段的时间，也曾经历过内部论争。

明治初期的维新政府，对儒学是持批判态度的。1872 年 9 月作为学制序文发布的《关于颁布学制之布告》，对以儒学为中心的幕府时代的旧教育进行了批判。其中说儒学"骛于词章记诵之末节，陷于空理虚谈之岐途，其论虽似高尚，但能身体力行者甚少。斯即沿袭之时弊，故文明不普及，才艺无增长，贫乏破产，丧家之徒之所以多也。"①根据新学制，实行儒学教育的各藩藩校纷纷休学改制。作为民众教育机构的寺子屋、乡学或新开设的小学也被关闭。当时，启蒙学者写了许多数学、自然科学、历史、地理方面的入门书籍，并被当作初等、中等学校的教科书使用。这样的学问与教育，都反映了如"五条誓文"中所说摆脱"旧来之陋习"，体现出明治政府的开明倾向。

然而，始于 1874 年的自由民权运动，以其思想为指导进行了激烈的反政府斗争，对此，明治政府感到其政治主导权和既得利益受到威胁，遂开始转变政策。并且，当时浅薄的"西化"风潮所带来的社会弊端以及社会转型期必然出现的社会与道德失序现象，为天皇制政权领导层的某些人趋向保守提供了极佳的契机与口实。当时的明治政府除制定《新闻条例》、《谗谤律》(1875)、《演说取缔令》(1878)、《集会条例》(1879)、《野外集会条例》(1887)等对言论、出版、集会自由加以限制外，还直接血腥镇压自由民权运动，与此同时，在思想教育方面，出台了新政策。1879 年颁布的《教学大旨》，是这些新政策的开端。《教学大旨》的起草者是元田永孚(1818—1891)。元田是一名朱子学者，并且是熊本实学党的一员。1871 年他出仕宫内省，任侍讲，为天皇、皇后讲授儒学。明治天皇从 1876 年的东北地方开始，直到 1885 年从北海道至山阳道，在此期间至各地巡幸。1878 年秋，明治天皇在巡幸北陆、东海道之际，参观当地学校，并对授课中所讲"高尚的空论"甚为忧虑。

---

① 片山清一編:『資料 教育勅語』,高陵社書店,1974 年,第 16 頁。

1879年夏,元田永孚利用其天皇侍讲的身份,在天皇的授意下,向内务卿伊藤博文与文部省寺岛宗则下达《教学大旨》。《教学大旨》对颁布学制之后的教育方针进行了批判,并指出改正方针。其中指出文明开化令人担忧的结果:“专尚知识才艺,驰于文明开化之末,破品行,伤风俗者不少。”“其流弊在于后仁义忠孝,徒洋风是竞,将来之所恐,终至不知君臣父子大义。”命令“自今以往,其祖宗之训典,专明仁孝忠义,道德之学以孔子为主……”①为展示《教学大旨》实行的效果,同时又颁布《小学条目二件》,规定:“当世小学要准备设立绘图,挂古今之忠臣、义士、孝子、节妇之画像照片,幼年生入校之始先以此画像示之,说谕其行事之概略,使其脑髓首先感觉忠孝之大义,然后知诸物之名状,后来养成忠孝之性,方可于博物之学中不误本末。”②《教学大旨》以强调“祖宗之训典”“道德之学”力图追求孔子与儒学的“仁义忠孝”,实质上却是将五条誓文中体现的开明性排除在外,进一步明确了复活儒学思想的方针。

然而,以内务卿伊藤博文为首的开明派官僚,为控制文教政策的主导权,仍力主欧化主义方针。针对《教学大旨》,伊藤博文试图以《教育议》上书天皇提出反对意见。《教育议》批判元田永孚所说的“风俗之弊,实出世变之余,而其势有不得已者”,还指出“通观大局时,是以偏为维新以后教育不得其道所致则不可”,主张不可“急于救末弊,从而变更大政前辙,若更回护旧时之陋习,则甚非宏远大计”。③《教育议》还反对儒学政治化,主张“斟酌经典,建立国教,如此行事,必待贤哲其人,而政府非宜为管制之所”。④

针对《教育议》,元田不甘示弱,立即写了《教育议附议》反驳伊藤博文。元田认为“西洋所云之修身学,君臣之义薄,置夫妇之伦于父子之上,固悖我邦之道。且修身之书多出耶稣教法,故以四书五经为主,用国

① 片山清一編:『資料 教育勅語』,高陵社書店,1974年,第17頁。

② 同上,第18頁。

③ 同上,第51、52頁。

④ 同上。

书之伦理相关者，选取较洋学之品性性理完全者。”①他还反驳伊藤博文关于“国教”的看法，说：“今圣上陛下，有为君为师之天职，内阁亦有其人。此时不置更待何时，且今日之国教无他，亦复其古而已”，②坚持以儒教为“国教”的主张。此次论争，以伊藤博文保持沉默暂告一段落。元田永孚之所以能占上风，是因其天皇“侍讲”的有利地位。此外，由于当时自由民权运动日渐高涨，伊藤博文等开明派亦需利用天皇的权威。

1881 年的政变之后，明治政府的开明政策日趋后退，复活儒学的趋势日渐高涨。1880 年 6 月，朝野的名士设立了斯文学会，同年 7 月，推举有栖川宫炽仁亲王任会长，以儒学思想为基调开展道德运动，与自由民权运动和开明派官僚的欧化主义相对抗。

1882 年 1 月，政府以天皇的名义颁布了《军人敕谕》。《军人敕谕》将日本军队的成立追溯至神武天皇时期。以“朕乃汝等军人之大元帅”来论述天皇军队统帅权的正当性。并规定作为军人应铭记五条：“忠节”“礼仪”“武勇”“信义”“质素”。《军人敕谕》所列举的道德条目，完全与封建时期的武士相同，是儒学的道德条目。

1882 年 12 月，元田永孚等人编辑的《幼学纲要》公开出版，据说该书也是在天皇的授意下编辑的。《幼学纲要》中引用了天皇的敕谕，认为日本应主要以中国的道德为尊，而不采用西方的修身之学，接着引用敕谕原文“今学科多端，误其本末者匪鲜。年少就学最当以忠孝为本，仁义为先。因命儒臣，编纂此书，颁赐群下，俾知明伦修德之要尽在于兹”，③以此说明该书的编纂目的。1883 年 11 月，宫内省向全国学校及普通国民颁布《幼学纲要》。《幼学纲要》的体例，从“孝行第一”到“勉职第二十”共二十条，二十条中的前五条，依儒学的五伦——父子、君臣、夫妇、长幼、朋友（即“孝行”“忠节”“和顺”“友爱”“信义”）的顺序列出。针对各项目，首先列举《孝经》与四书五经的相关语句，接着叙述日本、中国的道德事

① 片山清一編：『資料 教育勅語』，高陵社書店，1974 年，第 54、55 頁。

② 同上，第 54、55 頁。

③ 山住正己：『教育勅語』，朝日新聞社，1980 年，第 30、31 頁。

例，并在多处附有相关插图。

1884 年 8 月，元田永孚又发表了《国教论》，主张以儒学为国教。在《国教论》中，主张“立天祖之诚心，明君臣之大义，敦父子之至亲，以孔子之道德扩充之，以欧学之格物补益之。此不仅为国教之用，亦可命文部普及教育。”①从元田永孚的《教学大旨》《教育议附议》《幼学纲要》《国教论》来看，他的儒教主义思想，不仅要复活儒学，还主张将之作为“国教”，进行无媒介的政治化。

然而，因政府对自由民权运动的分裂与镇压工作奏效，伊藤博文成为内阁总理大臣。他继续提倡推行欧化主义政策并将之作为实现条约改正的手段。1885 年，文部大臣森有礼对伊藤博文的方针进行补充，称：“在现代提倡孔孟之教是迂腐的。”②伊藤博文、森有礼等开明派的欧化主义，与保守派的儒学至上主义相同，都以富国强兵与强化天皇制政权为目的。然而，伊藤博文等人认为儒学至上主义并不符合当时的形势。在他们看来，复活儒学主义，依据与古代相同的内容、形式，并不能给明治政府提供力量成为其强力支柱。并且，以儒学为“国教”，政府统治思想、信仰的自由，恐会使诸国产生疑虑，他们担心这会对修改条约造成不利影响，因此主张无论如何必须避免复活儒学思想。

1886 年，在这样的情况下（如第六章所述），西村茂树针对欧化主义发表了《日本道德论》，主张儒学与欧洲哲学的调和，指出作为传统价值观的儒学在新阶段对促进天皇制的支配具有必要性。对于西村茂树的《日本道德论》，伊藤博文称其“太过激进”，是“阻碍政局前进方向的文字”而断然地予以反对。森有礼则评价道：“表示非常赞成，认为经过文部省审定后，可以用作中等以上学校的教科书。”③这样，开明派的思想教育政策与保守派的政策，经森有礼与西村茂树的居中调和，逐渐统一，儒学再度被政治化、正统化的大势已趋明朗。三年后，在 1890 年 10 月，作

① 片山清一編：『資料 教育勅語』，高陵社書店，1974 年，第 69 頁。
② 森川輝紀：『教育勅語への道』，三元社，1990 年，第 141 頁。
③ 遠山茂樹他編：『近代日本思想史』第 1 卷，青木書店，1956 年，第 190、191 頁。

为近代天皇制正统思想理论的《教育敕语》公布了。

《教育敕语》是在当时的总理大臣山县有朋、文部大臣芳川显正的主持下，由法制局长井上毅和元田永孚起草，以天皇在宫中将《教育敕语》下赐总理大臣与文部大臣，然后再由文部大臣颁发各学校的形式公布的。山县有朋早在担任参谋本部长时，就曾主持制定《军人敕谕》，担任总理大臣后，便企图将《军人敕谕》的类似内容推及于国民教育。他说："余有《军人敕谕》于头脑中，故望教育亦得同样之物。"①

《教育敕语》说："我臣民克忠克孝，亿兆一心，世济厥类。此乃我国体之精华，而教育之渊源亦实在于此。"它不仅将儒学的"忠孝"之道说成是"教育之渊源"，还将其提高至日本"国体之精华"的地位。②《教育敕语》具体规定了日本国民应遵循的道德规范，说："尔臣民应孝父母，友兄弟，夫妇相和，朋友相信，恭俭持己，博爱及众，修学习业，以启发智能，成就德器。进广公益，开世务，常重国宪，遵国法……"③其前半部分关于"父母""兄弟""夫妇""朋友"的道德规范虽有若干修改，但其明显来源于儒学的"五伦"道德。《教育敕语》进而说："一旦有缓急，则应义勇奉公，以辅佐天壤无穷之皇运。如是，不仅为朕之忠臣良民，亦足以显扬尔祖先之遗风焉。"④反映出教育的根本目的在于培养"辅佐天壤无穷之皇运"的"忠臣良民"。《教育敕语》的公布，不仅以儒学思想为核心规定了学校的教育方针，还确立了国民道德准则，使儒学政治化、正统化。它的影响不只局限于日本的近代教育，而是对日本的近代思想产生了更为广泛的、长久的制约作用。

敕谕颁布后，政府以《教育敕语》的精神为中心，通过学校向国民普及。为此，各地学校至少以三种方法来进行普及。第一是祝祭日的仪式，由校长进行捧读训示；第二是每日要向敕谕的方向行拜礼；第三是通

---

① 山住正己:『教育勅語』，朝日新聞社，1980 年，第 49 頁。
② 同上，第 1 頁。
③ 同上。
④ 同上。

过修身教育对敕谕内容进行注释。《教育敕语》就这样被经典化、神圣化了。直至 1945 年日本战败为止，所有与学校有关的敕令和法规，都反复表明要根据《教育敕语》的宗旨实行教育。“修身”教科书的首页，便是《教育敕语》的全文，“修身”课的内容就是逐条注释其内容。许多经历过战前教育的人，至今仍能暗诵以“朕惟我皇祖皇宗”为开头的如经文一样的文言。《教育敕语》不只在日本的教育方面，还被作为国家主义意识形态的最基本的经典发挥着作用。同时，儒学的道德思想，借助天皇制政权的权力与权威进一步社会化。日本近代儒学的社会化与政治化，其广度、深度，较江户时代有过之而无不及。

《教育敕语》颁布之后，其注释书也相继问世，多达数百种。通过这些注释书，《教育敕语》的儒学主义、国家主义内涵被大书特书。其中代表性的注释书是井上哲次郎在 1891 年 9 月著述的《敕语衍义》。井上哲次郎当时任东京大学教授，他在从德国留学归国时，被文部大臣芳川显正选定担任“敕语”注释书的作者。井上深感“光荣”随即开始写作。他写作的草稿，曾多次听取中村正直、西村茂树、井上毅等人的意见，又上呈天皇内览，最后由文部省出版刊行，可谓官定的“敕语”注释书。《敕语衍义》着力从封建时代未曾出现的国家主义的角度，将儒学的“忠孝”之道政治化、正统化。它宣扬一种家族主义国家观，说：“国君之于臣民，犹如父母之于子孙。即一国乃扩充一家者，一国君主之指挥命令臣民，无异于一家父母以慈心吩咐子孙。”其中还引进德国的国家有机体理论，说：“国家与有机体相同，……君主譬如心意，臣民如四肢百体”，“臣民待君父以忠孝，此德义之极大者也”，因而“服从乃臣民之美德。”①《敕语衍义》以神道思想说明天皇的神格和国体的特殊性，将之与儒学的忠孝道德、德国的国家有机体学说相结合，形成了“忠君”即“爱国”的天皇制国家主义思想和“忠孝一致”的国民道德论。

一旦儒学的“忠孝”道德与《教育敕语》被政治化、经典化、神圣化，便

---

① 山住正己：『教育勅語』，朝日新聞社，1980 年，第 158、159、162 頁。

立刻展现出压制异端的倾向。其代表性例证就是所谓的“内村鉴三不敬事件”。1891 年 1 月 9 日，东京第一高等学校在伦理讲堂举行《教育敕语》的“捧读式”。在场的教职工和学生一同向天皇亲笔署名的《敕语》深躬敬礼，唯有嘱托教员内村鉴三因系基督教徒，仅稍稍低头致意。此事遂成为大问题，该校的教师、学生在 1 月 27 日出版的《校友会杂志》上，指责“本校教员内村鉴三氏不致敬礼，有污此神圣会场”。[①] 此后新闻记者将之称为“不敬事件”，几乎全国的新闻、杂志都对内村展开激烈的批评、攻击，以“无礼汉”“蛮不讲理的教师”“不忠之臣”“乱臣贼子”“不洁的教师”“外教的奴隶不敬汉”等恶俗之语咒骂内村鉴三。[②] 结果，内村于 2 月 3 日以“依愿解雇”被免职。就当世人已几乎忘记“内村鉴三不敬事件”的时候，井上哲次郎抨击基督教的相关理论出现了。此事缘起于 1892 年 11 月《教育时论》杂志刊登的名为《井上哲次郎就宗教与教育关系的谈话》一文。针对井上的言论，青山学院信仰基督教的本多庸一，于 12 月在同一杂志发表了《就宗教与教育关系问井上氏》的质问文。井上对此予以直接回应，在 1893 年 1 月至 2 月，于同一杂志上发表了《教育与宗教之冲突》，坚持一贯的基督教与日本国体相悖的主张。文章的刊登随即引发了一场围绕“教育与宗教之冲突”的论争，很多人参与到讨论中，因反对教育敕语体制而被处罚的人，不仅有基督教徒，还有教师，历史学者久米邦武的笔祸事件即是一例。

《教育敕语》提倡的“忠孝”道德精神，还被法律化，纳入明治民法中，这是日本近代儒学正统化、政治化的另一个表现。

明治维新以前的日本法律，与中国法律同样表现出混淆道德与法律的倾向。明治维新后，就国内而言，由于日本资本主义经济的发展与国家统一的促进，传统的法律体系与法律观念已不适应时代的要求。同时在对外政策上，为通过近代性法律制度的整备实现条约改正，制定统一

---

① 山住正己:『教育勅語』,朝日新聞社,1980 年,第 100 頁。

② 今井淳他編:『日本思想論争史』,ぺりかん社,1979 年,第 359 頁。

的、近代的法律成为当务之急。民法编纂最初以近代法国民法为模板，为符合日本的实际情况进行或大或小部分的补订，以这种形式推进编纂。1888 年，民法典第一草案完成。然而，这一草案被指责"扩张使各人独立的私权"，"与我国今日之家族相反而不相容"，①元老院在审议过程中要求进行修正。法案经过修正后，于 1890 年公布，决定自 1893 年开始实施，在户主权、亲权、夫权方面较之草案有所强化。然而，此后反对民法实施的声音仍然不绝，在民法即将实施之前，反对的声音更进一步强化。

1890 年恰是《教育敕语》公布的一年。"忠孝"道德已被规定为日本"国体之精华""教育之渊源"。在这种保守主义倾向高涨之时，以东京帝国大学教授穗积八束为首的民法实施延期派，从传统的家族主义、儒学的忠孝道德、国家主义的立场对民法进行根本性的批判。留学德国接受过宪法学教育的穗积八束，相继发表了《国家的民法》《民法出则忠孝亡》《祖先教乃公法之源》等文，以领导民法实施延期派。他指出："民法出则忠孝亡"，"我国乃祖先教之国，家族制度之乡。权力与法皆生于家。……氏族、国家不过为家制之推扩。……然民法之精神，先排斥国教，继而破灭家制之精神。"②以此来攻击民法。并且说："法制史家眼中，孝道乃祖先教家制之影也，法制先亡其实体，教育行政则汲汲于欲存其影。史家应笑其前后矛盾。"③指出"法制"（民法典）与"教育行政"（《教育敕语》）之间的矛盾。

以和田守菊次郎为首的"实施断行派"，对于穗积八束等人的攻击，也未沉默。和田守菊次郎以题为《穗积博士误解了民法》的文章，专门批驳穗积八束的《民法出则忠孝亡》一文。

1892 年 4 月，在第三次帝国议会召开前夕，"实施延期派"发表了《延期实施法典意见》。该文在说"与其说法典含破坏我国体及社会之性质，不如说其欲播种"之后，将其主张列为七条，并展开详细的论述。其中最

① 宮川透他編：『近代日本思想論争』，青木書店，1963 年，第 75 頁。

② 『近代日本思想大系 31　明治思想集 2』，筑摩書房，1977 年，第 17、18 頁。

③ 同上。

重要的条目是:“新法典破坏伦常”,“新法典缺乏国家思想”。1892 年 5 月,第三次帝国议会正式提出了延期实施民法的议案。经贵族院的激烈争论,于 5 月 28 日以压倒性的多数通过了议案。此后,明治政府便设立了法典调查会,决定对民法进行修改。属于延期实施派的穗积陈重、富井政章等被任命为民法典起草委员。其修改方针是:第一充分考虑旧有习惯;第二参考最新立法学说,特别是德国民法的第一、二草案修改旧民法。1896 年公布了民法前三编(总则、物权、人权),1898 年又公布了后二编(亲族与继承)。修改后的民法称为“明治民法”,至日本于第二次世界大战中战败前,一直适用。

明治民法通过维护日本传统家族制度和强化户主权、亲权的形式,将儒家的“忠孝”之道加以法制化。

明治民法规定的家族,不是欧洲近代那种以夫妻为中心的单一家族,而是以亲子为中心的日本传统的复合家族。其第 732 条规定:“家族是指户主、他的亲族、在其家者及他们的配偶。”①在这样的家族中,父家长的权力极大。明治民法虽未明文规定父家长的权利,但明确规定了“户主”的“权利”和“亲权”。一般情况下,父家长既是户主,又是子女的父亲,所以明治民法规定的“户主权”和“亲权”的相关条目,就共同构成了父家长的权利。根据明治民法第二章“户主及家族”,户主具有以下权利(“权利”而不是“权力”的用法,反映了当时的现实):一、家族入家去家的同意权(同意或否决家族成员的家籍);二、确定家族的居住地;三、同意或否决家族成员的婚姻请求,同意或取消养子资格;四、家族财产的处理权。另一方面,户主的“义务”,只有“承担扶养家族的义务”。② 依据明治民法的“户主权”与“亲权”规定的户主与家族的关系、亲与子的关系,并不是平等的关系,而是强制的服从关系。明治民法的这种规定,完全可以说是儒家“父父,子子”的尊卑秩序和“忠孝”道德的法律表现。

---

① 井ケ田良治他編:『史料日本近代法』,法律文化社,1983 年,第 42 頁。

② 同上,第 45 頁。

儒学通过不同的途径，渗入社会各阶层，以至在普通民众中演化为民众道德和社会习惯，此即儒学的社会化。这种民众道德与社会习惯，虽然其思想源自儒学思想，其直接来源却是那些不具备理论性色彩的儒学思想家的著述，并往往成为脍炙人口的教训而普及。儒学的社会化，虽与政治权力主导的平民教化政策不无关系，但又不具有权力的强制性。

日本江户时代的儒学，已在相当程度上被社会化。例如，作为寺子屋教科书的“往来物”(《童子教》《实语教》《三字经》《千字文》《庭训往来》《六谕衍义大意》等)普及时间长、范围广。其中，处世性的谚语、教训较多。如《童子教》说：“口是祸门，舌是祸根。”“积善之家，必有余庆。”“人死留名，虎死留皮。”《实语教》讲：“山高故不贵，以有树力贵。人肥故不贵，以有智为贵。”《六谕衍义大意》则有“孝顺父母”“尊敬长上”“和睦亲里”“教训子孙”“各安生理”“勿作非为”六章。女子专用的《女大学》《女实语教》则称“女以夫为天，逆夫则必受天之罚”。“幼则从亲，嫁则从夫，老而随子，是女之三从。”[①]儒学的伦理规范与思考方式的确以谚语与教训的形式进入到庶民的日常生活中，由此推测，儒学的影响已遍及江户时代诸阶层的社会习惯中。

明治维新后，尤其是明治政府企图复活儒学主义之后，小学校、中学校的“修身”、国语、历史教科书中，充斥着儒学伦理、忠君爱国、国家主义(乃至军国主义)的内容。由于近代日本人接受小学教育的比例接近100%，这样的教科书就成为儒学伦理与国家主义传播的主要途径。因而可以说，在日本近代，儒学的社会化程度远远超过江户时代。

依据1881年文部省的《小学校教则纲领》，一直以来位于各学科之末的“修身”课，被置于各学科之首，为儒学道德教育成为教育之核心发挥了重要作用。例如，1883年的《小学修身书》，在首卷的开篇便写道：“孝，德之本也”，在首卷之后的第一卷，以“父母之恩，天地之间”为第一

① 唐沢富太郎：『教科書の歴史』上巻，行政出版社，1990年，第48—74頁。

章的开始。接下来的第二章教以兄弟之事，全文皆贯穿着“孝”的伦理。[①] 1890 年《教育敕语》颁布后，《小学校教则大纲》又规定：“修身基于教育敕语之趣旨，以启培儿童良心，涵养其德性，教授人道实践方法为要旨。”[②]“修身”教科书改采德目基本主义，依据忠义、友爱、仁慈、信爱、礼敬、义勇、恭俭分章组织，并且要每年反复学习。当时死记硬背《教育敕语》的情况非常普遍。

1903 年，开始实行教科书国定制度。国定教科书编纂之际，尤为重视的就是修身科。国定修身教科书，改变了依据《教育敕语》的德目顺序进行排列编纂的方法，强化了家族国家观、祖先崇拜、“忠君爱国”的内容。例如国定 II 期高小三年级的“修身”教科书，对家族国家体制进行系统的说明：“我国以家族制度为基础，举国成一大家族，皇室即我等之宗家。我等国民以子女对父母的敬爱之情，崇敬万世一系之皇位。是以忠孝为一而不可分。……忠孝一致实为我国体之特色。”[③]依然强调“孝行”，如说“父母日夜劳心，勤于业务，教养我子女，乃谋求家之繁荣与为国尽力。故为子者，应善守父母之教，尽孝行，兄弟朋友互助，必使父母之心安”，[④]尤其是“为国尽力”，可以看出强化了国家主义的内容。

1941 年太平洋战争之后，在战争正当化与为战争出力的要求下，所有教科书都增添了一层军事色彩。“修身”科作为“国民”科之一个分科，以“炼成皇国民”为终极目的。修身教科书强调“忠”为最重要的，将参加现实战争用文字表述为“减私奉公”“尽忠报国”的臣民，并在儿童面前展示其战斗之资。例如，《初等科修身》三中“军神的面貌”一节，列举橘中佐、加藤建夫少将、“特别攻击队”的九军神、“饭沼飞行员”等人的事迹。就连一直作为“孝子”典型的二宫尊德，也被强行要求解释为对“皇国开辟之大道”尽忠的范例。

---

① 唐沢富太郎：『教科書の歴史』上卷，行政出版社，1990 年，第 176 頁。

② 同上，第 209 頁。

③ 同上，第 336 頁。

④ 同上，第 545 頁。

1880年代以后,为适应日本的国内外形势,“修身”教科书虽不断更改其形式与内容,但儒家的“忠孝”伦理却是其贯穿始终的主旋律。

修身教科书中体现的思想特色,在历史教科书中亦有体现,通过这两种教科书,彻底贯彻了以培育尊王爱国思想为目的的道德教育。1881年开始,曾在小学中讲授的“万国史”课程被禁止。同年颁布的《小学校教则纲领》规定:“授历史务在使生徒了解沿革之原因结果,尤以养成尊王爱国之志气为要。”①历史教育的内容是:“历史中忠臣孝子之事迹,兼教修身之道”,②这使之从儒学的、国家主义的角度协助修身教育,历史教育成为辅助道德教育的一种手段。

1890年颁布《教育敕语》后,历史教科书更加强调天皇“万世一系”的“冠绝国体”和“忠君爱国”精神。历史教育的修身化,即重视历史的伦理性作用,是当时历史教育的根本特征。1892年发行的由本庄太一郎著述的《历史教授法》,是这种历史教育特征最为极端的表现。其中说:“小学历史非教授史学,依据有关史学的交际知识,陶冶学生品性,乃为其主眼。”③一部日本史被写成“尊王”“忠君爱国”史。历代天皇均被描绘成贤君圣主,其罪恶与失政皆隐匿不书,菅原道真、平重盛、楠木正成等“忠孝”之臣则倍受褒扬。1912年,《寻常小学日本历史》和《高等小学日本历史》教科书又根据儒学的“正名”思想,将历史上曾对立的南北朝中的南朝奉为正统,把支持北朝的足利尊氏判为“逆贼”。满洲事变后,《寻常小学日本历史》被改称《寻常小学日本国史》,增加了“神国”日本的宣传,把“天之岩屋”“大国主命献上国土”“八岐大蛇”等神代史的内容写入历史教科书。在太平洋战争时期,历史教科书《初等科国史》为具体显现“肇国的大精神”,其教材的“选择标准”是:“内明大义名分,外盛海外发展气宇,采适合此二大眼目之史实。”④该书的结尾,在引用楠木正成战死前训

① 唐沢富太郎:『教科書の歴史』上卷,行政出版社,1990年,第180頁。

② 同上。

③ 同上,第241頁。

④ 唐沢富太郎:『教科書の歴史』下卷,行政出版社,1990年,第45頁。

诫其子楠木正行的遗言("舍命全忠,即汝第一孝行")之后说:"我们应努力学习,成为正行那样的忠臣,为天皇陛下献身。"①1880年代以后的日本历史教科书,难称其科学性,而是一味以将儿童变为"忠臣孝子"为目的。

国语教科书中也填塞了许多宣扬"忠孝"之道、"忠君爱国"乃至国家主义、军国主义的内容。1887年出版的《寻常小学读本》第六册第二课,题为《太阳旗》,其中说"太阳旗,我们的太阳旗,照耀八洲之外的太阳旗",②明显地表现出对外扩张的倾向。中日甲午战争与日俄战争后,国定国语教科书中,从卷一开篇即刊载着国家主义与军国主义的内容,展示儿童心中军国日本的印象。第一课是《国旗》,描述日之丸,即国家的象征。其后中间的课文有《菊纹与桐纹》,即皇室的象征。随后又有"战士列队前进。请看那旗帜,那是军旗",③描绘军队行进与军旗。在其他年级各册中还有《广濑中佐》《橘中佐》《我们的陆军》《我们的海军》之类的课文,体现了国家主义与军国主义的倾向。就连《军人敕谕》也成为国语的教材。儒家的道德教训,在国语教科书中亦有体现。例如,国语教科书第六卷第二十五课的《数字歌》中,第一句便是"你数一,人以忠义为第一。莫忘记,深深君恩与国恩"。④ 以下则是"孝父母"等内容。太平洋战争期间更有甚之,宣扬超国家主义、军国主义的教材竟占全部国语教科书内容的76.4%。

明治维新之后,尤其是1880年代之后,大部分日本人从幼年时起,即通过上述教科书接受"忠孝"之道、"忠君爱国"、国家主义乃至军国主义的教育。这样的教育深植于他们的内心,形成了他们权威主义的价值观与家族主义的伦理观。这样的价值观与伦理观,代代相传而终至社会化,成为日本人思想的一部分。

诸多历史事实表明,无论如何高尚的理想,一旦被纳入现实社会的

---

① 唐沢富太郎:『教科書の歴史』下巻,行政出版社,1990年,第50頁。

② 唐沢富太郎:『教科書の歴史』上巻,行政出版社,1990年,第226頁。

③ 同上,第362頁。

④ 同上,第371頁。

权力伞下，即被政治权力意识形态化，都可能丧失其根本精神，变得面目全非，甚而成为残酷的事实。例如，儒学的根本精神是一种具有人文精神的道德理想主义，它企图以道德转化政治，造就“圣王”，作为一种理想不可谓不高尚。然而儒学在汉代被政治化后，反而沦为证明“王之圣明”的工具。因而，儒学的政治化对儒学原创者的理想及其根本精神来说不啻一帖剧烈的腐蚀剂。以“忠”作为例证来看，“忠”的最初涵义为公正与诚笃。在春秋时期开始作为政治道德规范时，则体现了一般人对公平政治的要求。到孔子时，“忠”的内涵复杂化，既讲“与人忠”，“行之以忠”，又讲“臣事君以忠”，将其作为以下待上的政治道德，但它又不只是臣下单方面的服从义务，其前提是“君使臣以礼”。“忠”被解释为“忠顺”，即臣下无条件地单方面顺从君主，则是汉代儒家被政治化以后的事。而近代日本提倡的“忠君爱国”与“忠孝一本”，更是有失“忠”之本意。

在近代日本，儒学的政治化与社会化对儒学的命运来说也非福音。日本近代的政治思想与各阶层的政治心理具有二重性。从日本近代的政治思想看，既有近代政治思想的传播（如启蒙运动、自由民权运动与大正民主主义运动时期的人权、民主、自由思想和近代天皇制政权所利用的社会达尔文主义、社会有机体说、国家主义），也有前近代思想的复活、改制与利用（如儒学、佛教、神道思想）。从各阶层的政治心理看，既表现了近代性质的主动参与意识，又以“忠君爱国”的“臣民之道”形态表现为前近代性质的对权威主义的绝对顺从。然而，无论从哪一层面看，政治化、社会化的儒学都承担了日本近代政治文化的非近代性一翼。因而，若以哲学的方法来考察儒家思想与日本政治现代化的关系，泛化的儒学对于日本政治的现代化进程，毫无疑问是否定性的存在。从思想逻辑上讲，儒家的“忠孝”之道及其在日本的衍化物“忠孝一本”思想，无论如何也不能与近代民主、自由思想互容。

然而，若以历史的方法从社会功能的角度进行考察，以“忠孝”之道作为重要支柱的日本近代政治文化，对于日本的现代化进程，却可谓利害共存。近代日本的天皇制政治权力，利用“忠孝”道德的正统化与教育敕语体制，剥夺了大多数日本国民思想、信仰、探索知识的自由，千方百计地将人民塑造成统一的“忠臣良民”。日本的军国主义者以“国体明征”“忠君爱国”的口号为基础，麻痹民心，驱使民众参与侵略战争，这都展现出近代日本政治文化的有害功能。但是，以教育敕语体制为基础，学校教育普及，对促进生产不可或缺的学习了实用知识、技术的人才增加，以此为基础，日本迅速实现了向高度工业化国家的蜕变。这亦可说是近代日本政治文化的有益功能。

总而言之，儒学的政治化、社会化是不利于现代社会儒学根本精神的再发现与再创造的。然而在现代社会，复活儒学思想确实具有必要性，其政治化又是不可避免的。

第十章 近代日本与儒学

第一节 日本的社会构造与儒学

儒学思想，尤其是其伦理观，为何能在近代日本得以继续发展，并具有很大的影响力。其原因颇多（例如，第九章论述的日本近代天皇制政权的意识形态政策，就是原因之一），一部分儒学伦理的内容适应了近代日本独特的社会构造，也是其中的主要原因之一。

近代日本社会，因产业化进程显著而成为亚洲唯一的工业社会，然而仍残留着浓厚的农业社会特征。例如，据 1930 年代的国势调查显示，日本农业人口占全体从业人口近半数，而工业人口只勉强达到全体从业人口的两成。并且在工业人口中，从业人员达五人以上的工场与官营工场中的雇佣劳动者，只占三分之一。商业人口的比率虽有显著增加，然而雇主与个体业主比雇工多，小商业占压倒性的多数。在推进近代化的同时，构成这种近代社会的主体是从事小家族经营的农户，尽管其数量有所增加，却与前近代的商户与手工业的町工场并无太大差异，业主与家庭从业者是其经营的主体。①

对于这样的农户与自营工商业主来说，家庭既是生活集团也是经营集团，农业与商业就是“家业”。“家”制度，对维持近代日本社会起到了重大作用。

明治政府不只维持了日本独特的“家”制度，保守了其前近代的传统，而且还对其进行强化。例如，与中国和印度的男子均分制不同，日本实行长子优先继承制，这虽然曾适用于江户时代统治阶级的武士阶层，但明治民法制定后，长子家督继承制成为通行于全日本的制度。

所谓的“家”，在中国指“家族”“宗族”，在现代日本则具有家族成员的集团的意义。人们开始意识到家应该包括作为住所的家和家产，为维持家业而采取的生产手段，埋葬祖先的墓地等，以及从古至今在村及町中所占据一定的阶级地位。从“家”成员的角度来看，没有血缘关系者也可以是家族一员，婿养子自不必说，奉公人及其家人也可以是“家”的一员。“家”中各成员的地位并非平等，家长的权力非常强大。家长管理家的财产，是祖先祭祀的核心，指挥家族成员并经营家业。消费生活亦由家长全权掌管。细碎的日常消费支出，由家长之妻通过家长给她的钱来处理；非日常支出，则从家长的钱中出，并且这一规定是不容置疑的。这样家长的地位就在生产与消费两个方面，实现了其永久的权威性。如本书第九章所述，明治民法规定的“户主权”“亲权”等，在法律上承认了这样的家长权。根据明治民法，家族成员的入籍、婚姻等都必须得到家长的同意。家长与家族成员的关系是主从关系，亲子的结合同时也是主从的结合。日本的同族由总本家——分家——孙分家的序列关系构成，实际上是承认了本家的最高地位。

现代日本人将家族主义的观念带入了家族外的社会中。这种家族主义的社会关系首先在农村最为典型。在农业生产中，地主和佃农的关系也可称为“亲方子方”，类似“亲子关系”。围绕着模拟血缘关系建立的

---

① 参照福武直：『日本社会の構造』，東京大学出版会，1981 年。

依存关系网，因日常性、地域性的接触而愈加深厚，这样村就具备了家族概念扩大的特征。这样的社会关系在小工商业中也可明晰地辨认出来，店主与“奉公人”自前近代以来的关系，商店的雇佣关系都长久地保存下来，小工场中的人际关系也保留着亲方、职人、徒弟的特征，在工场一家的特质下工场主即是家长。近代大工场中劳动者间的人际关系虽表面上看具有不同的特点，但无论经营大工场的财阀自身大小，都具有家族主义性的同族结构特征，其职场内部的社会关系与小工场其实没有决定性的差异。如“企业一家”“劳动者和雇佣者一体”这样的标语，实际上是大工场培育家族式人际关系的表现。家族主义的人际关系，在官僚社会以及政治家团体、文化团体（比如学校）中也受到认可。政府机关和学校中的如亲分子分的门阀与党徒，议会这种近代政治制度政党中的“亲分子分关系”，依据以“臣民”为“子”、用“亲心”指导臣民的天皇制政权形成的家父长制国家，都体现了家族主义的社会关系，这种关系已渗透到现代日本社会的各个方面。

川岛武宜的《日本社会的家族式构成》(1948年)对这种家族主义的社会关系进行了论述。他指出整个日本社会是根据家族主义原理组成的，种种家族式关系是家族生活规模扩大的表现。其主要内容是：(1)“权威”的统治以及对权威的无条件服从；(2)个人自主行为阙如以及由此而来的个人责任感的阙如；(3)社会规范不允许进行任何自主的批判与反省；(4)团体内的亲子式家庭氛围和对团体外成员的敌对意识。他认为这种家族、家族式关系或家族式原理都是与民主主义相对立的，如不否定它们，日本就无法实现民主化。①

在1950年代，川岛武宜关于日本社会构造的理论，得到日本人的广泛赞同，家族性质的集体主义受到广泛的批判，被视为日本社会中的封建残余。日本的新宪法和民法也都公开宣称废除这种家族主义。但是1960年代以来的高速经济增长，使一度受到现代主义批判的家族主义、

① 川島武宜:『日本社会の家族的構成』，日本評論社，1950年，第16—22頁。

集体主义得以重拾信心。在这种时代背景下，中根千枝于1964年出版了著名的《纵式社会的人际关系》(1964年)一书。

中根千枝在《纵式社会的人际关系》中对日本社会结构的现象描述，与川岛武宜及其他学者并无显著不同。她与川岛武宜一样，认为家族主义及其模拟型是日本社会构造的特色，“家”是日本纵式社会的原点。她说：“日本社会集团构成的原理集中地表现为‘家’。在日本的所有人口中(至少在江户时代中期以后的农村中)都可以看到‘家’的存在，这种集团构成可以视为日本社会构造的特色。”“以‘亲分’‘子分’为象征的人际关系，不仅存在于政治家和黑社会中，实际上还存在于自己认为也被他人认为具有进步思想的文化人、讲授西欧经济与社会的大学教授或在最先进的大企业中工作的人们中间。”①

中根千枝与川岛武宜的不同之处在于她对日本社会的家族式构成的解释与评价。中根千枝是以社会人类学的方法来分析日本的社会构造的。这里所说的“社会构造”(social structre)不同于“社会组织”(social organization)，是内在于某一社会的个人与个人、个人与团体、团体与团体之间关系中的基本原理。它是构成社会(或文化)的诸因素中最难变化的部分。社会组织或样式会不断发生变化，但作为其内在基本原理的“社会构造”却可能相对稳固而少变动。“社会构造”“相当于语言中的语法”。② 自明治维新以来的100年间，日本社会经过工业化、城市化后发生了一番巨大变化。但作为社会“语法”的“社会构造”却因其持续性、固执性而几乎没有改变。“例如，日本的大工厂、大企业同美国的工厂企业，在其正式组织建制和生产制度方面，情况都一样。但其非正式组织却相差极大，很难设想能对它做任何改变。这种非正式结构始终是日本工业发展的原动力。”③

中根千枝运用社会人类学的“场”与“资格”两个概念，来分析日本社

① 中根千枝:『タテ社会の人間関係』,講談社,1967年,第36、164頁。
② 同上,第185頁。
③ 同上,第17頁。

会构造的因素。她认为日本是强调“场”的社会。比如日本人向他人做自我介绍以表明自己的社会位置时，总是喜欢将“场”（自己从事的职业、所属的公司、政府机关、学校）置于“资格”（自己的姓氏、经历、学历、地位、职业等）之前。因此在日本，较之“横式”人际关系（理论性的阶级关系）更为重视“纵式”人际关系（亲子关系、结合不同事物差异性的关系）。中根千枝虽然承认“纵式”组织中的成员间存在“不平等性”与“序列意识”，但是她强调领导与部下间“纵式”的情感关系与“人类平等主义”。

对于日本独特的社会构造的评价，中根千枝承认这种“纵式”人际关系，会导致个性与个人发展的可能性变低，并具有带来同类集团激烈竞争的弊端。她认为这种结构法不是以“封建的”或“前近代的”这类判断语可以简单概括的，而是起源于日本民族发展的历史进程中，并已经成为日本文化难以改变的一个特征。她说：“日本式的团体构造的原理，在某种意义上说是现代性质的，是非常有效的组织方法。”“实际上，日本人能成功地实现令人瞩目的现代化的原因之一，即在于百分之百地灵活运用了这种以纵式联系的结构。”①

中根千枝的这种理论备受批评。例如，在英国以学校为代表的各种集团中，仍能看到很多纵式社会的人际关系。在美国依然残存着贫富、人种差别等纵式社会的因素。这样看来，中根千枝认为日本是纵式社会而欧美诸国是横式社会的说法并不确切。米山俊直在《日本人的伙伴意识》(1976年)一书中，指出了纵式社会是否适用全体日本社会这一问题。他认为东京是纵式社会型，关西则是横式社会型。纵式型是武士对农民，横式型是手工艺者、商人的伙伴关系。例如，在西南日本，座、株仲间、村组织、町组以及多种类型的讲组成了横向关系的结构。纵式社会的集团构造，并不是属于庶民的，而是由企业与中央政府、保留着讲座制

① 中根千枝：『タテ社会の人間関係』，講談社，1967年，第126頁。

的大学，也就是精英社会所承认的。①

也有许多学者，虽然未必使用相同的概念或理论方法，却都或多或少地涉及日本社会的“家族构成说”或赞同“纵式”理论（例如，会田雄次的《日本人的意识构造》[1970 年]，河合隼雄的《母性社会日本的病理》[1976 年]，村上泰亮、公文俊平、佐藤诚三郎的《作为文明的家社会》[1979 年]，福武直的《日本社会的构造》[1981 年]，间庭充幸的《日本式集团的社会学》[1990 年]，山崎正和的《日本文化与个人主义》[1990 年]等）。《作为文明的家社会》一书论述了在日本现代化进程中，家型组织的原则在每个人心中作为一种文化遗传情报而不断积累，在面对具体情况时得以再确认、再利用。② 山崎正和在《日本文化与个人主义》中认为，日本社会中这两种原理是并存的，并且是在互补的情况下推动了历史发展，这种原理是家社会与个人主义的原理，农民、武士的组织原理与商人的行动原理。现代日本人相比于过去的农民、武士，将自己所在的社会作为家型社会，这是选取了武士、农民生活的一个侧面而形成的。③

还有一些“日本人论”的书籍指出，在这样序列式的“家”“纵式”社会中，“无论遇到何事都必须是乐观高尚”的人格主义者，在人际关系方面则需要是关系主义者。相比于西方社会将作为“超越者”的神与人类的关系视为最重要的关系，日本人则更注重将集团内外的人际关系作为至上的课题。日本人不是将宗教，而是将作为社会强制规定的人际关系道德作为其价值观的绝对性前提。因此，日本人的道德不仅是适用于全体社会的道德，也是适用于个人与个人、集团与集团等具体关系的、相对的、个别的道德。反之来说，近代日本的“家”“纵式”社会，是以道德的正当性为支撑的社会。

一般来说，欧美的个人主义伦理观是普遍适用于其全体的价值观。这种普遍性来源于人类与“神”的关系，即“神”面前人人平等的观念。然

---

① 米山俊直:『日本人の仲間意識』，講談社，1976 年。

② 村上泰亮、公文俊平、佐藤誠三郎:『文明としてのイエ社会』，中央公論社，1990 年。

③ 山崎正和:『日本文化と個人主義』，中央公論社，1990 年。

而，对于重视个人与个人、个人与集团、集团与集团等具体的、特殊关系的现代日本社会，适用于这种关系的不只是普遍的伦理基准，还有适应各种关系与场合的具体秩序规则。因而现代日本“家”“纵式”社会的支柱，不是欧美的个人主义伦理观，而是以儒学道德为主要内容的传统伦理观。从历史上看，日本人自生的伦理概念比较少，大部分来自儒学与佛教。在儒学伦理中，存在依据“资格”适应人际关系的内容（例如，“悌”“信”“诚”），也存在依据“场”适应人际关系的内容（例如，“孝”“忠”“恩”）。而且对中国儒学中的一部分伦理概念进行改造以期适应日本的“家”“纵式”社会（川岛武宜指出，现代日本的“孝”与中国古典儒学的“孝”具有差异，其中包含了以“恩”为条件的特殊性伦理、心理构造）。在“家”“纵式”社会中，作为现代日本社会的道德支柱，为适应各种各样的家族式社会关系的儒学伦理道德仍持续存在。

如本书第九章所述，现代日本最重视并大力宣传的儒学伦理概念是“忠”与“孝”。为使“家族制国家说”能够成立，“忠孝一致”说受到大力吹捧。如前所述，现代日本的“忠”与“孝”包含了一些中国儒学中“忠”与“孝”的意义，同时更强调臣民对天皇、子对亲的恭顺、服从的义务。第二次世界大战日本战败后，日本人的尽“忠”对象虽由天皇变成了公司等各种各样家族式的集团，然而“忠”（“亲孝行”）仍然对日本民众的意识具有持久的影响力。

现代日本社会重视的另一个儒学伦理概念是“和”。现代日本的“家”“纵式”社会或者是家族主义集团是模拟的家族共同体，是由不同属性的人们根据“场”所构成的集团。因此如何统一由异质性而产生的利益与意见分歧，强化集团的功能性便成为一个重大课题。并且，在现代日本的“家”“纵式”社会或家族式集团内部中的人际关系，常常具有上下的序列关系。如何缓和由这种序列关系带来的距离感与对立感也是一个重大课题。这种情况下，儒学“和为贵”的伦理观，就起到了巨大作用。日本人将“和”看作美德，重视成员间的协调，在日本集团中领导的主要任务就是维持“和”，强化集团成员相互的一体感。为维持集团成员的一体感,日本人用各种方法全力避免集团内公然地对决,例如,在重大决定之际,不只是领导一人决定,而是经过集团成员讨论商议确定,讨论时相对于个人意见的阐述更热心于达成共识。当提出自己意见的时候,为避免公然地对决,常常言行谨慎,尽量委婉地表达自己的意见。

现代日本的许多学者(例如,芳贺矢一的《国民性十论》[1907 年]、宇野哲人的《儒教与国民》[1921 年]、栗田元次的《日本的特性:历史角度的研究》[1937 年]、村冈典嗣的《日本国民性的精神史研究》[1945 年]、长谷川如是闲的《日本的性格》[1938 年]、西田几多郎的《日本文化的问题》[1940 年]、久松潜一的《国文学与民族精神》[1934 年]等),将"温和宽恕""中庸""亲和性""忍耐与自制调和的心理""全体事物的总和统一""调和"等品质作为日本人的"国民性"或"日本精神""民族精神"中的优点而予以赞赏。但是这种"和"的伦理,仅仅适用于自己集团的成员("内部的人"),并不是普遍适用的。日本人有"内者""外者"之分,相应的态度也截然不同。同类集团之间互相为敌甚至过分竞争。对于他民族或他国,日本人往往将之视为潜在的敌手,甚至以发动战争的极端方式试图超越对方。

为缓和在"家""纵式"社会或家族式集团中由上下序列而带来的距离感与对立感,上位者要给予"下位者"一些"温情"与"保护",以促进上下级间的感情关系。对保护的回应则是温情与忠诚,个人与集团的关系也与此相同。这种上下关系中的感情因素,正是"忠诚""恩"等儒学道德观念能够在现代日本继续存在的土壤。

第二节　日本人的国民性与儒学

这里所说的"国民性",是指属于某国家的大部分国民共通的意识与行动倾向。美国社会心理学家英克尔斯(Alex Inkeles)认为国民性(或民族性)是一个国家或民族中多数成年成员所具有的稳定的、反复出现的心理特质。国民性不是一个国家国民个人的人格总和,而是一个国家中大部分成员“共通的”“反复出现的”“稳定的”意识与行动倾向。根据社会心理学家与文化人类学者的研究，国民性的形成与变化，受许多因素(例如地理、历史、社会环境等)影响，但也和该国的文化积淀有密切关系。自从 5 世纪儒学传入日本之后，日本儒学已经拥有了超过 1500 年的历史，并成为日本文化的重要组成部分。日本国民性的形成与变化，虽然不只受到儒学因素的影响，但两者确有相互影响的一面。也就是说，儒学确实为日本国民性的形成与变化做出了贡献，也正是在这样的国民性影响下，儒学才能为日本国民所接受、传播。

论述日本人国民性的著作、论文、新闻报道，数量之多已经难以计数，其论述角度也多种多样。笔者所读相关书籍范围有限，仅在此从日本人的思维样式、行动样式、情感样式、生活样式四方面就日本人国民性与儒学的关系进行简单地论述。

一般认为，儒学的思维方式表现了重视事物的整体功能联系、轻视实体的形质认识，强于综合、弱于分析。另外，还表现出重视直观感悟而疏于清晰的逻辑论证等倾向。① 它具有整体性、直观性、内向性、意象性、非理论性等基本特点。这样的特性在日本人的思维方式中都有所表现。

儒学的整体性思维，把人类、社会和自然界都看成是一个有机的整体，虽然也认识到这一整体是由不同部分所构成，但认为部分不能游离出整体，更注重各部分在结构与功能上的动态联系，力图对整体在经验事实的基础上做抽象的综合性把握。例如，以“道”(或气、太极、理等)作为代表整体或全体的基本范畴，以八卦或阴阳五行来把握整体内部的动态结构与关系等。它不像西方的理性分析思维那样，强调对构成整体的个体与元素的分解和对经验事实的概念分析，总是要把一切东西还原成最基本的元素，从而建造概念结构。此外，儒学的整体性思维，虽也认识到任何事物都包含相互对立的两个方面，也具有二元论思想的要素，但它不同于西方的二元论思想，更重视对立的两方面的相互依存、转化与

① 详见张岱年、成中英编:《中国思维偏向》，中国社会科学出版社，1991 年。

包含。孔子虽讲“叩其两端”，但其最终目的是“允执其中”，达致和谐统一。因而，“天”与“人”，“身”与“心”，主体与客体等，不是截然对立的，而是相互依存处于相互统一的整体结构中。

日本人的思维样式与中国儒学相同，具有经验综合型的全体性思维倾向，以及重视调和的思维趋势。对于人际关系，尤其从个人与团体的关系来看，日本人中少见孤立的个人，尤为重视个人与其他个体的交际，个人与其所属集团之间的关系，表现出集团至上的倾向。从人与自然的关系来看，日本人不像西方人一样强调征服自然，而是表现为人与自然一体以及热爱自然。对于人与自然一体感的追求，主要有两种方式，其一是将自我投入自然之中，其二是将自然吸收到自我之中。例如，于床边点缀几株鲜花、放置盆栽，于栏上雕刻花鸟，于隔扇上描绘朴素的花鸟，于庭院中建筑小山水，皆属后者。

在思维要素的组织形式和思维目的的指向方面，日本人的思维方式具有较之中国人更强烈的调和折衷倾向。正如日本学者中村元所指出，“日本人承认现象世界里每一样事物都有其绝对意义，这种倾向就导致了承认现实世界上的任何思想都有其存在的意义，结果就以宽容和调和的精神来对待所有思想。”①鹤见和子的《好奇心与日本人》，在讨论日本社会的“多重构造型”时，指出这种“多重构造型”的特征是，“几乎完全无视形式逻辑中的矛盾律。这种无视矛盾的态度，一种是对矛盾置若罔闻，另一种则是虽然意识到矛盾，但分别使用矛盾双方的不同作用。”②从历史角度看，儒学、佛教、神道确实存在相互批判，但是基本是共存的，并被赋予不同的任务发挥不同的效果。这种思维诸要素的调和以及共存结构的方式，能够维持全体的均衡、安定和常态。这是日本人整体性思维的表现之一。

要在经验综合的基础上达到对整体的抽象把握，不能通过如西方人

① 中村元：『日本人の思惟方法』，春秋社，1989年，第81頁。

② 鶴見和子：『好奇心と日本人』，講談社，1972年，第43頁。

那样凭借经验性实证、概念分析和理论推理来实现，而是要依靠直觉体悟（即思维的飞跃和超越）。中国的儒学者与老庄学派和禅宗的思想家一样，均推崇直觉的思维方法。“直觉”是进入近代以后才产生的名词，在古代称“体认”或“玄览”等。这种直觉思维，不是靠逻辑推理，也不是靠思维空间、时间的连续，而是思维中断时的突然领悟和全体把握。通过直觉思维将达到“物我两忘”“主客合一”“物我一体”“无人合一”的最高境界。《孟子》《中庸》中所讲“下学而上达”“反身而诚”，都有直觉思维的成分。朱熹虽讲“格物致知”“即物穷理”，却并不忽视经验知识积累和“思”的作用，最后都要经过直觉顿悟即“豁然贯通”这一环节，才能完成“心理合一”“天人合一”的整体认识。这“豁然贯通”便是“直觉”。

日本人受到中国儒学以及禅宗的影响，也十分看重直觉体悟。不过稍有不同的是，中国儒学传统思维方式的直觉，多是讲对本体即“道”或“理”的直觉；日本人则将其扩展至诸多技艺领域（如能、歌舞伎、狂言、舞踊、书法、花道、茶道、剑道、弓道、柔道等）。通过直觉达致“心、技、体”的统一，“身心一如”和对各种技艺之“道”的体悟与全体把握。日本人认为，文武之艺的诸“直觉”是与对世界本体的直觉相联系的。如源了圆所指出：“日本人通过各种类型的直觉，将其一一相互关联，以至达到‘宇宙的无意识’的根本直觉。”①

与西方哲学相比，中国儒学的思维在概念分析与理论推理上并不发达。例如，如第六章所述，儒学的概念具有多样性或非确定性。儒学思想的命题未必不是依据理论性的证明而成立的。例如，为何“尽其心者知其性，知其性则知天”，孟子对此命题也无论证。而日本人较之中国人似乎更为疏于概念分析和逻辑论证等抽象思维方式。这与古代日语的特色或许有关。正如著名的日本学者中村元所指出的那样：“从古典文献来看和语可以明显地发现，用来表示感性的或心灵的感情状态的语汇是很丰富的，用来表示能动的、思维的、理智的和推理作用的语汇却非常

① 源了圓編：『型と日本文化』，創文社，1992 年，第 43 頁。

贫乏。和语的词汇绝大部分是具体的和直观的，差不多还没有形成抽象名词。”[①]因而在儒学与佛教传入日本后，表达抽象哲学思考的词汇完全是用汉字词汇。即使在明治维新后乃至今日，用来表达西方哲学思想的语言手段绝大部分仍是用汉字构成的词汇。“不只是单词的构成方法，文脉上的问题皆促使日语具有显著的非理性特征。”“日语的这种性质带来的不便是，无法正确精要地进行科学的表述。”“一般认为，正因为日语具有非理论性、非科学性的特质，日本人才自然而然地不擅长理论的、科学的思维方式。”[②]

儒学的整体性思维强调对自然界和人类社会的整体性认识，但缺乏对构成这一整体的各个部分及其细节的追究，因而不利于近代科学的发展，尤其是诸学科的形成。日本人传统的思维、思想、意识重视调和，却忽视差别与斗争，因而其思维弹性及思维创造力比较薄弱。日本历史上未曾出现具有世界性影响的原创性思想家，或许与此有关。然而儒学整体性思维与日本人传统思维的缺点并不是单方面的，西方近代科学同样具有缺乏从总和的、动态均衡的视角认识世界的缺点。东、西方的思维方式或许可以互补。欧美的一些现代学者认为，西方科学和东方文化对整体性、协同性的理解若能很好地结合，将会形成新的自然哲学和自然观。当代系统论哲学的整体性思维与东方经验综合性的整体思维确有某些相似之处。东方的直觉思维不仅在自然科学方面，而且在伦理学、美术和艺术领域所蕴藏的极大创造力和想象力，也日益受到世人的重视。

行为方式是人们在自觉的活动中所采取的方法、形式、结构和模式的总称。确定国民性行为方式的是其国民的思维方式、情感与意志的趋向等因素。从这一意义上也可以说，行为方式是思维方式的外化。

从要素构成的角度考察行为方式的内在结构，可以认为它是由行为主体、行为手段和行为对象等要素组成的整体。按照日本人的整体性思

① 中村元:『日本人の思惟方法』,春秋社,1989年,第370頁。

② 同上,第373頁。

维方式，个体是不能脱离整体而存在的。与之相应，日本人行为方式的主体有时虽是个人，但正如滨口惠俊指出的，并不是如欧美人那样作为“单独的个体”的个人，而是在团体中被人际关系制约的作为“关系的主体”的个人。① 这从日语的第一人称代词和第二人称代词的用法中可以得到证实，日语的人称代词与其他语言比较确实太过复杂。一般地说，在印欧语系中，第一、二人称代词的说法只有一种，而且在句中不能省略。例如，英语的第一人称代词是“I”，第二人称代词是“You”，无论与谁交际，说自己一律是“I”，称对方都是“You”。然而，日语中的第一人称单数的说法，却是灵活多样的。其用法要依据对象的性别、年龄以及与对象的关系（上司长辈、对等的人、下级晚辈、亲近的人、疏远的人）而发生变化。如果混用将会在日常生活中发生大冲突。不仅是代名词，名词与动词的使用方法亦然。对上级长辈所用的词语与对下级晚辈所用的词语具有区别。日语还十分讲究敬语的用法。不仅如此，回应对方的方式也有不同，虽然这并不是日语特有的，但是在日本尤为重视。鞠躬时，根据对象不同腰的弯曲程度也有差异，有 15°、45°、90°之分。对上司或长辈要鞠 90°的大躬，且次数频繁。这表明作为行为主体的个人是受人际关系制约的个人，是人际关系先行的个人。否则就会被视为“失礼”。

如此注重采取与自己在人际关系中的名分、地位相应的语言和行为形式，与孔子的“正名”思想，似乎有同条共贯之处。孔子说的“正名”就是纠正名分上用词不当，纠正行为的现象，是“礼”的出发点。孔子说：“名不正，则言不顺。言不顺，则事不成。事不成，则礼乐不兴。礼乐不兴，则刑罚不中。刑罚不中，则民无所措手足。”也就是说如何出言或行事，不是单纯地取决于作为行为主体的个人的情感与意志，不是简单地决定于他们的动机或目的，而是首先要确定个人在团体或人际关系中的位置，然后依照团体或社会约定俗成的规则或惯例，来决定个人的行为手段与行为程序。因而，个人的行为自主性的程度便受到极大的限制。

① 浜口恵俊、公文俊平編：『日本的集団主義 その真価を問う』，有斐閣，1982 年。

人们不是根据普遍性的原理主动而积极地行动，而是必须遵循无数具体的场合伦理或礼节来约束自己的行为。

有日本学者在比较日本人与欧美人的行为模式时，引入了集团与个体或他律与自律的概念，指出日本人的行为模式是团体本位与他律性。他认为这一特征的历史根源在于欧洲人以畜牧业为主要生产方式，而日本人则以稻作农耕为主要生产方式。在广漠的草原中逐草而居经常移动的孤独的游牧民，与农民相比，不难想象其更具主动性与自律性。

另一方面，在农耕定居集落式的共同社会中，为生存而进行的食物生产是一切的前提，因此不允许个人的恣意妄为。局部的、小农的团体生活决定不能只依靠个人，人们在共同的劳作、祭祀、仪礼中能够生发出相互依存的浓厚的连带感。不允许个人恣意妄为成为理所当然的理论，因此集团性理论占据绝对支配地位，即是他律的世界。① 然而一部分学者并不赞同这种"他律性"说。他们补充说，日本人社会生活中的集团与个人是相互宽容的，在日本人的组织、工作单位中，没有具有专门技能与权限的成员，在职场中各成员协力合作是工作的保证。他们主张称这种在集体标准下的行动主体性为"连带的自律性"。②

无论是"他律性"还是"自律性"，日本人总是依据外部的社会交际规则来规范自己的行动，虽然判断的情况很多，"社会第一思想"至今仍然存在。"社会第一思想"是对"社会"的动向敏感，非常热心于了解外部世界的情况，若自己被视为异端，脱离集团、"社会"、大世界就会感到极为恐慌。在日本社会中，异端的结局是被孤立，任何事情都无法进行。因此，日本人在与他人交往时，自然地会依照对方的情绪来行事，观察周围对自己行动的评价，尽力依照周围人的期待而行事。并且，日本人也不易产生新情绪，总是表现出"我也是"这种"团体过热"的倾向。一旦沉浸在情绪中就很容易达到狂热的状态，就会无法抑制地向一个方向进行群

① 石田英一郎:『日本文化論』,筑摩書房,1967 年,第 179—183 頁。荒木博之:『日本人の行動様式』,講談社,1973 年,第 23—25 頁。

② 浜口恵俊、公文俊平編:『日本的集団主義 その真価を問う』,有斐閣,1982 年。

体性行动。情绪与流行等,是短时间内的表现并不具备长时间的韧性,并且是极易冷却的。虽然“情绪”与“流行”在任何国家都会发生,但它在日本具有十分巨大的影响力,却是世所罕见。

遵守礼仪与“知耻”是日本人自幼年起便不断接受的生活训条。它们极大地影响了日本人对其行为形式的确定和对行为结果的预期。“礼仪”是社会或团体公认的行为规范,“耻”是不符合公认规范的行为所招来的负面结果,是由他人的评价引致的。遵守礼仪,行为不被耻笑是日本人最为关心的事情。这种“守礼”“知耻”的观念与儒学思想气脉相通。孔子十分重视“礼”,曾说“为国以礼”(《论语・先进》)。认为“礼”是治国的根本。他还说“道之以德,齐之以礼,有耻且格”(《论语・为政》)。“礼”又被孔子视为人们的社会行为规范,应“非礼勿视,非礼勿听,非礼勿言,非礼勿动”(《论语・颜渊》)。“守礼”的目的是使人们有耻辱感(“有耻”)。孔子的弟子有子也曾说:“恭近于礼,远耻辱也”(《论语・学而》)。

孔子常讲“慎言”“慎行”,还讲“君子欲讷于言而敏于行”(《论语・里仁》)。孔子讲“慎言”“慎行”是让人们小心谨慎地使自己的言行符合“礼”这一社会规范。而要求人们“讷于言而敏于行” 则是由于“古者言之不出,耻躬之不逮也”(《论语・里仁》)。孔子的本意是认为言之既出而不能实践,便会招致“耻辱”,还是以多做少说为好。一般地说,日本人的大多数也是“慎言”“慎行”或“讷于言而敏于行”的。对于外人,礼仪正而用心深,在内部人之间的交流中,则以“腹芸”(以心传心)行事。在工作中不感觉紧张而充满生气,感到乐趣的社交小集团,其理想人数是 5—7 人。

日本人完全放松的情况,大概只有在酒席上。喝酒时开玩笑、放歌乱舞,醉眼朦胧地跟上司说话也没有关系,醉酒也被允许。喝酒的时候,日常的社会原理都失去了作用。而在日常生活中,就处世术上来说,喋喋不休地说话则会吃亏,只有沉默才是美德。一位日本民俗学者在进行社会调查后,列举了如下令日本人讨厌的人物类型:饶舌家、经常与人吵架拌嘴的人、酒鬼、好高骛远的人、爱发牢骚的人、行为放荡不羁的人、爱说谎的人、贪婪之徒、投机钻营的人、不劳而食者、耍手腕的人、当掮客而发不义之财的人。① 从中我们亦可窥知，日本人理想的人物形象是沉默不争、安分守己、正直勤勉、谨言慎行的人。无论在都市还是农村，这都是现代日本理想的人物形象。

然而，现代日本人不求个人的“立身出世”、争于人先。“立身出世”虽然是现代日本人的理想，但是比起有个性、有手腕、反对集团决策的人，那些遵守集团规则和社会习惯、不抱怨自己境遇的人，以及和集团内外都保持良好人际关系的人更容易“立身出世”。日本人总将团体的事作为大事置于自己的事情之先，“日本第一”“世界一流”是许多日本人的理想。在竞技体育中，即使是个人参赛，也以为自己是团体的代表，是背负着团体的使命而争取优胜的。日本人则不仅在出场时对选手说“加油”，还会在比赛中集体声援。

人的情感世界是极其复杂微妙的，具有强烈的个体性和频度很高的变动性，似乎不可能亦不应该将其模式化。但这种认识忽视了人的情感方式的社会性、历史性和国民性。我们姑且不谈情感方式的社会性和历史性，但情感方式的国民性确实是存在的。某一民族的人群在漫长的历史和共同的社会生活中，通过情感交流，总会形成某些共同的而且相对稳定的情感需要、情感体验、情感表达手段和情感满足方式等（这就是情感方式的国民性）。

人们有多种多样的情感需求，如个人对爱情、愉悦、新奇、自我表现等的追求，对人际关系稳定与和谐的向往，对超越和永恒世界的憧憬等。但不同民族的情感需要侧重点不同。一般地说，西方人比较注重个体之情，而中国的儒学者则更为重视人伦之情（人际关系）。例如，孔子并不以自己物质生活的满足与享乐为情感的主要需求。他说：“饭疏食饮水，曲肱而枕之，乐亦在其中矣。不义而富且贵，于我如浮云”（《论语·述

① 荒木博之：『日本人の行動様式』，講談社，1973年，第41—43頁。

而》)。他在谈到自己的志向时说:“老者安之,朋友信之,少者怀之”(《论语·公冶长》)。即他把人际关系的稳定与和谐作为自己的人生志趣,从人伦之乐中得到情感的满足。他还有更高的超越性志向即“志于道”(《论语·述而》)。

大多数日本人以人际关系的稳定与和谐作为主要的情感需要,似乎与中国的儒学者有近似之处。但与中国人不同的是,它主要期待能在情感与心理上依赖团体的温暖和得到团体成员的爱抚或赞许,以获取情感的满足。土居健郎的《矫情的构造》一书第二版的附录中有一篇名为《矫情再考》的文章,他将日本人的这种情感需求称作“甘え”(似可译为“矫情”)。他说“矫情”是一种想要依赖他人、想要依存他人的欲求,是日本独有的。日本特有的“矫情”源自日本人的母子关系。日本的婴儿和幼儿对于母亲的依赖感很强,几乎与母亲形影不离甚至长期存在与母亲的一体感,一旦与母亲分开就会感到不安。成年以后想要继续对母亲的依存关系或者再现这种关系,就会把依存再现的对象由母亲转移为团体。在日本结成新的人际关系时,至少要有最初来自家庭的“矫情”感受,这样会起到使精神健康的作用。

一些学者对土居的理论,即“矫情”是日本独有的说法进行了批判。例如,韩国研究者认为韩国人的矫情倾向比日本人强,并且指出许多事例予以证明。在成人的人际关系中依据当事人的地位与职务来判断“矫情”的必要性,尤其是部下对上司、学生对老师的依存关系,有人据此批判日本人普遍的无理。一些学者从更深层次的心理学或精神分析学的角度考察土居的“矫情理论”。例如,河合隼雄的《母性社会日本的病理》(1976年)与《中空结构日本的深层》(1982年)认为,与欧美诸国相比,日本母子一体的根本原理是“母性社会”。年轻人的吸稀料游戏,虽然是反社会、反体制的,但是其根底是对母性的回归。小此木启吾在《延期人类的时代》(1978年)一书中指出,否定社会意识的表层“母性事物”＝理想化的母亲形象以及与之相连的一体感,认为这种心理不仅在当今日本支配人的行为也同时支配着社会行为。日本人孩提时代对母亲的依存,成人之后就变成了对"母性事物"(例如,所属团体的人际关系)的依赖,以满足其主要的感情欲求。

然而能够满足这种"娇情"需求的团体,既不是整个社会,也不是规模很大的团体,而主要是指具有家族式构成的小团体,如农村的村落、企业、机关的科室或学校、研究机关的某个研究室之类。在这些小团体内,上司与部下没有太大的差异,在工作上没有严格的分工,成员们频繁写作,并且通过工作进行感情交流。尤其是在酒席上,下属借酒兴发牢骚,或取笑乃至指责上司,极似宽容幼儿的撒娇。反之,下属也容忍上司偶尔发出的训斥,如同接受母亲的惩罚。正是小团体的这种超越地位界限的亲切氛围,满足了日本人的情感需求,给他们以集体归属感和自我实现感。因而日本人常在自己熟识的业已形成的小圈子里进行情感交流,而不大轻易结交圈外人为新朋友。在日本的外国人,更难打入日本人的小圈子进行坦露心志的情感交流。日本人毫不掩饰地称他们为"外人"。

然而,这样依存所属团体的人际关系,以团体内人际关系的稳定与和谐作为主要情感需要,会带来情感需要的单向度和情感交流范围的狭隘等问题。例如,精神医学家宫本忠雄的对话集《两个日本》中收录了一篇他与佐伯彰一的对话,名为《深层的日本性格》,其中指出抑郁症患者大多是依赖性非常强的人,他们融入某秩序或被保护的环境(例如,所属团体的人际关系)时会感觉很好,而一旦离开就容易病症发作。许多欧美抑郁症患者表现出的罪恶感以及罪业妄想在日本几乎看不到,他们常常对他人说"抱歉"(すまない)、"实在抱歉"(申し訳ない)这种具有耻感意识的词句。值得注意的是,这可能是日本人感情欲求不成熟和非现代性的表现等问题所致。然而,伴随着现代化进程而新生的事物,并非一定都是真、善、美的。传统的思维模式、行动方式、感情方式也蕴涵有十分宝贵的东西。例如,在市场经济高度发达的社会里,本来被作为交换手段的货币日益具有无所不能的效力,会逐渐被绝对化、目的化而成为人们追逐的终极对象。素朴的人际情感交往会受到金钱的腐蚀,情感纽带的作用日渐削弱。高度发达的科学技术与自动化生产,虽会给人们带来物质生活的富足和便利，但同时也会造成人的情感的伤害、枯萎、单调、紧张和异化等问题。尤其是电视的普及，剥夺了家庭成员之间情感交流的时间。单纯的理性，也无法补偿人们情感生活的空缺。一些西方学者开始进行反省，通过东西方文化比较后承认东方式人际关系的社会凝聚作用。现代的管理社会与竞争，带来的诸多矛盾与冲突，日本人的小团体共同协力制度与非制度性的情感人际关系，也许可以缓和这种矛盾与冲突。

再从情感体验与情感表达来看，一般来说西方人是比较外向的。西方人，尤其是美国人，表达情感常诉诸言辞或形诸动作，热烈而外溢。即使是结婚已久的夫妇，也频繁地以"I Love you"之类的语言交换形式表达彼此的感情。一部分中国儒学者，如孔子说："唯仁者能好人，能恶人"(《论语·里仁》)，以此主张情感的正当流露，但他也说"乐而不淫，哀而不伤"(《论语·八佾》)，认为情感表达应有节制。孔子十分讨厌那些情感过于外露的人，说"巧言令色，鲜矣仁"(《论语·学而》)。宋代儒学者(程颢、程颐、朱熹等)主张使"情"受"理""义"等政治、道德原则的约束。如第四章所述，日本的儒学者，尤其是古学派的儒学者，对情、欲、私等情感较之中国儒学者表现得更为宽容，但在"情欲""惑"或"过犹不及"的限制方面与中国儒学者观点相同。一般来说，日本人在情感体验上则比较内向而感受细腻，在情感表达上也不大外露而有节制。例如，会田雄次在《日本人的意识构造》一书中列举了以下事例，女性在接受爱的告白时，欧美人会因喜悦而扑到对方怀中，激动地拥抱。而在日本，女性的第一个反应大多是羞涩地背过身去，说"不"。不过说"不"并不意味拒绝接受爱情，而是表达内心喜悦和对爱的肯定。女性离开时，手持折扇只露出脸并摇头，实际是暗示自己的心情。这种男女背靠背地表达爱情的方式，甚至演化为日本歌舞伎的一种表演程式。① 在家庭交流方面，少有日本独特的"体察"与"关怀"，往往依靠少数单词或习惯性的身体语言等象

① 会田雄次：「日本人の意識構造」，講談社，1972年，第23頁。

征性手段来进行。鹤见俊辅曾列举了一则夫妻通过插花作为交流手段的事例。丈夫回家，看到床边的妻子在插花，妻子插花的方式颇为凌乱。丈夫察觉出妻子应该是因某事而心生烦乱。妻子不会直接说出婆婆的坏话，而且不会向丈夫诉说自己的难处，她可能因此才心烦意乱。这样的家庭可称为“哑剧世界”。会泽雄次指出，这样的“哑剧世界”在战前、战中、战后都存在。① 即使是现代日本人的感情表露，与欧美人相比依然不能说是外向的。

然而，若以为日本人都是些敏感而情思纤细的柔弱男女，或情感自我压抑而不苟言笑的寡情种，也是误解。正如土居健郎和宫本忠雄所指出，“矫情”本质上是两价情感，其反面就是恨以及转变这种命运的想法。“矫情”的心理，对他人的攻击性是藏在内部的。恨与攻击的对象一旦出现，就会爆发不顾一切的攻击行为。若没有找到攻击对象，就会通过自罚与自杀使自己感到痛苦。看起来普通温顺的学生突然拿刀刺向老师或同级生，其原因就在于此。除了这种非正常的情感宣泄方式，日本人正常抒发情感的方式则多种多样。例如，传统的祭祀、舞蹈、音乐，创作“私小说”“日记”“和歌”等。卡拉 OK 是日本人发明的，它成为国民性的娱乐项目决非偶然。运用文学、美学、艺术等手段，不用言语表达而用感情表达，是日本人独特文明性的感情表现方式。

人类的生活方式是生活条件、生活形式和生活关系的统一体。人们利用生活手段的形式，如衣、食、住、行等，是有民族特性的，在生活中结成的关系即生活关系也依据民族不同而复杂多样。而全部生活关系中最基础、最核心的关系，则是婚姻关系以及由此衍生的家族关系。生活条件、生活形式和生活关系会伴随时代的前进和国际交往的扩大而变化，随之其民族特色会逐渐减弱，但较之生活条件与生活形式则较为稳定，其变化较为缓慢。

家庭是社会生活的细胞。儒家思想十分注重家庭生活关系的稳定。

---

① 会田雄次:『日本人の意識構造』,講談社,1972 年,第 100、163、169 頁。

在儒家的“修身、齐家、治国、平天下”的方程式中，“齐家”便是达致社会稳定（即“治国、平天下”）的重要基本环节。如第六章第四节所述，儒学的“爱”是由自己到家族，由家族到他人，也就是如“老吾老以及人之老”一样，是推己及人，由近及远的，是有“差等”的爱，即所谓“亲亲之爱”推及“泛爱众，而亲仁”（《论语·学而》）的爱。不过在儒家学者看来，稳定的婚姻、家庭关系也并非单纯而平等的爱的关系，而是以男性家长的权威为前提的，即“夫妇有别”“长幼有序”（《孟子·滕文公上》）。

毋庸讳言，在两性和婚姻关系领域，儒家思想对日本人的影响是较迟缓的。据历史记载，在公元3世纪时，日本曾存在女权制社会，当时的女王称卑弥呼。而且直至8世纪还有女性天皇的统治。在奈良时代妻访婚与母系继承仍是当时的主要婚姻与家族形态。两性关系也相当自由，不仅未婚男女可自由恋爱，男人也可与他人的妻子恋爱，人妻亦可与丈夫以外的男人恋爱。进入武家时代后，婚姻状态首先在武士家庭发生了变化。妻子必须到夫家与夫同居，女性在家庭中的地位逐渐下降。到江户时代，男尊女卑的儒家道德观的影响才在武士社会中发展到登峰造极的地步。当时流传的女子专用教科书如《女大学》《女实语教》《女四书》《女孝经》等，便是宣扬儒家婚姻伦理观的。《女大学》讲：“女以夫为天，逆夫必受天罚。”《女实语教》讲：“幼从亲，嫁从夫，老随子，是谓女之三从。”女性只被视为性欲的发泄对象与生殖奴隶。例如会泽安在《迪彝篇》中说：“娶妻乃重祖先之后不绝子孙之义也。随天地之道，蓄妻妾，广继嗣，圣贤之教也。”①还有人主张：“贞女不从二夫，即使三、五岁结为夫妻，也要从一而终。女子一生守道乃武家之规矩，与能引二挺之弓的畜生同然。”②对于已婚女子单方面的严厉要求其守贞操，然而“男子可在妻子之外另置妾，还可与妓女随意取乐。”③战国时代以来，妻子若与人通奸将被判处重罪，江户初期，“若通奸则加以磔刑”，用磔刑实际上是为了起到威

① 会沢安：『新論・迪彝篇』，岩波文庫，1969年，第276頁。

② 家永三郎：「日本道徳思想史」，岩波書店，1980年，第136頁。

③ 同上，第137頁。

吓作用。受到儒家思想影响的日本传统夫妇关系有以下三个特征：第一是丈夫掌握家庭主导权；第二是婚姻与爱情相分离，生育后代重于夫妇爱情；第三是男主外、女主内的家庭内的性别分工是社会普遍承认的范式。

明治维新以后，虽然受到了西方文化的影响，但是男尊女卑的婚姻家庭关系并没有根本改变。战后开始批判男尊女卑的思想，日本新宪法公开宣言男女平等，结婚也由父母之命、媒妁之言变为重视当事男女的意见，但实际上男女平等并没有完全实现。日本人的夫妇关系虽有一些变化，但是至今仍有许多人支持传统性的夫妇关系。1977 年 NHK 进行的一次社会调查表明，有关丈夫的零用钱以及家庭旅行，分别有三分之一、四分之一的家庭由妻子决定，然而八成的家庭仍由丈夫掌握家庭全体事物的最后决定权。[①] 只有在生活费的具体安排方面，多由妻子决定。在 1978 年日本经济新闻社进行的社会调查就家庭的主导权进行了提问，53％的被调查妻子也认为“为使家庭正常运转，希望丈夫掌握主导权”。1979 年日本经济新闻社曾就“丈夫所期望的妻子形象”进行调查，结果有 74％的男子希望妻子是“贤妻良母”。1987 年，根据日本生命保险文化中心的调查，63％的妇女希望做“专业主妇”。这些调查统计表明“男主外，女主内”的性别分工在当代日本仍继续存在。在夫妻的性道德方面，仍存在双重标准。婚后的男人继续享有性交往的自由，婚外恋或染身烟花柳巷均无不可，但对有夫之妇的贞洁要求却很严格。宗教学者山下朋子编的《日本的性特征——来自女权主义的性风土批判》（法藏馆，1991 年），从女权主义的立场，对日本人的性意识进行了批判。日本的性风土受到佛教的强烈影响以体悟禁欲为至上的理论。佛教的性否定是针对女性的，贬低“女人五障”，并有“变成男子”等思想。这些思想都是依据男性中心主义而产生的女性救济思想。佛教不承认女人的性多样性，认为“生产即是性”，儒学也同样将性限定为生殖。佛教的性否定理论，在近世通过儒学政治化。近现代的性文化，其根底依然是男性

① NHK 放送世論調查所編：『図説 戦後世論史 第二版』，日本放送協会，1982 年，第 37 頁。

中心的性文化的价值观，近代、现代均没有变化。

在历史上，日本人与中国人一样十分重视家族生活关系的稳定。这是因为在农业经济占主要地位的传统社会中，家族不仅是生活共同体，也是生产共同体。传统的家族是家父长制的复合家族或大家族，不同于近代性质的“核家族”。从这一点来看，日本的传统家族，与中国的家族确有类似之处，也存在着许多不同点，具体已在本书第二章进行了论述。在中国，“孝”是儒学的家族道德的基础，子对亲有敬养、恭顺、服从的义务。在中国，“孝”有两种意义。依据《说文解字》的解释，“孝”的含义，其一是“善事父母”，其二是“继志述事”。中国的儒学者认为，孝不只是在生活上抚养父母，还以无条件服从父母为前提。并且认为“生，事之以礼。死，葬之以礼，祭之以礼”（《论语・为政》），祖先的葬祭、供养也是“孝”。儒学经典尚未传入日本之前，日本并没有“孝”的道德观。日语的“孝”这一汉字，没有音读，亦没有可靠的训读。日本的统治者开始提倡“孝”道是从奈良时代这一概念传入开始的。奈良时代以后，作为儒学家族道德观念而被提倡的“孝”，虽然程度较差，但开始逐渐从统治阶级渗透到民间。[①] 然而对于“孝”的内容，中日两国儒学者的理解却未必一致。中国“孝”的核心是，血缘关系的继承与扩大，而在日本，家业的延续与事业的勤勉优先于血缘的连续，看不到“孝”的中心。尽管如此，“孝”的儒学道德不仅在江户时代作为幕府御用学说发挥统治作用，而且到明治维新后和“忠”一起被称为“国体之精华”“教育之渊源”，成为学校德育以及国民教化的基础。

通过战后新宪法和改定民法的制定，作为封建家族制度的“家”概念被完全否定，开始强调个人人格尊严，“家督继承”和户主权的概念也从民法中取消了。遗产继承亦从与封建家族制度相适应的长子继承制改变为诸子均分制。在当代日本，支持“核家族”（由一对夫妻及其未成年子女组成）观念的人逐渐增多，“核家庭”已成为家庭的主要形式。具有

① 拙著「古代日本の儒学」，收入于『日中文化交流史叢書第 3 巻　思想』，大修館書店，第 57—68 頁。

无条件服从父母意旨之意义的"孝"道也在理论上被否定了。据 1975 年 NHK 进行的一项社会调查统计，有 54%的被调查对象认为，在就职或结婚问题上，可以不顾父母的反对，选择自己的道路。[①] 但是"孝"的观念，至今仍对日本人的意识具有极大影响。例如，日本文部省统计数理研究所在 1963、1968、1973、1978 年先后进行的 4 次有关"国民性"的调查中，曾提出这样的问题："你认为最重要的道德是什么？"回答"对父母的孝行"的人数以大约逐年增长 7%的形势，最后以占据 7 成的比例成为最重要的道德。[②] 战后，虽然"家"被废止，导入了新的家族原理并已逐渐渗透到日本人的生活中，然而这一过程却绝没有消除"家"的意义。

根据 1975 年 NHK 对"家庭是否有必要需要继承人"的调查，依然有超过六成的调查对象认为"有必要"。[③] 关于继承方式，法律上虽规定诸子均分制，实际施行遗产均分的虽然不少，但依据双亲的意志，后继者被予以优先分配，与之交换作为"孝"的一个内容的赡养老人成为当然的约束。1955 年总理府的调查以及 1975 年 NHK 的调查显示，接近四成的调查对象认为"最该由长子继承家并承担照顾双亲的义务"。[④] 作为"孝"的内容之一的祖先崇拜与祭祀，已成为日本人的生活习惯被保留下来。根据文部省统计数理研究所的"国民性"调查（1953 年、1973 年、1978 年），"尊重祖先"的人数超过了信仰"神佛"的人数，常常占据近七成到近八成的比例。在实际行动方面，大约占六成多的人"每年扫墓 1—2 次"。[⑤] 总之，日本人依然将重视家族生活关系的安定作为传统而保留至今。NHK 的调查（1966 年、1970 年、1980 年）曾提出过这样的问题："你最希望过怎样的生活？""希望在和谐而稳定的家庭中生活"这样的意识根深蒂固而得到大力支持，以之为目标的人，一直以来都几乎占全部被

① NHK 放送世論調査所編：『図説 戦後世論史 第二版』，日本放送協会，1982 年，第 32 頁。

② 同上，第 115 頁。

③ 同上，第 47 頁。

④ 同上。

⑤ 同上，第 103—105 頁。

调查人的半数。①

伴随着现代化进程，人们的生活行为、生活关系都变得更为多样化、社会化。因为人们出入的生活群体的数量增多，人们承担的社会性事务也随之增多。他既是家庭的成员，也是所在职业团体的成员，还可能是某个俱乐部的成员。社会角色的多样化，如保持在一定的限度内，会使生活内容和乐趣更加丰富。但如果社会角色过多，而又缺少一个主要的归属依托，那么多种社会角色的行为会产生不一致，乃至相互冲突便会造成人格的分裂，自觉或不自觉地失去统一的自我，给人们带来失落感、焦虑和迷惘。因而在生活关系多样化、社会化的同时，需要适当地维护某些基本生活群体的稳定，使其对人们的多种生活关系发挥一种主导或调节作用。家庭则应是这种最基本的社会单位之一（在职人员所在的机关、企业、学校等也是基本的生活群体）。也就是说，日本人重视稳定的婚姻、家族关系的生活方式，在当代或未来的社会中仍有其存在的积极意义。

① NHK 放送世論調査所編：『図説 戦後世論史 第二版』，日本放送協会，1982 年，第 17 頁。

终章　日本现代化的二重性与日本儒学的二重性

第一节　日本现代化的二重性

在东方诸国中，日本是最早、最成功地实现了现代化的国家，然而我们从任何角度观察日本现代化的历史进程，它都是光与影（即成功与失败、发展与牺牲、现代与传统、进步与困境）并存的，日本现代化的历史可谓充满二重性。

回顾日本现代化的历史，它既曾获得巨大的成功，亦遭到过惨重的失败。在诸多成功中，最引人注目的莫过于其现代化经济的高速形成与发展以及国民教育的广泛普及与显著提高。日本的产业革命从1885—1886年急剧地发展，经过中日甲午战争与日俄战争获得新市场而愈加发达，第一次世界大战期间因坐收渔翁之利而获得大发展。大约用30年的时间达成了英国花费80年（1760年代—1840年代）才完成的产业革命。日本实现产业革命的速度不仅比英国快，比美、德、法也快得多。根据中村隆英的《战前期日本经济成长的分析》（岩波书店，1971年），第一次世界大战后，尽管日本经济不景气，在世界范围内仍然保持了高增长率，1937年实现重化学工业化后，其生产额达到全部生产额的50%。第二次世界大战后，尤其从1956年开始，日本进入经济高速增长期，国民生产总值的年平均增长率为10%左右。1973年以后，虽然高速增长期结束，其国民生产总值的增长率仍高于美国和西欧各国。从1990年代初期开始，日本泡沫经济崩溃，经济持续低迷，但日本依然是仅次于美国的世界第二经济大国。

日本现代教育的发展亦十分显著。第一次世界大战后，六年制义务教育就学率超过了99%。1950年代，九年制义务教育已基本实现。1990年代，高等学校的入学率超过90%，具有高度文化素养的日本国民，既是日本现代化进程的成果，又是支撑其高速发展的最重要资源。

然而，近代日本在取得现代化成功的同时，走上了侵略亚洲诸国的道路。如1853年西方列强对日本使用炮舰进行军事侵略一样，1874年日本入侵中国台湾，1876年逼迫朝鲜开国。1894年日本对亚洲诸国的侵略进入了新阶段，从中日甲午战争开始，直到11年后日本在中国东北对沙皇俄国取得军事胜利，这样日本完全成为帝国主义在亚洲大陆上竞相逐利的一员。第一次世界大战期间日本凭借远离欧洲主战场的地理条件，夺取了德国及其他西欧列强在中国和太平洋地区的权益，成功获得战略性的有利地域。

日本在第一次世界大战之后明确了对中国的侵略，这就不可避免地与其他已经获取利权的帝国主义列强发生冲突。1931年是日本现代化历史上重要的转折点，同年9月，日本军队侵入中国东北，对中国大陆进行了直接的军事侵略。1937年7月7日，日本军队在北京郊外挑起纷争，突然扩大为全面侵略战争。1940年，日本与德国、意大利缔结三国军事同盟，激化了与美国、英国等国家的矛盾。1941年日军突袭美国珍珠港，挑起了太平洋战争。

但以中国为首的亚洲诸国进行的抗日战争与盟军的共同作战取得了胜利，并于1945年8月15日接受了日本的无条件投降，这是日本历史上遭遇的最大失败。

这场持续15年的战争，不仅给被侵略国家带来惨祸烈毒，而且使日本几十年的现代化成果损失殆尽。对中国发动侵略战争以来，共有 310 万(其中 80 万人是普通民众)日本人丧命，30%以上的日本人流离失所，工业较战前减缩四分之一，通货膨胀严重，日元价值只相当于战前的百分之一，经济陷入大混乱中。粮食供给困难使大多数国民几乎濒临饿死状态，民间道德与理性丧失，充满困惑不知所措。这一连串的事态，是明治维新后日本政府实施对外侵略政策的必然结果。

在日本现代化历史的进程中，经济、政治、文化诸领域均取得了长足的发展，这是毫无疑义的。然而，在第二次世界大战以前，得以享受发展所带来之成果的，却主要是居日本国民少数的统治阶层。对于广大日本国民来说，较之获得现代化发展所赋予的权利与利益，莫如说为此而付出了更多的牺牲。以日本的资本原始积累和产业革命为例，它们主要是以农民和工人的劳动和牺牲为代价的。此后明治政府以快速建设近代产业为目标，为此必须以庞大的资本作为支撑，其资金来源的第一位(占据所有资金的大半)即是农民所缴纳的税金。

明治时期的地税改革后，日本政府向农民强制征收其所有收获的三分之一作为地租、村入费，这与江户时代相比毫无差异。对于佃农应交的佃户费，地主依据政府地价核算检查条例第二则的 68%为基准，强迫佃户缴纳 70%左右的费用。经过如此残酷的剥削，日本的资本原始积累得以顺利进行。另一方面，资本主义产业的劳动力，主要由在寄生地主制重压下的贫苦小农提供，他们被强制长时间劳动而仅能得到微薄的佣金。明治时期六成工场劳动者是从事纺织业、制丝业的女工，她们大多出身贫农之家。

日本的现代化发展同时也是以亚洲诸国的牺牲为代价的。在 19 世纪后期和 20 世纪初期，日本的迅猛发展，也曾促使亚洲各国人民觉醒，并欲以日本为典范。例如，在中国的戊戌变法时期，康有为等变法派便以日本明治维新为师，朝鲜开化派也曾深受日本的“文明开化”思想影响。然而，老师(日本)却总是侵略学生(中国、朝鲜)的事实，使中国人与朝鲜人的梦想破碎。中日甲午战争后，日本先后侵占中国台湾和朝鲜。

朝鲜的粮食、棉花、矿产品大量流入日本，台湾的砂糖、大米、茶叶等则是日本初期殖民掠夺的主要目标。日本还逼使中国以英镑支付甲午战争赔款(3808万镑)，并依靠这笔款项通过第一银行为媒介换取朝鲜出产的金子来确保金本位制的实施。①

以后日本又染指中国大陆，将其作为主要的原料供给地与市场。日本在中国东北地区建立的"满铁"(南满洲铁道会社)，被松冈洋右称为"恢宏皇猷的生命线"，1907年至1931年向日本政府上交红利14500万日元。② 在第二次世界大战后，美国在朝鲜战争和越南战争中的军事"特需"对日本经济的恢复与发展也曾是一个助力。日本的现代化固然主要依靠日本国民自身的力量，但也不应忘记亚洲各国人民曾为这一发展被迫付出过不可尽数的牺牲。

日本的现代化是在欧美诸国的武力威胁下，以追赶欧美国家为目标而进行的。但是日本的现代化并非全盘西化，而是传统与现代(东方文化与西方文化)并存、冲突、融合的复杂历史进程。从历史上看，日本便是一个具有多维价值观的民族，"实用性"是其价值观核心，其以有无"实用性"作为文化价值判断与取舍的基准。此时此地有用者即有价值则存之、取之，无用者即无价值则弃之、拒之。因而，较之中国人，日本人更热衷于吸收先进外来文化，也更善于保存固有文化并对其进行创造性的转化。

在前近代的日本文化史上，固有文化与外来文化(主要是中国、朝鲜、印度等东方各国的文化)并存、融合的现象比比皆是。如汉字与假名并存共同构成了日本文字就是最具代表性的例证。和歌与汉诗同为日本文人喜爱的诗歌体裁，并在形式、内容、风格上互相影响。神道、佛教、儒学之间，亦少见相互排斥而多有彼此共存与融合。诚然，1860年代之后于日本发生的东西方文化冲突，较此前的文化冲突之性质显著不同，

---

① 塩沢君夫、後藤靖編:『日本経済史』，有斐閣，1977年，第320頁。

② 吕万和:《简明日本近代史》，天津人民出版社，1984年，第215页。

它既是具有横向地域差异的文化间的冲突，又是具有纵向历史发展阶段差异的文化间的冲突。即传统的日本文化（实际上是中、朝、印等东方文化与日本固有文化的多元共存与融合）与现代的西方文化间的冲突，是古今东西文化之争。因而其冲突更为激烈，文化选择与调适也更加艰难。自明治维新至今的百余年间，既有提倡全面西化者，又有鼓吹“国粹主义”和“回归日本”者。崇外主义和鄙外主义思潮交替出现、此起彼落，呈周期性循环态势。例如，明治初期曾倡导全面接受西方事物，也存在嫌恶本国历史、价值观甚至文字之人。他们主张“必须使日本脱胎换骨，以美国为母，以法国为父”。如倡导进行跨国婚姻以吸取欧美人的优秀血统，都是在当时流行的社会达尔文主义理论影响下产生的理论，以至如井上馨、伊藤博文等政府官员一时也支持这种理论。他们主张为使日本“进步”有必要改良日语甚至完全放弃之。当时的大多数人认为洋式就是流行，他们热心穿西装、披发、拿怀表、带洋伞、食肉。德、法、英、美的政治理念与社会理念被加入教育中，大多数讨论都以这些理念为议题。当全国上下醉心于西方的物质文化时，贪欲也在不经意间急速增长。

然而这种过分狂热的西化，不可避免地产生了传统主义的逆流。传统主义者的反对声音在1880年代逐渐显露，他们大力提倡日本人有必要在受到外国文化影响的同时保持本国文化。西方文明固然在技术上先进，然而日本人在精神和伦理价值上比西方人更为优异，并提出若不保存这种价值观，日本的本质、国家形态（“国体”）就会受损。作为这种思想的一环，呼吁对神道、儒学等精神传统的回归本文已有详述。经过这种“试行错误”以及文化激进主义思潮与文化保守主义思潮的矛盾运动而最终形成的是，日本现代文化的总体格局和主流，依然是传统与现代、东方文化与西方文化的并存与融合。

明治时代（即日本刚刚踏上现代化进程的初期），巴克尔的《英国开化史》和基佐的《西洋开化史》所提倡的进步史观被奉为圭臬。日本人相信，只要文明不断发展、科技不断进步，就可以在日本建立衣食富足、道德高尚的人间天国。例如，福泽谕吉在《文明论概略》中便说："所谓文明是指人的身体安乐、道德高尚"，他主张"以欧洲文明为目标"，相信"假如千百年后，人类的智德已经高度发达，能够达到太平美好的最高境界。"① 明治时代的日本人，普遍对称作"文明"和"进步"的现代化抱有浪漫的乐观主义遐想。可是冷酷的现实却不断打破人们的美梦。

在日本现代化的历史进程中，日本人像欧美各国的人们一样，既享受到了现代文明赋予的恩惠，也面临着它所带来的前所未遇的困境。他们的这种感受，在第二次世界大战后，尤其是在取得经济的高速增长而物质生活日益富足之后，变得更为显著。经济、科技的迅速发展和物质生活的富足，并未如同他们预想的那样带来人生快乐与意义。因为科技的发展不仅用于改善人类生活，也用于制造大规模的杀伤武器。在广岛和长崎投下的两颗原子弹，曾使日本人亲尝其恶果。而现在大国所储存的核武器，不只能够破坏地球，甚至已足以毁灭全世界。日本人尤其热心于反对核武器的运动，思考"怎样应对核时代""核时代是怎样诞生的"等问题便反映了他们对"集体灭绝""未来一代的灭绝"的恐惧。

日本同时也面临着生态系统的破坏与资源不足等问题。现代科学精神的核心虽然是理性主义，但理性化若渗入人类社会生活的一切领域，连人自身也被化作纯客观的对象来研究，用数量的方法来处理，甚至如同商品一样，成为管理社会的品质管理的对象，情感的独立价值就会受到威胁，活活泼泼的生命人也会被肢解，遂产生一种非人性化的倾向。但在市场价值成为唯一标准，商品消费变为唯一目标时，真、善、美的追求便遭到冷落，情感的真实、道德的价值、艺术的纯洁会远离人们而去，人生意义与价值也因此迷失。然而，人们在科技分析中又寻不到有关人生意义的答案，他们只能哀叹已经失去了精神的故乡。结局就是人被自己、同伴、自然所疏离。

在这种背景下，1970 年代以后的日本，开始对"发展""现代""文明"

① 福沢諭吉:『文明論之概略』，岩波文庫，1969 年，第 54、24、26 頁。

的信仰产生怀疑，而逐渐产生一股强烈的呼唤人性回归的时代思潮。仅就人文科学和社会科学领域来看，例如在历史学中出现了社会史研究的高潮。有的学者研究中世纪的"流浪者""巡游艺人""流动工匠"，这实际反映了现代日本人反叛或逃脱被管理的空间以及寻求自由的愿望。还有的学者研究家族或村落的信仰和祭仪，试图再现人与人之间的联系纽带。① 在哲学领域，"身心论"成为新的研究课题，这也是欲恢复被现代科学和管理社会所分裂的人的"心"与"身"。

如同本书此前各章所述，尽管日本人在现代化进程中，善用传统的文化、思想资源，某种程度上缓解了现代化发展所带来的种种矛盾，但是，远未摆脱它所面临的新困境。

日本现代化的历史，是在成功与失败、发展与牺牲、现代与传统、进步与困境的二重奏中进行的。儒家思想作为日本传统之一翼，在日本现代化的二重性历史中有何功罪？在当代日本人探求摆脱困境的努力中，儒家思想可否提供富有现代意义的指针？要考察这些问题，我们必须阐明日本儒学的二重性。

第二节　日本儒学的二重性

中华人民共和国成立后，中国学界对儒学基本持批判性态度。直到1980年代在相当长的时期里，儒学被批判为拥护、强化封建制度的思想。从1980年代开始，中国思想史研究再次回到历史主义的轨道上并展开自由讨论，对各时期的儒学者予以从未提起过的新评价。然而如今在日本提起儒学，人们常会对其有种旧时代落后思想的印象。一部分学者依然将其作为前近代的或反近代的思想。实际上儒家思想是一个高度复杂的体系，不可以如此单纯地将其断定为"保守的""前近代的""反近代的"。我们必须对儒学进行详细地分析。

---

① 鹿野政直：『「鳥島」は入っているか』，岩波書店，1988年，第136—139頁。

首先，儒学思想是普遍性与时代性两者的统一。这里所说的普遍性，并非指它可以提供一种伦理的世界语，能通行于各时代、各民族，而是指它一直在思考着具有普遍意义的“人的终极关怀”问题，并表现了对这一问题思考的独特趋向与智慧。这一独特趋向与智慧，不仅构成世界几大文明传统之一的中国文化之核心，并为其他一些民族所接受，而且可以与其他文明传统的思考趋向与智慧交相映衬，(在现代或未来)还可能互为补充与融合。

世界到底是什么？人应该如何对待世界？怎样才是达到至善的道路，才能获得人生的意义与价值？这是人类具有反思能力以来一直在思考的超时空的永恒主题。

德国哲学家雅斯贝尔斯(1883—1969)提出了“轴心时代”学说。他指出公元前800年至200年间，在中国、印度、以色列、希腊都出现了对“终极关怀”进行反思的空前哲人。他说：“在中国生活着孔子和老子，中国哲学的所有派别都产生了，墨子、庄子、列子以及不可胜数的其他哲学家都在思考着。……在印度出现了《奥义书》，生活着佛陀，所有可能的哲学流派以至于像怀疑论以及唯物论，诡辩术以及虚无主义都已发展起来，情形跟中国一样。……在伊朗，查拉图斯特拉在教授他那富于挑战性的宇宙观，即认为这是善与恶之间的斗争过程。……在巴勒斯坦则出现了先知，从以利亚经过以赛亚及耶利米到以赛亚第二。……在希腊则有荷马，哲学家巴门尼德斯，赫拉克利特，柏拉图，悲剧作家修昔底德，以及阿基米德。通过上述的那些名字所勾画出的一切，都发生在这几个世纪之内，并且几乎是同时在中国、印度和西方相互间并不了解的情况下发生的。”①

但这些哲人反思的趋向是不同的，希腊哲人的反思指向自然的根源，犹太教先知则突出一元神“上帝”观念，佛教和印度教的大师追求舍离俗世，中国的儒家与道家则思考人生，从而形成了延续至今的几大精

① 寺脇丕信：『ヤスパースの実存と政治思想』，北樹出版，1991年，第17頁。

神传统。基督教和伊斯兰教继续了犹太教的精神。近代西方文明则综合了基督教和古希腊哲学的传统。中国的儒家思想(尤其是宋明理学)曾影响到东亚的朝鲜、日本、越南。

德国哲学家哈贝马斯曾就这几大精神传统对世界的态度以及追求至善之路的思考加以分类。他认为犹太教、基督教以及佛教、印度教都是否定现世世界的,否定此时此地的终极价值,但它们又有不同。犹太教和基督教以神为中心,强调对上帝的信仰,要到另一个世界寻找生命的意义,但基督教(尤其是新教)又主张通过苦行主义的方法去主宰现世世界,以便获得天国的奖赏。而佛教和印度教则以宇宙为中心,注重人与宇宙万物的统一,要采取神秘主义的方法,从现世中解脱而达到与宇宙的统一。希腊哲学和中国儒学都肯定现世世界的终极价值,但它们也有不同。古希腊哲学家欲在理论上把握此界(包括人自身),重视对知识的沉思。他们不是依赖日常生活的经验,而是要通过其推理能力达到至善。例如柏拉图要在理论上弄清什么是善。而儒家思想则肯定此时此地的世界,肯定人与宇宙(自然与社会)的统一,要通过个人的道德修养以及与此界的积极关系,在现世的生命中追求至善。如雅斯贝尔斯和哈贝马斯这些西方学者,从世界精神传统比较研究的角度所阐释的儒家思想的根本精神,是大体准确的。

以孔子为创始人的儒家思想,主要是探讨如何做人的学问。它重视道德的价值,讲如何进行修养,如何对待他人、社会与世界,如何才能体现人生的意义与价值从而达到至善。例如,孔子思想体系的核心是“仁”,《论语》中讲到“仁”的地方就有 105 处。“仁”是何意义的明确定义,在《论语》中并没有解释的例证,因此在学者间就产生了各种各样的说法。但通过孔子回答弟子樊迟的提问“仁是什么”,可以看出是“爱人”(《论语·颜渊》),是关于人类爱情的概念,“爱人”应该就是“仁”的根本性定义。

不过,这种仁者之爱,是在以自我为圆心的关系网络中由近及远地逐步推展开来的。如何才能成为“仁人”而成就“圣贤”人格,依孔子的看法必须要"修己"（即进行道德修养而完善自我）。但人生的价值不仅止于此，还必须"修己以安人""修己以安百姓"（《论语·宪问》），要"己欲立而立人，己欲达而达人"（《论语·雍也》）。仁者之爱要及于他人与社会。孔子的后学，还讲到除"成己"之外，强调要"成物"（《论语·中庸》）。以为"民吾同胞，物吾与也"（张载《西铭》）。仁者之爱还要及于宇宙万物，赞天地之化育。人与自然、人性与天道不是对立的，而是"天人合一"的。人在与他人、社会和自然的积极关系中（即在现世的生命活动与平凡的生活之中），在现世的生命活动中即可通于无限，而达致超越，在平凡的生活中即能达到至善而感受到人生的崇高价值与意义。

儒学这种道德理想主义所体现的有关"人的终极关怀"之思考的独特趋向与智慧，与世界其他几大文明精神传统相比较，是不能简单地予以优劣价值判断的。因为任何一个已有文明的精神传统都不可能是尽善尽美的，均有其优越性和局限性两个侧面。固然，与古希腊的传统相比较，由于儒学未将自然对象化，也未试图理性地把握自然，从而未能产生近代自然科学。由于儒学所讲的"爱人"贯穿着等差原则（即不平等原则），而且没有人的权利的规定，没有将"爱人"转化为现实的政治制度，从而也不会产生由古罗马传统衍化而来的近代民主政治和法制。与犹太教、基督教、伊斯兰教文明对于一元神的信仰相比较，它的终极关怀的超越性质也不那么强烈。

但是儒学也有其他文明精神传统中所没有的、足可视为精华的东西，如它对人的反思与对知识分子作为社会良心的要求，以及它对自我完善的追求等等。例如，正因为它相信人可以通过道德修养而完善自己，也能以自己的理想转化现实世界，实现其人生价值，所以在历史上才造就了许多自强不息的"志士仁人"。再从人类现代化的历史看，世界其他几大文明的精神传统虽各患病症，但仍维持其生命力，难道唯独儒家思想是其病症就要断子绝孙么？而且，从儒家的根本精神来说，我们不可断定它必不能涵容近代科学与民主。尤其是在现代化的过程中，人们面临着上节所述的意义失落、环境污染、资源枯竭诸般挑战时，谁又能断言儒家思想的独特精神趋向和智慧，不能为人类建立新的人文主义，克服诸般危机提供指针呢？我们正是站在文化多元主义的立场，从儒家思想曾被东亚其他民族（朝鲜、日本、越南）所接受并成为其文化内核的历史，从它独特的智慧正在引起世界其他文明传统的关注，并有可能与其互补而为人类文明的继续发展提供新方法的角度，来认定儒家思想乃至日本儒学所具的普遍性的。然而，儒家思想的普遍性又是蕴含于它的时代性之中的。所谓儒学的时代性，有三层含义。

首先，因为儒家哲人们对于"人的终极关怀"的思考，都不是脱离现实人生的玄想，而是为了回答在现实人生中自己（或人类）应当是什么？应当如何？他们企图在既存的现实世界中发挥转化的功能，实现自己的人生价值。这样，其思考便不能脱离所处时代的环境与内容，从而使其思想各具时代特色。例如，就中国的儒学来说，孔子与孟子不同，孟子与荀子不同，宋明理学者与先秦儒者不同，宋明儒学者的内部又有程朱"理学"与陆王"心学"的差别。就日本来说，藤原惺窝与林罗山不同，朱子学派、阳明学派与古学派也不相同。这是因为他们面对的时代问题不同，概念的表述自然相异。然而，他们都表现了对人生进行反思的、儒家的共同精神趋向与智慧。

其次，尤其突出表现儒家思想时代性的是，儒家哲人的思考与其理想的社会典章制度和行为规范有着密不可分的联系，而这些社会典章制度与行为规范（或"礼乐"）则具有极为鲜明的时代特色或民族性，或是说并不一定具备普遍性。如孔子讲"克己复礼为仁"（《论语・颜渊》），以为"仁"是外在的客观的礼乐规范向主体内在自觉的转化。而孔子所说的"礼"又是周礼。朱熹亦特别重视《仪礼》，极喜研究礼学，自己述写了《古今家祭礼》，希望以他的礼学再建社会制约系统。日本古学派的荻生徂徕则认为先王所建的"礼乐刑政"就是"道"。固然，《周礼》《仪礼》之类的典章制度与行为规范在现代社会中大都已成遥远的回响，说它们是封建性的倒也无妨，我们不必再去考察它们有什么现代意义。但是孔子或朱熹所提倡的，在知性上把握社会行为规范，在实践上履行社会行为规范，进而提升为一种主体自律精神的思想，难道不依然具有生命力么?

再次，我们还应注意不要将儒家哲人思想的时代性完全混同于政治化的儒家。在中国和日本的历史上，都曾出现过这样的历史现象:统治权力将儒家思想树立为正统意识形态，利用儒家的一些价值为控制人民、维护既得利益者权力的工具，也有不少腐儒、陋儒，依附于现实政治权力，谋求个人功名利禄。他们使儒家的“圣王”理想变为“王圣”的现实。这些便是儒家的政治化或政治化的儒家，如中国汉武帝的“独尊儒术、罢黜百家”开其端，元代之后又以朱熹的《四书集注》为科举考试课本，直至清代统治者不遗余力利用儒家来巩固政权，还有袁世凯的祭孔；或如本书前述的日本江户时代以朱子学为“正学”，日本近代的《教育敕语》以忠孝为“国体之精华”等等。儒家的政治化也确实造成许多恶果。儒家之所以能被政治化，虽与儒家哲人思想的时代性因素有关，尤其与其过分强调和谐、渐进以及等级主义倾向密不可分。但是，就中国来说，从孔子、孟子、董仲舒到朱熹、王阳明、王夫之、顾炎武、黄宗羲、戴震等儒学者，就日本来说，从藤原惺窝、贝原益轩、中江藤树、熊泽蕃山到伊藤仁斋、荻生徂徕、横井小楠、佐久间象山、吉田松阴等儒学信徒，却均非曲学阿世之辈和抱残守缺的顽固派。他们力图参与政治，又不依附现实政治权力，都具有“志于道”的大丈夫精神。因而对于生活于当代社会的我们来说，最为必要的应是批判儒家的政治化及其恶果，分疏儒家哲人思想的普遍性与时代性及其时代性因素中尚有生命力的部分。我们既不应不识时势地重复陈旧古训，也不应笼统地将儒家思想一股脑地作为不值一顾的封建余毒。

我们应该做的是，根据现时代的要求，以现代的语言对儒家的普遍性精神重加善巧的阐释，使其具有现时代的存在形态与意义。唯其如此，才可以站在文化多元主义的立场上，既不陷入狭隘而固执传统的文化沙文主义泥潭，也不落进对传统丧失自信的文化虚无主义陷阱。这样也才可能通过儒家思想的现代性，体现与实现其普遍性。

除原始社会外，任何一个社会的文化都有上层文化(或称“精英文化”“大传统”)和下层文化(或称“民间文化”“小传统”)之分。上层文化(“大传统”)主要是在知识分子和统治阶层当中流行和传播,它更多地表现为理论形态,体现了一种文化的自觉,是那些文化层次上反思水平较高的一流知识分子的智慧结晶。下层文化(“小传统”)则在普通大众中流播,多表现为社会的日常习俗或规范,以言传身教或乡规民约等形式来流传或规定。上层文化与下层文化彼此有所界限又互流互浸、相互作用。在西欧历史上,上层文化与下层文化的悬隔更为显著,在中国的唐代以后,上层文化与下层文化的交互渗透与影响则愈加强化。日本的儒学,自然也有“大传统”和“小传统”二重层面。在日本的奈良、平安时代和镰仓、室町时代,儒学主要作为“大传统”而存在,于皇室、贵族、武士上层和僧侣间传播。在江户时代,日本儒学不仅作为“大传统”进入了它的全盛期,出现了诸多适应日本的特殊社会环境、自觉运用儒学性的思考来反观日本文化与社会的哲人。而且由于德川幕府的意识形态政策和初级教育的广泛普及,以及《六谕衍义》《实语教》等庶民教诫书的流传,作为“小传统”的儒学也空前地渗透于民众之间。在明治维新后,如第六章到第九章所述,作为“大传统”的儒学虽不那么兴旺发达了,只是作为媒介、桥梁或精神动力对日本知识分子顺畅接受西方思想和文化而发挥作用,或融入近代启蒙思想、自由民权思想和早期社会主义思想而形成其东方特色。但是,由于《教育敕语》的颁布和借助中小学教科书的流播,作为“小传统”的儒学与神道思想、国家主义思想一起,较之江户时代更为广泛地普及于民间。在第二次世界大战后,由于战后民主改革保证了学问与思想的自由,如战前学校中的儒学道德教育与国民教化的根本方针都被完全舍弃。在现代日本作为“大传统”的儒学,只是将之作为人文科学的研究对象,只出现在中国思想史或日本思想史的著作论述、评价内容中。加之日本人的高学历化,精英文化与民间文化的差距逐渐缩小。但是在日本现代生活中,儒学仍未失去其影响力。儒学在战后日本主要是作为“小传统”而存在,儒学的一些价值与观念已经达到“百姓日用而不知”的层面。如加地伸行指出,对于家族社会,儒学的“宗教性依然健在，并只限定于家族内部，祖先崇拜与宗教性的结合是礼教性的残留。可以说，两者是混合并存的。这一形式将在今后相当长的时间里继续存在。”①并且如日本人对“孝亲行”的肯定、对教育的热心、对稳定家庭生活的重视、谨言慎行、勤劳节俭、对作为集体主义伦理观（“和”“忠”“诚”“恩”“义理”）的认同等，都是日常生活中作为“小传统”的儒学。尽管作为“小传统”而存在的儒学，与日本人固有的精神传统（神道）以及佛教的影响是混融而不可细分的。但是，任何一种文化的“小传统”都是难于明确解析的。例如中国传统文化的“小传统”层面，便是儒、佛、道乃至非理性的迷信混为一体的。并且如加地伸行指出，日本人“家庭中的佛坛，实际上并非佛教原本之物，而是儒教庙、祠堂或祖先堂（祭祀祖先的场所）中的画像。参拜位于佛堂最里面上位的本尊并读经，这是佛教。但是，把本尊降低一位将其与中位的祖先牌位并列，祖先之灵因此便具备了神圣性，因此要招祖先之魂进行慰灵仪式，这是儒教。……日本人于“彼岸”期间扫墓，以盆祭在祖先墓前参拜。对于佛教来说人死后会设墓却没有扫墓一说，日本人参拜祖先之墓实际上是受儒教影响，而其“彼岸”与“盆祭”的时间选定则是依据日本佛教。儒教中参拜祖先之墓并进行扫墓活动是在清明节的时候，与“彼岸”和“盆祭”毫无关系。② 在日本，作为社会习俗与民间伦理的“小传统”也是儒、神、佛混为一体的，并无明确的界线。然而，我们并不能因为其混融合一的状态而否认其各自的存在。作为社会习俗的“小传统”的儒教，是经过长期和不自觉的浸润与渗透而形成的，不是欲改变即可改变、欲摆脱即可摆脱的。有许多激烈的反儒学思想家都可能在社会习俗层面上是儒家“小传统”的自觉或不自觉的顺从者。承认日本儒学“大传统”和“小传统”之分，清醒地分析作为“小传统”的儒学良莠并存的二重性，有助于我们理解日本儒学在现代化进程中所发挥的正负二重功能。

---

① 加地伸行：「儒教とは何か」，收入于中嶋嶺雄編：『東アジア比較研究』，日本学術振興会，1992年，第41、42頁。

② 加地伸行：『儒教とは何か』，中央公論社，1990年，第223、224頁。

日本儒学是东亚儒学的一个分支，它所使用的概念、范畴以及所讨论的问题和遵奉的经典，与中国、朝鲜、越南的儒学具有共通性。但是，由于日本的社会结构和历史、文化风土又不同于上述东亚各国，日本儒学必然也会发生适应日本的变形，于是便产生了它的特殊性。拙著《中日儒学之比较》(六兴出版社，1988 年)曾指出日本儒学的特色是：疏于抽象的形而上学本体论思考；更为重视主观的心情；注重事实、现象、经验和实证；其伦现观富于情感色彩更重实行；与固有的神道思想长期共存与融合等。因而，对日本儒学与现代化进程关系的思考，绝不可套用有关儒学与现代化关系的现成结论。如二、三、四章所述，正是由于日本儒学独具特色，才促使日本朱子学、阳明学、古学产生了科学的实证主义与近代性的人文主义、经济合理主义与变革思想。这样的事实说明，儒学与近代思想在具有非连续性之外也存在着内部的连续性。整个明治维新运动是在“尊王攘夷”的口号下进行的。“尊王攘夷”来自儒学，从表面上看就具有封建性、保守性。但在江户时代，幕府将军的最高权力与天皇的最高权威二者并存，“尊王攘夷”的提倡实际上是为了打倒幕府权力而建立天皇制的统一国家，亦具有抵抗欧美列强侵略的意义。总之，我们在考察任何历史问题时都不能满足于一般的理论推断，不可脱离具体的历史环境。正是由于日本儒学的特殊性和日本现代化历史环境的特定条件，才使日本儒学滋生出近代性因素，儒学的某个流派或某种思想才有可能发挥推动现代化进程的积极作用。

在中国流行着一种观点，认为传统文化(或儒家思想)是一个有机联系的整体，只要这个整体系统不发生根本变化，在现代化进程中也就只能发挥消极反动的作用，所以不能讲“批判的继承”。

文化的现代化意味着完全抛弃以内倾的、重直觉、重人文、只求伦常日用为特征的传统文化体系，而培养以外倾的、动的、重逻辑、重科技、重理论，以“科学理性精神”为整体特征的现代文化系统(实质上是西方文化系统)。① 这种“全面西化”论的文化有机体说，完全否认传统文化(或

① 《文化：中国与世界》第 1 辑，三联书店，1987 年，第 3—35 页。

儒学)于现代化进程中,在功能方面有任何积极的侧面。然而值得注意的是,不赞同上述“全面西化”论的一些当代新儒家的学者,在对儒家思想进行评价时,也主张应从理想的坐标系统出发,而不大重视功能的坐标系统。而笔者则主张哲学的方法与历史的方法相结合,应把功能的评价也纳入考察的范围。

对于现代化进程中传统文化(或儒学思想)功能的考察,能够证明任何文化、思想体系都是可以解析的,传统的文化、思想体系的某些因子在解构而重组入现代体系后有可能发挥新的功能。此外,通过这种功能的考察可以判定:如何对传统的文化、思想体系进行解构;哪些因子可以被重组入现代文化、思想体系;在重组时,对这些因子经过怎样的曲折变形或现代诠释才可能融入现代文化、思想体系,并发挥有利于现代化进程的积极功能。只有这样,才可以使我们所主张的传统文化与思想的创造性转化不只是玄妙的议论,而通过解明优秀传统与现代相融合的具体机制,使其具有一定程度的可操作性。

从社会功能的角度考察,儒家思想确实有阻碍现代化发展和不适应现代生活的一面。例如,本书中已多次论及,由于儒家思想首先关注的是人的道德自我完善,是内求的,对于外在自然界只满足于日常经验性的整体把握和“天人合一”的追求,并不重视对外在世界进行系统的了解和理性的解释,抽象化、理论化、逻辑化也不是儒家思想的特色。因而在东亚各国虽有实用技术的发达,却无西方式“为真理而真理”“为知识而知识”的科学的产生与发展。以致东亚各国在相当长的历史时期里,在科学和工业化方面落后于西方。所以东亚各国的现代化,必须学习西方的科技。此外,儒家思想虽承认人是具有“仁心”即价值自觉能力的个人,但在儒家以“礼”为核心的社会结构中,又强调人伦关系(如“五伦”)中的等差性、下对上的义务观念和人际关系的“均”与“和”,缺少争取个人权利的意识和有关个人权利的规定,并且视政治为伦理的延长,亦没有给予法律以崇高的地位。因而东亚各国都未发展出近代的民主制度和法制。欲实行现代化,必须改变重人治而轻法制,顺从权威而无民主制度的传统，吸收西方人发展近代民主与法制的经验。再者，儒家凸显道德价值而轻视功利动机，亦不利于资本主义的发展，使其缺乏内在驱力，尤其是儒家的政治化更是恶果丛生。但是，未能产生出近代科学、民主和法治，并不意味着不能接受与涵融它们。

如本书第六章至第八章所述，日本近代的思想家在理解、接受、解释西方近代思想时，以儒家思想的一些概念、范畴与思想作为媒介、桥梁和支援意识，还可能通过批判性的转化融入其中，成为科学与民主思想（或制度）的构成因子。例如，日本的启蒙思想家便是以"天""实学""理学"等概念与范畴为媒介来接受西方近代的"天赋人权"思想、科学技术和哲学的。日本的自由民权思想家，是以儒家的"民本"思想为桥梁，在批判了封建专制主义并将"民本"思想解构之后，又吸收了西方近代有关人民权利的规定，将其重组为具有东方色彩的民主主义思想。在日本资本主义经济发展过程中，涩泽荣一对《论语》的义利观进行再诠释，为日本资本主义的生成和顺利发展提供了道德支柱。面对现代化带来的诸多问题，中江兆民、植木枝盛、河上肇等人，以儒家的社会批判精神，呼唤人的"心神的自由"，欲追求一种"宗教的真理"和"人生的真意义"，这显然是以儒家的心性论为支援意识的。还有些以"志士仁人"而自任的社会批判家（如幸德秋水、堺利彦、河上肇等）正是以"志于道"而不"枉道从势"的儒家精神为动力，力求建立超越资本主义的新文明而走上了社会主义之路。这些贤哲与"志士仁人"试图运用传统的精神资源，为解决现代化的弊病所进行的努力，从哲学层面上看，虽不能说完满圆熟，但也显示了儒家精神资源的现代性转化，不能是直贯的，要经过一些曲折，即必须在对儒家思想进行了全面性的省察与批判之后，通过解构、再释以及与现代思想的重组和融入，才能适应现代生活而葆其生命力。

至于已积淀为日本人的思维方式、行为方式、情感方式和生活方式而构成日本人民族性的传统精神要素，对其社会功能更不能简单地进行优劣价值判断。例如，日本人对团体的"忠诚"意识和重视团体内人际关系的和谐，作为日本人的民族性，既可能是弱点，又可能是长处。凡此种种,皆可以证明,即使从功能坐标系统来考察,儒教思想也是具有既阻碍又促进现代化进程的二重性的。那种认为儒家思想在现代化过程中,只能发挥“消极反动作用”的观点,恐难立足。

综上所述,日本的现代化具有二重性,日本的儒学也具有二重性。日本现代化的消极面与日本儒学的消极面不无关联。但是,日本儒学的积极面对形成日本现代化的积极面也有贡献,而且它或许有助于解决日本现代化所面临的困境。

后　记

现在终于完成了该书的写作，在写作过程中经历的种种皆浮现于眼前。

我的《中日儒学之比较》(六兴出版社，1988 年 6 月)出版后，源了圆先生(时任国际基督教大学教授、现东北大学名誉教授)发表了名为《以中国视角如何捕捉日本儒学》的书评(《朝日新闻》，1988 年 8 月 5 日)。他在书评中给出了如下建议："第九章在历史研究上还存在着大问题。即使在日本，这一部分的研究进展也是比较迟缓的，但作者仅从儒教与国家主义、军国主义的结合方面来考察，未免视野受限。涩泽荣一的儒教与资本主义的结合，中江兆民利用儒教的可能性，儒学在幸德秋水与堺枯川等社会主义者的思想中所起的作用，民众的儒教心民族精神的思想渗透问题等，或可从以上角度以更广阔的视野进行考察。"源了圆先生的建议，凸显了拙著的弱点所在，使我在感到"原来如此"的同时，决心"将来进行这方面的研究"。源了圆先生是我在东北大学留学期间的指导教授(1983 年 4 月—1984 年 3 月)，至今仍关注着我作为一名研究者的成长。对于我来说，源了圆先生的建议是一份作业，是着手进行"儒学思想与日本的现代"课题研究的一个契机。

借本书出版之际，我想要对源了圆先生致以谢意，同时也请源了圆以及学界的诸位先生为这份作业进行点评打分。我如同考生一样，怀着既不安又期待又好奇的难以表述的心情等待着各位先生的点评。

在进行本课题的研究与写作过程中，我有幸获得三次留学研究的机会。

1990 年 8 月至 1991 年 8 月，我作为交换研究员赴早稻田大学进行“日本启蒙学者与儒学思想”的相关研究。期间参加了协助教授鹿野政直先生的讨论课，此外还受到鹿野政直先生及其夫人（堀场清子，著名的诗人）许多的指点与关怀，尤其在日本近代思想研究方面开蒙启智，对此要向两位先生表示深深的感谢。回国后鹿野政直先生曾多次赠与其著作，并不断鼓励我进行研究，先生的引导对我来说如丰厚的礼物。同学校的依田熹家教授、安在邦夫教授（现第二文学部长）、由井正臣教授、河原宏教授、山冈道男教授在此期间都对我关照倍加，在此对他们致以谢意。这一年间，我还参加了东京大学中国哲学研究室沟口雄三教授（现大东文化大学教授）的讨论课，骏河台大学松本三之介教授的讨论课，东京大学社会科学研究所平石直昭教授组织的日本思想研究会，参与了大阪大学子安宣邦教授（现东京家政学院筑波女子大学教授）主持的“十九世纪近代化进程中日本与德国的关系”的国际共同研究，研究报告得到了很多先生的教导，由此感受到了知识的刺激。在此向以上所述诸位先生表示感谢。

1994 年 6 月至 1995 年 6 月，我受到日本文部省国际日本文化研究中心的中西进教授（现大阪女子大学校长）推荐，作为客座教授在该中心度过了为期一年的研究生活。期间受惠于极其优良的研究条件，得以参加许多一流学者主持的研究会，研究视野的巨大开拓使我的研究获得了大幅进步。在此向付出推荐之劳的中西进先生，以及在此期间给予我亲切关照的该中心的芳贺彻教授、伊东俊太郎（现丽泽大学教授）、笠谷和比古、上垣外宪一（现帝塚山学院大学教授）等诸位先生表示感谢。

1997 年 9 月 10 日至 1998 年 1 月 9 日，我作为交换研究员赴立教大学进行“堺利彦的思想历程与儒学”的相关研究。此后又作为日本国际交流基金的研究员赴早稻田大学进行了为期三个月的同课题研究。在此期间受到了协助教授立教大学的粟屋宪太郎教授以及早稻田大学的鹿野政直教授的精心指导与亲切关照，并通过两位先生引荐，得以参加明治大学山泉进教授主持的初期社会主义研究会的月例讨论会，从研究会的诸位先生处获得了许多有益的建议。在此向各位表示感谢。

在本书写作过程中，京都市民冈松庆久先生赠与我许多如《日本思想大系》《日本近代思想大系》等相关的资料，在此表示感谢。

本课题的研究，得到了日本国际交流基金 1997 年度、1998 年度的研究资助金，这笔资助金使我在中国国内能够顺利开展研究并进行写作。在此要向日本国际交流基金及该基金北京事务所的诸位表示感谢。

除此之外，东京大学的渡边浩教授、黑住真助教授、伊东贵之助教，川村学园女子大学的尾藤正英教授，国际基督教大学的小岛康敬教授，东海大学的田尻祐一郎教授，东京学芸大学的西村俊一教授，法政大学的松尾章一教授，名古屋经济大学的铃木正副校长，京都大学的朝尾直弘教授、辻本雅史教授，立命馆大学的末川清教授、桂岛宣弘教授，大阪大学的广田昌希教授、加地伸行教授，敬和学院大学的田原嗣郎教授，东北大学的玉悬博之教授，兵库教育大学的古川治教授，冈山大学的高桥文博教授，广岛大学的吉田公平教授，香川大学的村濑裕也教授，关西大学的陶德民副教授，山形县立米泽女子大学的荻生茂博副教授，筑波大学的佐藤贡悦副教授，在研究、资料及其他方面都给予我许多帮助，在此向各位先生表示感谢。

本书的出版，尤其要感谢农文协的专务理事坂本尚先生与常务理事原田津先生的支持。承蒙两位先生的信赖与好意，该书才能顺利地写作并最终出版。

最后必须要感谢农文协出版中心的泉博幸先生。先生一直以来对我非常关照并一直关注、协助我进行写作，而且对本书的日文原稿进行了许多恰到好处的修正，因此其实际的编辑任务非常繁重，真的非常感谢！

王家骅

1998 年 6 月于南开大学

历史研究所

王家骅先生年谱简编[①]

刘岳兵　编

1941 年 6 月 21 日，出生于天津市（祖籍河北东光县）。

1957 年，天津市平山道中学（现在的“实验中学”）读高中。

1959 年，高中毕业后，因故不能参加高考，任天津小站中学教师。

1963 年，考入南开大学历史系。

1968 年 7 月 1 日，与魏健结婚。12 月，毕业于南开大学历史系。毕业后，到河北省青县农场工作。

1971 年 4 月 30 日，女儿王玮出生。

1971 年 7 月，任青县流河中学教师。

1974 年 8 月，以研究日本儒学的处女作《德川幕府为何以朱子学为官学》一文求教于吴廷璆先生，得到吴先生的教导和鼓励，从此决心以日本儒学史作为研究对象。

1978 年 4 月，调入南开大学，任历史研究所日本史研究室助教。

① 根据南开大学日本研究院 2014 年编印的《南开日研五十年（1964－2014）》等各种资料编辑而成。王家骅先生还曾任北京大学比较文学与比较文化研究所兼职教授、北京外国语大学北京日本学研究中心客座教授、中国社会科学院东方文化研究中心特约研究员、中国日本史学会思想史·文化史专业委员会会长、中日比较文化学会副会长等职，以上学术兼职，由于具体时间尚未考证清楚，故未列入正文。其论著详细情况，请参见《王家骅先生主要著述目录》。

1982年10月,任南开大学历史研究所日本史研究室讲师。

1983年4月至1984年3月,任日本东北大学日本文化研究机构源了圆教授研究室客座研究员。

1988年5月,日文著作『日中儒学の比較』在东京由六兴出版社出版。

1988年6月,任南开大学历史研究所日本史研究室副教授。

1988年7月,沟口雄三教授在『週刊文春』发表「日本における儒教の受容と変容:王家驊『日中儒学の比較』」。

1988年8月5日,源了圆教授在『朝日ジャーナル』(增大号)发表「日本の儒学を中国の目がどう捉えたか:王家驊『日中儒学の比較』」。

1988年11月,东京东方书店的『東方』发表加藤实教授的书评「日中儒学史を鮮やかに描き出した好著」。

1990年3月,著作《儒家思想与日本文化》由浙江人民出版社出版。

1990年6月,日本青年学者伊东贵之在日本的历史学研究会所属的『歴史学研究』为《中日儒学之比较》发表书评。

1990年8月至1991年7月,任日本早稻田大学文学部鹿野政直教授研究室交换研究员。

1991年,日文著作『日中儒学の比較』获得第四届天津社科优秀成果奖二等奖。

1993年12月,任南开大学历史研究所日本史研究室教授。主持国家社科基金项目"日本的传统文化与外来文化"。同年,指导的硕士研究生张建立入学(1996年毕业,硕士学位论文题目为《涩泽荣一的经济思想评述》);同年,协助吴廷璆先生指导的博士研究生韩立红入学(博士论文题目为《石田梅岩与陆象山思想比较研究》)。

1994年6月至1995年5月,任日本国际日本文化研究中心客座教授(合作者:中西进教授)。1994年,协助吴廷璆先生指导的博士研究生李卓、姜文清、赵德宇入学(博士论文题目分别为《家族制度与日本的近代化》《中日传统审美意识比较》《西方文化东来与中日两国的对应》)。

1995年5月，著作《儒家思想与日本的现代化》由浙江人民出版社出版。

1995年至1996年，任南开大学日本研究中心代理理事长、代主任。1995年，主持天津市社科基金项目“当代日本文化研究”。同年，著作《儒家思想与日本文化》获得首届中国高校人文社会科学研究优秀成果奖二等奖。同年，指导的硕士研究生郝祥满入学（1998年毕业，硕士学位论文题目为《周恩来与建国后的中日文化交流》）。同年，协助吴廷璆先生指导的博士研究生孙雪梅入学（博士论文题目为《清末民初中国的日本观——以直隶省为中心》）。

1997年9月至1997年12月，任日本立教大学文学部访问学者（接受者：粟屋宪太郎教授）。同年，受聘为博士生导师。指导的博士研究生聂长顺入学（博士论文题目为《“教育敕语”与儒学——日本教育近代化研究》）。

1998年1月至1998年4月，任早稻田大学文学院访问学者（接受者：鹿野政直教授）。指导的博士研究生郭丽、陈秀武入学（博士论文题目分别为《幕末日本的西洋观——以遣欧美使节为例》《大正时期政治思想与知识分子》）。

1998年8月，日文著作『日本の近代化と儒学』在东京由农山渔村文化协会出版。

1999年，指导的博士研究生冯良珍、祝淑春入学（博士论文题目分别为《〈古事记〉与日本文化》《明治教育思想研究》）。

2000年11月29日，病逝（指导的博士研究生由王振锁、李卓、杨栋梁教授协助，皆先后毕业）。

2014年12月，论文集《中日儒学：传统与现代》（李卓、刘岳兵、王玮编）由人民出版社出版。

2015年7月4日，南开大学日本研究院举办了“文明的话语与比较：以中日儒学为中心”学术讨论会暨王家骅先生文集《中日儒学：传统与现代》出版研讨会。

2016 年 9 月,《日本儒学与思想史研究——王家骅先生纪念专辑》(刘岳兵主编)由天津人民出版社出版。

王家骅先生主要著述目录[①]

著作

《日本明治维新》(合著),商务印书馆,1984 年。

《日本历史人物传(古代中世篇)》(合著),黑龙江人民出版社,1984 年。

『日中儒学の比較』,東京:六興出版,1988 年。

《儒家思想与日本文化》,浙江人民出版社,1990 年。

《儒家思想与日本的现代化》,浙江人民出版社,1995 年。

《比较文化:中国与日本》(合著),吉林大学出版社,1996 年。

《中日文化交流大系 3・思想卷》(合著),浙江人民出版社,1996 年。

『日本の近代化と儒学』,東京:農山漁村文化協会,1998 年。

《日本文明史》(合著),中国社会科学出版社,1999 年。

《中日儒学:传统与现代》(李卓、刘岳兵、王玮编),人民出版社,

① 根据王家骅先生自编著作目录修订整理而成。

2014 年。

译著

《日本外交史》(信夫清三郎著,上下册,合译),商务印书馆,1980 年。

《满洲事变》(关宽治、岛田俊彦著,合译),上海译文出版社,1983 年。

《中日文化比较论》(尾藤正英等著),浙江人民出版社,1992 年。

论文

《正确认识资产阶级两面性》,《历史教学》1965 年第 9 期。

《明治维新研究评介》(上下,合著),《世界历史》1979 年第 5、6 期。

《日本发现五世纪的铁剑铭文》,《历史研究》1979 年第 8 期。

《美国的日本史研究》,《世界史研究动态》1979 年第 9 期。

《浅谈明治时期日本农业稳定发展的经验》(合著),《南开史学》,1980 年创刊号。

《幕末日本人西洋观的变迁》,《历史研究》1980 年第 6 期。

《鸟羽·伏见之战》,《历史教学》1982 年第 3 期。

《半欧洲半亚细亚型的日本晚期封建社会》,《世界历史》1982 年第 6 期。

《试论近代中国与日本走上不同道路的历史原因》,中国日本史学会编:《中国日本史学会第二届学术讨论会日本史论文集》,辽宁人民出版社,1985 年。

《简论丰臣秀吉侵朝战争的原因》,《日本研究》1985 年第 3 期。

《试论儒家思想对日本〈古事记〉的影响》,《南开学报》1986 年第 2 期。

《日本儒学的特色与日本文化》,《日本问题》1988 年第 2 期。

《试论丰臣秀吉的历史功绩》,中国日本史学会编:《日本历史风云人物评传》,天津人民出版社,1988 年 11 月。

《论日本后期水户学派的尊王攘夷思想》,张友伦、米庆余编:《日美问题论丛》,天津教育出版社,1989 年 2 月。

《从"王土"思想的发展看大化改新诏书的可靠性》,《日本学》(北京大学)1989 年第 1 期。

《儒学在日本异于在中国之表现》,《南开学报》1989 年第 4 期。

《日本的早期儒学及其特征》,《日本研究》1989 年第 4 期。

《儒学与日本的现代化》,《日本问题》1989 年第 4 期。

《儒家的文学观与日本古代文学》,《日本问题》1990 年第 5 期。

《儒家思想与日本江户时代的法律》,《日本问题研究》1990 年第 3 期。

《儒家思想与日本古代的法律》,《日本研究》1991 年第 1 期。

「即位の礼と大嘗祭」,(日)『歴史学研究』1991 年第 7 期。

「日本儒学の特質」,"依田憙家教授還暦記念論文集"編集委員会編『日中両国の伝統と近代化 : 依田憙家教授還暦記念』,东京:竜渓書舎,1992 年 4 月。

《儒家思想与古代日本人的"孝"道》,《日本学刊》1992 年第 2 期。

《鹿野政直及其日本思想史研究》,《日本学刊》1992 年第 3 期。

「中国における日本思想史研究の現状と問題意識」,(日)『中国—社会と文化』第 7 号,1992 年 6 月。

《中日儒学史上"诚"范畴之比较》,《南开学报》1992 年第 6 期。

《安藤益昌与儒学》,《日本研究》,1992 年第 4 期;(日)『安藤益昌:日本・中国共同研究』,農山漁村文化協会,1993 年 10 月。

《文化与发展》,叶坦、赵光远主编:《文明的运势》,人民出版社,1992 年 3 月。

《西周的启蒙思想与儒学》,《日本学研究》1992 年第 2 辑。

《关于"诚"中心的儒学》,《日本学研究》1992 年第 2 辑。

「「誠」中心の儒学について——中・日儒学の比較」,『立命館大学人文科学研究所紀要』(日本思想とドイツ学受容の研究),通号 59,1993 年 10 月。

《论福泽谕吉对儒学的批判与继承——兼评汉译〈劝学篇〉和〈文明论概略〉》,《世界历史》1992 年第 4 期。

《简论西周对“理学”的改造》,《东方哲学研究》1993 年号。

《儒家思想与日本的现代化》,《日本学研究》1993 年第 3 辑。

《幸德秋水的早期社会主义思想与儒学》,《日本研究》1993 年第 3 期。

《堺利彦的早期社会主义思想与儒学》,《中日关系史研究》1993 年第 3 期。

《涩泽荣一的“论语算盘说”与日本式资本主义精神》,《中国社会科学研究》(香港),1993 年第 3 期;(日)『渋沢研究』第七号,1994 年 10 月。

「户口本・族譜・女性の氏名」,(日)『いしゆたる』No. 14(特集　中国と結ぶ),堀場清子編集発行,1993 年 4 月。

《中日传统文化比较的哲学思考——评李甦平〈圣人与武士〉》,《哲学研究》1993 年第 4 期。

《中江兆民的自由民权思想和儒学》,《世界历史》1994 年第 1 期。

《河上肇的思想历程与儒学》(合著),《日本研究》1994 年第 4 期。

《日本人的思维方式与儒学》(合著),《日本学刊》1994 年第 4 期。

《儒学思想与现代生活》,(韩国)《日本学》第 13 辑,1994 年 8 月。

「中国「新儒家」と「日本精神」論——十五年戦争時期における中・日両国の儒学研究の比較」,(日)『日文研』第 13 号,1995 年 7 月。

《试评中村正直的“敬天爱人”说》(合著),《走向国际化的日本》,天津人民出版社,1995 年 3 月。

《中国的中日思想交流史研究》,严绍璗、源了圆主编:《中日文化交流大系 第三卷・思想》,浙江人民出版社,1996 年 12 月。(该书日文版,大修馆书店,1995 年 10 月。)

《古代日本的儒学》,同上。

《植木枝盛的自由民权思想与儒学》,《历史研究》1996 年第 3 期。

《儒学思想作用的再评价》,(日)《人民中国》1996 年第 10 期。

《日本的儒学、现代化与 21 世纪》,《亚文》第 1 期,1997 年。

《十五年战争时期中日两国儒学研究比较》(日文),《日本学研究》第 5 辑,1997 年 2 月。

《关于日本传统文化与现代化研究综述》,《世界史研究年刊》第 2 辑,1997 年。

《“孝”道在日本》,《今晚报》1997 年 9 月 15 日。

《论植木枝盛的自由民权思想与儒学的关系》,《日本学研究》第 6 辑,1997 年 12 月。

《抗日战争时期中日两国儒学研究比较》,李卓、高宁主编:《日本文化研究——以中日比较文化为中心》,中国社会科学出版社,1998 年。

「西村茂樹の思想遍歴と儒学」,『日本思想の地平と水脈:河原宏教授古稀記念論文集』,東京:ぺりかん社,1998 年。

《儒学的修史观与日本古代的儒学》,《日本研究》1998 年第 3 期。

「儒学の生態環境思想及び其の現代意義」,(日)『東洋的環境思想の現代的意義:杭州大学国際シンポジウムの記録』,農山漁村文化協会,1999 年 3 月。

《遣唐使与早期日本儒学》,《南开大学历史研究所 20 周年纪念文集》,1999 年 6 月。

《日本儒学的政治化・社会化与现代化》,《日本传统文化与社会・经济发展》,北京大学出版社,2000 年 3 月。

《日本的自由民权思想与儒学》,黄俊杰主编:《儒家思想在现代东亚:日本篇》,台湾“中央研究院”中国文哲研究所,1999 年 7 月。

「植木枝盛の自由民権思想と儒学」,王清一編:『在日コリアン文化と日本の国際化 :より開かれた出会いを求めて』,京都:王利鎬日本学研究所出版,東京:新幹社,2005 年。

译文

《周恩来总理和我》(宇都宫德马),《外刊选译》1978 年第 1 期。

《日苏关于北方领土问题的主张与论战》,《日本北方领土问题》,上海人民出版社,1980 年 4 月。

《关于日本封建制产生的理论问题的意见》(中村明),《世界历史译丛》1980 年第 3 期。

《德川初期的日本对中国儒学的吸收》(源了圆),《世界史研究动态》1984 年第 6 期。

《论中日两国的现代化》(芝原拓自),《日本研究》1986 年第 3 期。

《关于日本的"实学"》(源了圆),《哲学译丛》1988 年第 3 期。

《横井小楠的"三代之学"》(源了圆),《哲学研究》1990 年增刊。

本书编译说明

这本《日本儒学史论》由王家骅先生的两本日文著作《日中儒学の比較》(東京:六興出版,1988年)和《日本の近代化と儒学》(東京:農山漁村文化協会,1998年)的中译本构成。这种做法和这个书名,虽然经过了很久的酝酿和多方的探讨,但不知道王家骅先生是否满意。

中译本《中日儒学之比较》和《日本现代化与儒学》的译者王起(上篇·篇首至第六章)、秦莲星(上篇·第七章至篇尾)和万丽莉(下篇·篇首至第五章)、费清波(下篇·第六章至篇尾),都是日本研究院的在读博士研究生。以这种方式传递学术薪火,我们认为也是一种很好的形式。

本书的出版,得到了王家骅先生家属及农山渔村文化协会的大力支持,在此深表感谢!

百年南开日本研究文库编委会

2018年3月6日